OSCAR
FANTASTICA

di George R.R. Martin negi Oscar

L'arguzia e la saggezza di Tyrion Lannister
I Canti del Sogno (volume primo)
I Canti del Sogno (volume secondo)
Il cavaliere dei Sette Regni
Il Drago di Ghiaccio
La principessa e la regina (con Gardner Dozois)
Il Pianeta dei Venti (con Lisa Tuttle)
I re di sabbia
Le torri di cenere
Il viaggio di Tuf

LE CRONACHE DEL GHIACCIO E DEL FUOCO

Libro primo - *Il Trono di Spade e Il Grande Inverno*
Libro secondo - *Il Regno dei Lupi e La Regina dei Draghi*
Libro terzo - *Tempesta di spade, I fiumi della guerra e Il Portale delle Tenebre*
Libro quarto - *Il Dominio della Regina e L'ombra della profezia*
Libro quinto - *I guerrieri del ghiaccio, I fuochi di Valyria e La Danza dei Draghi*

WILD CARDS

1. L'origine - 2. L'invasione - 3. L'assalto - 4. La missione
5. Nei bassifondi - 6. Il candidato - 7. La mano del morto
8. Il fante con un occhio solo - 9. Il Castello di Cristallo

GEORGE RAYMOND RICHARD MARTIN (Bayonne, New Jersey, 1948) è l'autore delle celebri "Cronache del Ghiaccio e del Fuoco" che hanno ispirato tra l'altro la serie televisiva della HBO *Il Trono di Spade*, vincitrice di ben ventisei Primetime Emmy Awards. Ha scritto anche molte altre opere, tradotte in decine di Paesi, soprattutto romanzi e racconti di fantascienza, horror e fantasy, che gli sono valsi i più importanti premi letterari per questi generi: cinque Hugo, due Nebula, un World Fantasy, undici Locus e numerosi altri. Sceneggiatore per il cinema e la televisione, nel 2011 la rivista «Time» l'ha selezionato tra le cento persone più influenti del pianeta.

GEORGE R.R.
MARTIN

IL TRONO DI SPADE

IL TRONO DI SPADE

Traduzione di Sergio Altieri

Titolo originale dell'opera: *A Game of Thrones - Book One of a Song of Ice and Fire*

I edizione Omnibus settembre 1999
I edizione Oscar bestsellers giugno 2001
I edizione Oscar fantastica marzo 2016

ISBN 978-88-04-66213-6

Questo volume è stato stampato
presso ELCOGRAF S.p.A.
Stabilimento di Cles (TN)
Stampato in Italia. Printed in Italy

Anno 2017 - Ristampa 5 6 7

Stemmi araldici di Virginia Norey

librimondadori.it
anobii.com

Il Trono di Spade

Questo libro è per Melinda

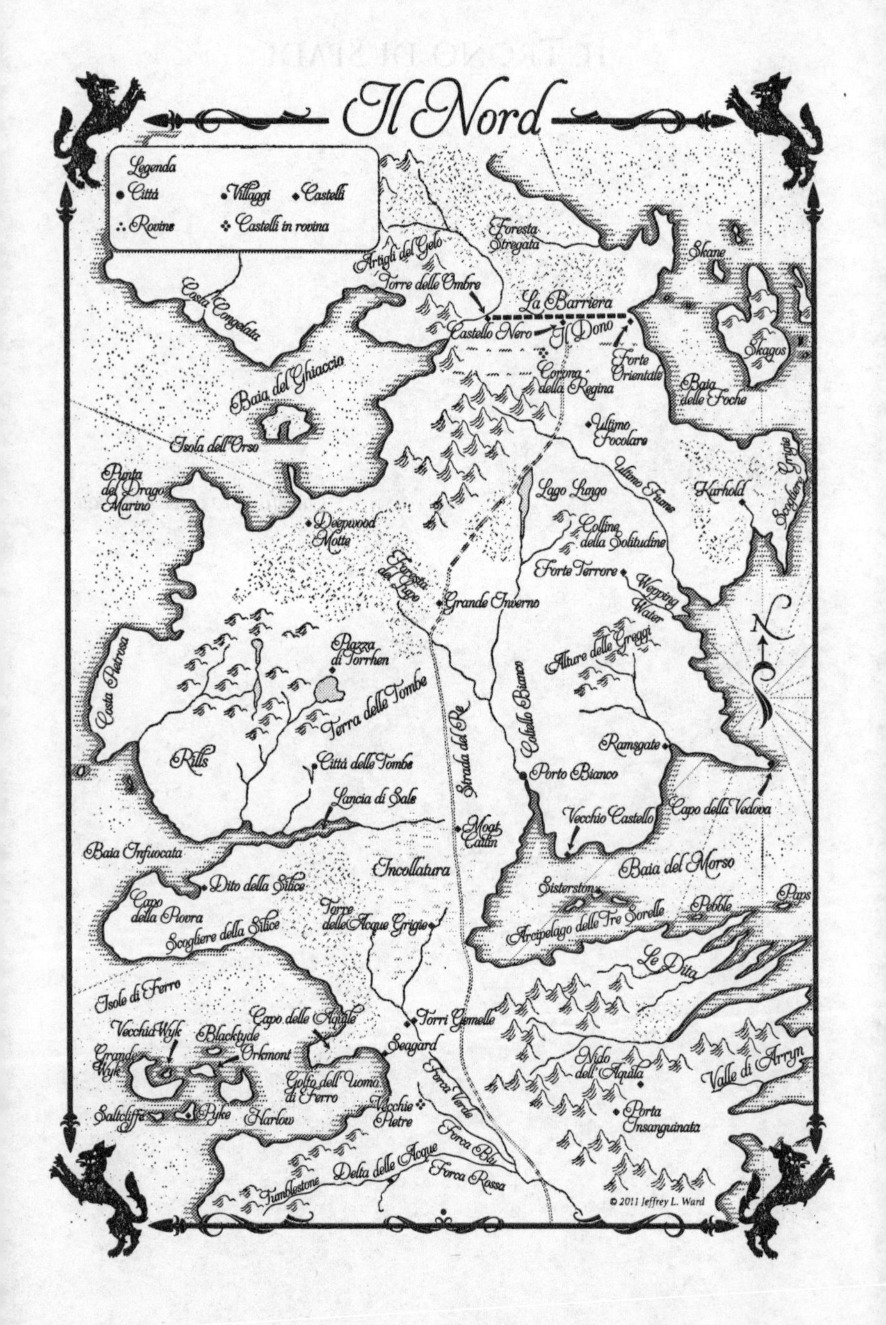
Il Nord
Legenda
Città
Villaggi
Castelli
Rovine
Castelli in rovina
Foresta Stregata
Artigli del Gelo
Torre delle Ombre
La Barriera
Castello Nero
Il Dono
Forte Orientale
Corona della Regina
Skane
Skagos
Baia delle Foche
Costa Congelata
Baia del Ghiaccio
Isola dell'Orso
Ultimo Focolare
Ultimo Fiume
Punta del Drago Marino
Lago Lungo
Karhold
Scogliere Grigie
Deepwood Motte
Colline della Solitudine
Foresta del Lupo
Forte Terrore
Weeping Water
Grande Inverno
Alture delle Greggi
Piazza di Torrhen
Costa Pietrosa
Terra delle Tombe
Coltello Bianco
Strada del Re
Ramsgate
Rills
Città delle Tombe
Porto Bianco
Lancia di Sale
Capo della Vedova
Vecchio Castello
Moat Cailin
Baia Infuocata
Baia del Morso
Incollatura
Dito della Selce
Sisterston
Capo della Piovra
Pebble
Paps
Torre delle Acque Grigie
Arcipelago delle Tre Sorelle
Scogliere della Selce
Le Dita
Isole di Ferro
Capo delle Aquile
Torri Gemelle
Vecchia Wyk
Blacktyde
Orkmont
Seagard
Grande Wyk
Nido dell'Aquila
Valle di Arryn
Golfo dell'Uomo di Ferro
Saltcliffe
Pyke
Harlow
Vecchie Pietre
Forca Verde
Porta Insanguinata
Forca Blu
Delta delle Acque
Tumblestone
Forca Rossa
© 2011 Jeffrey L. Ward

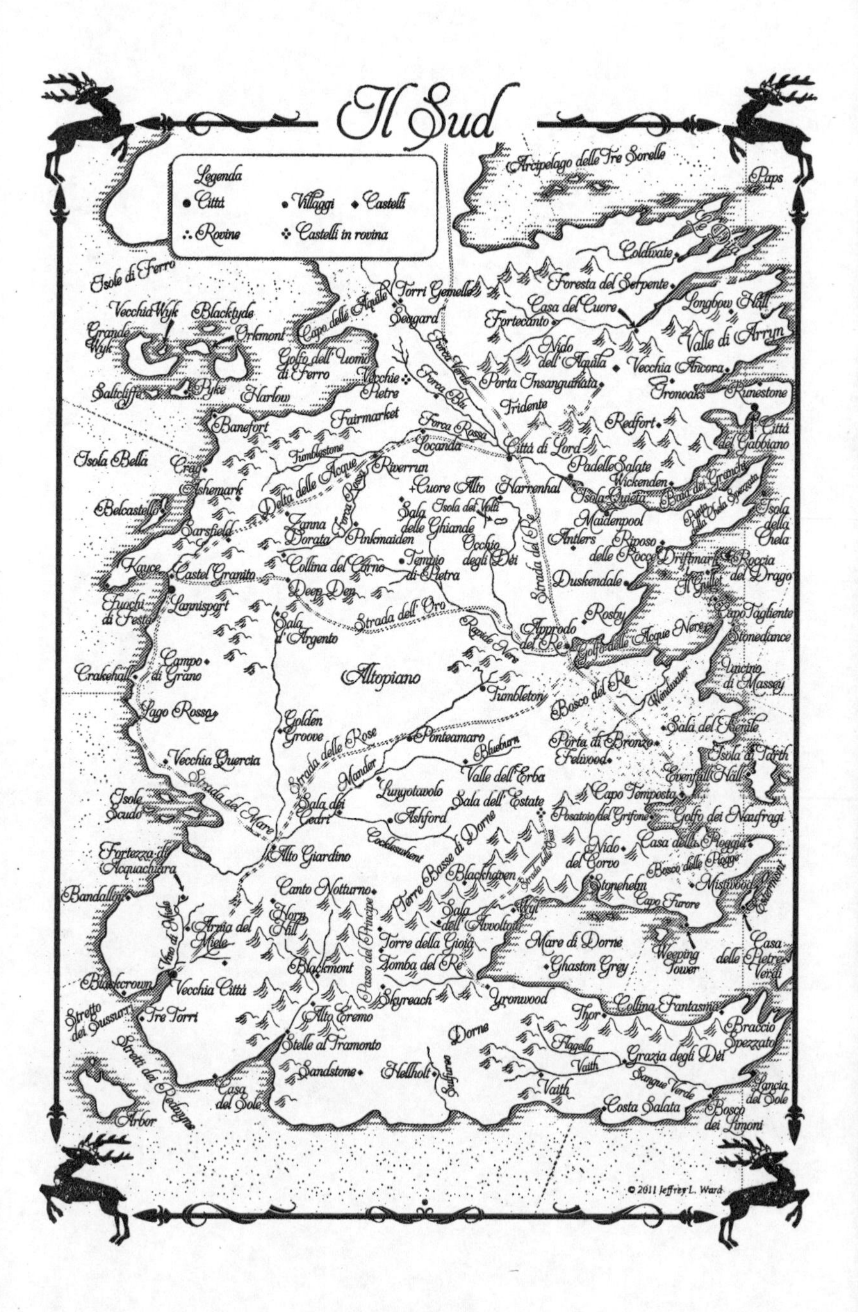

Il Sud
Legenda
Città
Villaggi
Castelli
Rovine
Castelli in rovina
Arcipelago delle Tre Sorelle
Paps
Coldwate
Isole di Ferro
Torri Gemelle
Foresta del Serpente
Casa del Cuore
Longbow Hall
Vecchia Wyk
Blacktyde
Capo delle Aquile
Seagard
Fortecanto
Grande Wyk
Orkmont
Valle di Arryn
Nido dell'Aquila
Vecchia Ancora
Golfo dell'Uomo di Ferro
Vecchie Pietre
Forca Verde
Forca Blu
Porta Insanguinata
Gronoaks
Runestone
Saltcliffe
Pyke
Harlow
Tridente
Banefort
Fairmarket
Forca Rossa
Redfort
Città del Gabbiano
Locanda
Città di Lord
Isola Bella
Crag
Tumblestone
Riverrun
Padelle Salate
Wickenden
Ashemark
Delta delle Acque
Cuore Alto
Harrenhal
Baia dei Granchi
Belcastello
Isola dei Volti
Isola Quieta
Punta della Chela Spezzata
Isola della Chela
Zanna Dorata
Sala delle Ghiande
Maidenpool
Sarsfield
Pinkmaiden
Occhio degli Dèi
Antlers
Riposo delle Rocce
Driftmark
Roccia del Drago
Kayce
Castel Granito
Collina del Corno
Tempio di Pietra
Strada del Re
Duskendale
Il Gullet
Fuochi di Festa
Lannisport
Deep Den
Rosby
Capo Tagliente
Sala d'Argento
Strada dell'Oro
Rapide Nere
Approdo del Re
Golfo delle Acque Nere
Stonedance
Campo di Grano
Crakehall
Altopiano
Uncino di Massey
Tumbleton
Bosco del Re
Wendwater
Lago Rosso
Golden Groove
Sala del Fienile
Porta di Bronzo
Felwood
Strada delle Rose
Ponteamaro
Blueburn
Isola di Tarth
Vecchia Quercia
Valle dell'Erba
Evenfall Hall
Mander
Lungotavolo
Capo Tempesta
Strada del Mare
Isole Scudo
Sala dei Cedri
Sala dell'Estate
Posatoio del Grifone
Golfo dei Naufragi
Ashford
Cockleswhent
Nido del Corvo
Casa della Pioggia
Fortezza di Acquachiara
Alto Giardino
Terre Basse di Dorne
Bosco delle Piogge
Blackhaven
Stonehelm
Mistwood
Bandallon
Canto Notturno
Capo Furore
Horn Hill
Sala dell'Avvoltoio
Wyl
Arnia del Miele
Vino di Miele
Passo del Principe
Torre della Gioia
Mare di Dorne
Casa delle Pietre Verdi
Weeping Tower
Tomba del Re
Ghaston Grey
Blackmont
Blackcrown
Vecchia Città
Skyreach
Yronwood
Collina Fantasma
Stretto dei Sussurri
Tre Torri
Alto Eremo
Thor
Braccio Spezzato
Dorne
Flagello
Stelle al Tramonto
Vaith
Grazia degli Dèi
Sangue Verde
Sandstone
Hellholt
Sulfureo
Pancia del Sole
Stretti dei Redwyne
Casa del Sole
Costa Salata
Bosco dei Limoni
Arbor
© 2011 Jeffrey L. Ward

PROLOGO

Le tenebre stavano avanzando.

«Meglio rientrare.» Gared osservò i boschi attorno a loro farsi più oscuri. «I bruti sono morti.»

«Da quando hai paura dei morti?» C'era l'accenno di un sorriso sul volto di ser Waymar Royce.

Gared non raccolse. Era un uomo in età, oltre i cinquanta, e di nobili ne aveva visti andare e venire molti. «Ciò che è morto resta morto» disse «e noi non dovremmo averci niente a che fare.»

«Che prova abbiamo che sono davvero morti?» chiese Royce a bassa voce.

«Will li ha visti. Come prova, a me basta.»

Will sapeva che prima o dopo l'avrebbero trascinato nella discussione. Aveva sperato che accadesse dopo, piuttosto che prima. «Mia madre diceva che i morti non parlano» s'intromise.

«Davvero, Will?» rispose Royce. «È la stessa cosa che mi diceva la mia balia. Mai credere a quello che si sente vicino alle tette di una donna. C'è sempre da imparare, perfino dai morti.»

La foresta piena d'ombre rimandò echi della voce di ser Waymar. Troppi echi, troppo forti e definiti.

«Ci aspetta una lunga cavalcata» insistette Gared. «Otto giorni, forse nove. E sta calando la notte.»

«Cala ogni giorno, quasi sempre a quest'ora.» Ser Waymar alzò uno sguardo privo d'interesse al cielo che imbruniva. «Qualche problema con il buio, Gared?»

Will vide le labbra di Gared stringersi e la rabbia repressa a stento invadere i suoi occhi, visibili sotto lo spesso cappuccio nero del mantello. Gared aveva passato quarant'anni nei guardiani della notte, la maggior parte della sua vita di ragazzo, tutta la sua vita di uomo, e non era abituato a essere preso con leggerezza. Ma questa volta nel vecchio guerriero c'era qualcosa di più dell'orgoglio ferito. Una tensione nervosa che arrivava pericolosamente vicino alla paura.

Will la percepiva, la sentiva. Forse perché lui stesso aveva paura.

Era di guarnigione sulla Barriera da quattro anni. La prima volta che l'avevano mandato sull'altro lato tutte le antiche, sinistre storie gli erano tornate alla mente come una valanga. Aveva sentito le viscere attorcigliarsi e il sangue andare in acqua. In seguito ne aveva riso. Era un veterano adesso, con centinaia di pattugliamenti alle spalle. Per lui, non c'erano più terrori in agguato nella sterminata estensione verde scuro che quelli del Sud chiamavano la Foresta Stregata.

O per lo meno, non c'erano stati terrori fino a quella notte. C'era qualcosa di diverso, quella notte, qualcosa che gli mandava brividi gelidi lungo la schiena: le tenebre, la loro densità. Erano fuori da nove giorni, e avevano cavalcato prima verso nord, poi verso nord-est, poi di nuovo verso nord, seguendo da vicino le tracce di una banda di bruti e allontanandosi sempre più dalla Barriera. Ogni giorno era stato peggiore del precedente.

E quel giorno era peggiore di tutti. Il vento gelido che soffiava da settentrione faceva oscillare e frusciare gli alberi della foresta come se fossero dotati di una loro vitalità interna. Per l'intera giornata Will non era stato in grado di scacciare la sensazione di essere osservato da occhi implacabili, paralizzanti, carichi d'odio. Anche Gared aveva avuto la stessa sensazione. E adesso Will aveva un'unica idea in mente: partire al galoppo sfrenato, tornare al più presto dietro la sicurezza della Barriera. Ma non era un'idea da condividere con il comandante.

Specialmente con un comandante come quello.

Ser Waymar Royce era il più giovane rampollo di un'antica casata con fin troppi eredi. Era bello: diciott'anni, occhi grigi, asciutto come la lama di un coltello. In sella al suo mastodontico destriero nero, torreggiava su Will e Gared, che montavano cavalli di taglia ben più piccola. Indossava stivali di cuoio nero, pantaloni di lana nera, guanti di camoscio nero, tunica nera, gilè di pelle nera, il tutto ricoperto da un ampio giaccone di lucida stoffa borchiata, nera anch'essa. Aveva prestato giuramento come confratello dei guardiani della notte solamente sei mesi prima, ma non si poteva certo dire che non si fosse preparato per la sua nuova vocazione e per i doveri che lo aspettavano. Per lo meno quanto all'abbigliamento. Il tocco finale, il mantello, era il degno coronamento dell'intero addobbo: pelliccia d'ermellino nero, spessa e soffice come un peccato di lussuria. «Deve averli fatti fuori tutti lui, quegli animaletti» aveva commentato acidamente Gared, mentre si faceva un bicchiere di vino quando ancora erano alla guarnigione. «Di persona, a uno a uno, con una bella tirata di collo, il nostro prode guerriero.» Gli altri guardiani seduti attorno al tavolo ci si erano fatti sopra una risata.

Non era facile prendere ordini da qualcuno oggetto di sghignazzate da osteria. Mentre tremava di freddo in sella al cavallo, Will non poté fare a meno di pensarci. L'opinione di Gared non doveva essere molto diversa.

«Il lord comandante Mormont ci aveva ordinato di trovare le loro tracce, e noi le abbiamo trovate» disse Gared. «Sono morti. Non ci daranno altri fastidi. Abbiamo un duro cammino di ritorno. Non mi va come si sta mettendo il tempo. Se comincia a nevicare, rientrare diventerà un'impresa. E la neve è ancora poca cosa. Ti sei mai trovato in una tempesta di ghiaccio, mio signore?»

Il giovane nobile parve non udirlo. Continuò a studiare le ombre incombenti con quel suo modo di fare a metà strada fra il distratto e l'annoiato. Will era uscito di pattuglia con ser Waymar abbastanza a lungo da aver capito che era meglio non disturbarlo quando faceva così.

«E sia, Will» decise il giovane. «Ripetimi quanto hai visto. Tutti i dettagli senza dimenticare niente.»

Prima di entrare nei guardiani della notte, Will era stato cacciatore. In realtà, bracconiere. Le guardie a cavallo di lord Jason Mallister l'avevano colto nei boschi padronali attorno a Seagard mentre, con le mani insanguinate, scuoiava un cerbiatto, anche quello di Mallister. La scelta era stata semplice: o indossare gli abiti neri dei guardiani o ritrovarsi con una mano mozzata. Nessuno era in grado di muoversi in silenzio nei boschi come lui, talento che la confraternita in nero non aveva tardato a scoprire.

«Il loro accampamento è due miglia più avanti» disse Will. «Oltre la cima di quella collina, vicino a un torrente. Mi sono avvicinato più che ho potuto. Erano in otto, tra uomini e donne. Niente bambini, o almeno io non ne ho visti. Avevano costruito un rifugio a ridosso delle rocce. La neve l'aveva ricoperto quasi tutto, ma era ancora distinguibile. Il fuoco non era acceso, i ceppi erano lì pronti, però. Nessun movimento. Sono rimasto a guardare per parecchio. Nessuno può giacere immobile nella neve così a lungo. Nessuno che sia ancora in vita.»

«Sangue ne hai visto?»

«Ecco... no» ammise Will.

«Armi?»

«Alcune spade, qualche arco. Uno degli uomini aveva un'ascia. Roba pesante, rozza, di ferro scuro. Era a terra accanto a lui, vicino alla sua mano destra.»

«Hai preso nota della posizione dei corpi?»

Will alzò le spalle. «Una coppia seduta presso una roccia, il resto a terra. Come se fossero morti.»

«Oppure addormentati» suggerì Royce.

«Morti» insistette Will. «Una delle donne era su un albero, parzialmente nascosta dai rami. Di guardia.» Ebbe un debole sorriso. «Sono stato bene attento a non farmi vedere.» Non riuscì a reprimere un tremito. «Nell'avvicinarmi, però, ho notato che nemmeno lei si muoveva.»

«Hai freddo?» chiese Royce.

«Un poco» mormorò Will. «È il vento, mio signore.»

Il giovane cavaliere, in sella al destriero nero che si agitava inquieto, si voltò verso il guerriero anziano della pattuglia. Alle loro spalle, le foglie irrigidite dal gelo continuavano a frusciare.

Ser Waymar chiese in tono colloquiale, sistemandosi l'ampia cappa d'ermellino: «Secondo te, Gared, che cosa ha ucciso quegli uomini?».

«Sarà stato il freddo.» La voce di Gared non era priva di una sfumatura ironica. «Un inverno, quando ero ragazzo, ho visto uomini congelati. E ne ho visti anche l'inverno precedente. Tutti parlano di manti di neve spessi quaranta piedi, del vento glaciale che soffia da nord, ma è il freddo il vero nemico. Ti scivola addosso più subdolo di Will. Cominci a tremare, a battere i denti, a pestare i piedi per terra, a sognare buon vino caldo speziato e falò che ardono. È il freddo che brucia. Nulla scotta come il freddo, ma non dura molto. Perché una volta che è dentro di te comincia a riempirti, finché non ti rimane più la forza per combatterlo. Ti siedi, ti addormenti. Molto più facile. Dicono che quando si avvicina la fine, non senti più niente, diventi debole, intontito, tutto comincia a svanire. Hai come l'impressione di sprofondare in un oceano di latte tiepido, pieno di una grande pace.»

«Quale eloquenza, Gared» rilevò ser Waymar. «Mai me la sarei aspettata da te.»

«Io l'ho avuto dentro di me il freddo, signore.» Gared abbassò lo spesso cappuccio del mantello scoprendo due moncherini deformi al posto delle orecchie. Ser Waymar non distolse lo sguardo. «Due orecchie, tre dita dei piedi, il mignolo della mano sinistra. E a me è andata bene. Mio fratello finì congelato durante il turno di guardia. Stava ancora sorridendo.»

Ser Waymar si strinse nelle spalle. «Dovresti andare in giro più coperto.»

Gared lo folgorò con lo sguardo. La rabbia trasformò le cicatrici attorno alle sue orecchie, là dove maestro Aemon era stato costretto a tagliare le parti congelate, in rossi sentieri di fiamma. «Vedremo quanto ti coprirai tu, signore, quando verrà l'inverno.» Gared s'incurvò nuovamente sulla sella, cupo e taciturno.

«Se Gared dice che il freddo...» cominciò Will.

«Hai fatto guardie la settimana scorsa, Will?»

«Sì, mio signore.» Non passava settimana senza che si ritrovasse in almeno una dozzina di maledetti turni. Cos'altro aveva in mente quello spocchioso damerino?

«E com'era la Barriera?»

«Umida.» Will corrugò la fronte. Ora intuiva dove voleva arrivare ser Waymar. «Quei bruti non potevano congelare. Non se la Barriera era umida. Non faceva abbastanza freddo.»

Royce annuì. «Proprio così. Abbiamo avuto alcune lievi gelate la settimana scorsa, più qualche spruzzata di neve qua e là. Ma certamente non un freddo tale da uccidere otto uomini adulti. Uomini vestiti di cuoio e pelli, i quali, lasciate che ve lo ricordi, avevano a disposizione un rifugio ed erano in grado di accendere fuochi.» Il giovane cavaliere ebbe un sorriso di superiorità. «Guidaci, Will. Voglio vedere io stesso quei corpi.»

Non c'era altro da fare se non obbedire. L'ordine era stato dato, e il giuramento li costringeva all'obbedienza.

Will passò in testa, il suo malridotto morello che avanzava cauto nel sottobosco. La notte prima era caduta altra neve e sotto l'ingannevole strato bianco c'erano pietre, radici, affossamenti, tutte insidie nascoste per chiunque non fosse stato sul chi vive. Ser Waymar veniva dietro di lui, le froge del grande destriero nero che si dilatavano con impazienza. Quel cavallo da guerra era inadatto alle esplorazioni nella foresta, ma chi avrebbe osato farglielo notare? Gared restò di retroguardia, mugugnando tra sé.

Il crepuscolo si fece più cupo. Il cielo privo di nubi assunse una sfumatura viola profondo, simile al colore di una vecchia contusione. Da quella tinta, scivolò nel nero. Le stelle fecero la loro comparsa. Sorse la mezzaluna. Will fu grato per quelle luci lontane.

«Possiamo andare più in fretta di così» disse ser Waymar quando la luna fu alta. «Ne sono certo.»

«Non con quel cavallo» ribatté Will. «A meno che, mio signore» la paura lo stava rendendo insolente «non voglia essere tu ad aprire la strada.»

Ser Waymar non si degnò di rispondere.

Da qualche parte, nel buio pesto della foresta, un lupo ululò.

Will fece fermare il cavallo vicino a un antico tronco contorto dal tempo e smontò.

«Perché ti fermi?» gli chiese ser Waymar.

«Meglio proseguire a piedi, mio signore. Il loro campo è appena dietro quella cresta.»

Royce si arrestò, pensieroso in volto, lo sguardo che esplorava lontano. Il vento freddo sussurrava tra gli alberi. La sua cappa d'ermellino si gonfiò come un'entità vivente.

«Qualcosa non va» disse Gared a voce bassissima.

«Davvero?» Il giovane cavaliere gli rivolse un sorriso beffardo.

«Non senti?» ribatté Gared. «Ascolta le tenebre.»

Will sentiva. Quattro anni nei guardiani della notte, eppure non aveva mai avuto tanta paura. Cosa c'era là intorno?

«Vento. Alberi che si scuotono. Un lupo. Quale di questi suoni ti turba, Gared?»

Il vecchio guerriero non rispose. Royce smontò con eleganza e legò le redini del destriero a un ramo basso, a debita distanza dagli altri cavalli, poi sfoderò la spada lunga. Le pietre preziose incastonate nell'elsa scintillarono. I raggi della luna scivolarono sull'acciaio della lama. Era una splendida arma, forgiata al castello della sua nobile famiglia e, a giudicare dall'aspetto, da poco tempo. Will aveva i suoi dubbi che fosse mai stata usata in combattimento.

«Gli alberi sono molto fitti» avvertì Will. «La spada potrebbe impacciarti i movimenti, mio signore. Meglio il pugnale.»

«Se e quando avrò bisogno di un consiglio, Will, sarò io a chiedertelo» ribatté il giovane. «Gared, tu rimani qui, di guardia ai cavalli.»

«Ci serve un fuoco.» Gared smontò a sua volta. «Penserò io ad accenderlo.»

«Che sciocchezze vai dicendo, vecchio? Se in questa foresta ci sono dei nemici, un fuoco è proprio l'ultima cosa che ci serve.»

«Esistono nemici che le fiamme terranno lontani.» Gared non mollò. «Orsi, meta-lupi e... e altre cose.»

Le labbra di ser Waymar divennero una fessura. «Niente fuoco» ordinò.

Il cappuccio teneva in ombra gli occhi di Gared, ma a Will non sfuggì il lampo di ostilità che scintillò in essi mentre il vecchio guerriero fissava il giovane. Per un attimo, arrivò a temere che Gared mettesse mano alla spada. Una spada poco elegante, brutta, con l'impugnatura sbiadita dal sudore e il taglio scheggiato da tanti duri scontri. Ma se Gared l'avesse effettivamente sfoderata, Will non avrebbe scommesso mezzo soldo bucato sul collo di ser Waymar.

Gared alla fine abbassò gli occhi. «Niente fuoco» si arrese a denti stretti.

Royce interpretò la risposta come sottomissione e gli voltò le spalle. «Va' avanti tu» ordinò a Will.

Will si fece strada nel fitto sottobosco e cominciò a risalire il pendio della bassa altura, tornando a dirigersi verso il punto d'osservazione che aveva trovato dietro un albero-sentinella. Sotto il fine manto di neve, il terreno era fangoso e molle, cosparso di radici affioranti e di pietre. Un terreno sul quale era fin troppo facile cadere. Will non faceva alcun rumore nel salire, ma dietro di sé continuava a udire i fruscii della foresta provocati dal passaggio del giovane nobile che lo seguiva, il debole tintinnare metallico del fodero della sua spada, imprecazioni soffocate ogni volta che gli aspri rami più bassi andavano a impigliarsi in quella lama troppo lucida, troppo lunga, e in quella splendida cappa d'ermellino.

Il grande albero-sentinella sorgeva quasi sulla sommità dell'altura, esattamente dove Will sapeva che sarebbe stato, con le ramificazioni inferiori a neppure un piede d'altezza dal suolo. Will strisciò sotto di esse, ventre nella neve e nel fango, osservando la radura sottostante, vuota.

Il suo cuore perse qualche battito. Per un lungo momento, non osò neppure respirare. Il chiarore della luna illuminava la radura, le ceneri del fuoco spento da tempo, il rifugio parzialmente coperto dalla neve, le rocce incombenti, lo stretto torrente semicongelato. Ogni cosa era come Will l'aveva vista qualche ora prima.

Solo che adesso erano svaniti tutti quanti. Nessuna traccia dei corpi.

«Dèi onnipotenti!» Qualcuno alle sue spalle. Una lama tagliò alcuni rami. Ser Waymar fu a sua volta sulla sommità della collina. Rimase immobile accanto all'albero-sentinella, la lunga spada in pugno, il manto d'ermellino che si gonfiava per un'improvvisa raffica di vento freddo. Era una sagoma nobile, quasi imponente, stagliata contro la luce delle stelle. Una sagoma ben visibile, mortalmente esposta.

«A terra!» La voce di Will era un sibilo. «Qualcosa non va!»

«Guarda laggiù, Will.» Royce non si mosse, limitandosi a osservare la radura deserta e lasciandosi sfuggire una risata. «I tuoi morti hanno deciso di spostare l'accampamento da qualche altra parte.»

Will sentì la voce che gli si strozzava in gola. Andò alla ricerca di parole che forse nemmeno esistevano. Non era possibile. I suoi occhi tornarono sull'accampamento abbandonato, avanti e indietro. Si fermarono sull'ascia. La colossale bipenne da combattimento giaceva ancora dove lui l'aveva vista, immota. Un'arma così poderosa...

«In piedi, Will» ordinò ser Waymar. «Non c'è nessuno, qui. E non voglio che tu ti nasconda dietro un cespuglio.»

Will obbedì con riluttanza.

Ser Waymar lo guardò dritto in faccia, senza nascondere la propria aperta disapprovazione. «Non ho alcuna intenzione di fare ritorno al Castello Nero portando con me un fallimento alla mia prima uscita di pattuglia. Noi troveremo questi uomini.» Gettò uno sguardo attorno. «Sull'albero. Forza, Will, sali. Cerca di individuare un altro fuoco.»

Will tornò a girarsi, senza parlare. Discutere non avrebbe avuto alcun senso. Il vento soffiava più forte, quasi a volerlo tagliare in due. Raggiunse l'albero-sentinella e cominciò ad arrampicarsi tra i rami di legno grigiastro. In breve, le sue mani furono viscide di resina. Venne inghiottito dal labirinto di snodi contorti, di aghi vegetali. La paura tornò a riempirgli le viscere come un pasto pesante da digerire. Sussurrò una preghiera agli dèi senza nome dei boschi. Estrasse il coltello dal fodero e serrò la lama tra i denti per avere entrambe le mani libere e continuare la scalata. In qualche modo, il sapore del metallo gelido riuscì a dargli conforto.

Sotto di lui, la voce del giovane esclamò: «Chi va là?». Una voce improvvisamente piena d'incertezza nel dare l'intimazione. Will interruppe la faticosa salita. Rimase immobile ad ascoltare, a osservare.

Fu la foresta a rispondere a ser Waymar: il fruscio del fogliame, il gorgogliare dell'acqua gelida del torrente, il richiamo lontano di un gufo.

Gli Estranei non emettevano alcun suono.

Will percepì un movimento con la coda dell'occhio. Pallide ombre nel bosco. Girò la testa e colse una sagoma bianca nelle tenebre. Svanì in un soffio.

I rami dell'albero-sentinella si agitarono nel vento, strisciando gli uni contro gli altri come dita scheletriche. Will aprì la bocca per lanciare un avvertimento, ma la voce gli si congelò in gola. Forse si era sbagliato. Forse era stato solamente un uccello notturno, un riflesso sulla neve, uno scherzo del chiaro di luna. In fondo, che cosa esattamente credeva di aver visto?

«Will, dove sei?» chiamò ser Waymar rivolto verso l'alto. «Riesci a vedere niente?»

Royce ruotava lentamente su se stesso, di colpo guardingo, la spada in pugno. Anche lui doveva averli sentiti, nello stesso modo in cui li aveva sentiti Will. Sentire, certo. Ma niente da vedere. «Will! Rispondi! Perché fa così freddo?»

Faceva freddo. Un freddo improvviso, innaturale. Tremando, Will si aggrappò con maggior forza alla biforcazione, la faccia premuta contro il tronco dell'albero-sentinella, il sentore dolciastro, appiccicoso della resina sulla guancia.

Dalle tenebre della foresta emerse un'ombra che andò a fermarsi di fronte a ser Waymar. Una sagoma alta, scavata, dura come vecchie ossa, la pelle livida che pareva d'alabastro. Ogni volta che si muoveva, la sua armatura sembrava cambiare colore: un momento appariva candida come neve appena caduta, il momento dopo era nera come una caverna. Il tutto andava a mescolarsi, a compenetrarsi con lo sfondo grigioverde degli alberi in un sinistro caleidoscopio che mutava a ogni passo, simile ai raggi della luna su acque agitate.

Will udì ser Royce esalare un lungo sibilo.

«Non avvicinarti oltre» intimò il giovane, la voce incrinata come quella di un ragazzino spaventato.

Si gettò dietro le spalle le falde della cappa d'ermellino liberando le braccia e preparandosi al duello, entrambe le mani strette attorno all'impugnatura della spada. Il vento aveva cessato di soffiare. L'aria era di ghiaccio.

L'Estraneo continuò ad avanzare senza rumore. Nella destra aveva una spada lunga, diversa da qualsiasi altra Will avesse mai visto. Nessun metallo noto all'uomo era stato usato per forgiare quella lama. No, nessun metallo, infatti: la lama era di cristallo. Pareva un'entità vivente, talmente sottile da svanire quando la si guardava di taglio. Emanava una luminescenza azzurra, un alone spettrale che si faceva indistinto ai bordi. E Will sapeva che quei bordi erano più affilati di quelli di qualsiasi rasoio.

«Vuoi danzare?» Ser Royce affrontò l'avversario con coraggio. «Allora danza con me.»

Sollevò la spada alta sopra la testa, pronto al duello. Le sue mani tremavano, forse per il peso dell'arma o forse per il freddo. Eppure, in quell'istante, Will non ebbe dubbi: ser Royce aveva cessato di essere un ragazzo ed era diventato un uomo, un vero guerriero dei guardiani della notte.

L'Estraneo si fermò. Will vide i suoi occhi. Erano azzurri, di un azzurro molto più profondo e intenso di qualsiasi occhio umano, un azzurro in grado di ustionare come il morso del ghiaccio. Quegli occhi si soffermarono sulla lama della spada levata, sui freddi riflessi che la luce della luna traeva dall'acciaio. Per un breve istante, Will osò dare spazio alla speranza.

Nuove ombre emersero dalle ombre. Prima due... poi tre... poi quattro... cinque... Ser Waymar doveva aver percepito il freddo che arrivò assieme a esse, ma non le vide, non le udì. Will avrebbe dovuto gridare l'allarme, avvertire il suo signore. Era quello il suo dovere, anche a costo della vita. Tremò, si afferrò al tronco dell'albero-sentinella. E rimase in silenzio.

La pallida spada di cristallo si mosse, fendendo l'aria della notte.

Ser Waymar la intercettò con la sua spada d'acciaio. Non ci fu alcun impatto di metalli quando le lame cozzarono, solo una vibrazione acutissima, simile al lamento d'agonia di chissà quale animale, appena percettibile da orecchio umano. Ser Waymar bloccò un secondo fendente, un terzo, poi arretrò di un passo. Un altro vortice di colpi lo costrinse ad arretrare ancora di più.

Alla sua destra, alla sua sinistra, dietro di lui, tutt'attorno a lui, le ombre continuavano a osservare. Ombre pazienti e silenziose, senza volto, quasi senza forma definibile nelle loro armature mimetiche, caleidoscopiche contro le più profonde ombre della foresta. Continuarono a osservare. Nessuna di esse dava il benché minimo cenno di voler interferire.

Le spade tornarono a incrociarsi, a cozzare l'una contro l'altra, un fendente dopo l'altro, un affondo dopo l'altro, una parata dopo l'altra, fino a quando Will non fu costretto a coprirsi le orecchie. Quel sibilo angosciante generato dall'urto delle lame: non voleva più sentire, non voleva più udire.

Il respiro di ser Waymar si fece pesante per la fatica. Il suo fiato condensava in ritmiche nuvole biancastre nel chiaro di luna. La sua lama era coperta di ghiaccio. Quella dell'Estraneo continuava a scintillare di una luminescenza azzurra.

E alla fine ser Waymar fu lento, troppo lento. La pallida lama di cristallo arrivò a mordere la cotta di maglia di ferro sotto il suo braccio. Il giovane urlò di dolore. Sangue gocciolò sugli snodi della maglia metallica, sangue che fumava nell'aria glaciale e sembrò fuoco liquido quando cadde nella neve. Ser Waymar tastò il punto in cui era stato colpito. Quando ritirò la mano, le dita del suo guanto di camoscio erano fradice.

L'Estraneo disse qualcosa in un linguaggio sconosciuto a Will, la voce che pareva lo spezzarsi della crosta di un lago congelato mentre pronunciava parole di ignota derisione.

Ser Waymar ritrovò il proprio furore. «Per re Robert!» gridò.

Andò all'attacco con un urlo rabbioso, la lunga spada incrostata di ghiaccio impugnata a due mani, un attacco trasversale carico di tutta la sua forza. La parata dell'Estraneo fu un movimento pigro, quasi annoiato.

All'impatto, l'acciaio della lama di ser Waymar andò in mille pezzi.

Una specie di urlo riverberò per la foresta. La miriade di frammenti metallici che erano stati una lama splendidamente forgiata volò a disperdersi chissà dove, come una manciata di inutili schegge. Royce cadde in ginocchio gridando, gli occhi coperti dalle mani. Altro sangue gli ruscellava tra le dita.

Le ombre avanzarono tutte assieme, come rispondendo a qualche segnale, e si chiusero su di lui. In un silenzio da incubo, le loro spade si sollevarono. Poi calarono e calarono e calarono. Nient'altro che un freddo mattatoio. Le pallide lame di cristallo fecero a brandelli la maglia di ferro come se fosse stata seta. Di nuovo, Will chiuse gli occhi. Sotto di sé continuò a udire parole incomprensibili e risate taglienti, acuminate come stalattiti.

Più tardi, molto più tardi, trovò la forza di guardare. La cima dell'altura era vuota.

Rimase nascosto sull'albero, terrorizzato al punto che non osava respirare, mentre la luna percorreva il proprio cammino attraverso il cielo nero. Alla fine, con i muscoli intorpiditi e le dita intirizzite dal freddo, si decise a scendere.

Royce giaceva nella neve, faccia in sotto, un braccio disteso di lato. La spessa pelliccia di ermellino era squarciata in una dozzina di punti. Povero corpo non di un uomo ma di un ragazzo: adesso si vedeva bene. A qualche passo di distanza c'era quanto restava della sua spada, la punta ridotta a un moncone frastagliato, simile a un albero colpito in pieno dalla folgore. Will s'inginocchiò, gettò attorno a sé un'occhiata guardinga, quindi afferrò la spada. Così spezzata, sarebbe stata la prova necessaria. Gared avrebbe capito. E se non avesse capito lui, lord Mormont, il Vecchio Orso, o maestro Aemon, di certo non avrebbero avuto dubbi. Gared... Era ancora là, assieme ai cavalli? Doveva andarsene di lì. Subito.

Will si raddrizzò.

Ser Royce si alzò in piedi, sovrastandolo. I suoi abiti eleganti erano ridotti a stracci insanguinati, il volto era devastato.

Nell'occhio sinistro era conficcata una scheggia della sua spada distrutta.

L'occhio destro era spalancato. La pupilla era accesa da una fiamma di luce azzurra. Era in grado di vedere.

Le dita di colpo inerti di Will lasciarono cadere la spada spezzata. Chiuse gli occhi e cominciò a pregare. Mani lunghe, affusolate, eleganti, salirono ad accarezzargli il viso, poi si strinsero attorno alla sua gola. Erano coperte del più soffice camoscio e appiccicose di sangue, ma al tocco erano gelide come ghiaccio.

BRAN

Era stata un'alba chiara e fredda, la limpidezza dell'aria quasi un annuncio che l'estate stava finendo.

Si mossero al sorgere del sole, venti uomini in tutto, per andare a una decapitazione. Bran era tra loro, nervoso e al contempo eccitato per l'evento. Era il nono anno dell'estate, il settimo della sua vita, ed era la prima volta che veniva ritenuto abbastanza grande da cavalcare con il lord suo padre e con i suoi fratelli, abbastanza forte da vedere il volto della giustizia del re.

Il condannato era stato portato in un piccolo forte tra le colline. Robb riteneva si trattasse di un bruto, uno dei molti che avevano giurato fedeltà con la propria spada a Mance Rayder, il Re oltre la Barriera. Al solo pensiero, Bran sentiva accapponarsi la pelle. Ricordava bene le inquietanti storie della Vecchia Nan. I bruti erano uomini malvagi, raccontava. Stringevano patti con i giganti e con i mangiatori di cadaveri. Venivano a rapire le bambine nel cuore della notte e bevevano sangue umano da corna di animale svuotate. E durante la Lunga notte, le loro donne giacevano con gli Estranei, generando creature spaventose, solo parzialmente umane.

Ma l'uomo che trovarono al forte, legato mani e piedi all'esterno del bastione in attesa della giustizia del re, era un vecchio tutto pelle e ossa, non più alto di Robb. Aveva perduto entrambe le orecchie e un dito a causa del gelo. Vestiva di nero, come un confratello dei guardiani della notte, ma la sua pelliccia era stracciata e lurida.

Nella fredda aria del mattino, il fiato degli uomini condensò assieme a quello dei cavalli in nubi frastagliate. Il lord suo padre diede ordine di tagliare le corde e di trascinare il condannato di fronte a loro. Robb e Jon si tenevano eretti sulle selle. Bran, sul suo piccolo pony, era in mezzo a loro e si sforzava di apparire più adulto dei suoi sette anni, di fingere di aver già visto tutto quello che c'era da vedere. Un debole vento soffiava attraverso il portone del fortino. Su tutti loro sventolava il vessillo degli Stark di Grande Inverno: un meta-lupo grigio lanciato in corsa attraverso una bianca pianura di ghiaccio.

Il padre di Bran restò solennemente in sella al proprio cavallo, i lunghi capelli castani che ondeggiavano nel vento. I fili argentei nella fitta barba tagliata corta lo facevano apparire più vecchio dei suoi trentacinque anni. Quel giorno, i suoi occhi grigi erano velati di una sfumatura di cupa durezza. Era una persona molto diversa dall'uomo che amava passare le sere accanto al fuoco, parlando con calma dell'Età degli Eroi e dei figli della foresta. Quel giorno, il suo non era il volto del padre, intuì Bran, ma quello di lord Eddard Stark di Grande Inverno.

Vennero poste domande e vennero date risposte, in quel freddo mattino, ma in seguito Bran non riuscì a ricordare molto di quanto era stato detto. Alla fine, suo padre diede un ordine. Due armati della sua guardia trascinarono il vecchio dagli abiti stracciati fino a un ceppo al centro della piazza e lo costrinsero ad abbassare il capo contro il duro legno nero.

Lord Eddard Stark smontò da cavallo. Theon Greyjoy, il suo protetto, gli porse la spada. La lama era larga quanto la mano di un uomo e perfino più alta di Robb. "Ghiaccio" si chiamava quella spada d'acciaio di Valyria, forgiata con gli incantesimi, scura come il fumo. Nulla manteneva il filo come l'acciaio di Valyria.

Lord Eddard si sfilò i guanti e li porse a Jory Cassel, il comandante della sua Guardia personale. Poi impugnò Ghiaccio con entrambe le mani.

«In nome di Robert della Casa Baratheon,» formulò «primo del suo nome, re degli andali e dei rhoynar e dei primi uomini, lord dei Sette Regni e Protettore del Reame, io, Eddard della Casa Stark, lord di Grande Inverno e Protettore del Nord, ti condanno a morte.» Sollevò la spada alta contro il cielo.

Jon Snow, fratello bastardo di Bran, gli si accostò. «Tieni le redini ben strette» sussurrò «e non distogliere lo sguardo. Se lo farai, nostro padre lo saprà.»

Bran serrò le briglie con forza e non distolse lo sguardo.

Suo padre sferrò un unico colpo, preciso, definitivo. Sangue zampillò sulla neve, rosso come il vino dell'estate. Un cavallo arretrò bruscamente e il suo cavaliere tirò il morso per impedire che imbizzarrisse. Bran rimase a fissare il sangue come ipnotizzato. Il manto nevoso tutt'attorno al ceppo lo bevve in fretta, diventando sempre più purpureo.

La testa del condannato, staccata di netto dal corpo, rimbalzò alla base del ceppo e rotolò fino ai piedi di Theon Greyjoy. Theon aveva diciannove anni, era asciutto e scuro di carnagione. Erano ben poche le cose che non trovava divertenti. Scoppiò in una risata, appoggiò un piede contro la testa mozzata e le diede una spinta, mandandola a rotolare lontano.

«Idiota.» Jon aveva parlato a voce abbastanza bassa perché Theon non potesse udirlo. Mise una mano sulla spalla di Bran che sollevò gli occhi verso di lui. «Sei stato bravo» gli disse con solennità.

Di anni Jon ne aveva quattordici e aveva già visto all'opera molte volte la giustizia del re.

Il vento aveva cessato di soffiare e nel cielo il sole splendeva alto, eppure, durante la lunga cavalcata per rientrare a Grande Inverno, il freddo pareva essere aumentato. Bran rimase assieme ai fratelli, molto più avanti del gruppo principale, il piccolo pony che faticava a tenere il passo con i cavalli più grossi.

«Il disertore è morto con coraggio» commentò Robb. Era un ragazzo grande e grosso e diventava più grande e più grosso ogni giorno che passava. Aveva la pelle chiara, i capelli scuri e gli occhi azzurri tipici dei Tully di Delta delle Acque, la Casa nobile dalla quale proveniva sua madre. «Quello, per lo meno, non gli mancava.»

«Non era coraggio» si oppose quietamente Jon Snow. «Era paura. È di quella che è morto. È di quella che era pieno il suo sguardo, Stark.» Gli occhi di Jon erano di un grigio talmente scuro da apparire neri. Occhi ai quali non sfuggiva niente. Aveva pressoché la medesima età di Robb, ma le analogie tra loro si fermavano a questo. Jon era tanto snello quanto Robb era muscoloso, scuro di carnagione quanto l'altro era chiaro, elegante e rapido quanto il fratellastro era massiccio e solido.

«Sono stati gli Estranei a rubargli lo sguardo» insistette Robb. «È stata una buona morte. Chi arriva al ponte per primo?»

«Forza» esclamò Jon spronando subito il cavallo.

Robb, colto di sorpresa, imprecò e si lanciò all'inseguimento. Galopparono a briglia sciolta lungo la pista, Robb che rideva e sfidava il fratello, Jon silenzioso e attento; gli zoccoli dei loro cavalli sollevavano fontane di neve.

Bran non fece neppure il tentativo di seguirli. Il suo pony non ce l'avrebbe mai fatta. Anche lui ricordava lo sguardo del condannato, e in quel momento non riusciva a pensare ad altro. Le risate di Robb svanirono in lontananza e i boschi furono nuovamente silenziosi.

Era talmente immerso nei propri pensieri che non si rese conto che il resto del gruppo l'aveva raggiunto finché suo padre non arrivò a cavalcare accanto a lui.

«Tutto bene, Bran?» La sua voce non era priva di gentilezza.

«Sì, padre.» Bran alzò lo sguardo. In sella all'imponente destriero da guerra, avvolto in cuoio e pellicce, suo padre incombeva su di lui come un gigante. «Robb dice che quell'uomo è morto con coraggio. Jon invece dice che è morto pieno di paura.»

«E tu? Che cosa dici?»

Bran ci pensò sopra. «È possibile che un uomo che ha paura possa anche essere coraggioso?»

«Possibile? Bran, è quella l'unica situazione in cui si fa strada il coraggio» gli rispose suo padre. «Tu sai perché l'ho fatto?»

«Era un bruto» rispose Bran. «Portano via le donne e le vendono agli Estranei.»

«La Vecchia Nan ti ha di nuovo raccontato le sue storie» sorrise lord Stark. «In realtà, quell'uomo era un disertore: aveva abbandonato i guardiani della notte. Nessuno è più pericoloso di un disertore. Nel momento stesso in cui voltano le spalle al loro dovere, questi uomini sono consapevoli che se saranno catturati la loro vita non avrà alcun valore. Per questo non si tirano indietro di fronte al crimine, neppure al più atroce. Ma tu non mi hai capito, Bran. Non ti ho chiesto perché quell'uomo doveva morire, ma perché dovevo essere io a ucciderlo.»

Una domanda per la quale Bran non aveva risposta. «Re Robert ha un boia» disse in tono incerto.

«Ce l'ha, è vero» confermò suo padre. «Nello stesso modo in cui, prima di lui, anche i re della Casa Targaryen avevano un boia. La nostra tradizione però è ancora quella antica. Nelle vene degli Stark scorre il sangue dei primi uomini. E noi Stark crediamo ancora che chi pronuncia la sentenza debba essere anche colui che cala la spada. L'uomo che toglie la vita a un altro uomo ha il dovere di guardarlo negli occhi e di ascoltare le sue ultime parole. Se il giustiziere non riesce ad affrontare questo, allora forse il condannato non merita la morte. Un giorno, Bran, tu sarai l'alfiere di Robb. Avrai un tuo castello che comanderai nel nome di tuo fratello e del tuo re e avrai su di te anche il fardello della giustizia, dal quale non dovrai trarre alcun godimento, ma al quale non dovrai neppure sottrarti. Un sovrano che si nasconde dietro un boia fa in fretta a dimenticare che cos'è la morte.»

«Padre! Bran!...» Jon era improvvisamente apparso sulla sommità della collina di fronte a loro. Agitava un braccio gridando: «Venite! Fate presto! Venite a vedere cos'ha trovato Robb!». Un momento dopo era svanito.

Jory Cassel spronò il cavallo, portandosi al fianco di Eddard e di Bran. «Guai, mio signore?»

«Senza alcun dubbio» ribatté il lord. «Forza, vediamo in quale altro impiccio sono andati a cacciarsi i miei figli.»

Passò al trotto. Jory, Bran e gli altri lo seguirono.

Trovarono Robb sulla riva del fiume a nord del ponte, Jon ancora in sella accanto a lui. Le nevi della tarda estate erano cadute abbondanti durante l'ultima luna. Robb affondava nel manto candido fino alle ginocchia, il cappuccio abbassato, la luce del sole che si rifletteva sui suoi capelli. Stringeva qualcosa tra le braccia, scambiando con Jon commenti eccitati.

I cavalieri avanzarono cauti tra i cumuli bianchi alla ricerca di appoggi solidi sul terreno ineguale nascosto dalla neve. Jory Cassel e Theon Greyjoy furono i primi a raggiungere i due ragazzi. Greyjoy era nel pieno di un'altra delle sue risate ironiche, ma si interruppe con un'imprecazione spaventata: «Per gli dèi!». Un attimo dopo lottava per controllare il cavallo cercando al tempo stesso di estrarre la spada.

Jory aveva già sguainato la propria, il cavallo che arretrava per la paura. «Robb! Allontanati!»

«Non può farti niente, Jory.» Robb alzò lo sguardo da ciò che stringeva tra le braccia e concluse: «È morta».

Bran era divorato dalla curiosità. Avrebbe voluto spronare il pony a sangue, ma suo padre impose loro di smontare vicino al ponte e di continuare a piedi. Bran saltò giù e si mise a correre. Quando arrivò dall'altra parte, anche Jon, Jory e Theon erano scesi da cavallo.

«In nome dei Sette Inferi» stava dicendo Greyjoy. «Che diavolo è quella cosa?»

«Una lupa» gli rispose Robb.

«Vorrai dire un abominio... Non vedi quanto è grossa?»

Bran, il cuore che martellava, si aprì la strada tra la neve che gli arrivava alla vita, portandosi vicino al fratello.

C'era un'enorme forma scura semisepolta nella neve chiazzata di sangue, cristallizzata nella morte. Incrostazioni di ghiaccio si erano rapprese nella malridotta pelliccia grigia. Un debole odore di decomposizione aleggiava sulla neve, simile al profumo di una bella donna. Bran ebbe la fugace visione degli occhi spenti della creatura, pieni di vermi, e delle fauci irte di zanne giallastre. Ma a provocargli un brivido gelido lungo la schiena furono le dimensioni dell'animale: la lupa era più grossa del suo pony, due volte il più grosso dei cani da caccia di suo padre.

«Abominio?» commentò Jon tranquillamente. «Nient'affatto: è una meta-lupa, e tutti i meta-lupi sono molto più grossi dei lupi normali.»

«Sono duecento anni che non si vede un meta-lupo a sud della Barriera» disse Theon Greyjoy.

«Se ne vede uno adesso» ribatté Jon.

Bran distolse lo sguardo dal mostro che giaceva nella neve e fu a quel punto che si rese conto del fagotto tra le braccia di Robb. Nell'avvicinarsi, non poté trattenere un grido di delizia. Il cucciolo, gli occhi ancora chiusi, era una specie di palla di pelo grigio. Strusciava il piccolo muso contro il petto di Robb che continuava a cullarlo, cercando latte inesistente fra gli strati di cuoio ed emettendo tenui lamenti tristi. Timoroso, Bran allungò una mano.

«Coraggio» lo esortò Robb. «Toccalo.»

Bran azzardò una leggera carezza e immediatamente ritirò la mano. «Prendi.» Jon, inaspettatamente, gli mise un secondo cucciolo tra le braccia. «Ce ne sono cinque.» Bran sedette nella neve e strinse la creatura contro il viso. Un contatto soffice, caldo.

«Meta-lupi che raggiungono il reame dopo così tanto tempo.» Hullen, mastro stalliere, mugugnò scuotendo il capo. «La cosa non mi piace.»

«È un presagio» disse Jory Cassel.

«È solo un animale morto, Jory.» Lord Stark camminò lentamente attorno al corpo, gli stivali che scricchiolavano sulla neve. Ma perfino lui appariva turbato. «Sappiamo perché è morta?»

«Le è rimasto qualcosa in gola.» Robb era lieto di aver trovato una risposta anche prima che suo padre ponesse la domanda. «Guarda là, appena sotto la mandibola.»

Lord Stark mise un ginocchio nella neve, frugando con la mano sotto il muso dell'animale. Diede uno strappo secco e sollevò ciò che aveva trovato, in modo che tutti potessero vedere: il rostro mutilato di un cervo, la punta spezzata, frantumata, ancora imbrattata di sangue.

Sul gruppo dei cavalieri scese il silenzio. I loro sguardi rimasero fissi sul rostro. Nessuno osò aprire bocca. Bran percepì la loro paura, anche se non ne capì la causa.

Suo padre gettò via il moncone di corno e si ripulì le mani nella neve. «Mi sorprende che sia vissuta abbastanza a lungo da partorire.» La sua voce riuscì a spezzare il silenzio che continuava a gravare su tutti.

«Forse non c'è riuscita» disse Jory. «Ho sentito certe storie sui meta-lupi... Forse era già morta quando i cuccioli sono venuti alla luce.»

«Nati dalla morte» intervenne un altro degli armati. «La peggiore delle sorti.»

«Non ha importanza» disse mastro Hullen. «Saranno morti comunque tra non molto.»

Bran emise un soffocato gemito d'angoscia.

«Prima sarà, meglio sarà.» Theon Greyjoy sguainò la spada. «Dammi quell'animale, Bran.»

Tra le sue braccia, la bestiola si agitò e si lamentò, come se si rendesse conto della minaccia. «No!» lo sfidò Bran, fieramente. «È mio, questo animale!»

«Metti via la spada, Greyjoy.» Era stato Robb a parlare, la voce determinata e imperiosa come quella del padre, come quella del signore che un giorno sarebbe stato. «Noi terremo questi cuccioli di meta-lupo.»

«Non puoi, ragazzo.» Era Harwin, figlio di Hullen.

«Ucciderli è un atto di misericordia» si associò Hullen.

Bran guardò verso suo padre alla ricerca di appoggio, ma ciò che ottenne fu una cupa inarcata di sopracciglia. «Hullen dice il vero, figlio. Meglio una morte rapida che una lenta, dura agonia di fame e di freddo.»

«No!» Gli occhi gli si riempirono di lacrime. Guardò altrove. Non voleva che suo padre lo vedesse piangere.

«La settimana scorsa la lupa rossa di ser Rodrik ha figliato di nuovo» continuò Robb con ostinazione. «Poca roba. Solo due cuccioli sono sopravvissuti. Avrà abbastanza latte anche per questi.»

«Li farà a pezzi nel momento in cui le si attaccheranno ai capezzoli.»

«Lord Stark.» Era Jon Snow, ed era strano sentirlo rivolgersi al padre in modo tanto formale. Bran lo guardò come se fosse la loro ultima speranza. «Ci sono cinque cuccioli. Tre maschi, due femmine.»

«E con questo, Jon?»

«Tu hai cinque nobili figli» continuò Jon. «Tre maschi, due femmine. Il meta-lupo è il simbolo della Casa Stark. I tuoi figli erano destinati ad avere questi cuccioli, mio signore.»

L'espressione di lord Stark mutò, Bran se ne accorse immediatamente. Gli altri uomini si scambiarono occhiate significative. In quel momento, tutto l'amore di Bran si riversò sul fratellastro. Pur avendo solo sette anni, vide con chiarezza la logica di Jon: il conto era risultato esatto perché Jon si era tenuto fuori. Aveva incluso le due ragazze e perfino Rickon, il più piccolo, ma non il bastardo chiamato "Snow". Non se stesso. Perché nel Nord, per decreto reale, Snow era il nome che veniva assegnato a chi non era stato abbastanza fortunato da nascere con un nome che gli appartenesse.

Anche il loro padre aveva capito. «E tu, Jon?» disse lentamente. «Tu non lo vuoi, un cucciolo?»

«Il meta-lupo corre sul vessillo di Casa Stark» rispose Jon. «Io non sono uno Stark, padre.» Lord Stark studiò con attenzione il figlio.

Robb venne a inserirsi nel nuovo silenzio calato tra loro. «Mi occuperò io stesso del mio cucciolo, padre» promise. «Userò un panno imbevuto di latte caldo e lo farò succhiare da quello.»

«Anch'io!» fece eco Bran.

«Facile a dirsi, molto meno a farsi.» Lo sguardo di Eddard Stark passò da uno all'altro dei suoi figli legittimi. «Non permetterò che sprechiate il tempo della servitù. Voi volete i cuccioli, voi ve ne occuperete. Sono stato chiaro?»

Bran annuì con forza. Il cucciolo di meta-lupo si agitò nella sua stretta, la calda lingua ruvida che gli leccava la faccia.

«E a voi spetterà anche addestrarli» continuò lord Stark. «A voi! Il mastro del canile non avrà nulla a che fare con questi mostri, ve lo garantisco. E che gli dèi vi aiutino se li trascurerete, se li tormenterete, se li maltratterete o se li addestrerete male. Non sono cani a cui dare un biscotto e poi allungare un calcio. Un meta-lupo può staccare di netto il braccio a un uomo con la stessa facilità con la quale un cane uccide un ratto. Siete certi di quello che volete fare?»

«Sì, padre» disse Bran.

«Sì» confermò Robb.

«I cuccioli potrebbero morire comunque, a dispetto dei vostri sforzi.»

«Non moriranno» affermò Robb. «Non lo permetteremo.»

«E sia. Teneteli. Jory, Desmond, raccogliete gli altri tre cuccioli. È tempo di rientrare a Grande Inverno.»

Fu solo dopo che furono rimontati in sella ed ebbero ripreso la strada verso il castello che Bran si concesse di gustare il sapore seducente della vittoria. Tenne il cucciolo al riparo degli indumenti di cuoio, al caldo contro il petto, al sicuro per la lunga cavalcata. E cominciò a domandarsi come l'avrebbe chiamato.

Inaspettatamente, a metà del ponte, Jon si fermò.

«Che c'è, Jon?» chiese lord Stark.

«Non senti?»

Bran udiva il vento nella foresta, lo scalpitio degli zoccoli sulle assi del ponte, il lamento affamato del suo cucciolo. Ma Jon udiva qualcos'altro.

«Là» disse. Fece girare il cavallo e tornò indietro al galoppo lungo il ponte. I cavalieri lo osservarono mentre si fermava nel punto in cui giaceva la meta-lupa e si inginocchiava nella neve. In breve era di nuovo accanto a loro, sorridente.

«Doveva essersi allontanato dagli altri» dichiarò.

«O forse era stato allontanato» disse lord Stark. Il suo sguardo si soffermò sul sesto cucciolo la cui pelliccia, diversamente da quella grigia degli altri, era interamente bianca. Un cucciolo i cui occhi erano aperti, vigili, mentre quelli degli altri erano ancora ciechi. Fu questo a colpire Bran.

«Un albino.» Theon Greyjoy trovava il tutto assai umoristico. «Questo qui morirà anche prima degli altri.»

«Ti sbagli, Greyjoy.» Jon guardò il protetto del padre con uno sguardo impassibile, raggelante. «Questo appartiene a me.»

CATELYN

Catelyn non aveva mai amato quel parco degli dèi.

Veniva dalla Casa Tully, nel profondo sud di Delta delle Acque, sulla Forca Rossa del Tridente. Là, il parco degli dèi era un giardino pieno d'aria e di luce. Rosse sequoie proiettavano le loro ombre su ruscelli mormoranti, uccelli cantavano da nidi invisibili, l'aria era intrisa dei profumi dei fiori.

Gli dèi di Grande Inverno abitavano un diverso tipo di parco. un luogo primordiale, invaso dall'oscurità. L'atmosfera sapeva di lichene morente, di cose che si decompongono. Tre acri di bosco ancestrale attorno ai quali era sorta la cupa struttura del maniero. Tre acri di alberi che non venivano toccati da diecimila anni. Querce e alberi-ferro sembravano più vecchi del tempo stesso, i loro neri tronchi ammucchiati gli uni contro gli altri. Ostili e ostinate sentinelle immobili, armate di aghi di un verde dalla sfumatura quasi metallica, le cui ramificazioni più alte andavano a intrecciarsi in una cupola tenebrosa. Il terreno era un altro labirinto, fatto di radici sporgenti, distorte, aggrovigliate come tentacoli sotterranei. Quel parco era un luogo di silenzi profondi, di ombre impenetrabili, abitato da dèi senza nome.

Ma Catelyn sapeva che avrebbe trovato lì suo marito. Ogni volta che toglieva la vita a un uomo, lord Eddard Stark veniva a rifugiarsi nella pace del parco degli dèi di Grande Inverno.

Catelyn era stata segnata con i sette unguenti ed era andata sposa nell'arcobaleno di luci che riempivano le radure di Delta delle Acque. Apparteneva al Credo così come, prima di lei, vi erano appartenuti suo padre, suo nonno e il padre di suo nonno. Gli dèi di Catelyn avevano un nome e i loro volti le erano familiari quanto i volti dei suoi genitori. Il loro culto aveva aspetti sfumati: una fiaccola su un sepolcro, l'odore dell'incenso, un ettaedro di cristallo pulsante di luce, voci che si univano in coro. Anche Casa Tully aveva il proprio parco degli dèi, tutte le grandi Case ce l'avevano, ma non era altro che un luogo in cui passeggiare o leggere alla luce del sole. Il Credo rimaneva confinato nei templi.

In questo, Ned le era venuto incontro. Le aveva eretto un piccolo altare sul quale Catelyn poteva pregare i sette volti del suo dio. Ma nelle vene degli Stark continuava a scorrere il sangue dei primi uomini e i loro dèi erano quelli antichi e misteriosi dei grandi alberi, gli stessi della razza scomparsa dei figli della foresta.

Nel centro del parco, un vecchio albero-diga incombeva su un laghetto dalle acque nere, gelide. "L'albero del cuore" lo chiamava Ned. La sua corteccia era bianca come le ossa di un teschio, le sue foglie rosso scuro erano simili a mille mani grondanti sangue. Un volto era stato scolpito nel legno del grande albero, i lineamenti tirati e malinconici, gli occhi scavati in profondità, arrossati dalla resina, stranamente guardinghi. Erano antichi, quegli occhi. Addirittura più antichi di Grande Inverno. Se le leggende avevano qualche fondamento, quegli occhi avevano visto Brandon il Costruttore posare la prima pietra e poi avevano osservato le mura di granito del castello innalzarsi attorno a essa. Le leggende dicevano anche che erano stati i figli della foresta a scolpire le facce negli alberi. Era accaduto all'alba del tempo, molto prima che i primi uomini attraversassero il Mare Stretto.

Nel Sud, gli ultimi alberi-diga erano stati abbattuti o bruciati oltre mille anni prima. Continuavano a esistere solamente sull'Isola dei Volti, dove gli Uomini verde mantenevano la loro veglia silenziosa. Qui, a Grande Inverno, era tutto diverso. Nel Nord ogni castello aveva il proprio parco degli dèi, ogni parco degli dèi aveva il proprio albero del cuore, e ogni albero del cuore aveva il proprio volto scolpito nel legno.

Catelyn trovò suo marito dietro l'albero-diga, seduto su una pietra coperta di muschio. Sulle sue ginocchia giaceva Ghiaccio, la spada lunga delle esecuzioni. Eddard Stark, Ned come lei lo chiamava, ne stava ripulendo la lama incrostata di sangue secco nelle acque dello stagno, nere come la notte. Uno strato di humus vecchio di millenni ammantava il terreno del parco, attutendo il suono dell'avvicinarsi di Catelyn. Eppure, gli occhi rossi scavati nel legno parevano seguirla a ogni passo.

«Ned.»

«Catelyn.» Alzò lo sguardo su di lei, la voce lontana e formale. «Dove sono i figli?»

Era la domanda che sempre le poneva.

«Nelle cucine. Si accapigliano sui nomi da dare ai cuccioli di meta-lupo.» Allargò le falde del mantello sul suolo del bosco e sedette sul bordo dello stagno, voltando le spalle all'albero-diga. Gli occhi scavati nel legno continuavano a osservarla e lei fece del suo meglio per ignorarli. «Arya ne è già innamorata, Sansa è incuriosita e ben disposta, ma Rickon non è del tutto convinto.»

«Ha paura?»

«Un po'» convenne Catelyn. «Ha solo tre anni.»

«Dovrà imparare ad affrontare le sue paure.» Ned corrugò la fronte. «Non avrà tre anni per sempre. E l'inverno sta arrivando.»

«Lo so.» Perfino dopo tanti anni, ogni volta che udiva quelle parole Catelyn rabbrividiva. Il motto degli Stark. Ogni nobile Casa aveva il proprio. Motti di famiglia, punti di riferimento, invocazioni di speranza. Frasi che parlavano di onore e gloria, promettevano lealtà e verità, giuravano fede e coraggio. Gli Stark erano diversi. "L'inverno sta arrivando": questo era il loro motto. Strana gente, questi uomini del Nord. Per l'ennesima volta, Catelyn non poté evitare di pensarlo.

«È stata una buona morte, va riconosciuto a quell'uomo.» Ned continuò a far scorrere un panno di pelle oleata lungo la spada, ridando alla lama la sua oscura lucentezza. «Sono stato contento di Bran. Anche tu ne saresti stata orgogliosa.»

«Sono sempre orgogliosa di Bran» rispose Catelyn.

Lo sguardo di lei rimase sulla spada. Riuscì a definire le quasi impercettibili scanalature nel cuore dell'acciaio, nei punti in cui il metallo era stato ripiegato su se stesso centinaia di volte durante la forgiatura. Catelyn non amava le spade, tuttavia Ghiaccio possedeva una sua innegabile bellezza. Era stata forgiata a Valyria appena prima che il Disastro si abbattesse sull'antica fortezza, all'epoca in cui i mastri armaioli lavoravano non solo con la fiamma e il maglio, ma anche con gli incantesimi. Ghiaccio esisteva da quattrocento anni. E ancora oggi, il suo taglio era letale come il giorno in cui era emersa dal fuoco. Il nome le veniva da un'epoca ancora più antica, era un retaggio dell'Età degli Eroi, quando gli Stark erano re del Nord.

«È il quarto, quest'anno» continuò cupamente Ned. «Il disgraziato era come pazzo. Qualcosa... qualcosa gli ha messo dentro un terrore così profondo che le mie parole non sono state neppure in grado di raggiungerlo.» Respirò a fondo. «Benjen mi scrive che la confraternita dei guardiani della notte è scesa al disotto dei mille uomini, e non solo a causa delle diserzioni. Perdono gente anche durante i pattugliamenti.»

«I bruti?»

«Chi altri?» Ned sollevò Ghiaccio, esaminando l'allineamento della lama. «E le cose non faranno che peggiorare. Verrà il giorno in cui sarò costretto a chiamare a raccolta i vessilli di guerra e ad andare a nord, in modo da chiudere i conti con questo cosiddetto Re oltre la Barriera una volta per tutte.»

«Oltre la Barriera?» La sola idea fece correre brividi glaciali lungo la schiena di Catelyn.

A Ned questo non sfuggì. «Da Mance Rayder non abbiamo nulla da temere.»

«Ci sono cose peggiori di Mance Rayder, oltre la Barriera.» Catelyn si voltò verso l'albero-diga, verso il volto nel legno pallido, gli occhi piangenti rossa resina, quel volto che vedeva, udiva, sentiva, quell'entità in grado di concepire pensieri eterni.

«Andiamo, Catelyn.» Il sorriso di Ned era pieno di calore. «Non dirmi che anche tu, come Bran, ti sei messa a dare retta alle storie della Vecchia Nan. Gli Estranei sono morti. Finiti quanto sono finiti i figli della foresta. Sono morti da ottomila anni. Secondo maestro Luwin non sono nemmeno esistiti. Nessuno li ha mai visti.»

«Davvero? Fino a questa mattina, nessuno aveva mai visto neppure un meta-lupo» gli ricordò Catelyn.

«Lo sapevo.» Il sorriso di Ned non si scompose. «Mai mettersi a discutere con un Tully.» Fece scivolare Ghiaccio nel fodero. «So che non sei venuta qui per raccontarmi le favole della buonanotte. So quanto poco ti trovi a tuo agio tra questi vecchi alberi. Che cosa ti turba, mia signora?»

«C'è una triste notizia.» Catelyn gli prese la mano. «Non volevo darti altri pensieri finché non ti fossi liberato di quelli che già hai... Mi dispiace, amore.» Non c'era alcun modo per rendere il colpo meno duro. Catelyn glielo disse senza giri di parole: «Jon Arryn è morto».

I loro sguardi s'incontrarono. Catelyn sapeva quanto duramente lui sarebbe stato colpito, e vide quanto duramente lui venne colpito. Da ragazzo, Eddard Stark era cresciuto al Nido dell'Aquila, l'altro grande regno del Sud. Lord Arryn, che non aveva figli, era diventato come un secondo padre sia per lui sia per Robert Baratheon. Quando Aerys II Targaryen, il Re Folle, aveva voluto le loro teste, piuttosto che abbandonare coloro che aveva giurato di proteggere, il lord del Nido dell'Aquila aveva scelto di issare i vessilli di rivolta.

Poi, quindici anni prima, il secondo padre di Eddard Stark era diventato per lui un nuovo fratello. Il giorno del loro matrimonio, i due erano stati fianco a fianco nel sacrario di Delta delle Acque, per sposare due sorelle, le figlie di lord Hoster Tully.

«Jon...» Una parte di Ned non voleva crederci. «Ma questa notizia... è certa?»

«C'era il sigillo del re, e la lettera era vergata nella calligrafia di Robert. L'ho conservata perché anche tu possa leggerla. Dice che lord Arryn se n'è andato in fretta. Neppure il gran maestro Pycelle è stato in grado di fare niente. Gli ha dato una tazza di latte di papavero in modo da lenire le sue sofferenze.»

«C'è qualche conforto in questo, credo.» I lineamenti di Eddard erano scavati dal dolore, ma il suo primo pensiero fu per Catelyn. «Tua sorella. E il figlio di Jon. Come stanno?»

«Il messaggio dice soltanto che stanno bene e che sono ritornati al Nido dell'Aquila» rispose Catelyn. «Avrei preferito che fossero andati a Delta delle Acque. Il Nido dell'Aquila è remoto e solitario. È sempre stato il posto di Jon, mai quello di lei, e il ricordo del marito rimarrà in ciascuna di quelle pietre. So com'è fatta mia sorella, so quanto sia importante per lei il conforto della sua famiglia e dei suoi amici.»

«Ma tuo zio non si trova anche lui nella Valle di Arryn? Jon l'aveva nominato Cavaliere della Porta Insanguinata, se non vado errato.»

«Brynden farà quello che può per lei e per il bambino» disse Catelyn. «Il che significa molto, ma non tutto...»

«Va' da lei» la incitò Ned con urgenza. «Porta i nostri figli con te. Fa' che i corridoi di quel castello sulla montagna si riempiano di suoni e di risate. Quel ragazzo ha bisogno di avere intorno altri ragazzi, e Lysa non dovrebbe affrontare questa perdita da sola.»

«Vorrei che fosse possibile.» Catelyn scosse il capo. «C'è dell'altro nella lettera, Ned.»

«Che altro?»

«Il re sta venendo a Grande Inverno per vederti.»

Passò del tempo prima che Eddard Stark comprendesse appieno il senso di quelle parole. Nei suoi occhi, l'ombra che li aveva oscurati si fece meno cupa. «Robert sta venendo qui?»

Catelyn annuì. Un sorriso riuscì finalmente a illuminare l'espressione di Ned. Lei avrebbe voluto condividere la sua gioia, ma non riusciva a dimenticare quanto aveva udito nel cortile del castello. Una meta-lupa trovata morta nella neve, con un frammento di rostro di cervo conficcato in gola. Sentì la paura aggrovigliarsi dentro di lei come un serpente. Ma pur di fronte a tutto questo, riuscì comunque a sorridere all'uomo che amava, un uomo che rifiutava di credere ai presagi. «Ero sicura che ti avrebbe fatto piacere» gli disse. «Lo facciamo sapere anche a tuo fratello, sulla Barriera?»

«Certamente» approvò Ned. «Benjen vorrà esserci. Dirò a maestro Luwin di inviare il suo miglior corvo messaggero.» Eddard si alzò, aiutandola ad alzarsi con lui. «Maledizione, quanti anni saranno passati? E questo è tutto il preavviso che ci manda? In quanti sono? La lettera lo dice?»

«Credo almeno un centinaio di cavalieri, più i loro scudieri, più una cinquantina di armati. Vengono anche Cersei e i ragazzi.»

«Questo costringerà Robert a viaggiare più lentamente. Meglio per noi: avremo più tempo per prepararci.»

«Vengono anche i fratelli della regina» aggiunse Catelyn.

L'espressione di Ned si contrasse. L'idea non gli piaceva affatto. Tra lui e la famiglia della regina non correva esattamente buon sangue, e Catelyn lo sapeva. I Lannister di Castel Granito avevano aspettato fino all'ultimo momento prima di allearsi alla causa del re, in modo da essere assolutamente certi sul vincitore. Eddard Stark non li aveva mai perdonati per questo.

«E va bene» concluse. «Se il pedaggio per avere Robert con noi è un'infestazione di Lannister, lo pagheremo. Sembra che si stia portando dietro mezza corte.»

«Dove va il re, va la corte.»

«Non sarà male vedere i suoi ragazzi. L'ultima volta che l'ho visto, il più piccolo stava ancora succhiando latte. Quanti anni avrà adesso, cinque?»

«Il principe Tommen ha sette anni» disse Catelyn. «La stessa età di Bran. Ned, ti prego, sta' attento a quello che dirai. Che ci piaccia o no, la signora di Lannister rimane la nostra regina. E si dice che, ogni anno che passa, lo faccia pesare sempre più.»

«Daremo una festa.» Ned strinse la mano di lei nella propria. «Certo che daremo una festa! Con musica e canzoni. E Robert vorrà andare a caccia. Manderò Jory a sud lungo la Strada del Re, per incontrarlo e scortarlo fin qui. Per gli dèi, come faremo a sfamare tutta quella gente? E tu mi dici che è già in movimento. Maledizione a lui e alla sua pellaccia di re!»

DAENERYS

«Questa è bellezza allo stato puro.» Suo fratello sollevò la stoffa in modo che lei potesse esaminarla. «Avanti, toccala. Senti com'è stata tessuta.»

Dany la toccò. Era talmente liscia da dare l'impressione di scorrere tra le sue dita come acqua. Non le riuscì di ricordare di aver mai indossato qualcosa di altrettanto delicato. «Ma è mia?» Allontanò la mano, intimorita. «È davvero mia?»

«Un dono di magistro Illyrio» le rispose suo fratello con un sorriso.

Viserys era un giovane scarno, le mani in costante movimento, lo sguardo perennemente febbrile negli occhi viola pallido. Quella sera era di ottimo umore.

«È un colore che farà risaltare il viola dei tuoi occhi» riprese. «E poi ci sarà l'oro, perché indosserai molti gioielli, di tutti i tipi. Qualcos'altro che Illyrio ha promesso. Dovrai apparire come una principessa.»

Una principessa. Dany aveva dimenticato cosa significasse. Forse non l'aveva mai realmente saputo.

«Perché ci fa tutti questi regali?» chiese. «Cosa sta cercando di ottenere da noi?»

Erano vissuti nella casa del magistro per una buona metà dell'anno, mangiando il suo cibo, riveriti dai servitori. Dany aveva tredici anni, un'età sufficiente per capire che lì, nella città libera di Pentos, c'era quasi sempre un prezzo da pagare per regali così impegnativi.

«Illyrio è tutt'altro che uno sciocco» rispose Viserys. «Sa che non dimenticherò chi mi è stato amico, una volta che avrò riavuto il mio trono.»

Daenerys non rispose. Magistro Illyrio era un mercante di spezie, pietre preziose, reliquie di drago, più svariate altre cose molto meno gradevoli. Si diceva che avesse amici in tutte le nove città libere e oltre, fino a Vaes Dothrak e alle terre misteriose affacciate sul Mare di Giada. Si diceva anche che non aveva mai avuto un amico che non fosse allegramente pronto a vendere, se il prezzo era giusto. Dany ascoltava le voci della strada e sapeva quello che c'era da sapere. Così come sapeva che era molto meglio non fare troppe domande a suo fratello, soprattutto quando era tanto preso dai suoi sogni. La sua ira poteva esplodere come un vulcano. "Risvegliare il drago": era questo il modo in cui lui definiva il proprio furore.

«Illyrio manderà delle schiave a farti il bagno.» Viserys tornò a riappendere l'abito accanto alla porta. «Fa' in modo di toglierti bene di dosso il puzzo delle stalle. Di cavalli, Khal Drogo ne possiede mille. E ti posso assicurare che è una cavalcatura ben diversa quella che vorrà questa notte.» Ispezionò Dany con un'occhiata critica. «Continui a stare curva. Mettiti dritta.» Le tirò indietro le spalle. «Voglio che vedano che hai le forme di una donna, adesso.» Le sue dita scivolarono sui seni acerbi di lei, pollice e indice si strinsero attorno a un capezzolo. «Non deludermi questa notte, Dany. Non ti piacerebbero le conseguenze. Tu non vuoi risvegliare il drago, o sbaglio?» Le sue dita strinsero e torsero crudelmente attraverso la tunica spessa di lei. «O sbaglio?»

«Non sbagli.» La voce di Daenerys era appena udibile.

«Bene.» Suo fratello sorrise di nuovo e le toccò i capelli, quasi con affetto. «Quando scriveranno la storia del mio regno, dolce sorella, diranno che ha avuto inizio stanotte.»

Le acque della baia erano inquiete. Daenerys rimase a guardarle dalla finestra. Suo fratello se n'era andato, lasciandola sola. Le squadrate torri di mattoni di Pentos erano sagome nere contro il sole al tramonto. Dany poteva udire il canto dei preti rossi che accendevano i fuochi per la notte, le grida dei bambini che giocavano al di là del muro della villa di Illyrio. Per un momento, desiderò essere là fuori con loro, a piedi nudi, senza fiato, vestita di stracci. Desiderò di non avere né passato né futuro. Ma più di ogni altra cosa, desiderò di non essere costretta ad andare a quella festa nel palazzo di Khal Drogo.

Da qualche parte oltre il crepuscolo, al di là del Mare Stretto, si stendeva una terra fatta di colline verdi, di pianure piene di fiori, di grandi fiumi. Una terra nella quale monoliti di pietra scura s'innalzavano tra splendide montagne di roccia color dell'acciaio e cavalieri in armatura si lanciavano in battaglia al seguito dei vessilli dei loro signori. I dothraki la chiamavano "Rhaesh Andalhi", Terra degli Andali. Nelle città libere, invece, parlavano di Westeros e di Regni del Tramonto.

Suo fratello usava un nome molto più semplice: «La nostra terra». Parole che per lui erano come una preghiera. E se le avesse pronunciate un numero sufficiente di volte, gli dèi alla fine l'avrebbero esaudito. «La nostra terra per diritto di sangue, che ci è stata portata via col tradimento ma ancora nostra, per sempre nostra. Si commette un grave errore a rubare al drago. Perché il drago ricorda.»

Forse era vero. Forse il drago ricordava. Dany invece non ricordava. Non aveva mai visto la terra che suo fratello diceva appartenesse loro, il regno al di là del Mare Stretto. Quei luoghi dei quali lui parlava – Castel Granito e il Nido dell'Aquila, Alto Giardino e la Valle di Arryn, Dorne e l'Isola dei Volti – per lei erano solamente parole. Viserys aveva otto anni quando erano stati costretti a fuggire da Approdo del Re, ritirandosi di fronte all'avanzata degli eserciti dell'Usurpatore. A quel tempo, Daenerys non era nient'altro che una fiammella di vita nel ventre di sua madre.

Eppure suo fratello le aveva parlato tanto spesso di quel tempo, che esistevano momenti in cui Dany cercava di immaginare, di vedere. La fuga notturna fino alla Roccia del Drago, la luce della luna che scivolava sulle vele nere della nave. Suo fratello Rhaegar che combatteva l'Usurpatore nelle acque del Tridente arrossate dal sangue e moriva nel nome della donna che amava. Il saccheggio di Approdo del Re da parte dei lord Lannister e Stark, i "cani dell'Usurpatore", li chiamava Viserys. La principessa Elia di Dorne che invocava misericordia, l'erede di Rhaegar che le veniva strappato dal seno e ucciso davanti ai suoi occhi. Le orbite vuote dei lucidi teschi degli ultimi draghi nella sala del trono, sguardi ciechi che osservavano all'opera lo Sterminatore di Re, testimoni silenziosi mentre la lama di una spada d'oro squarciava la gola del re suo padre.

Daenerys era nata alla Roccia del Drago nove lune dopo tutto questo, nel corso di un uragano estivo talmente violento da spaccare quasi l'isola in due. Dicevano che fosse stata una tempesta spaventosa. La flotta Targaryen era stata distrutta ancora alla fonda. Enormi blocchi di pietra erano piombati nelle acque ribollenti del Mare Stretto. Sua madre era morta nel darla alla luce e per questo suo fratello non l'aveva mai perdonata.

Non riusciva a ricordare neppure la Roccia del Drago. Erano fuggiti di nuovo, appena prima che il fratello dell'Usurpatore prendesse il mare con la sua nuova flotta. A quel punto, la Roccia del

Drago, antica residenza della Casa Targaryen, era tutto quanto rimaneva dei Sette Regni che un tempo a essa erano appartenuti. Nemmeno questo era però destinato a durare. La guarnigione aveva deciso di vendere entrambi i bambini all'Usurpatore, ma una notte ser Willem Darry e quattro uomini fidati si erano introdotti negli appartamenti reali e li avevano portati via assieme alla balia, alzando le vele nel cuore della notte e dirigendosi verso la sicurezza della remota costa braavosiana.

Ser Willem era il solo di cui Daenerys conservasse un vago ricordo. Una montagna d'uomo, capelli e barba grigi, mezzo cieco, che aveva continuato a gridare ordini perfino dal letto di morte. I suoi servi vivevano nel terrore di lui, ma con Daenerys era sempre stato gentile, addirittura delicato. La chiamava "piccola principessa", qualche volta "mia signora". Le sue mani erano soffici come cuoio vecchio, ma non poteva lasciare il letto. Il sentore della malattia era con lui giorno e notte, un odore pungente, dolciastro, viscido. Era il tempo in cui vivevano a Braavos, nella grande casa dal portale dipinto di rosso. Dany aveva una stanza tutta sua, con un albero di limoni appena fuori dalla finestra. Quando ser Willem era morto, i servi avevano rubato il poco denaro rimasto ai due ragazzi e li avevano gettati in strada. Dany ricordava di aver pianto quando i battenti del portale rosso si erano chiusi per sempre dietro di loro.

Così erano cominciati i loro vagabondaggi. Da Braavos a Myr, da Myr a Tyrosh, a Qohor, a Volantis, a Lys, senza mai fermarsi nello stesso posto per troppo tempo. Suo fratello non lo permetteva. I sicari dell'Usurpatore continuavano a incalzarli, diceva, anche se Dany non aveva mai visto nessuno.

All'inizio, magistri, governatori e principi mercanti si erano dichiarati onorati di poter ospitare gli ultimi Targaryen nella loro casa, di averli alla loro tavola. Ma con il passare degli anni, con l'Usurpatore che continuava a sedere sul Trono di Spade, le porte si erano via via chiuse e la loro esistenza si era fatta dura. Molto tempo prima erano stati costretti a vendere i pochi resti del tesoro del loro regno perduto, e ormai perfino i denari ottenuti dalla Corona della Regina loro madre erano finiti. Il "Re Mendicante": così veniva chiamato suo fratello nei vicoli luridi e nelle taverne maleodoranti di Pentos. Daenerys non voleva sapere in quale modo chiamavano lei

«Un giorno sarà di nuovo tutto nostro, dolce sorella.» Le mani di Viserys tremavano ogni volta che le faceva quella fatidica promessa. «I gioielli e le sete, la Roccia del Drago e Approdo del Re, il Trono di Spade e i Sette Regni. Tutto quello che ci è stato preso, noi torneremo a possederlo.»

Viserys non aspettava altro, non vedeva altro, non voleva altro. Tutto quello che Daenerys voleva, invece, era la grande casa dal portale rosso, con l'albero di limoni fuori dalla finestra, e quell'infanzia che non aveva mai conosciuto.

Alle sue spalle, ci fu un discreto bussare alla porta. Daenerys si allontanò dalla finestra e si voltò dicendo: «Potete entrare».

Le serve di Illyrio entrarono, s'inchinarono e si misero al lavoro. Erano schiave, un regalo di uno dei molti amici dothraki del magistro. Non avrebbero dovuto esistere schiavi nella città libera di Pentos, ma loro lo erano comunque. La donna anziana, piccola e grigia come un topolino, non apriva mai bocca; in compenso, la ragazza giovane non smetteva mai di chiacchierare mentre lavorava. Era una puledra di sedici anni, capelli biondi, occhi azzurri: la favorita di Illyrio.

Riempirono la vasca con l'acqua calda che avevano portato dalle cucine e in essa versarono oli profumati. La ragazza sfilò la tunica di cotone grezzo dalla testa di Dany e l'aiutò a scivolare nell'abbraccio liquido. L'acqua era quasi bollente, ma Dany non batté ciglio, non emise neppure un lamento. Il calore le piaceva, la faceva sentire pulita. Inoltre, secondo suo fratello, nulla poteva essere troppo caldo per un Targaryen. «La nostra è la Casa del drago» ripeteva Viserys. «C'è il fuoco nel nostro sangue.»

Sempre in silenzio, la schiava anziana lavò i lunghi capelli argentei di Daenerys, sciogliendone i nodi. La giovane le lavò i piedi continuando a ripeterle quanto fosse fortunata.

«Drogo è talmente ricco che i suoi schiavi indossano collari d'oro. Ci sono centomila cavalieri nel suo khalasar, e il suo palazzo a Vaes Dothrak ha duecento stanze, tutte con porte d'argento massiccio.»

E c'era di più, molto di più. Che uomo attraente era il Khal, così alto di statura, così fiero nell'aspetto. Che cavaliere ineguagliabile, che guerriero indomabile, che arciere formidabile. Daenerys non diceva nulla. Aveva sempre pensato che, nel momento in cui avesse raggiunto l'età giusta, avrebbe sposato Viserys. Per secoli, da quando Aegon il Conquistatore aveva preso in spose le proprie sorelle, la Casa Targaryen aveva perpetuato se stessa attraverso l'incesto matrimoniale tra fratello e sorella. «La purezza della discendenza doveva essere mantenuta incontaminata» le aveva ripetuto Viserys mille e mille volte. Il loro era il sangue dei re, il sangue dorato dell'antica Valyria, il sangue del drago. E come i draghi non si accoppiavano con le bestie inferiori, così i Targaryen non si mescolavano con gli uomini inferiori. Però adesso Viserys aveva deciso di vendere la sua unica sorella, la sua unica sposa possibile, a uno straniero, a un barbaro.

Una volta che fu pulita, le schiave l'aiutarono a uscire dalla vasca e la asciugarono. La giovane le spazzolò i capelli finché non furono risplendenti come argento liquefatto. La donna anziana la profumò con l'essenza penetrante dei fiori delle pianure dei dothraki sui polsi, dietro le orecchie, sulle punte dei seni e infine in mezzo alle gambe.

La vestirono con l'abito inviato da magistro Illyrio e le calarono sul viso il velo di seta color porpora scuro, celando il viola intenso dei suoi occhi. La schiava giovane le infilò sandali dorati ai piccoli piedi. La schiava anziana le sistemò la tiara sui capelli e le fece scivolare attorno ai polsi braccialetti d'oro incrostati di ametiste. Ultimo venne il collare, un pesante ornamento d'oro massiccio intarsiato con antichi geroglifici di Valyria.

La schiava giovane, senza fiato, ammirò il lavoro finito. «Adesso sì che hai davvero l'aspetto di una principessa!»

Daenerys studiò la propria immagine riflessa nello specchio dalla cornice d'argento, ennesimo, sensibile tocco del previdentissimo magistro Illyrio. Una principessa, certo. Ma la ragazza che non la smetteva mai di chiacchierare aveva detto anche altre cose: i collari d'oro indossati dagli schiavi di Khal Drogo, la sterminata ricchezza di Khal Drogo, così sterminata da poter comprare qualsiasi cosa.

Un gelo improvviso le percorse le membra, increspando la pelle delle sue braccia nude.

Viserys, sagoma più scura nelle ombre fresche, l'aspettava nel vestibolo al piano terreno. Sedeva sul bordo della fontana, una mano che tracciava percorsi nell'acqua. Si alzò nel vederla avvicinarsi.

«Fermati lì» ordinò, e cominciò a esaminarla con occhio critico. «Va bene, girati. Sì. Hai un aspetto...»

«Regale.» Magistro Illyrio fece il suo ingresso da un portale ad arco. Per la mole che aveva, si muoveva con sorprendente leggerezza. A ogni passo, rotoli di adipe tremolavano sotto gli ampi abiti di seta dai colori sgargianti. Aveva anelli d'oro tempestati di pietre preziose a ogni dito. Uno schiavo gli aveva intriso di unguento la bionda barba biforcuta fino a farla luccicare come se anch'essa fosse fatta d'oro. «Possa, in questo splendido giorno, il Signore della Luce far scendere su di te benedizioni senza fine, principessa Daenerys.»

Il magistro le prese la mano e s'inchinò leggermente. Fu la più leggiadra delle mosse. Aveva denti giallastri tutti storti dietro la cortina di pelo della sua barba dorata.

«Tua sorella è una visione, vostra grazia» disse a Viserys. «Un'autentica visione. Drogo ne sarà rapito.»

«È troppo magra» sentenziò Viserys a labbra serrate.

I suoi capelli, che avevano la medesima sfumatura biondo argento di quelli della sorella, erano strettamente raccolti dietro il capo e fermati in una crocchia da un osso di drago. Era un'acconciatura severa, che faceva risaltare i lineamenti squadrati, scavati del suo volto. Appoggiò la destra sull'elsa della spada che Illyrio gli aveva prestato per l'occasione e chiese: «Sei certo che a Drogo piacciano le donne così giovani?».

«La ragazza ha già avuto il suo primo mestruo.» Non era la prima volta che Illyrio lo faceva presente all'ultimo Targaryen. «È in età sufficiente per il Khal. Ma guardala. Quei capelli biondo argento, quegli occhi viola... È puro, antico sangue di Valyria. Nessun dubbio in merito, nessun dubbio. La nobile figlia del vecchio re, la sorella del nuovo re. Non potrà non incantare il Khal, la nostra principessa.»

Finalmente Illyrio lasciò andare la sua mano e Daenerys si rese conto che stava tremando impercettibilmente.

«Auguriamocelo.» Viserys continuava a nutrire i suoi dubbi. «Questi selvaggi delle pianure hanno gusti infami. Ragazzi, cavalli, capre...»

«Certo, certo» convenne Illyrio. «Questo, però, a Khal Drogo sarà opportuno non dirlo.»

«Mi prendi forse per uno stupido?» Un lampo d'ira balenò negli occhi viola di Viserys.

«Al contrario, ti prendo per un re.» Il magistro si esibì in un altro inchino. «E i re non hanno la prudenza dei comuni mortali. Ti prego di accettare le mie scuse, se ti ho arrecato offesa.»

Senza attendere la sua risposta, Illyrio si girò e batté le mani per far venire i portantini.

Le strade di Pentos erano immerse in una cupa tenebra.

Due servi li precedevano, illuminando il percorso con lanterne a olio istoriate, dai vetri azzurro chiaro. Sulla loro scia, una dozzina di uomini muscolosi trasportavano l'elaborato palanchino di Illyrio, i lunghi pali orizzontali in appoggio sulle spalle. Dietro le tende spesse della cabina l'aria era calda, satura di traspirazione. Il magistro si era inondato di profumi penetranti, ma Dany percepì comunque il lezzo che emanava dalla sua carne flaccida.

Viserys, stravaccato accanto a lei sui cuscini, non lo notò. La sua mente era lontana, chissà dove sul Mare Stretto. Le sue dita tormentavano l'elsa della spada, ma Dany sapeva che suo fratello non aveva mai realmente maneggiato una lama.

«Non avremo bisogno dell'accompagnamento di tutto il suo khalasar» disse Viserys. «Diecimila uomini, diecimila cavalieri dothraki urlanti saranno più che sufficienti a fare sì che io possa rivoltare i Sette Regni come un guanto. Tutto il reame si solleverà in nome del vero re. Tyrell, Redwyne, Darry, Greyjoy... nessuno di loro tollera l'Usurpatore più di quanto non lo tolleri io. La gente di Dorne non vede l'ora di vendicare la morte della principessa Elia e dei suoi figli. E anche il popolino sarà con noi. Anche il popolino inneggerà al vero re!» Lanciò a Illyrio uno sguardo carico d'ansia, d'incertezza. «Non è forse così?»

«Sono pur sempre le tue genti, e continueranno ad amarti» ribatté il magistro, mellifluo. «Dovunque, nel reame, gli uomini segretamente sollevano le coppe augurandoti buona salute e le donne tessono vessilli con l'immagine del drago, tenendoli nascosti in attesa del tuo ritorno dal mare.» Le sue spalle appesantite dal grasso si sollevarono. «O almeno, questo è quanto mi riferiscono le mie spie.»

Daenerys non aveva spie, non aveva alcun modo di sapere che cosa pensava o faceva la gente sull'altra sponda del Mare Stretto. Di una sola cosa era certa: non si fidava delle parole suadenti di Illyrio, non si fidava per nulla di Illyrio. Al contrario di suo fratello, il quale beveva ogni sillaba del magistro, annuendo compiaciuto.

«Ucciderò l'Usurpatore di mia mano!» promise Viserys, che non aveva mai ucciso nessuno. «Nello stesso modo in cui lui ha ucciso mio fratello Rhaegar. E anche Jaime Lannister, lo Sterminatore di Re, per quello che ha osato fare a mio padre.»

«La più perfetta giustizia, vostra grazia» approvò il magistro.

A Daenerys non sfuggì il sorriso appena accennato che increspò le labbra carnose di Illyrio. Viserys neppure se ne accorse; annuì nuovamente, si rilassò contro i cuscini e guardò dalla finestra della cabina, nel buio. Dany sapeva che, per l'ennesima volta, suo fratello stava combattendo la Battaglia del Tridente.

Il palazzo di Khal Drogo sorgeva sulla riva della baia. Era un complesso di nove torri connesse da alte muraglie di mattoni sulle quali si arrampicavano tentacoli di edera pallida. Stando a Illyrio, erano stati i magistri di Pentos a donarlo al Khal. Le città libere erano sempre molto generose con i cavalieri delle pianure. «Naturalmente non lo facciamo perché temiamo questi barbari» aveva spiegato Illyrio con uno dei suoi sorrisi. «Il Signore della Luce farebbe sì che le mura della nostra città reggessero all'assalto anche di un milione di dothraki, così dicono i preti rossi. Al tempo stesso... Visto che la loro amicizia ha un costo tanto basso, perché correre rischi?»

Il palanchino venne fermato al portale d'ingresso. Una delle guardie scostò rudemente le tende. Aveva la pelle olivastra e scuri occhi a mandorla, caratteristiche somatiche dei dothraki, ma non c'era traccia di barba o baffi sulla sua faccia. In testa portava la calotta di bronzo munita di rostri degli eunuchi. Il suo sguardo freddo esaminò gli occupanti della cabina. Magistro Illyrio gli borbottò rabbiosamente qualcosa nell'aspra lingua dothraki, la guardia rispose nello stesso modo, poi fece cenno di passare.

La destra di Viserys era rimasta per tutto il tempo serrata attorno all'elsa della spada presa a prestito, notò Dany. Né le sfuggì l'espressione di suo fratello, piena della medesima paura che lei si sentiva dentro. Il palanchino sussultò mentre avanzava verso il palazzo.

Viserys si concesse un mugugno: «Insolente eunuco».

«Molti uomini influenti saranno presenti alla celebrazione di questa notte.» Il tono di magistro Illyrio era suadente come il miele. «E questi uomini hanno dei nemici. Il Khal deve proteggere i propri ospiti. Voi in primo luogo, vostra grazia. Non può esserci dubbio alcuno che l'Usurpatore sarebbe generoso con chi gli portasse la tua testa.»

«Molto generoso, sì» sottolineò Viserys cupamente. «Ha già tentato di averla, la mia testa, questo posso garantirtelo, Illyrio. Le sue lame mercenarie hanno seguito mia sorella e me dovunque. Io sono l'ultimo dei draghi, e finché rimarrò in vita, l'Usurpatore non potrà dormire sonni tranquilli.»

Il palanchino tornò a rallentare, a fermarsi. Le tende vennero di nuovo scostate. Uno schiavo offrì la mano, aiutando Daenerys a scendere. Il suo collare, lei notò, era di comune bronzo. Suo fratello la seguì, la mano sempre stretta sull'elsa della spada. Per far smontare magistro Illyrio di schiavi ce ne vollero due, entrambi robusti.

L'aria era pesante all'interno del palazzo, satura di una mescolanza di odori di spezie, cannella, limone dolce, ginepro. Vennero scortati attraverso l'ingresso, le cui pareti erano coperte da un grande mosaico di vetro colorato che raffigurava il Disastro di Valyria. Lanterne a petrolio di ferro nero appese alle pareti diffondevano una luminescenza giallastra. Un eunuco, in attesa sotto un'arcata di pietra scolpita a foglie attorcigliate, annunciò il loro arrivo.

«Sua Altezza Viserys della Casa Targaryen, terzo del suo nome.» Aveva una voce delicata, dai toni acuti. «Re degli andali e dei rhoynar e dei primi uomini, signore dei Sette Regni e Protettore del Reame. Sua sorella, Daenerys Nata dalla Tempesta, principessa della Roccia del Drago. Il loro onorevole ospite Illyrio Mopatis, magistro della città libera di Pentos.»

Superarono l'eunuco ed entrarono in un cortile circondato da colonne e avvolto anch'esso dai tentacoli di quell'edera pallida. Si mescolarono con gli altri ospiti, sotto la luce della luna che dipingeva sfumature argentee sulle foglie di pietra dei capitelli. La maggior parte dei presenti erano signori dothraki. Uomini grandi e grossi, dalla pelle color rame scuro, con anelli d'ottone attorno ai baffoni spioventi, i capelli neri come l'inchiostro intrisi d'olio e acconciati in cascate di trecce piene di campanelli. Ma tra loro c'erano anche guerrieri e fabbricanti di spade di Pentos, Myr, Tyrosh. C'era un prete rosso addirittura più grasso di Illyrio. E poi uomini con i capelli lunghi del Porto di Ibben e lord provenienti dalle Isole dell'Estate, dalla pelle nera come ebano. Daenerys li guardava con una mescolanza di meraviglia e di timore. E all'improvviso ebbe paura: in mezzo a quell'orda caleidoscopica, lei era l'unica donna.

«Quei tre là» bisbigliò Illyrio «sono i cavalieri di sangue di Drogo. Vicino alla colonna c'è khal Moro, assieme al figlio Rhogoro. L'uomo con la barba verde è il fratello del signore di Tyrosh, e l'uomo dietro di lui è ser Jorah Mormont.»

«Mormont?» Fu quell'ultimo nome a scuotere Daenerys. «Un cavaliere?»

«Sicuro.» Un altro sorriso separò la barba dorata di Illyrio. «E con tanto d'investitura dei sette unguenti da parte dell'Alto Septon in persona.»

«Che ci fa qui?» chiese Daenerys in un soffio.

«L'Usurpatore voleva la sua testa» spiegò Illyrio. «Un qualche affronto da poco. Mormont aveva venduto alcuni cacciatori di frodo nella città di Tyrosh come schiavi, invece di consegnarli ai guardiani della notte. Una legge assurda. Un uomo dovrebbe essere libero di disporre delle proprie risorse come meglio gli aggrada. O no?»

«Prima che questa serata si concluda» disse Viserys «parlerò con ser Jorah Mormont.»

Daenerys non poté evitare di osservare il cavaliere con una certa curiosità. Era un uomo in età, decisamente oltre i quaranta, con un'incipiente calvizie, ma ancora forte e in ottima forma fisica. Al posto di seta e cotone, vestiva lana e cuoio. Sulla sua tunica verde scuro era ricamata l'immagine di un orso in piedi sulle zampe posteriori.

Dany stava ancora osservando quello strano uomo che veniva dalla patria che non aveva mai conosciuto quando la mano umidiccia di Illyrio si posò sulla sua spalla nuda.

«Da questa parte, dolce principessa» le sussurrò il magistro. «Ecco il Khal.»

Dany provò l'impulso di scappare di corsa a nascondersi. Ma non poté farlo: suo fratello la stava guardando, e se lei l'avesse deluso, avrebbe risvegliato il drago. Piena d'ansia, si voltò a osservare l'uomo che Viserys sperava l'avrebbe chiesta in sposa prima che la notte avesse ceduto il passo al giorno.

La giovane schiava chiacchierona non si era sbagliata. Khal Drogo superava di tutta la testa il più alto degli uomini in quel cortile. E al tempo stesso si muoveva con estrema leggerezza, il passo sinuoso come quello della pantera di cristallo nella collezione a casa di Illyrio. Era più giovane di quanto Daenerys avesse immaginato, meno di trent'anni. La sua pelle aveva il colore del rame lucidato, i folti baffi erano raccolti da anelli d'oro e di bronzo.

«Devo andare a compiere il mio atto di sottomissione» disse Illyrio. «Aspettate qui. Sarò io a condurlo fino a voi.»

La mano di Viserys si chiuse attorno al braccio di lei in una morsa dolorosa mentre il magistro si faceva strada in direzione del Khal.

«Guarda bene la sua treccia, dolce sorella.»

Un'unica treccia satura di oli raccoglieva i capelli di Khal Drogo, neri come la notte più profonda. A ogni movimento, i campanelli attaccati a essa tintinnavano in modo vagamente minaccioso. Era incredibilmente lunga: gli scendeva lungo tutta la schiena, fino alla parte superiore delle cosce.

«Quando un dothraki viene sconfitto in duello» le spiegò Viserys «deve tagliarsi la treccia in segno di disonore, in modo che tutto il mondo possa essere testimone della sua vergogna. Khal Drogo non ha mai perduto un duello. Khal Drogo è come una reincarnazione di Aegon, Signore dei Draghi. E tu diventerai la sua regina.»

Daenerys studiò Khal Drogo. Il suo volto aveva lineamenti scolpiti, crudeli, e occhi gelidi, neri come onice. Quando il drago si risvegliava, suo fratello a volte le faceva male, le faceva paura. Ma quella paura non era nulla in confronto al terrore primordiale che le istillava il torreggiante guerriero stagliato contro i viticci di edera pallida.

«Non voglio essere la sua regina» disse quasi senza rendersene conto, con una voce sottile sottile. «Viserys, ti prego... Ti prego! Non voglio! Portami a casa...»

«Casa?» Adesso la voce del Re Mendicante era piena di furore a stento represso. «E dov'è la nostra casa, dolce sorella? Ce l'hanno portata via, la nostra casa!»

La trascinò sotto un androne assediato dalle ombre, lontano dagli sguardi di tutti, le sue dita scavarono nella pelle di lei.

«Allora, dov'è la nostra casa?»

Per lui, casa era Approdo del Re e la Roccia del Drago e tutto quel grande reame andato perduto. Per Daenerys, non era nient'altro che le loro stanze nel palazzo di Illyrio. Di certo non una vera casa, eppure era tutto quello che avevano. Ma questo suo fratello non poteva, non voleva sentirlo. Lì, per lui, non esisteva nessuna casa. Viserys aumentò la stretta. Voleva una risposta da lei. E la voleva subito.

«Non lo so dov'è...» La voce di Daenerys si spezzò, i suoi occhi si riempirono di lacrime.

«Io invece lo so» sibilò suo fratello. «A casa ci andremo con un esercito, dolce sorella. L'esercito di Khal Drogo. Ecco come ci andremo. E se per fare sì che io lo ottenga tu dovrai sposarlo e dormire con lui, tu lo farai.» Le sorrise. «Se per fare sì che io lo ottenga il suo intero khalasar vorrà fotterti, tu ti farai fottere, dolce sorella. Da tutti i suoi quarantamila uomini. E anche da tutti i loro cavalli, se necessario. Invece sii grata che sarà solamente Drogo a fotterti. Chissà, col tempo potresti addirittura cominciare a fartelo piacere. Adesso asciugati gli occhi. Illyrio lo sta portando qui. E Khal Drogo non deve vederti piangere!»

Daenerys si girò. Era vero. Magistro Illyrio, tutto sorrisi e salamelecchi, stava guidando Khal Drogo verso di loro. Con il dorso della mano, Dany si tolse dalle palpebre lacrime che non sarebbero mai cadute.

«Sorridi» le disse nervosamente Viserys, la mano che tornava all'elsa della spada. «E sta' eretta. Fagli vedere che hai le tette. E gli dèi sanno quante poche tette hai...»

Daenerys sorrise. E rimase eretta.

EDDARD

Un fiume in piena fatto d'oro, argento e acciaio si riversò attraverso il portale del castello, trecento uomini a cavallo in una tonante colonna, cavalieri e alfieri, vassalli e soldati di ventura. Sopra di loro, nell'aria fredda, sventolavano vessilli dai colori azzurri e dorati: il cervo incoronato, emblema della Casa Baratheon, campeggiava su di essi.

Eddard Stark conosceva quasi tutti quei cavalieri. Ecco ser Jaime Lannister, capelli biondi scintillanti come oro lavorato. Ecco Sandor Clegane, con il volto sfigurato da una spaventosa ustione. Il giovane alto accanto a lui non poteva essere altri che il principe ereditario. E il piccolo uomo deforme dietro tutti loro era di certo Tyrion Lannister, il Folletto.

Eppure, l'uomo gigantesco che cavalcava in testa alla colonna, affiancato da due cavalieri con le cappe bianche della Guardia reale, a Ned sembrò uno sconosciuto. O almeno tale gli parve finché non smontò di sella per chiuderlo in un abbraccio da spezzare le ossa.

«Ned! Non vedevo l'ora di godermelo, questo tuo dannato ceffo congelato!» Il re lo studiò da capo a piedi e scoppiò in una risata. «E non sei cambiato affatto.»

Eddard Stark avrebbe voluto poter dire lo stesso. Quindici anni prima, quando avevano combattuto fianco a fianco per la conquista del trono, il signore di Capo Tempesta era il sogno di qualsiasi principessa: giovane, aitante, accuratamente rasato, dal suo metro e novanta di muscoli ben scolpiti torreggiava sulla maggior parte degli uomini del suo esercito. Quando indossava l'elmo munito di corna di cervo della sua nobile Casa, diventava un vero e proprio gigante. Anche la sua forza era quella di un gigante: la sua arma da combattimento era una monumentale mazza ferrata che

Ned riusciva a sollevare a stento. In quei giorni, l'odore del cuoio e del sangue permeava lord Robert Baratheon come un profumo.

Adesso, era vero profumo quello che emanava da lui, e il suo ventre sfidava la sua statura. Erano passati nove anni dalla rivolta di Balon Greyjoy, quando i vessilli del cervo e del meta-lupo si erano nuovamente uniti per porre fine agli oltraggi dell'uomo che aveva voluto autoproclamarsi re delle Isole di Ferro. Nove anni dalla notte in cui erano rimasti fianco a fianco nella fortezza conquistata di Greyjoy. Era stata quella l'ultima volta che Ned aveva visto il re. Eddard aveva preso Theon, il primogenito del ribelle, come suo ostaggio e protetto, ed era ritornato a Grande Inverno.

Da allora Robert aveva messo su almeno cinquanta chili. Una fisarmonica di menti tutt'altro che regale era nascosta a stento da un'imponente barba nera, dura come metallo, ma nulla avrebbe potuto nascondere il ventre prominente e le scure borse sotto gli occhi.

In ogni caso Robert era il suo re, adesso, non più soltanto suo amico. E da re Ned l'avrebbe trattato.

«Maestà» si limitò a dire «Grande Inverno ti appartiene.»

Gli altri cavalieri stavano smontando e gli stallieri venivano a occuparsi dei loro animali. Cersei Lannister, la regina, moglie di Robert, entrò nel castello a piedi, accompagnata dai figli più piccoli. Fu costretta a farlo perché il carro sul quale era arrivata la famiglia reale – un mastodonte a due piani tirato da quaranta cavalli massicci, fatto di quercia rinforzata d'acciaio – era troppo largo per poter passare dal portale. Ned s'inchinò nella neve per baciare l'anello della regina mentre Robert abbracciava Catelyn con il calore che si ha verso una sorella che non si vede da molto tempo. Poi i bambini di entrambe le famiglie vennero presentati gli uni agli altri e quindi reciprocamente approvati come voleva l'etichetta.

Completato il protocollo, Robert non volle perdere altro tempo. «Conducimi alla cripta, Eddard» disse. «Voglio presentare i miei rispetti.»

Ned apprezzò il gesto e si fece portare una lanterna. Dopo tanto tempo, Robert continuava a ricordarsi di lei. Tra loro non furono necessarie altre parole, ma la regina cominciò a protestare. Erano in viaggio dall'alba, erano stanchi, infreddoliti e affamati, non sarebbe stato male darsi per prima cosa una sistemata. I defunti potevano aspettare, per cui... Non disse altro. Robert la folgorò con un'occhiata e il suo fratello gemello Jaime la prese per un braccio e la portò via.

Scesero assieme nel sepolcro di Grande Inverno, Eddard e questo re che stentava a riconoscere. I gradini di pietra della scala a spirale erano stretti. Ned andò giù per primo, reggendo la lanterna.

«Cominciavo a pensare che non ci saremmo mai arrivati, a Grande Inverno» si lamentò Robert durante la discesa. «Giù nel Sud, a sentire come la gente parla dei miei Sette Regni, uno finisce con il dimenticare che la tua parte è grande quanto le altre sei messe assieme.»

«Confido comunque che il viaggio sia stato di tuo gradimento, maestà.»

«E come no» sbuffò Robert. «Paludi, foreste e pianure. E che ci fosse una locanda decente a nord dell'Incollatura! Mai vista tanta terra vuota. Ma dov'è la tua gente, Ned?»

«Probabilmente sono troppo timidi per farsi vedere.» Ned continuò a scendere, respirando l'alito gelido che saliva dalle viscere della terra. «I re sono una visione rara qui nel Nord.»

«Io dico che si sono nascosti sotto la neve.» Robert si puntellò con una mano contro le pietre della parete curva. «Sotto la neve, Ned! Ti rendi conto?»

«Le nevicate di fine estate non sono nulla d'insolito. Spero che non ti abbiano creato problemi. Dovrebbero essere comunque state lievi.»

«Che se le portino gli Estranei alla dannazione, le tue nevicate lievi!» imprecò Robert. «Mi viene freddo solo a pensare che cosa dev'essere questo posto durante l'inverno.»

«L'inverno è duro» ammise Ned. «Ma gli Stark lo affronteranno. Come lo affrontiamo da sempre.»

«Ned, devi venire al Sud. Devi goderti un'ultima boccata d'estate prima che se ne vada. Ad Alto Giardino ci sono campi di rose in fiore che si stendono fino all'orizzonte e oltre. La frutta è talmente matura che ti si scioglie in bocca: meloni, pesche, prugne... Non esiste roba più dolce. Sentirai, te ne ho portate un po'. Perfino a Capo Tempesta, con quel vento che soffia dalla baia, fa talmente caldo da riuscire a muoversi a stento. E dovresti vedere le città! Fiori da tutte le parti, mercati stracolmi di cibo, i vini dell'estate così a buon prezzo e così buoni che ti sbronzi solamente a respirarli. Tutti quanti sono grassi, ubriachi e ricchi.» Robert rise e si diede una sonora pacca sulla pancia. «Per non parlare delle ragazze, Ned!» Ci fu un lampo negli occhi del re. «Quando fa caldo, le donne perdono tutto il loro pudore, te lo dico io! Si mettono a nuotare nude nel fiume, perfino sotto le mura della Fortezza Rossa. In strada fa troppo caldo per indossare lana o pellicce, così se ne vanno in giro con certe gonne corte, di seta se hanno soldi, di cotone se non ne hanno. Ma non fa nessuna differenza quando sudano e la stoffa gli si appiccica alla pelle: è come se addosso non portassero niente.»

Robert Baratheon rise di nuovo. Era sempre stato un uomo di colossali appetiti, pronto a immergersi nei piaceri della vita. Una cosa che nessuno avrebbe mai potuto dire di Eddard Stark. Al tempo stesso, per quegli appetiti, per quei piaceri, il re stava pagando un duro prezzo: aveva il fiato grosso quando arrivarono alla base della scala e alla luce della lanterna il suo volto era congestionato.

«Maestà» disse Ned rispettosamente. Con un ampio movimento circolare, proiettò la luce della lanterna nell'oscurità che invadeva il sepolcro. Ombre si spostarono e si riaddensarono, luci purpuree scivolarono sulle pietre del pavimento definendo una lunga, doppia teoria di pilastri di granito che veniva progressivamente inghiottita dalle tenebre. I morti erano immobili sui troni di pietra addossati alle pareti fra i pilastri, la schiena appoggiata alla tomba che conteneva i loro resti. «Lei è verso il fondo» riprese Eddard. «Vicino al lord mio padre e a Brandon.»

Avanzò per primo tra i pilastri. Robert lo seguì in silenzio, rabbrividendo nel gelo del sottosuolo. Il gelo dominava, là sotto. I loro passi risuonavano contro le pietre del pavimento, rimbalzavano sulla volta del sepolcro che ospitava i defunti della Casa Stark. Ai piedi dei signori di Grande Inverno stavano accucciati grossi meta-lupi; i volti scolpiti nelle pietre che sigillavano le tombe li osservarono passare con occhi privi di luce che scrutavano in eterne tenebre. Nell'alone luminoso in movimento, quelle figure di granito parevano agitarsi sui loro scranni, protendersi verso i vivi.

Secondo l'antica tradizione, una spada lunga di ferro era posata di traverso sulle ginocchia di ognuno di essi, per consentire loro di tenere gli spiriti della vendetta imprigionati nelle cripte. La ruggine aveva divorato la lama più antica, lasciando solamente poche tracce rossastre là dove il metallo era rimasto in appoggio sulla pietra. Ned si chiese se questo poteva significare che ora gli spettri erano liberi di vagare nel castello, ma non volle crederci. I primi lord di Grande Inverno erano stati uomini duri e aspri come la terra sulla quale avevano dominato. Nei secoli che avevano preceduto l'arrivo dei signori dei draghi dall'altra parte dell'oceano, quei lord avevano respinto qualsiasi alleanza. Erano stati i re del Nord.

Ned si fermò, sollevando la lanterna. Più oltre, la grande cripta continuava a sprofondare nelle viscere della terra, perdendosi nelle tenebre. C'erano altre tombe in quelle tenebre, vuote e aperte, nere crisalidi di pietra in attesa di ricevere i morti a venire. In attesa di lui, Eddard Stark, e dei suoi figli. Un'altra cosa cui Ned non volle pensare.

«È qui che lei riposa» disse.

Silenziosamente, Robert annuì, s'inginocchiò, chinò il capo.

C'erano tre tombe, una accanto all'altra. Lord Rickard Stark, padre di Ned, aveva un volto allungato, austero. Lo scultore l'aveva conosciuto bene. Sedeva con quieta dignità, le dita di pietra strette attorno all'impugnatura della spada. Nella sua esistenza, però, tutte le spade l'avevano tradito. Nei due sepolcri più piccoli ai lati giacevano i suoi due figli.

Brandon era morto a vent'anni, strangolato per ordine di Aerys Targaryen, il Re Folle, appena pochi giorni prima delle nozze con Catelyn Tully di Delta delle Acque. Suo padre era stato costretto a veder morire il vero erede degli Stark, il primogenito, l'uomo nato per regnare.

Lyanna aveva solamente sedici anni, una donna-bambina di prodigiosa bellezza. Eddard l'aveva amata con tutta la sua anima. Robert l'aveva amata al di là dello spirito: era stata la sua promessa sposa.

Re Robert esitò, sempre genuflesso. «Era più bella, molto più bella di così.» Il suo sguardo rimase sui lineamenti di pietra di Lyanna, come se in qualche modo potesse farla tornare in vita. Alla fine si alzò, in un movimento reso goffo dal troppo peso. «Maledizione, Ned, dovevi proprio metterla in un posto come questo?» La memoria del dolore passato rendeva aspra la sua voce. «Meritava di meglio di questo pozzo buio...»

«Era una Stark di Grande Inverno. È qui che deve riposare» rispose Ned con semplicità.

«Dovrebbe essere sulla cima di una collina, sotto un albero di frutta, con sopra il sole e le nubi. Dovrebbe poter sentire la carezza della pioggia.»

«Ero con lei, quando se n'è andata» gli ricordò Ned. «Voleva tornare a casa, per riposare accanto a Brandon e a nostro padre.» A volte, nella notte, poteva ancora udirla. «Prometti» lo aveva implorato, mentre giaceva in quella stanza satura dell'odore delle rose e del sangue. «Devi promettermelo, Ned!» La febbre le aveva portato via le forze, la sua voce era stata poco più di un sussurro ma, quando lui le aveva dato la sua parola, la paura era svanita dagli occhi di sua sorella. Ned ricordava solo poche altre cose: il modo in cui gli aveva sorriso per l'ultima volta. le dita di lei che abbandonavano le sue lasciando cadere petali disseccati, anneriti. Il resto era una penombra indefinita. L'avevano trovato più tardi, paralizzato dalla sofferenza, mentre ancora stringeva il suo corpo tra le braccia. Howland Reed, il piccolo uomo delle terre lacustri, li aveva sciolti dall'abbraccio. Ned non aveva alcun ricordo di questo. «Le porterò dei fiori» credeva di aver detto a Reed. «Lo farò ogni volta che potrò. Lyanna... amava i fiori.»

La mano di re Robert sfiorò il volto di pietra, le sue dita ne percorsero i lineamenti con dolcezza, come se fossero stati quelli di una donna in vita. «Ho giurato di uccidere Rhaegar per quello che le ha fatto.»

«L'hai ucciso» gli ricordò Ned.

«Soltanto una volta.» Robert era ancora pieno di veleno.

Si erano affrontati al guado del Tridente mentre la battaglia infuriava tutt'attorno. Da un lato Robert Baratheon, mazza da combattimento ed elmo dalle grandi corna di cervo. Dall'altro Rhaegar Targaryen, il principe dall'armatura nera. Sulla placca pettorale c'era il drago a tre teste, emblema della sua Casa, tempestato di rubini che ai raggi del sole scintillavano come faville di fuoco. Le acque del Tridente scorrevano rosse di sangue attorno agli zoccoli dei loro destrieri mentre i due cavalieri andavano all'attacco, giravano uno attorno all'altro, si scontravano con furia cieca. Era stata la mazza ferrata di Robert a dare il colpo conclusivo, sfondando il drago di rubini e il torace sotto di esso. Quando Eddard era arrivato sulla scena del duello, il cadavere di Rhaegar giaceva nella corrente e soldati dei due eserciti frugavano nell'acqua alla ricerca dei rubini divelti dalla sua armatura.

«Ogni notte lo uccido di nuovo» confessò Robert. «Mille morti, diecimila morti sono niente al confronto di quello che meritava.»

Non c'era nulla che Ned potesse dire.

«Meglio rientrare, maestà» suggerì dopo una lunga pausa. «Tua moglie ti starà aspettando.»

«Mia moglie? Che gli Estranei se la portino alla dannazione!» Robert continuava a essere pieno di amarezza, ma cominciò comunque a muoversi con passo pesante. «E un'altra cosa, Ned: se la sento ancora una volta, la farsa del "maestà", ti stacco la testa e la infilo su una picca. Tu e io siamo ben altro!»

«Non ho dimenticato cosa siamo, Robert.»

Fu il re questa volta a non trovare niente da dire.

«Dimmi di Jon Arryn» riprese Ned.

«Non ho mai visto un uomo arrivare alla fine per malattia tanto rapidamente.» Robert scosse il capo. «Per il compleanno di mio figlio avevamo organizzato un torneo. A vedere Jon quel giorno, avresti detto che sarebbe vissuto per sempre. Due settimane dopo era morto. La malattia lo ha come bruciato dentro.» Si fermò accanto a un pilastro, vicino alla tomba di un altro Stark svanito da molto tempo. «Lo amavo, quel vecchio.»

«Tutti e due lo amavamo.» Ned fece una pausa. «Catelyn è preoccupata per sua sorella Lysa. Come sta affrontando il lutto?»

«In verità, non bene.» La bocca di Robert si strinse. «Credo che la perdita di Jon l'abbia fatta diventare matta. Ha preso il bambino e l'ha riportato al Nido dell'Aquila, contro la mia volontà. Avevo sperato di darlo in adozione a Tywin Lannister a Castel Granito. Jon non aveva né fratelli né altri figli. Cosa ci si aspettava che facessi, che lasciassi alle donne il compito di crescerlo?»

Lord Tywin Lannister. Piuttosto che mettere un bambino, qualsiasi bambino, tra le sue grinfie, Ned Stark l'avrebbe buttato in una fossa piena di serpenti. Ma questo al re non lo disse. Esistevano certe antiche ferite che non si erano mai completamente rimarginate. Bastava una parola sbagliata per riaprirle e farle sanguinare di nuovo.

«Quella donna ha perso suo marito» disse cautamente. «Forse ora teme di perdere anche il figlio. E il ragazzo è molto giovane.»

«Sei anni, malaticcio e lord del Nido dell'Aquila... Gli dèi ne abbiano pietà» esclamò il re. «Lord Tywin non ha mai avuto un protetto e i Lannister sono una grande, nobile Casa. Lysa avrebbe dovuto dichiararsi onorata per una simile prospettiva, invece non ha voluto nemmeno sentirne parlare. Se n'è andata nel mezzo della notte, senza dire una parola a nessuno. Cersei era furiosa.» Respirò a fondo. «E come se non bastasse, il bambino porta il mio stesso nome. Lo sapevi questo? Robert Arryn. Ho giurato di proteggerlo. Ma mi dici come faccio a proteggerlo se sua madre me lo porta via?»

«Lo prenderò io come mio protetto, se lo desideri» disse Ned. «Lysa non dovrebbe avere problemi. Lei e Catelyn erano molto legate e anche lei potrebbe stare qui, se lo volesse.»

«Un'offerta generosa, caro amico» rispose il re. «Peccato che arrivi troppo tardi. Lord Tywin ha già dato il proprio consenso, e mandare il bambino da un'altra parte significherebbe recargli un grave affronto.»

«Ho molto più a cuore la sorte di mio nipote dell'orgoglio dei Lannister» dichiarò Ned freddamente.

«È perché non dormi con una Lannister.» La risata di re Robert si ripercosse sul soffitto a volta e risuonò fra le tombe. I suoi denti scintillavano in mezzo all'enorme barba nera. «Ah, Ned, sei sempre così serio.» Gli mise sulle spalle un braccio massiccio. «Avevo pensato di lasciar passare qualche giorno prima di parlarti, ma ora mi rendo conto che non c'è nessun bisogno di aspettare. Vieni.»

Si avviarono di nuovo tra i pilastri, il braccio del re sempre sulle spalle di Eddard. I ciechi occhi di pietra degli Stark sembravano seguirli passo passo.

«Non dirmi che non ti sei domandato per quale ragione, dopo tutto questo tempo, ho finalmente deciso di venire a Grande Inverno.»

Ned aveva fatto delle ipotesi, ma preferì non esprimerle. «Ma per il piacere della mia compagnia» disse scherzoso. «Per che altro? E poi c'è la Barriera. È necessario che tu la veda, maestà, che ne visiti i fortini e parli con gli uomini che la sorvegliano. I guardiani della notte sono l'ombra di ciò che erano un tempo. Mio fratello Benjen dice...»

«Senza alcun dubbio, sentirò molto presto tutto quello che c'è da sentire sulla Barriera da tuo fratello Benjen» tagliò corto Robert. «La Barriera sta dove sta da... quanto?... ottomila anni? Non credo che andrà da nessuna parte nei prossimi giorni. Ho altre preoccupazioni, ben più pressanti. Questi sono tempi difficili e devo avere uomini validi attorno a me. Uomini come Jon Arryn. Era lord del Nido dell'Aquila, Protettore dell'Est e Primo Cavaliere del re. Rimpiazzarlo sarà tutt'altro che facile.»

«Suo figlio...» iniziò Ned.

«Suo figlio gli succederà nel Nido dell'Aquila e in tutti i suoi proventi» lo interruppe bruscamente Robert. «Adesso però basta parlarne.»

Ned, colto di sorpresa, si fermò di colpo e si girò fissando il suo re. Parlò senza mezzi termini: «Gli Arryn sono sempre stati Protettori dell'Est, Robert. È un titolo che viene assieme al dominio sul Nido dell'Aquila».

«Quando sarà in età, può darsi che gli venga restituito. Ho tutto quest'anno per pensarci, e anche tutto il prossimo. Un bambino di sei anni non è un condottiero di armate, Ned.»

«In tempo di pace, quel titolo è una semplice onorificenza. Lascia che il bambino lo conservi. Per suo padre, se non per lui. Quanto meno lo devi a Jon, per i servigi che ti ha reso.»

«Quei servigi erano un preciso dovere di Jon nei confronti del suo sovrano.» Il re cominciava a irritarsi. Il suo braccio si allontanò dalle spalle di Eddard. «Non sono un ingrato, Ned, tu dovresti saperlo meglio di chiunque altro. Ma il figlio non è il padre e un bambino non può tenere l'Oriente dei Sette Regni.» Il tono di Robert si ammorbidì. «Non voglio discutere con te, Ned. Non continuiamo a parlare di questo. C'è dell'altro.» Prese Eddard per un gomito. «È di te che ho bisogno, Ned.»

«Sono ai tuoi comandi, maestà.» Parole che doveva dire e che disse, pur essendo pieno di timori su ciò che stava per arrivare. «Sempre.»

«Gli anni che tu e io abbiamo trascorso assieme al Nido dell'Aquila...» Robert parve averlo udito a stento. «Per gli dèi... quelli sì furono anni buoni, validi. Ned, ti voglio di nuovo al mio fianco. Ti voglio con me ad Approdo del Re, non quassù, all'ultimo, dannato confine del mondo, dove non sei utile a nessuno.» Scrutò nel buio che li circondava e per un attimo i suoi lineamenti ebbero l'espressione malinconica degli Stark. «Te lo giuro, Ned: se conquistare un trono è duro, è nulla in confronto a quello che ti arriva addosso quando ci stai seduto sopra. Le leggi sono una noia, fare i conti con le casse del regno è addirittura peggio. E poi la gente... Sembra senza fine. Sto seduto su quello stramaledetto sedile di ferro a sentire le loro lamentele fino a quando il cervello mi va in acqua e il culo a fuoco. Non ce n'è uno che non voglia qualcosa: denaro, terre, giustizia. E le menzogne che raccontano... I miei nobili, le mie nobildonne non sono di certo meglio. Sono circondato da adulatori e da imbecilli. Roba da farti uscire di senno, Ned. Una metà non ha il coraggio di dirmi la verità, l'altra metà non sa nemmeno dove si trovi. Certe notti penso che forse sarebbe stato meglio averla perduta, la Battaglia del Tridente. Be', non proprio...»

«Mi rendo conto» disse Ned a bassa voce.

«Lo so.» Robert riportò lo sguardo su di lui. «Penso che tu ti renda conto. E penso anche che nessun altro si renda conto, mio caro, vecchio amico.» Gli sorrise. «Lord Eddard Stark, voglio farti Primo Cavaliere del re.»

Ned mise un ginocchio a terra di fronte a lui. L'offerta non lo sorprese. Robert non poteva avere nessun'altra ragione per fare tutta quella strada fino a Grande Inverno. Il Primo Cavaliere del re era il secondo uomo più potente dei Sette Regni: parlava in luogo del re, guidava gli eserciti del re, redigeva le leggi del re, arrivava addirittura a sedere lui stesso sul Trono di Spade, dispensando la giustizia del re quando questi era assente, ammalato o altrimenti occupato.

Ciò che Robert gli stava offrendo erano una responsabilità e un potere vasti quanto il reame stesso. Ma erano anche l'ultima delle responsabilità, l'ultimo dei poteri che avrebbe mai voluto.

«Non sono degno di un simile onore, maestà» rispose.

«Ned, se avessi voluto farti un onore, ti avrei permesso di rifiutare» borbottò Robert in modo benevolo. «Il mio progetto è ben altro: avere te che mandi avanti il regno mentre io vado avanti a mangiare, bere, fottere e condurre una splendida vita di dissolutezze fino alla mia prematura dipartita.» Sorrise beffardo e si diede un'altra pacca sullo stomaco. «E poi, lo sai quello che dicono in merito al re e al suo Primo Cavaliere, no?»

«Ciò che il re sogna» recitò Ned «il Primo Cavaliere costruisce.»

«Versione dei nobili. Una servetta che mi feci qualche tempo fa mi diede quella dei bassifondi: "Il re si abboffa mentre il Primo Cavaliere si becca la merda".» Robert gettò indietro la testa e scoppiò in una tonante risata suscitando echi nelle tenebre del sepolcro. I ciechi occhi di pietra degli spettri di Grande Inverno parevano osservare con ostile disapprovazione.

Alla fine, la risata cessò. Eddard era sempre con un ginocchio a terra, lo sguardo alzato sul suo re.

«Maledizione, Ned, potresti per lo meno sforzarti di stare al gioco con un sorriso» sbottò Robert.

«C'è un vecchio detto, qui nel Nord. Dicono che durante l'inverno fa così freddo che la risata di un uomo gli si congela in gola, soffocandolo fino alla morte» rispose Ned in tono piatto. «Forse è per questo che gli Stark non brillano per il loro senso dell'umorismo.»

«E allora vieni al Sud con me: t'insegnerò io come si fa a ridere di nuovo» promise il re. «Mi hai aiutato a prendere il dannato trono, ora ti chiedo di aiutarmi a restarci sopra. Ned, siamo destinati a regnare assieme, tu e io. Se Lyanna fosse vissuta, saremmo diventati fratelli. Un legame di sangue oltre che di affetto. Ebbene, non è troppo tardi. Io ho un figlio, tu hai una figlia. Il mio Joffrey e la tua Sansa faranno un'unica Casa delle nostre due, come Lyanna e io avremmo fatto tanto tempo fa.»

Ma questa offerta sorprese Eddard Stark. «Sansa ha soltanto undici anni.»

Robert fece un gesto impaziente. «Un'età sufficiente per essere quanto meno promessa sposa. Per il matrimonio potremo aspettare qualche anno.» Il re sorrise. «Ora alzati e rispondi di sì, maledetto te.»

«Nulla mi renderebbe più felice, maestà.» Ned esitò. «Un onore così grande... E del tutto inaspettato. Posso avere qualche tempo per pensarci? Devo dirlo a mia moglie...»

«Ma sì, ma sì, dillo pure a Catelyn. Dormici pure sopra, se davvero ci tieni.» Il re allungò una mano, facendo alzare Ned con impeto. «Ma cerca di non farmi aspettare troppo a lungo. La pazienza non è la mia maggiore virtù.»

Per un lungo momento, Eddard Stark sentì aleggiare attorno a sé, dentro di sé, un pericolo spaventoso. Il suo posto era il Nord. Tornò con lo sguardo alle figure di pietra che parevano assediarlo da tutti i lati. Respirò l'aria gelida del sepolcro. I morti lo stavano osservando. I morti lo stavano ascoltando. Lui lo sapeva, lo sentiva. E l'inverno stava arrivando.

JON

C'erano volte, non molte ma c'erano, in cui Jon Snow era felice di essere un bastardo.

Prese al volo una caraffa e si riempì di nuovo la coppa fino all'orlo: questa era proprio una di quelle volte. Tornò a sedersi sulla panca assieme agli altri giovani signorotti di campagna e bevve. Il gusto del vino dell'estate, dolce, carico dell'aroma della frutta, gli si diffuse in bocca, portandogli il sorriso sulle labbra.

Nella sala grande del castello di Grande Inverno l'atmosfera era caliginosa per il fumo, satura dell'odore della carne arrostita e del pane appena sfornato. Le alte pareti di pietra grigia erano adornate di stendardi, un caleidoscopio di bianco, cremisi e oro: il meta-lupo degli Stark, il leone dei Lannister, il cervo incoronato dei Baratheon. Un menestrello cantava una ballata accompagnandosi all'arpa, ma verso il fondo della sala, dove si trovava Jon, la sua voce giungeva a malapena, sopraffatta dal crepitare dei fuochi, dalla cacofonia di piatti e coppe che sbattevano, dal brusio di centinaia di conversazioni alimentate dal troppo vino.

La festa in onore del re andava avanti da quattro ore. I fratelli e le sorelle di Jon erano seduti assieme ai rampolli reali, appena al disotto della piattaforma sopraelevata sulla quale lord e lady Stark intrattenevano il re e la regina. Per l'occasione, il lord suo padre avrebbe senza dubbio lasciato bere un bicchiere di vino a ciascuno dei ragazzi, ma non più di uno. Laggiù, sulle panche, nessuno avrebbe impedito a Jon Snow di bere quanto avesse voluto.

Jon si stava rendendo conto anche di qualcos'altro: la sua sete era quella di un adulto, il che faceva la chiassosa delizia del giovane branco che lo circondava. Lo incitavano, lo invogliavano, gli riempivano la coppa non appena lui la svuotava. A Jon piaceva stare assieme a loro, si godeva le loro storie di duelli, seduzioni e cacce. Era certo che quei compagni fossero molto più stimolanti dei rampolli reali. La sua curiosità verso i visitatori si era esaurita al momento del loro ingresso nella sala del banchetto. Il corteo gli era sfilato tanto vicino da poterlo toccare e lui aveva dato una lunga occhiata a ognuno dei componenti.

Per primo era venuto il lord suo padre che scortava la regina. Cersei Lannister era effettivamente la bellezza che tutti gli uomini dicevano che fosse. Una tiara di pietre preziose tratteneva i suoi lunghi capelli biondi, gli smeraldi in perfetto accostamento cromatico con il verde dei suoi occhi. Suo padre le aveva dato il braccio nel salire i pochi gradini della piattaforma e l'aveva fatta accomodare, ma la regina non l'aveva neppure degnato di uno sguardo. Jon Snow aveva soltanto quattordici anni, ma era perfettamente in grado di vedere che cosa traspariva dal sorriso di quella donna.

Poi era stata la volta del re, con lady Stark al braccio. Per Jon, il re era stato una profonda delusione. Suo padre ne parlava spesso: l'invincibile Robert Baratheon, il demone della Battaglia del Tridente, il più letale guerriero dei Sette Regni, gigante tra i principi. Tutto ciò che Jon vide fu un uomo obeso dalla camminata pencolante, la faccia arrossata, madida di sudore sotto tutta quella barba.

Dopo i genitori erano arrivati i figli. Il piccolo Rickon aveva aperto il gruppo, affrontando la lunga sfilata con tutta la dignità di un bambino di tre anni. Jon era stato costretto a dirgli di andare avanti quando si era fermato vicino a lui per sorridergli. Dietro veniva Robb, che indossava una tunica di lana grigia bordata di bianco, i colori degli Stark. Aveva al braccio la principessa Myrcella, un giunco di ragazzina di nemmeno otto anni, con una cascata di riccioli dorati raccolta in una reticella adorna di gioielli. Mentre avanzavano tra i tavoli, a Jon non erano sfuggiti lo sguardo timido che la bambina allungava a Robb e il timido sorriso che gli riservava. Jon aveva deciso che Myrcella era decisamente insipida, probabilmente anche stupida. A giudicare dal suo sorriso da un orecchio all'altro, Robb doveva trovarsi a mille miglia da pensieri simili.

Le sue sorellastre scortavano i principi reali. Ad Arya, nove anni, era toccato il grassottello Tommen, i cui capelli biondo cenere erano addirittura più lunghi di quelli di lei. Sansa, due anni più di Arya, era con il principe ereditario, Joffrey Baratheon, dodici anni, più giovane di Robb e di Jon, ma anche più alto di entrambi, la qual cosa a Jon non era piaciuta affatto. Il principe Joffrey aveva i capelli biondi di sua sorella e gli occhi verdi di sua madre. Una spessa coda di riccioli biondi gli scendeva al disotto della gorgiera d'oro, fino all'alto collo di velluto. Nel camminargli a fianco, Sansa appariva radiosa, ma a Jon non erano piaciute le labbra carnose, per certi versi femminee, del principe. E gli era piaciuta ancora meno l'occhiata di annoiata condiscendenza che aveva lanciato alla sala di Grande Inverno.

Era stato molto più interessato dal gruppo che seguiva: i fratelli della regina, i Lannister di Castel Granito, il Leone e il Folletto, ed era impossibile non capire chi fosse cosa. Ser Jaime Lannister, fratello gemello della regina Cersei, era alto e dorato, con scintillanti occhi verdi e un sorriso affilato come una lama di Valyria. Indossava seta porpora, alti stivali neri, un'ampia cappa di satin nero. Il leone della sua nobile Casa, ricamato in oro sul petto del suo farsetto, era raffigurato in un ruggito carico di sfida, di minaccia. Il Leone di Lannister, così veniva chiamato ser Jaime nelle sale del regno, ma alle sue spalle si sussurrava un altro appellativo, assai diverso: Sterminatore di Re.

Eppure Jon non era riuscito a distogliere lo sguardo da quell'uomo. Un pensiero aveva preso forma nella sua mente: "È questo l'aspetto che dovrebbe avere un re".

E poi, seminascosto dal fratello, aveva visto l'altro Lannister: Tyrion, il più giovane della covata di lord Tywin e di gran lunga il più brutto. Tutti i doni estetici che gli dèi avevano concesso a Cersei e a Jaime, li avevano negati a Tyrion, il Folletto, un nano alto la metà del fratello, che arrancava per tenere il passo su gambette arcuate, deformi. La sua testa, sproporzionatamente grossa in confronto al resto del corpo, ospitava una faccia dai lineamenti brutali, rincagnati, quasi tenuta in ombra da un'arcata sopraccigliare sporgente. Aveva occhi di colori diversi, uno nero e l'altro verde, le iridi asimmetriche seminascoste da un ciuffo di capelli talmente biondi da apparire bianchi. Jon l'aveva fissato come ipnotizzato.

Ultimi dei lord a fare il loro ingresso erano stati Benjen Stark dei guardiani della notte e il giovane Theon Greyjoy, il protetto di suo padre. Nel superarlo, Benjen aveva rivolto a Jon un sorriso pieno di calore. Per contro, Theon l'aveva smaccatamente ignorato: nulla di nuovo. Una volta che tutti quanti furono seduti, si era passati ai brindisi di rigore, ai reciproci ringraziamenti, e finalmente il festino aveva avuto inizio. Era stato a quel punto che Jon aveva cominciato a darci dentro con il vino.

E non aveva ancora smesso.

Sotto il tavolo, qualcosa si strusciò contro le sue gambe. Jon vide due occhi rossi, ardenti. «Ancora fame?» chiese.

Al centro del tavolo era rimasto mezzo pollo marinato al miele.

Jon allungò una mano per strapparne una coscia, poi ci ripensò. Conficcò il pugnale nel volatile e lo lasciò cadere a terra tutto intero, tra le proprie gambe. In un silenzio sinistro, selvaggio, Spettro, il meta-lupo albino, iniziò a divorarlo. Ai suoi fratelli e sorelle non era stato permesso portare i loro lupi al banchetto, ma quel lato della sala era zeppo di animali e nessuno si era sognato di dire niente a Jon in merito al suo cucciolo. Un altro aspetto della fortuna di essere un bastardo.

Gli occhi gli bruciavano e se li sfregò con forza, maledicendo il fumo. Mandò giù un'altra sorsata di vino e osservò il meta-lupo che continuava a fare a pezzi il pollo.

Parecchi cani gironzolavano fra i tavoli, tallonando le serve che trasportavano il cibo. Uno di loro, una cagna nera dagli occhi giallastri, percepì l'aroma del pollo. Si fermò e andò a infilarsi sotto la panca per prenderne un pezzo. Jon osservò il confronto. La cagna emise un basso ringhio e si avvicinò a Spettro, che sollevò il muso e la fissò con quei suoi occhi fiammeggianti. La cagna nera abbaiò una sola volta, lanciando la sfida. Era grossa almeno il triplo di lui, ma Spettro non si scompose. Si limitò ad aprire le fauci e a scoprire le zanne ricurve. La cagna s'irrigidì, abbaiò una seconda volta, poi fece la mossa giusta: si ritirò con la coda tra le gambe, lanciando un ultimo ringhio per salvare l'orgoglio. Spettro tornò a dedicarsi alla sua preda.

Jon sogghignò, si protese sotto il tavolo e scompigliò la pelliccia bianca. Il meta-lupo lo guardò, gli diede un piccolo colpo alla mano con il naso e riprese a mangiare.

«Per cui questo è uno dei meta-lupi dei quali ho sentito parlare.»

Jon alzò lo sguardo sorridendo. Suo zio Benjen Stark gli arruffò i capelli pressoché nello stesso modo in cui lui aveva arruffato il pelo del cucciolo. «Si chiama Spettro.»

Uno degli altri signorotti seduti al tavolo interruppe l'aneddoto che stava raccontando e si spostò per fare posto al fratello del suo lord. Benjen scavalcò la panca con le lunghe gambe e prese la coppa dalla mano di Jon.

«Vino dell'estate» rilevò dopo un sorso. «Niente di più dolce. Quante te ne sei già scolate di queste, Jon?»

Jon sorrise senza rispondere.

«Proprio come temevo» rise Ben. «Ah, be', in ogni caso credo di essere stato anche più giovane di te la prima volta che mi sono sbronzato.» Da un vassoio accanto a loro prelevò una grossa cipolla arrostita gocciolante salsa speziata e l'addentò, facendola scricchiolare tra i denti.

Benjen Stark era un uomo dai lineamenti marcati, asciutto come uno sperone basaltico, ma c'era sempre un accenno di allegria nei suoi occhi azzurro acciaio. Vestiva interamente di nero, secondo la tradizione della confraternita dei guardiani della notte. Per l'occasione, aveva scelto spesso velluto, alti stivali e una larga cintura dalla fibbia d'argento. Come unico ornamento, portava attorno al collo parecchi giri di collana, anch'essa d'argento. Continuò a osservare Spettro e a mordere la cipolla. «Un lupo molto quieto» osservò.

«È diverso dagli altri» rispose Jon. «Non fa il minimo rumore. Per questo l'ho chiamato Spettro. E anche perché è bianco. Gli altri sono bruni, grigi o neri.»

«Ci sono ancora molti meta-lupi oltre la Barriera. Uscendo di pattuglia, li sentiamo muoversi nella foresta.» Benjen Stark lanciò a Jon uno sguardo penetrante. «Dimmi una cosa, Jon: di solito non mangi allo stesso tavolo dei tuoi fratelli?»

«Il più delle volte.» Il tono di Jon rimase incolore. «Ma questa sera lady Stark ha ritenuto che far sedere con loro un bastardo avrebbe potuto recare affronto alla famiglia reale.»

«Capisco.» Benjen gettò un'occhiata al disopra della spalla, verso il tavolo sulla piattaforma all'estremità più lontana della sala. «Mio fratello non ha esattamente l'aria di uno che si sta divertendo.»

Anche Jon l'aveva notato. Un bastardo era costretto a notare le cose, a intuire le verità che si celavano dietro gli sguardi. Suo padre era stato perfetto in ognuna delle cortesie di rito, ma c'era in lui una rigidezza che Jon non aveva visto spesso. Lord Eddard Stark parlava poco, i suoi occhi cupi, fermi sulla prospettiva della sala, guardavano ma senza vedere nulla. A due posti da lui, il re non aveva fatto che bere senza sosta per tutta la serata. Dietro la spessa barba nera, la sua faccia larga era accesa dei fumi del vino: troppi brindisi, troppe risate sguaiate, troppi assalti all'arma bianca a ogni portata. Accanto a lui, la regina appariva distante e remota come una scultura di ghiaccio.

«Anche la regina è arrabbiata» disse Jon a voce bassa, calma. «Questo pomeriggio, mio padre ha portato il re a visitare la cripta, ma la regina non voleva che ci andasse.»

«C'è ben poco che ti sfugge, vero, Jon?» Benjen scrutò attentamente il ragazzo, valutandolo. «Sulla Barriera c'è bisogno di uomini come te.»

Jon sentì l'orgoglio crescere. «Robb è un lanciere più bravo di me, ma io lo batto con la spada. E mastro Hullen dice che so cavalcare meglio di chiunque altro al castello.»

«Risultati notevoli.»

«Zio, quando farai ritorno alla Barriera, portami con te!» disse Jon con impeto. «Papà mi permetterà di andare, se sarai tu a chiederglielo. So che lo farà.»

Lo sguardo attento di Benjen rimase fisso nel suo. «La Barriera è un posto duro per un ragazzo, Jon.»

«Sono quasi un adulto, ormai» protestò Jon. «Al mio prossimo compleanno avrò quindici anni. E maestro Luwin dice che i bastardi crescono più in fretta degli altri ragazzi.»

«Questo è abbastanza vero.» C'era una strana piega all'angolo della bocca di Benjen. Afferrò la coppa di Jon, la riempì versando da una caraffa che era stata appena portata al tavolo e bevve con calma.

«Daeron Targaryen aveva solo quattordici anni quando conquistò Dorne» insistette Jon. Il Giovane Drago era uno dei suoi miti.

«Conquista durata una sola estate» gli ricordò suo zio. «Il tuo re ragazzino perse diecimila uomini nell'assalto, e altri cinquantamila cercando di respingere il contrattacco. Qualcuno avrebbe dovuto dirgli che la guerra non è un gioco.» Bevve un altro sorso di vino. «Inoltre» aggiunse, asciugandosi le labbra «Daeron Targaryen morì a diciotto anni. O forse ti sei dimenticato di quella parte della storia?»

«Non mi sono dimenticato di niente» esclamò Jon. Tutto quel vino l'aveva reso spaccone. Si raddrizzò sulla panca, mettendocela tutta per apparire più alto. «Voglio servire nei guardiani della notte, zio Ben.»

Era una cosa cui aveva pensato a lungo e intensamente durante troppe notti insonni, mentre i suoi fratelli dormivano attorno a lui. Un giorno Robb avrebbe ereditato Grande Inverno e quale Protettore del Nord avrebbe cavalcato alla testa di grandi eserciti. Bran e Rickon, come suoi alfieri, avrebbero governato fortezze nel suo nome. Le sue sorelle Arya e Sansa sarebbero andate spose agli eredi di nobili, grandi Case e si sarebbero spostate al Sud, diventando signore di splendidi castelli. Ma quali speranze poteva nutrire un bastardo? Quale sarebbe stato il suo posto nel mondo?

«Jon, tu non hai la minima idea di che cosa stai chiedendo. Quella dei guardiani della notte è una confraternita alla quale si presta solenne giuramento. Non abbiamo famiglia. Nessuno di noi sarà mai padre. La nostra moglie è il dovere, la nostra amante l'onore.»

«Anche un bastardo sa cos'è l'onore» dichiarò Jon. «E io sono pronto a prestare quel giuramento.»

«Sei un ragazzo di quattordici anni» obiettò Benjen. «Non sei ancora un uomo. E fino a quando non saprai che cos'è una donna, non puoi capire a che cosa rinunceresti.»

«Non m'importa!» replicò Jon con foga.

«Potrebbe importarti, se sapessi cosa significa» ribatté Benjen. «Se realmente ti rendessi conto di qual è il prezzo di quel giuramento, forse, figliolo, saresti molto meno incline a pagarlo.»

Jon sentì la rabbia montargli dentro. «Non sono il tuo figliolo!»

«Un peccato.» Benjen Stark gli mise una mano sulla spalla. «Torna da me dopo aver messo al mondo a tua volta un po' di bastardi. Vedremo allora se sarai della stessa idea.»

«Io non metterò mai al mondo dei bastardi.» Jon adesso tremava per l'ira. «Mai!» L'ultima parola gli venne fuori in un sibilo, come un soffio velenoso.

Su quel tavolo pieno di risate e di vino scese il silenzio, gli occhi di tutti si puntarono su di lui. Jon sentì le lacrime aprirsi la strada tra le palpebre. In qualche modo, si alzò in piedi.

«Credo sia opportuno che io mi ritiri» disse con gli ultimi frammenti di dignità.

Girò su se stesso e schizzò via prima che potessero vedere che stava piangendo. Ma il vino gli era andato alla testa molto più di quanto non si fosse reso conto. Barcollò per ritrovare l'equilibrio, finendo malamente addosso a una delle serve. La caraffa di vino che la ragazza trasportava le sfuggì di mano, disintegrandosi a terra in una sonora esplosione liquida, alla quale fece seguito un'ancora più sonora esplosione di risate. Jon sentì lacrime roventi scendergli lungo le guance. Qualcuno cercò di aiutarlo a tenersi in piedi. Lui si svincolò dalla presa e corse verso la porta, la vista offuscata, la testa in fiamme.

Spettro gli tenne dietro, e uscì assieme a lui nella notte.

Tutto era immobile, là fuori. Tutto era vuoto.

Un'unica, solitaria sentinella stava ferma sul camminamento più alto della muraglia interna, una nera figura avvolta nella cappa per proteggersi dal freddo. Da solo, nel buio e nel gelo, raccolto su se stesso, l'uomo appariva intirizzito e annoiato a morte eppure, per come si sentiva in quel momento, Jon Snow avrebbe preso il suo posto senza pensarci un attimo. Tutt'attorno la fortezza era deserta e tenebrosa. Molto tempo prima, Jon aveva visto un castello abbandonato, un luogo desolato, battuto dal vento, la memoria di chi l'aveva abitato perduta nelle pietre inerti. Quella notte, Grande Inverno era sinistramente simile all'antica rovina.

La musica e le risate del banchetto continuavano a riversarsi da una finestra aperta alle sue spalle. Erano gli ultimi suoni che avrebbe voluto udire. Si asciugò le lacrime con la manica della tunica, inferocito con se stesso per averle versate, quindi si girò per andarsene.

«Ehi, ragazzo.» Jon si voltò verso la sorgente della voce.

Tyrion Lannister, folletto trasformatosi in doccione, era seduto sul cornicione al disopra del portale che conduceva nella sala grande. «Quel tuo animale» proseguì il nano con una smorfia «è un lupo?»

«Un meta-lupo. Si chiama Spettro.» Jon osservò l'ometto, e tutta la sua rabbia, tutta la sua disperazione svanirono come foschia scacciata da un vento improvviso. «Che ci fai lassù? Perché non sei alla festa?»

«Bah. Troppo caldo, troppo frastuono. E troppo vino che di sicuro manderei giù. Ho imparato da un pezzo che fare una bella vomitata addosso al proprio fratello non è un gesto annoverato fra le buone maniere. Quel tuo... meta-lupo... posso dargli un'occhiata più da vicino?»

Jon ebbe un'esitazione. Alla fine annuì cautamente. «Scendi tu o porto una scala io?»

«Ah, alla malora la scala.» Il piccolo uomo saltò nel vuoto, letteralmente. Jon soffocò un'esclamazione all'idea di cosa stava per accadere. Poi rimase a bocca aperta nell'osservare Tyrion Lannister avvolgersi a palla a mezz'aria, toccar terra su entrambe le mani e infine saltare all'indietro atterrando sulle gambe.

Spettro, improvvisamente guardingo, arretrò.

«Le mie scuse.» Il nano rise, dandosi una teatrale spolverata. «Si direbbe che abbia fatto paura al tuo lupo.»

«Non gli hai fatto paura.» Jon s'inginocchiò. «Spettro: vieni qui, da bravo ecco, così.»

Ai suoi comandi, il cucciolo di lupo tornò ad avanzare, spingendo il muso contro il viso di Jon ma continuando a tenere d'occhio Tyrion Lannister. E quando il Folletto allungò cauto una mano per accarezzarlo, Spettro indietreggiò nuovamente, scoprendo le zanne in un ringhio silenzioso.

«Spettro, seduto» comandò Jon. «Così. Fermo.» Guardò il nano. «Adesso puoi toccarlo. Non si muoverà finché non glielo dirò io. L'ho addestrato in questo modo.»

«Vedo» commentò Tyrion. Arruffò la pelliccia bianca di Spettro fra le orecchie e disse: «Simpatico, questo lupo».

«Se non ci fossi io, ti aprirebbe la gola» affermò Jon. Non era ancora successo niente di simile, ma avrebbe potuto.

«In tal caso, è meglio che non ti allontani troppo.» Il nano inclinò la testa di lato; i suoi occhi asimmetrici studiavano Jon. «Sono Tyrion Lannister.»

«Lo so.» Jon si rimise in piedi. Era nettamente più alto del Folletto, il che lo fece sentire stranamente a disagio.

«Sei il bastardo di Ned Stark, giusto?»

Jon sentì il gelo impadronirsi di lui. Strinse le labbra, rimanendo in silenzio.

«Ti ho offeso?» chiese Tyrion. «Mi dispiace, ma i nani non sono obbligati ad avere tatto. Dopo la pletora d'imbecilli con mantello con la quale sono stato costretto ad avere a che fare, mi sono guadagnato il diritto di vestire in modo schifoso e di dire qualsiasi cosa fetente mi passi per la testa.» Fece una smorfia. «Tu però sei il bastardo.»

«Lord Eddard Stark è mio padre» ammise Jon rigidamente.

«Si vede.» Tyrion studiò i suoi lineamenti. «In te c'è molto più l'uomo del Nord di quanto non ce ne sia nei tuoi fratelli.»

«Fratellastri» corresse Jon. Le parole del Folletto gli avevano fatto piacere, ma cercò di non darlo a vedere.

«Allora lascia che ti dia qualche consiglio, bastardo» riprese Tyrion Lannister. «Mai, mai dimenticare chi sei, perché di certo il mondo non lo dimenticherà. Trasforma chi sei nella tua forza, così non potrà mai essere la tua debolezza. Fanne un'armatura, e non potrà mai essere usata contro di te.»

Jon Snow non era in vena di stare a sentire consigli, da nessuno. «Tu che ne sai di cosa significa essere un bastardo?»

«Agli occhi dei loro padri, tutti i nani sono bastardi.»

«Ma tu rimani un Lannister, sangue del loro sangue.»

«Davvero?» Il Folletto ebbe un'espressione sardonica. «Non esitare, ragazzo: va' pure a dirlo al lord mio padre. Mia madre morì nel darmi alla luce, per cui lui non ha mai potuto esserne del tutto certo.»

«Io non so nemmeno chi sia, mia madre» disse Jon.

«Una donna d'eccezione, senza alcun dubbio. La maggior parte di loro lo è.» Tyrion gli elargì un sorriso di solidarietà. «Ricorda una sola cosa, ragazzo: tutti i nani potranno anche essere dei bastardi, ma non è affatto necessario che tutti i bastardi debbano essere dei nani.»

Detto questo, il Folletto girò sui tacchi e fischiettando arrancò verso il portale per tornare alla festa. Quando aprì la porta, la luce proveniente dall'interno proiettò la sua ombra sull'intera lunghezza del cortile del castello. Per un momento, Tyrion Lannister fu più torreggiante di un re.

CATELYN

Tra tutti gli ambienti della Prima Fortezza di Grande Inverno, i quartieri privati di Catelyn erano decisamente i più caldi. Era raro che vi venisse acceso il fuoco. Il castello era costruito su un sistema di sorgenti calde sotterranee le cui acque ribollenti, simili a flussi sanguigni di un corpo gigantesco, risalivano lungo le intercapedini nelle mura. La temperatura di quelle acque teneva il gelo lontano dalle stanze, riempiva di tiepida umidità i giardini racchiusi nel vetro, impediva alla terra di congelare. Durante l'estate, tutto questo appariva poca cosa; durante l'inverno, faceva la differenza tra la vita e la morte.

La sala da bagno di Catelyn era perennemente torrida, piena di vapori, le pareti calde al tatto. Quel calore le faceva tornare alla mente Delta delle Acque, i giorni passati al sole assieme a Lysa e a Edmure. Per Eddard, quel calore rappresentava un problema. Gli Stark erano gente fatta per il freddo, le ripeteva in continuazione. Al che lei rideva, rispondendo che forse Brandon il Costruttore aveva eretto il castello nel posto sbagliato.

Così, quando ebbero finito, seguendo il medesimo rituale silenzioso compiuto mille volte, Ned si staccò dal corpo di lei, si alzò dal letto e andò ad aprire le pesanti tende. Una per una, spalancò le strette finestre, lasciando che l'aria fredda della notte invadesse la stanza.

Catelyn rimase a osservarlo, tirandosi le coperte di pelliccia fino al mento. Immobile di fronte alle tenebre, il vento del nord che si avvolgeva attorno a lui, nudo e a mani vuote, il signore di Grande Inverno appariva in qualche modo più piccolo, quasi vulnerabile, molto simile all'adolescente al quale, quindici anni prima, era andata in sposa nel Tempio di Delta delle Acque. Ned aveva fatto l'amore con lei in modo urgente, quasi disperato. Catelyn sentiva la schiena e le braccia ancora indolenzite dalla passione di lui, una cosa che non le dispiaceva affatto. Sentiva anche il suo seme dentro di sé. Pregò che si sviluppasse. Erano passati tre anni dalla nascita di Rickon. Lei non era troppo vecchia, poteva ancora dargli un altro figlio.

«Rifiuterò.» Ned si girò verso di lei, una luce cupa nello sguardo, la voce satura di dubbi.

«Non puoi.» Catelyn si rizzò a sedere sul letto. «Non devi.»

«Il mio posto, il mio dovere sono qui, nel Nord. Non ho alcun desiderio di diventare Primo Cavaliere di Robert.»

«Lui questo non lo capirà. È re, adesso, e i re non sono come gli altri uomini. Se rifiuti di servirlo, si domanderà perché e presto o tardi comincerà a sospettare che tu possa essere contro di lui. Non ti rendi conto del pericolo nel quale rischi di mettere tutti noi?»

«Robert non farà mai del male a nessuno dei miei né a me.» Ned scosse il capo, rifiutando di accettare una cosa del genere. «Lui e io eravamo più che fratelli. Mi vuole bene. Nel momento in cui gli dirò di no, si metterà a urlare, a bestemmiare, a fare il diavolo a quattro, ma nel giro di una settimana ci faremo sopra una risata. Io lo conosco, Catelyn!»

«Tu conosci un uomo che non esiste più. Questo re ti è del tutto estraneo.» Catelyn ricordò la meta-lupa morta nella neve, con il frammento di rostro di cervo inchiodato in gola. Doveva fare in modo che Ned capisse, che vedesse. «Per un re, mio signore, l'orgoglio è tutto. Robert ha fatto molta strada per vederti, per offrirti questo grande onore. Non puoi ributtarglielo in faccia.»

«Questo grande onore?» Ned ebbe una risata piena di amarezza.

«Ai suoi occhi lo è.»

«E ai tuoi?»

«Lo è anche ai miei!» rispose Catelyn con rabbia. Come poteva Ned non vedere? «Ha offerto suo figlio in matrimonio a nostra figlia, in quale altro modo definiresti un gesto del genere? Un giorno, Sansa sarà regina dei Sette Regni. I suoi figli domineranno dalla Barriera del Grande Nord alle montagne di Dorne. Qual è il tuo problema di fronte a tutto questo?»

«Per gli dèi, Catelyn: Sansa ha solamente undici anni! E Joffrey... non so, Joffrey è...»

«L'erede diretto del Trono di Spade» completò lei al suo posto. «Inoltre, io avevo solo dodici anni quando mio padre mi promise a tuo fratello Brandon.»

«Brandon.» La bocca di Eddard assunse una piega amara. «Lui saprebbe cosa fare, adesso. Lo sapeva sempre. Tutto doveva andare a Brandon: tu, Grande Inverno, ogni cosa. A Brandon, non a me. Lui era nato per essere Primo Cavaliere del re e padre di regine, non io. Io non ho mai chiesto di portare il bastone del comando.»

«Non l'hai chiesto, è vero» riconobbe Catelyn. «Tuttavia la realtà rimane, e non si può cambiarla: Brandon è morto e tu hai il bastone del comando. E ora tocca a te tenerlo in pugno, che ti piaccia o no.»

Ned tornò a girarsi, voltandole le spalle, e scrutò di nuovo nelle tenebre; forse osservava la luna e le stelle, o forse le sentinelle sulle mura.

Catelyn si intenerì vedendo la sua pena. L'aveva sposata in luogo di Brandon, esattamente come voleva la tradizione, ma quel fantasma non aveva mai cessato d'incombere su di loro. Assieme all'altro fantasma, quello della donna il cui nome si era sempre rifiutato di rivelare: la donna che gli aveva dato Jon, il figlio bastardo.

Catelyn stava per alzarsi e andargli vicino quando qualcuno bussò alla porta in modo perentorio, inaspettato.

Ned si girò, la fronte aggrottata: «Che c'è?».

«Mio signore» era la voce di Desmond. «Maestro Luwin è qui. Chiede urgente udienza.»

«Gli hai detto che ho dato ordine di non essere disturbato?»

«Sì, mio signore. Il maestro insiste.»

«E va bene. Fallo entrare.»

Ned raggiunse il guardaroba e indossò una vestaglia pesante. Catelyn si rese improvvisamente conto di quanto freddo fosse entrato nella stanza. Rimase a sedere sul letto, ma tornò a tirarsi le pellicce fino al mento. «Forse sarebbe bene chiudere le finestre» suggerì.

Ned annuì con aria assente.

Maestro Luwin era un ometto grigio, molto avanti negli anni, dagli occhi mobilissimi, attenti, vigili, ai quali non sfuggiva nulla. Indossava una veste lunga e ampia di lana grigia bordata di pelliccia bianca, i colori degli Stark. Era un indumento dalle maniche ampie, con tasche interne altrettanto ampie. Da quelle maniche, da quelle tasche, Luwin faceva entrare e uscire senza sosta libri, messaggi, strani manufatti, giocattoli per i bambini. Con tutta la roba che teneva nascosta là dentro, Catelyn continuava a chiedersi come riuscisse a muovere le braccia.

«Mio signore.» Il maestro attese che la porta si fosse chiusa alle sue spalle prima di proseguire. «Perdonami se disturbo il tuo riposo. Mi è stato lasciato un messaggio.»

«Ti è stato lasciato?» Ned appariva irritato. «Da chi? È venuto qualcuno a cavallo? Non sono stato avvertito.»

«Nessuno a cavallo, mio signore. Si tratta di una scatola di legno lavorato che è stata depositata sul tavolo del mio osservatorio mentre sonnecchiavo. I miei servitori non hanno visto nessuno, ma ritengo sia stata portata da qualcuno presente al banchetto del re. Non abbiamo altri visitatori venuti dal Sud.»

«Una scatola di legno?» chiese Catelyn. «Cosa conteneva?»

«Un'ottima lente nuova per il mio osservatorio. Dal tipo di lavorazione, direi che è stata fatta a Myr. Gli ottici di Myr non hanno eguali.»

«Certo che no, maestro Luwin» sbuffò Ned. «E quest'ottima lente di Myr cos'avrebbe a che fare con me?» Lord Stark non aveva molta tolleranza per questo genere di cose, Catelyn lo sapeva fin troppo bene.

«Mi sono posto la medesima domanda» rispose Luwin. «Chiaramente, dietro l'oggetto in sé, doveva esserci ben di più.»

Sotto la coltre di calde, pesanti pellicce, Catelyn ebbe un brivido improvviso. «Una lente è uno strumento che serve a vedere con maggior chiarezza.»

«Senza alcun dubbio.» Maestro Luwin passò un dito sul simbolo del suo ordine culturale, la pesante catena che portava al collo sotto la tonaca, ciascuna maglia forgiata in un metallo diverso.

E di nuovo, Catelyn percepì quel brivido glaciale. «Che cosa qualcuno vorrebbe che noi vedessimo con maggior chiarezza?»

«Un'altra domanda che anch'io mi sono posto.» Da una manica, maestro Luwin fece apparire una carta strettamente arrotolata. «C'era questo messaggio nascosto in un doppiofondo della scatola di legno che conteneva la lente. Ma non è destinato ai miei occhi.»

Ned tese la mano. «Dammelo, allora.»

«Temo, mio signore» Luwin non si mosse «che non siano neppure i tuoi gli occhi ai quali è destinato. È per quelli di lady Catelyn, e per i suoi solamente. Posso avvicinarmi?»

Catelyn annuì, non fidandosi ad aprire bocca. Il maestro collocò il documento sul tavolo accanto al letto. Il sigillo era un piccolo grumo di ceralacca blu. Luwin s'inchinò e fece per ritirarsi.

«Rimani.» La voce di Ned era tesa, il suo sguardo si spostò su Catelyn. «Mia signora... Tu stai rabbrividendo. Che cosa c'è?»

«Ho paura...» Catelyn allungò una mano e afferrò la lettera con dita tremanti. Le pellicce scivolarono giù, lasciando esposta la sua nudità. Nella ceralacca blu era impresso il simbolo della nobile Casa Arryn, il falcone contro la luna piena. «È di mia sorella Lysa.» Catelyn guardò il marito. «E so che non saranno buone notizie. C'è dolore in questo messaggio, Ned, molto dolore. Posso percepirlo...»

L'espressione di lui si fece ancora più cupa. «Aprilo.»
Catelyn spezzò il sigillo.

I suoi occhi volarono sulle parole che, a tutta prima, parvero non avere alcun senso. Poi ricordò. «Lysa non ha voluto correre rischi. Quando eravamo bambine, avevamo un nostro linguaggio privato, lei e io.»

«Sei ancora in grado di capirlo?»

«Sì.»

«Che cosa dice?»

«Forse è opportuno che io mi ritiri» suggerì di nuovo maestro Luwin.

«No» lo fermò Catelyn. «Avremo bisogno del tuo consiglio.»

Si liberò delle pellicce e si alzò. L'aria era gelida contro la sua pelle nuda mentre attraversava la stanza. Maestro Luwin distolse lo sguardo. Ned stentava a credere ai propri occhi.

«Ma che fai, Catelyn?»

«Accendo il fuoco.» Catelyn s'infilò una camicia da notte e s'inginocchiò sulle pietre gelide del caminetto.

«Maestro Luwin» cominciò Ned «potresti...»

«Maestro Luwin ha portato alla luce tutti i miei figli» lo interruppe Catelyn. «I falsi pudori sono del tutto fuori luogo.» Infilò il messaggio tra gli alari e lo coprì con i ceppi più grossi.

Ned attraversò la stanza, la raggiunse, l'afferrò per un braccio e la fece alzare in piedi. «Mia signora, parlami!» Il suo volto era a brevissima distanza da quello di lei. «Che cosa c'è in quel messaggio?»

Catelyn s'irrigidì nella sua stretta. «Un avvertimento» disse in un soffio. «Se abbiamo orecchie per udirlo.»

Lo sguardo di Ned frugò il suo. «Va' avanti.»

«Lysa dice che lord Arryn è stato assassinato.»

«Assassinato...» La stretta di Eddard Stark aumentò ancora di più. «Da chi... Da chi?»

«Dai Lannister» rispose Catelyn. «Dalla regina.»

«Ah, dèi onnipotenti!» Ned la lasciò andare; c'erano segni rosso scuro sulla pelle di lei. «Tua sorella è accecata dal dolore per la perdita di Jon. Non sa quello che dice.»

«Lo sa perfettamente, invece. Lysa è un'impulsiva, è vero, ma questo messaggio è pianificato troppo attentamente, celato troppo abilmente. Lei era conscia che se fosse caduto nelle mani sbagliate avrebbe significato morte certa. Per correre un simile rischio, i suoi devono essere stati ben più che semplici sospetti.» Catelyn guardò dritto negli occhi suo marito. «A questo punto, veramente non abbiamo più scelta. Tu devi diventare Primo Cavaliere del re, Ned. Tu devi andare con Robert al Sud e scoprire la verità.»

«La verità, dici?» Eddard Stark era giunto a una conclusione radicalmente diversa. A Catelyn bastò un attimo per rendersene conto. «Le sole verità che conosco si trovano qui. Il Sud è un covo di serpenti dal quale ho tutte le intenzioni di tenermi lontano.»

«Mio signore,» Luwin tornò a tormentare la catena che portava al collo, la quale, nel tempo, aveva indurito la pelle soffice della sua gola «grande è il potere del Primo Cavaliere. Può scoprire il segreto della morte di lord Arryn, fare sì che i suoi assassini vengano portati di fronte alla giustizia del re e, qualora le ipotesi peggiori dovessero rivelarsi fondate, proteggere lady Arryn e suo figlio.»

Ned girò per la stanza uno sguardo disperato. Catelyn sapeva cosa provava in quel momento, ma non poteva andare da lui e prenderlo tra le braccia, non ancora. Prima era necessario arrivare alla vittoria. Per i suoi figli, i loro figli.

«Mi hai detto che Robert è più di un fratello per te. Dimmi, Ned, abbandoneresti tuo fratello fra gli artigli dei Lannister?»

«Che gli Estranei vi portino alla dannazione, te, lui e i Lannister» imprecò cupamente Ned.

Voltò loro le spalle e andò nuovamente alla finestra. Catelyn rimase in silenzio, anche Luwin tacque. Attesero, quietamente, che Eddard Stark desse l'addio alla propria casa, alla propria terra. Quando tornò a girarsi verso di loro, la sua voce era venata di stanchezza, di malinconia.

«Molto tempo fa, anche mio padre andò al Sud, rispondendo alla chiamata di un re.» Qualcosa luccicava tra le sue palpebre. «Non fece mai più ritorno.»

«Un tempo diverso» rilevò Luwin «e un re diverso.»

«Veramente?» osservò Ned, cupo. Sedette su una sedia accanto al caminetto. «Catelyn, tu rimarrai qui, a Grande Inverno.»

Quelle parole furono come una stalattite di ghiaccio conficcata nel cuore. «No...» disse in un soffio. E adesso, di nuovo, aveva paura. Sarebbe stata quindi questa la sua condanna? Non vedere mai più il volto del suo uomo? Non sentire mai più le sue braccia che la stringevano?

«Rimarrai a Grande Inverno.» Nessuna ritirata, nessun compromesso, Catelyn lo sapeva. «Governerai il Nord al mio posto, mentre io mando avanti gli affari di Robert. Dovrà sempre esserci uno Stark a Grande Inverno. Robb ha quattordici anni, presto sarà un uomo. Deve imparare a governare, e io non sarò al suo fianco. Fallo partecipare ai concili del castello. Preparalo per quando verrà il suo momento.»

«Con l'aiuto degli dèi» mormorò maestro Luwin «non sarà questo il caso per molti anni ancora.»

«Maestro Luwin» continuò Ned «la fiducia che ho in te è la medesima che ho nel sangue del mio sangue. Da' a mia moglie la tua saggezza, nelle cose grandi come in quelle piccole. E insegna a mio figlio ciò che deve imparare. L'inverno sta arrivando.»

Maestro Luwin annuì gravemente. Ci fu un altro lungo silenzio prima che Catelyn trovasse il coraggio di porre la domanda che la scavava dentro più di qualsiasi altra: «Che faremo degli altri nostri figli?».

Ned si alzò e andò ad abbracciarla, i loro volti vicinissimi.

«Rickon è molto piccolo» disse gentilmente. «Resterà qui con te e Robb. Gli altri... verranno con me.»

«Non lo sopporterei...» disse Catelyn con voce tremante.

«Devi» rispose lui. «Così come Sansa deve sposare Joffrey Baratheon: a questo punto è cruciale. I Lannister non dovranno nutrire il minimo sospetto in merito alla nostra devozione al trono. Ed è tempo che Arya conosca le raffinatezze delle corti del Sud. Tra non molti anni, anche lei sarà in età da matrimonio.»

Al Sud, Sansa sarebbe stata splendente, Catelyn non aveva dubbi in merito, e lo sapeva il cielo se Arya aveva bisogno di raffinarsi. Nel profondo di sé, lasciò andare con riluttanza le sue figlie. Ma non Bran. Mai Bran.

«Va bene. Ma, Ned, in nome dell'amore che mi porti, lascia anche Bran qui a Grande Inverno. Ha soltanto sette anni.»

«Io ne avevo otto quando mio padre mi mandò in adozione al Nido dell'Aquila» rispose Ned. «Ser Rodrik mi dice che tra Robb e il principe Joffrey non corre buon sangue, il che è male. Bran è in grado di rimediare a quell'ostilità. È un bambino dolce, sempre allegro, cui è facile voler bene. Che cresca tra i giovani principi e diventi loro amico, così come io divenni amico di Robert. La nostra Casa ne uscirà rafforzata.»

Aveva ragione, e Catelyn lo sapeva bene, ma ciò non rese il colpo meno doloroso da sopportare. Li avrebbe perduti tutti e quattro, dunque: Ned, le due ragazze, il suo dolce Bran. Solamente Robb e il piccolo Rickon le sarebbero rimasti. Cominciava già a sentire il vuoto della solitudine. Grande Inverno era un luogo enorme, sconfinato.

«Tienilo almeno lontano dalle mura della Fortezza Rossa» disse Catelyn, facendosi coraggio. «Lo sai quanto piace a Bran fare scalate.»

«Ti ringrazio, mia signora.» Ned baciò le sue lacrime prima che potessero cadere. «So quanto tutto questo sia duro.»

«Mio signore» intervenne maestro Luwin «cosa decidi per Jon Snow?» All'udire il nome del ragazzo, Ned sentì Catelyn irrigidirsi tra le sue braccia e l'ira montare dentro di lei. D'istinto, arretrò.

Molti uomini avevano figli bastardi, una consapevolezza che aveva accompagnato Catelyn fin dalla più tenera età. Così non era stata una sorpresa per lei, proprio nel primo anno del suo matrimonio, scoprire che Ned era padre di un bastardo avuto da chissà quale giovane donna incontrata in una delle sue molte campagne militari. Ned era un uomo nel pieno delle forze e, dopotutto, avevano trascorso un intero anno lontani l'uno dall'altra: lui a combattere nel Sud, lei al sicuro tra le mura del castello di suo padre a Delta delle Acque. A quel tempo, i suoi pensieri appartenevano molto di più a Robb, il piccolo attaccato al suo seno, che a quel marito che conosceva a malapena. All'epoca aveva pensato che, se aveva tanto bisogno di sollazzarsi tra una battaglia e un assedio, facesse pure. Ebbene, Eddard Stark l'aveva fatto. E visto che il suo seme aveva attecchito, era suo dovere assumersi la responsabilità della nuova vita che aveva generato. Catelyn aveva messo nel conto anche questo.

Ma Eddard Stark aveva fatto ben di più: gli Stark non erano come tutti gli altri uomini. Ned aveva portato il bastardo a casa con sé, l'aveva chiamato "figlio", non ne aveva fatto segreto in nessuna landa del Nord. E quando finalmente le guerre ebbero fine e Catelyn tornò a Grande Inverno, Jon Snow e la sua balia erano là ad aspettarla da un pezzo.

Quella ferita non si era mai rimarginata. Ned aveva rifiutato di rivelare chi fosse la madre, nemmeno un accenno. Ma non esistono segreti in un castello. e Catelyn ricordava le chiacchiere delle servette, le quali riportavano altre chiacchiere, raccontate loro dai mariti tornati dalla guerra. Bisbigli, sussurri. Parlavano di ser Arthur Dayne, la Spada dell'Alba, il più letale dei sette cavalieri della Guardia di Aerys Targaryen, il Re Folle. Parlavano di come il loro giovane lord, Eddard Stark, l'aveva ucciso in duello, e soprattutto di quanto era accaduto dopo. Eddard Stark che riporta la spada di ser Arthur alla sua giovane sorella, che aspettava nel castello delle Stelle al Tramonto, sulle rive del Mare dell'Estate: lady Ashara Dayne, alta, bellissima, pelle d'alabastro, magnetici occhi viola. C'era voluto molto tempo prima che Catelyn trovasse il coraggio di chiedere, ma alla fine l'aveva trovato. Una notte, nel loro talamo, aveva voluto sapere da suo marito la verità.

E in tutti i loro anni come marito e moglie, quella rimaneva la sola volta in cui Catelyn aveva avuto paura di Ned.

«Mai, mai chiedermi di Jon.» La sua voce era stata fredda come il ghiaccio, affilata come il vento che soffiava da oltre la Barriera. «Jon è sangue del mio sangue. Questa è la sola cosa che ti sarà dato conoscere. E adesso mi dirai dove hai udito quel nome, mia signora.»

Catelyn aveva giurato di obbedire, poi gliel'aveva detto. Dopo quella notte, i sussurri del castello cessarono. Nella fortezza di Grande Inverno, il nome di lady Ashara Dayne non venne mai più pronunciato.

Chiunque fosse stata la madre di Jon, Ned doveva averla amata profondamente. Nulla di quanto Catelyn aveva detto, pregato, implorato, minacciato era mai stato sufficiente a convincerlo ad allontanare il ragazzo. Ed era l'unica cosa che non gli aveva mai perdonato. Aveva imparato ad amare il marito con tutta l'anima, ma non era mai stata in grado di trovare la forza di amare anche Jon. Sarebbe arrivata a tollerare l'esistenza di cento bastardi, purché fossero lontani dai suoi occhi. Jon Snow, invece, ce l'aveva sempre davanti. Non solo: più cresceva, più assomigliava a Ned, al di là e oltre qualsiasi altro figlio legittimo che lei gli aveva dato. E ciò aveva tenuto la ferita non solo aperta, ma perennemente sanguinante.

Catelyn disse: «Jon deve andarsene».

«Lui e Robb si vogliono bene» ribatté Ned. «Io pensavo...»

«Non può stare qui» lo interruppe Catelyn. «È figlio tuo, non mio. Non lo voglio qui.»

Una verità cruda, lei lo sapeva molto bene, ma pur sempre la verità. Ned non avrebbe favorito il ragazzo in nessun modo lasciandolo a Grande Inverno.

«Tu sai che non posso portarlo al Sud con me.» Lo sguardo di Ned era pieno d'angoscia. «Non ci sarà alcun posto per lui a corte. Un ragazzo con il nome dei bastardi... questo diranno di lui. Sarà bollato per sempre.»

Il cuore di Catelyn rimase impenetrabile al muto appello negli occhi del marito. «Dicono che il tuo caro amico Robert di bastardi ne ha fatti almeno una dozzina.»

«Ma nessuno di loro si è mai visto a corte!» tuonò Ned. «Ha pensato la donna Lannister a evitare che questo accadesse. Stai mettendoti al suo stesso livello, Catelyn? Stesso esercizio di crudeltà? Jon è solamente un ragazzo!...»

In lui, il furore stava montando. Stava per dire di più, di peggio.

«Potrebbe esistere una soluzione, mio signore.» Fu maestro Luwin a intervenire quietamente. «Qualche giorno fa, tuo fratello

Benjen è venuto da me per parlarmi di Jon. Sembra che il ragazzo aspiri a indossare il nero.»

Ned non riusciva a crederci. «Jon ha chiesto di entrare nei guardiani della notte?»

Catelyn non disse nulla. Lasciò che Ned facesse da solo i conti con il problema. In quel momento, qualsiasi cosa lei avesse detto sarebbe stata sbagliata, ma, se avesse potuto, avrebbe baciato il buon maestro lì, su due piedi. Era la soluzione perfetta. Benjen Stark era un confratello dell'ordine in nero e avrebbe trattato Jon come un figlio, il figlio che non aveva mai avuto né mai avrebbe potuto avere. Col tempo, anche Jon avrebbe prestato giuramento, e non sarebbero mai esistiti figli suoi che un giorno avrebbero potuto reclamare diritti su Grande Inverno contro i nipoti di Catelyn.

«Servire sulla Barriera, mio signore» disse maestro Luwin «è un grande onore.»

«E nei guardiani della notte, perfino un bastardo può raggiungere i più alti ranghi» rifletté Ned, ma la sua voce rimaneva piena di dubbio. «Però Jon è ancora talmente giovane. Chiedere di compiere una scelta simile a un uomo adulto è un conto, ma a un ragazzo di quattordici anni...»

«Un duro sacrificio» concordò maestro Luwin. «Ma questi sono tempi duri, mio signore. E la sua strada non sarà meno cruda della tua o di quella della tua lady.»

Questo spinse Catelyn a pensare di nuovo ai tre figli che stava per perdere, la spinse a compiere uno sforzo ancora più grande per rimanere in silenzio.

Ned si voltò nuovamente verso la finestra, il viso greve, pensieroso.

«E sia» concluse alla fine con un sospiro, girandosi. «Immagino sia la soluzione migliore. Parlerò a Ben.»

«E quando a Jon?» chiese maestro Luwin.

«Quando verrà il momento. Ci sono molti preparativi da fare prima che tutto sia pronto per la partenza. Desidero che Jon trascorra questi pochi giorni che rimangono in modo lieto. L'estate è prossima alla fine, così come l'infanzia. Quando il tempo verrà, sarò io stesso a dirglielo.»

ARYA

Tutti storti. I punti del suo ricamo erano un disastro, di nuovo.

Arya li osservò con occhio critico, corrugando la fronte. Lanciò un'occhiata a Sansa, circondata dalle altre ragazze. Il ricamo di sua sorella era splendido, lo dicevano tutti. «I suoi ricami sono deliziosi quanto lei» aveva detto una volta septa Mordane alla lady loro madre. «Sansa ha mani così precise, delicate.» Lady Catelyn aveva chiesto anche di Arya, al che la septa aveva fatto una smorfia: «Arya? La delicatezza di un fabbro ferraio».

Arya girò lo sguardo tutt'attorno, timorosa che septa Mordane potesse averle letto nel pensiero. Timore infondato: la tutrice delle signorine d'alto rango del castello di Grande Inverno non le stava prestando alcuna attenzione. La septa, tutta sorrisi e ammirazione, sedeva accanto alla principessa Myrcella. Non le capitava spesso di avere il privilegio di istruire una principessa reale nelle arti femminili, aveva detto quando la regina aveva accompagnato Myrcella nella sala del ricamo. Arya pensò che anche i punti di Myrcella erano un po' storti, ma a giudicare da come septa Mordane stava tubando, non pareva proprio.

Esaminò nuovamente il proprio lavoro, alla ricerca di qualche trucco per salvare il salvabile. Niente da fare. Emise un gran sospiro e abbassò l'ago. Guardò sua sorella con aria depressa. Sansa chiacchierava allegramente, allineando altri perfetti, deliziosi punti. Beth Cassel, la figlioletta di ser Rodrik, era seduta ai suoi piedi e beveva qualsiasi cosa lei dicesse. Jeyne Poole stava protesa in avanti e le bisbigliava all'orecchio.

«Di che cosa state parlando?» chiese Arya di punto in bianco.

Jeyne le lanciò un'occhiata sorpresa, poi ridacchiò. Sansa apparve imbarazzata. Beth arrossì. Ma nessuna di loro le rispose.

«Allora?» insistette Arya. «Me lo dite o no?»

Jeyne si assicurò che septa Mordane non stesse ascoltando. Myrcella disse qualcosa proprio in quel momento e la septa rise con tutte le signorine.

«Stavamo parlando del principe.» La voce di Sansa era morbida come un bacio.

Il principe, certo. Joffrey Baratheon, erede al Trono di Spade, quello alto e bello, Arya non aveva dubbi in merito. Al banchetto, Sansa gli era stata seduta accanto, mentre Arya aveva avuto il piacere della compagnia dell'altro, quello bassotto e grassottello. Ovvio, no?

«A Joffrey tua sorella piace.» Jeyne era tutta orgogliosa, come se il merito fosse suo. Era la figlia dell'attendente di Grande Inverno e la migliore amica di Sansa. «Le ha detto che la trova bellissima.»

«La sposerà, un giorno.» La piccola Beth aveva un'espressione sognante, le braccia strette attorno al corpo. «E Sansa sarà la regina di tutto il reame.»

Sansa ebbe la buona grazia di arrossire e lo fece in modo molto carino. Faceva pressoché ogni cosa in modo molto carino. All'idea, Arya ingoiò una boccata di acido risentimento.

«Beth, non dovresti inventarti storie simili.» Sansa scompigliò i capelli della ragazzina, addolcendo la durezza della frase, poi spostò lo sguardo su Arya. «Tu cosa pensi del principe Joff, sorellina? È molto galante, non trovi?»

«Jon dice che a guardarlo sembra una ragazza.»

«Povero Jon.» Sansa allineò un'altra serie di punti. «È geloso perché è bastardo.»

«Jon è nostro fratello.» Arya aveva parlato a voce decisamente troppo alta e le sue parole echeggiarono contro le pareti di quella stanza nella torre, rompendo la quiete del pomeriggio.

Septa Mordane sollevò lo sguardo. Aveva un viso ossuto, occhi acuti, una bocca dalle labbra sottili che sembrava fatta apposta per i rimproveri. La fronte era aggrottata. «Qual è l'argomento, signorine?»

«Fratellastro» corresse Sansa con voce soffice, affilata, sorridendo a tutto beneficio della septa. «Arya e io parlavamo di quanto siamo liete di avere la principessa con noi quest'oggi.»

«Un grande onore per tutti noi, senz'alcun dubbio» approvò la septa. Al complimento, la principessa Myrcella ebbe un sorriso incerto. «Arya, per quale motivo non stai ricamando?» Septa Mordane si alzò in un fruscio di sottane fin troppo inamidate e si diresse verso di lei. «Mostrami i tuoi punti.»

Arya avrebbe voluto urlare. Sansa, sempre lei, e quel suo dannato modo di richiamare l'attenzione della septa.

«Ecco qui.» Arya non ebbe altra scelta se non presentare il proprio capolavoro.

«Arya, Arya, Arya.» La bocca priva di labbra della septa si arcuò. «Proprio non ci siamo.»

La stavano guardando, tutte quante. Era insopportabile. Sansa era troppo bene educata per sorridere alla mortificazione della sorella, però aveva Jeyne Poole per farlo al suo posto. Perfino la principessa Myrcella era dispiaciuta per lei. Arya sentì gli occhi riempirsi di lacrime, si alzò di scatto dalla sedia e schizzò verso la porta.

«Arya! Torna subito qui!» le strillò dietro septa Mordane. «Non un altro passo! La lady tua madre sarà informata di un simile comportamento. E di fronte alla nostra principessa reale, per giunta! Tu svergogni ciascuna di noi!»

Sulla soglia, Arya si fermò e si voltò, mordendosi le labbra, le lacrime che le correvano lungo le guance. In qualche modo riuscì a fare un piccolo inchino a Myrcella. «Mia signora, con il tuo permesso» disse.

La principessa sbatté le palpebre, incerta sul da farsi, lo sguardo che cercava aiuto dalle altre ragazze.

«Dimmi, Arya» intervenne septa Mordane, tutt'altro che incerta «dov'è che penseresti di andare?»

Arya le elargì uno sguardo di fuoco. «A ferrare un cavallo» rispose con voce delicata, come si addice a una vera signorina di rango, e assaporò una piccola vendetta nel vedere lo stupore invadere la faccia della septa.

Poi roteò su se stessa e si precipitò giù per la scala di pietra, veloce come il vento.

Non era giusto, ecco. A Sansa era stato dato tutto. Arya era arrivata due anni dopo e forse, a quel punto, non era rimasto niente da dare a nessun altro. Spesso era così che lei percepiva le cose tra loro. Sansa sapeva ricamare, danzare e cantare, sapeva scrivere poesie e vestirsi, sapeva suonare l'arpa e perfino le campane tubolari. Sansa era bella, e quello era davvero il peggio. Aveva ereditato i raffinati zigomi alti di sua madre e i folti capelli ramati dei Tully. Arya, invece, aveva preso dal lord suo padre. I suoi capelli erano di un castano privo di splendore, il suo volto era allungato e austero. Jeyne Poole un tempo la chiamava Arya Faccia-di-cavallo, e nitriva ogni volta che la vedeva arrivare. La ragione? Era invidiosa del fatto che esistesse almeno una cosa che Arya sapeva fare meglio di sua sorella: andare a cavallo. Quello, più l'amministrazione della casa. Con i numeri, Sansa proprio non andava d'accordo. Se effettivamente avesse sposato il principe Joffrey, Arya poteva solo augurarsi che l'erede dei Baratheon disponesse di un bravo attendente.

Nymeria la stava aspettando alla base della torre, nella garitta, e saltò in piedi nell'attimo stesso in cui la vide apparire. Lei sorrise. Il cucciolo di meta-lupo le voleva bene, contro tutti e contro tutto. Erano inseparabili. Nymeria dormiva con lei, accovacciata ai piedi del suo letto. Sua madre gliel'aveva tassativamente proibito, ma Arya sarebbe stata ben contenta di portare la meta-lupa anche al ricamo. E poi si sarebbe visto con chi septa Mordane si sarebbe lamentata.

Slegò il guinzaglio, mentre Nymeria le leccava la mano. Aveva occhi gialli che scintillavano come monete d'oro ogni volta che intercettavano i raggi del sole. Arya aveva voluto darle il nome della regina guerriera della Rhoyne che aveva guidato il proprio popolo attraverso il Mare Stretto. Era stato uno scandalo storico. Sansa, come si addice a una vera, futura principessa, aveva chiamato la propria meta-lupa Lady. Arya fece una smorfia, abbracciando la sua lupacchiotta. Nymeria le leccò l'orecchio e lei rise.

Septa Mordane doveva aver già messo la lady sua madre sull'avviso. Se fosse tornata in camera sua, l'avrebbero trovata subito. Ad Arya non poteva importare di meno che la trovassero oppure no. Aveva un'idea. I ragazzi stavano facendo allenamento alla spada nel cortile del castello e lei non vedeva l'ora di godersi suo fratello Robb che mandava il galante principe Joffrey a sedere sulle proprie reali natiche.

«Dai» sussurrò a Nymeria. Poi si raddrizzò e partì di corsa con la meta-lupa che la tallonava.

C'era una finestra nel ponte coperto che collegava la Prima Fortezza con l'armeria. Da là si dominava tutto il cortile, ed era là che Arya e Nymeria stavano andando.

Ci arrivarono sudate e senza fiato, trovando già qualcuno comodamente seduto sul davanzale, una gamba ripiegata fino a sostenere il mento con il ginocchio. Jon Snow era completamente assorbito dall'azione che aveva luogo più sotto e si accorse del loro arrivo solo quando Spettro si alzò per andare a incontrarle. Nymeria continuò ad avanzare, ma con più cautela. Spettro, già nettamente più grosso degli altri cuccioli, l'annusò, le diede un piccolo colpo all'orecchio con il muso e tornò ad accovacciarsi.

«Be', sorellina?» Jon le lanciò uno sguardo perplesso. «Non dovresti essere alla pratica di ricamo?»

Arya gli mostrò la lingua. «Sono loro che voglio vedere far pratica.»

Dal cortile, quasi a risponderle, "loro" fecero salire una cacofonia di tonfi e imprecazioni.

Lui le sorrise. «Allora accomodati.»

Arya si issò sul davanzale, sistemandosi accanto a lui, ma fu delusa: era il turno dei bambini. Bran sembrava un materasso ambulante tanto era coperto d'imbottiture. Quanto al principe Tommen, già bassotto e grassottello di suo, aveva l'aspetto di una palla. Sotto lo sguardo attento di ser Rodrik Cassel, il maestro d'armi, corporatura formidabile e baffoni bianchi altrettanto formidabili, i due bambini mulinavano spade di legno anch'esse imbottite. Una dozzina di spettatori, tra uomini e ragazzi, vociavano incoraggiamenti. Robb era quello che sbraitava più di tutti. Accanto a lui, Arya riconobbe Theon Greyjoy, sul volto la sua solita espressione di sprezzante ironia, la piovra dorata simbolo della sua nobile Casa sulla spessa tunica nera. Al centro dell'improvvisata arena, i contendenti avevano il fiato grosso. Chiaramente, se le stavano dando da parecchio.

«Un minimo più faticoso del ricamo» rilevò Jon.

«Un minimo più divertente del ricamo» replicò Arya.

Lui sogghignò, allungò una mano e le arruffò i capelli. Arya arrossì. Si erano sempre voluti bene, lei e Jon. Anche lui aveva i lineamenti duri del lord loro padre, e tra i figli Stark erano i soli. Robb, Sansa, Bran, perfino il piccolo Rickon avevano i volti sorridenti e i capelli ramati dei Tully di Delta delle Acque. Da piccola, Arya aveva avuto il timore di essere a sua volta bastarda. Così era andata a confidare a Jon le sue paure, ma era stato Jon stesso a fugarle.

«Perché non sei anche tu giù nel cortile?» gli chiese Arya.

«Perché ai bastardi non è permesso danneggiare i giovani principi.» Jon ebbe un mezzo sorriso. «Dietro ogni livido di un addestramento alla spada dev'esserci una mano di sangue nobile.»

«Ah.» Ad Arya questo non piacque affatto, anche se avrebbe dovuto saperlo. Ecco un'altra cosa ingiusta della vita: era la seconda volta che ci pensava nella stessa giornata.

«Io me la caverei bene quanto Bran» disse osservando il fratellino andare all'attacco di Tommen. «Lui ha sette anni e io nove.»

«Sei troppo magra.» Jon la studiò con la saggezza di chi di anni ne ha quattordici. «Dubito molto che riusciresti anche solamente a sollevarla, una spada.» Le tastò i muscoli del braccio. «E quanto a maneggiarla, sorellina, scordatelo.»

Arya ritirò il braccio di scatto e lo folgorò con un'occhiataccia. Jon le arruffò di nuovo i capelli, poi tutti e due tornarono a seguire la tenzone tra Bran e Tommen.

«Lo vedi il principe Joffrey?» le chiese Jon.

Arya non l'aveva visto subito. Guardando con più attenzione, lo notò verso il fondo del cortile, all'ombra del grande muro di pietra. Era circondato da uomini che lei non riconobbe, giovani signori con le livree dei Lannister e dei Baratheon, estranei, tutti quanti. Tra loro c'erano uomini più in età, cavalieri quasi certamente.

«Guarda gli stemmi sulla sua casacca da addestramento» accennò Jon.

Uno scudo elaborato ornava la tunica imbottita del principe, un ricamo di eccezionale bellezza, nessun dubbio in merito. Sullo scudo erano accostati due stemmi divisi a metà in verticale: da un lato il cervo incoronato della Casa reale, dall'altro il leone di Lannister.

«Gente orgogliosa, i Lannister» rilevò Jon. «Si potrebbe pensare che lo stemma della corona basti, invece no. Il principe sta rendendo alla casata di sua madre il medesimo onore che rende a quella del re.»

«Anche la donna è importante!» protestò Arya.

«Certo che lo è. Forse, sorellina, dovresti seguire l'esempio anche tu» rise Jon «e accoppiare gli stemmi dei Tully e degli Stark nel tuo blasone.»

«Un lupo con un pesce in bocca?» Arya rise a sua volta. «Che stupidata. E poi, se a una ragazza non è permesso combattere, a che le serve una casacca da addestramento?»

«Una ragazza può avere l'addestramento, ma non le spade.» Jon si strinse nelle spalle. «Un bastardo può avere le spade, ma non l'addestramento. Le regole non le ho fatte io, sorellina.»

Da sotto venne un grido. Il principe Tommen, finito nella polvere, cercava di rialzarsi, ma senza molto successo. Tutta l'imbottitura che aveva addosso lo faceva sembrare una tartaruga rovesciata sul dorso. Bran incombeva su di lui, spada di legno levata, pronto a colpirlo di nuovo nel momento in cui si fosse rimesso in piedi. Gli uomini tutt'attorno cominciarono a ridere.

«Basta così!» tuonò ser Rodrik, offrendo la mano al principe e aiutandolo a sollevarsi. «Ben combattuta. Lew, Donnis, aiutateli a togliersi l'armatura.» Si guardò attorno. «Principe Joffrey, Robb: un altro assalto?»

Robb, già sudato per un precedente duello, non se lo fece ripetere. «Con piacere» rispose.

Accettando a sua volta l'offerta di ser Rodrik, Joffrey avanzò nella luce del sole. I suoi capelli parvero oro liquefatto. Sul suo viso, l'espressione perennemente annoiata non mutò. «Questa è roba da bambini, ser Rodrik.»

Theon Greyjoy se ne uscì con un'improvvisa risata. «Voi siete bambini» disse con derisione.

«Lo sarà Robb, un bambino.» Joffrey non si scompose. «Io sono un principe. E trovo quanto mai tedioso bacchettare gli Stark con una spada di legno.»

«Di bacchettate, Joff, ne hai prese molte di più di quante ne hai date» lo rimbeccò Robb. «O forse hai paura?»

«Terrore.» Joffrey lo guardò con supponenza. «Sei tanto più vecchio di me, Robb.»

Alcuni degli uomini Lannister risero.

Jon, la fronte aggrottata, rimase a osservare la scena. «Un vero stronzetto, quel Joffrey» disse ad Arya.

Ser Rodrik si diede una pensosa arricciata di baffi. «Quindi, che cosa suggerisci, principe?»

«Acciaio.»

«E acciaio sia» approvò subito Robb. «L'idea è tua.»

«Troppo pericoloso.» Il maestro d'armi mise una mano sulla spalla del giovane Stark per farlo stare calmo. «Vi permetterò spade da torneo, senza affilatura.»

Joffrey non rispose, ma fu qualcun altro a rispondere per lui, un uomo che Arya non aveva mai visto, un cavaliere alto, dai capelli scuri, il volto solcato da cicatrici da ustione. «Questo è il tuo principe.» Il cavaliere avanzò fino a mettersi davanti a Joffrey. «Chi sei tu per dire al tuo principe che deve avere una spada spuntata, ser?»

«Io sono il maestro d'armi di Grande Inverno» rispose ser Rodrik. «E ti suggerisco, Clegane, di non dimenticarlo.»

«E chi addestri a Grande Inverno, maestro d'armi?» volle sapere l'uomo dal volto bruciato, muscoloso come un toro. «Donne, forse?»

«Addestro cavalieri» ribatté ser Rodrik. «E combatteranno con l'acciaio soltanto quando saranno pronti, quando avranno l'età per farlo.»

L'uomo sfregiato si rivolse a Robb: «Quanti anni hai, ragazzo?».

«Quattordici.»

«Ne avevo dodici quando uccisi un uomo per la prima volta. E puoi stare certo che non fu con una spada spuntata.»

A Robb ribolliva il sangue nelle vene, Arya se ne accorse subito. Era stato ferito nell'orgoglio. Si girò di scatto verso il maestro d'armi esclamando furibondo: «Lasciami avere l'acciaio! Posso batterlo!».

«Battilo con una spada da torneo» replicò ser Rodrik, irremovibile.

«Allora torna da me quando sarai un po' più vecchio, Stark.» Joffrey rise in faccia a Robb. «Sempreché tu non sia diventato troppo vecchio.» Gli uomini Lannister risero.

Le imprecazioni inferocite di Robb riecheggiarono per tutto il cortile. Arya si coprì la bocca con la mano, stentando a credere che suo fratello fosse capace di un linguaggio simile. Theon Greyjoy fu rapido nell'afferrare Robb per un braccio, impedendogli di saltare addosso al principe ereditario. Ser Rodrik si diede un'altra arricciata di baffi, questa volta con rabbia.

«Forza, Tommen, andiamo.» Joffrey finse di sbadigliare, rivolgendosi al fratello più giovane. «L'ora della ricreazione è finita. Lasciamo che questi bambini continuino a giocherellare per conto loro.»

Altre risate da parte degli uomini Lannister. E altre bestemmie da parte di Robb. Sotto i baffoni candidi, la faccia di ser Rodrik era incendiata dall'ira. Theon Greyjoy continuò a tenere Robb in una presa d'acciaio fino a quando i principi e il loro manipolo non furono a distanza di sicurezza.

Jon li osservò andarsene e Arya osservò Jon. Il suo volto era immobile, cristallizzato come la superficie della pozza d'acqua oscura nel cuore del parco degli dèi. Alla fine saltò giù dal davanzale della finestra. «Lo spettacolo è finito» disse. Si chinò a grattare Spettro dietro le orecchie, e il meta-lupo si alzò per strofinarsi contro di lui. «E adesso, sorellina» disse ad Arya «sarà meglio che tu corra nella tua stanza. Septa Mordane starà di sicuro in agguato. Più a lungo ti nascondi, più severo sarà il castigo. Ti faranno ricamare per tutto l'inverno. E al disgelo di primavera, potremmo trovarti ridotta a un ghiacciolo, con l'ago ancora stretto tra le dita dure come roccia.»

«Io lo odio, il ricamo!» Arya non era affatto divertita. «Non è giusto!»

«Niente è giusto, Arya.» Jon le scompigliò un'ultima volta i capelli e si avviò tra le zone d'ombra del ponte coperto, Spettro che scivolava silenzioso alle sue spalle. Nymeria cominciò a seguirli, poi, vedendo che Arya non si era mossa, si fermò e tornò indietro con riluttanza.

Arya andò nella direzione opposta. Era l'ultima cosa che avrebbe voluto fare perché da quella parte l'aspettava qualcosa di peggio, molto peggio di quanto Jon aveva prospettato. Non c'era solamente septa Mordane ad aspettarla nella sua stanza. C'erano septa Mordane e sua madre.

BRAN

I cacciatori partirono al sorgere del sole.

Per il banchetto di quella sera, il re voleva cinghiale. Il principe Joffrey cavalcava a fianco del padre, pertanto venne deciso che anche Robb avrebbe partecipato alla caccia. Zio Benjen, Jory Cassel, Theon Greyjoy, ser Rodrik e perfino il fratello della regina, quello strano omino chiamato "il Folletto", erano andati a loro volta. In fondo, quella sarebbe stata l'ultima caccia nel Nord. Al mattino del giorno dopo, tutti quanti si sarebbero messi in viaggio per il Sud.

Bran era rimasto al castello assieme a Jon, alle ragazze e a Rickon. Ma Rickon era un bambino piccolo, le ragazze erano ragazze e Jon e il suo lupo bianco non si trovavano da nessuna parte. Non che Bran l'avesse poi cercato con tanto impegno. Pensava che fosse arrabbiato con lui, anzi, in quei giorni Jon sembrava arrabbiato con tutti e Bran non sapeva il perché. Jon sarebbe andato alla Barriera con lo zio Ben per diventare guardiano della notte, il che era quasi lo stesso che andare a Sud assieme al re. A rimanere a casa sarebbe stato soltanto Robb, non Jon.

Erano giorni che Bran non stava nella pelle n attesa della partenza. Avrebbe percorso la Strada del Re a cavallo: non un pony, ma un vero cavallo. Suo padre sarebbe diventato Primo Cavaliere e tutti loro sarebbero vissuti ad Approdo del Re che era stato costruito dai Signori dei draghi. La Vecchia Nan diceva che quel posto era abitato da fantasmi, che cose spaventose erano avvenute nelle sue segrete e che le sue pareti erano adornate con teste di drago. Solamente a pensarci, Bran sentiva un brivido lungo la schiena, eppure non aveva paura. Come avrebbe potuto? Ci sarebbe stato suo padre con lui, e poi il re, con tutti i suoi cavalieri e spadaccini.

Un giorno anche Bran sarebbe stato cavaliere, membro della Guardia reale. Secondo la Vecchia Nan, erano le spade più formidabili del regno. Sette, erano soltanto in sette, portavano armature bianche, non avevano moglie né figli e vivevano per un unico scopo: vegliare sul re. Bran conosceva tutte le storie, tutte le leggende che li riguardavano. I loro nomi erano musica per le sue orecchie: Serwyn dallo Scudo a Specchio, ser Ryam Redwyne, il principe Aemon, Cavaliere del Drago, i gemelli ser Erryk e ser Arryk, morti uno sulla lama dell'altro centinaia di anni prima, quando il fratello aveva combattuto contro la sorella in una guerra che i trovatori chiamavano *La Danza dei Draghi.* E poi Gerold Hightower, il Toro Bianco, e ser Arthur Dayne, la Spada dell'Alba, e infine ser Barristan il Valoroso.

Due di loro erano venuti al Nord assieme a re Robert e Bran li aveva osservati pieno di stupefatta ammirazione, senza osare rivolgere loro la parola. Ser Boros Blount era calvo e aveva la faccia spigolosa, ser Meryn Trant aveva occhi infossati e una barba del colore della ruggine. Ser Jaime Lannister, invece, aveva davvero l'aspetto di uno dei cavalieri di cui parlavano le leggende, e anche lui faceva parte della Guardia reale. Robb però diceva che ser Jaime aveva assassinato il re precedente, il vecchio Re Folle, disonorando così l'armatura bianca. Il più grande cavaliere ancora vivente restava ser Barristan Selmy, Barristan il Valoroso, comandante della Guardia. Suo padre gli aveva promesso che, una volta raggiunta Approdo del Re, avrebbero incontrato ser Barristan in persona. Bran aveva contato i giorni facendo delle tacche nel suo muro speciale del castello, impaziente di partire per vedere quel mondo che fino ad allora aveva solo sognato e cominciare una vita che riusciva a immaginare solo remotamente.

Ma adesso che il suo ultimo giorno a Grande Inverno era arrivato, si sentiva come sperduto. Grande Inverno era l'unica casa che avesse mai conosciuto. Suo padre gli aveva detto di fare oggi il giro degli addii e Bran ci aveva provato. Dopo che i cacciatori si erano allontanati, si era aggirato per la Prima Fortezza assieme al suo meta-lupo, deciso a salutare coloro che si sarebbe lasciato alle spalle. La Vecchia Nan, Gage il cuoco, Mikken nella sua fucina di fabbro, Hodor il ragazzo delle stalle. Hodor che sorrideva sempre, si prendeva cura del suo pony, non diceva mai niente a eccezione della parola "Hodor". E anche l'uomo della serra, che gli dava dei mirtilli quando andava a fargli visita...

Dire addio a tutti loro, certo. Ma non aveva funzionato come previsto. Bran aveva cominciato con l'andare alle stalle, a vedere il suo pony. Solo che non era più il suo pony perché stava per ricevere un vero cavallo. Di colpo, Bran avrebbe voluto mettersi in un angolo a piangere. Era scappato via prima che Hodor e gli altri stallieri vedessero i suoi occhi pieni di lacrime. Quello era stato il principio e anche la fine dei suoi addii. Aveva passato il resto della mattinata tra gli enormi alberi secolari del parco degli dèi, cercando d'insegnare al suo meta-lupo a riportargli il bastone, ma nemmeno quello aveva funzionato. Il cucciolo era molto più intelligente di qualsiasi altro mastino del canile di suo padre, e Bran era pronto a giurare che fosse in grado di capire qualsiasi cosa lui gli diceva. Non aveva però il benché minimo interesse a correre dietro a un pezzo di legno.

Non gli aveva ancora dato un nome. Robb aveva chiamato il suo Vento grigio, in quanto correva come il vento. La meta-lupa di Sansa era Lady. Arya aveva scelto il nome di una qualche strega guerriera delle leggende. Il piccolo Rickon aveva chiamato il suo Cagnaccio e Bran riteneva che fosse un nome parecchio stupido da dare a un meta-lupo. Quello di Jon, l'albino sempre silenzioso, era Spettro. Bran avrebbe voluto trovarlo prima lui quel nome, anche se il suo meta-lupo non era bianco. Negli ultimi tempi aveva tentato centinaia di nomi, ma nessuno andava bene.

Alla fine, stanco dell'inutile giochetto del lancio del bastone, decise di andare a scalare. Con tutto quello che era successo, erano settimane che non saliva sulla torre spezzata, e quella sarebbe stata quasi certamente la sua ultima possibilità.

Corse attraverso la verde, profonda penombra del parco degli dèi. Prese la strada più lunga, per non passare vicino allo stagno nel centro ed evitare così l'albero del cuore. Aveva sempre avuto paura di quell'albero. Gli alberi non dovrebbero avere occhi, di questo Bran era convinto, e non dovrebbero avere nemmeno foglie che sembrano mani coperte di sangue. Il suo lupo senza nome lo tallonava.

«Tu rimani qui» gli ordinò quando raggiunsero la base dell'albero-sentinella che cresceva vicino all'armeria. «A terra. Così. Fermo lì, adesso.»

Il lupo obbedì. Bran lo grattò dietro le orecchie, poi si girò, spiccò un salto, afferrò un ramo basso e si issò a forza di braccia. Continuò a salire agilmente, un ramo dopo l'altro, una biforcazione dopo l'altra. Era quasi a metà dell'altezza dell'albero quando il meta-lupo senza nome si alzò improvvisamente in piedi ed emise un lungo ululato.

Bran guardò in basso. Gli occhi gialli del lupo, di nuovo silenzioso, lo fissavano e Bran sentì un inquietante brivido gelido percorrergli la schiena. Riprese a salire. E il meta-lupo ululò di nuovo.

«Zitto!» gli gridò. «Seduto! E fa' il bravo. Sei peggio della mamma...»

Niente da fare. Gli ululati lo inseguirono per tutta la scalata finché non saltò sul tetto dell'armeria, scomparendo dalla vista.

I tetti di Grande Inverno erano la sua seconda casa.

Sua madre diceva sempre che aveva imparato a scalare ancora prima di imparare a camminare. Bran non ricordava quando esattamente aveva cominciato a camminare, ma non ricordava nemmeno quando aveva cominciato a scalare. Di conseguenza, sua madre doveva avere ragione.

Ai suoi occhi, la Prima Fortezza di Grande Inverno era un labirinto di pietra grigia: muraglie, torri, cortili, tunnel che si dilatavano in ogni direzione. Nelle parti più antiche del castello, le sale e i camminamenti salivano e scendevano al punto che risultava impossibile capire a quale piano ci si trovava. Nel corso dei secoli, il maniero era cresciuto su se stesso, dentro se stesso, simile a un mostruoso albero fatto di roccia. Questo gli aveva detto una volta maestro Luwin: un mostruoso albero con rami contorti, massicci, attorcigliati e con radici che sprofondavano dentro le viscere della terra.

Bran conosceva quel labirinto e quando ne emergeva, quando arrivava fino quasi al cielo, gli bastava un solo sguardo per avere l'intera vastità di Grande Inverno al proprio cospetto. Gli piaceva, quell'immensità. Gli piaceva non avere nient'altro che gli uccelli sopra di sé, e l'intera vita quotidiana del castello sotto di sé. Poteva restare appollaiato per ore sugli antichi doccioni di pietra erosi dalle tempeste, in eterno allerta sulla Prima Fortezza. E assieme a loro, vedeva tutto: gli uomini nel cortile al lavoro con il legno e con il ferro, i cuochi nella serra che preparavano le verdure per il pranzo, i cani inquieti che correvano senza sosta avanti e indietro nei canili, le ragazze che chiacchieravano al lavatoio. Questo lo faceva sentire signore e padrone del castello con una profondità che mai suo fratello Robb avrebbe conosciuto.

Gli permetteva di conoscere anche tutti i segreti del castello. Chi l'aveva edificato non si era dato pena di livellare il suolo. C'erano colline e valli nascoste all'interno delle mura della Prima Fortezza, e c'era un ponte coperto che dal quarto piano della torre campanaria raggiungeva il secondo piano dell'uccelliera. Bran sapeva che quel ponte esisteva. E sapeva come penetrare nel perimetro interno dalla porta sud: bisognava scalare tre piani, poi percorrere uno stretto tunnel scavato nella pietra che correva tutt'attorno a Grande Inverno e infine sbucava, al piano terreno, presso la porta nord, sotto l'ombra minacciosa di decine e decine di metri di muraglia. Nemmeno maestro Luwin poteva saperlo, questo. Bran ne era convinto.

Sua madre era terrorizzata. Aveva incubi su Bran che cadeva da chissà quale muro andando a sfracellarsi al suolo. Lui le aveva detto che non sarebbe accaduto, ma lei non gli credeva in nessun modo. Una volta l'aveva costretto a prometterle che non si sarebbe più mosso da terra ed era riuscito a mantenere la promessa per quasi un mese, diventando però più malinconico e più scalpitante ogni giorno che passava. Alla fine non aveva più resistito: mentre i suoi fratelli dormivano, era sgattaiolato dalla finestra nel cuore della notte.

Il giorno seguente, tormentato dalla colpa, aveva confessato il suo crimine e lord Eddard l'aveva confinato nel parco degli dèi perché facesse ammenda. Aveva addirittura fatto mettere guardie tutt'attorno per essere certo che Bran vi trascorresse la notte a riflettere sulla sua disobbedienza. Alla mattina, di Bran non c'era traccia. Sembrava svanito, inghiottito dalle ombre. L'avevano trovato profondamente addormentato tra le biforcazioni più alte del più alto albero-sentinella del parco.

«Tu non sei mio figlio!» Una volta che ebbero riportato Bran al suo cospetto, per quanto infuriato, suo padre non aveva potuto fare a meno di scoppiare a ridere. «Tu sei uno scoiattolo. E sia: fa' lo scoiattolo. Vuoi scalare? E scala. Cerca almeno di non farti vedere da tua madre.»

Bran aveva fatto del suo meglio ma non pensava di essere riuscito ad abbindolarla sul serio. E lady Catelyn, visto che suo padre non l'avrebbe fermato, aveva stretto altre alleanze.

La Vecchia Nan gli aveva raccontato la storia di un ragazzino molto cattivo colpito da un fulmine per essere salito troppo in alto. Dopo di che, i corvi erano scesi a beccargli gli occhi. Ma a Bran quella storiella non aveva fatto grande effetto. La cima della torre spezzata, dove lui era il solo in grado di arrivare, era piena di nidi di corvi e a volte si riempiva le tasche di chicchi di grano e i corvi venivano a mangiargli in mano. Nessuno di loro aveva mai manifestato la benché minima intenzione di voler beccare i suoi occhi.

Fallita la dialettica, si era passati alle vie di fatto. Per mostrargli che cosa gli sarebbe successo se fosse caduto, maestro Luwin aveva costruito un bambino di creta, gli aveva messo addosso i vestiti del vero Bran e aveva lanciato il pupazzo nel cortile dalla cima del muro nord. Era stato divertente vederlo andare in frantumi, ma anche quel tentativo aveva fatto fiasco. «Uhm, io però non sono fatto di creta» aveva dichiarato Bran guardando maestro Luwin. «E poi, io non cado.»

A quel punto era cominciata la caccia all'uomo, con le guardie della Prima Fortezza che gli correvano dietro ogniqualvolta lo vedevano sui tetti e cercavano di farlo scendere. Quello era stato lo spasso migliore di tutti: era come giocare a rimpiattino con i suoi fratelli, con la differenza che qui era Bran a vincere sempre. Quanto a scalare muri, nessuna delle guardie era brava nemmeno la metà di Bran, neanche Jory Cassel, e in ogni caso la maggior parte delle volte neppure lo vedevano, perché la gente non guarda mai in alto. Questa era un'altra delle cose che gli piacevano delle sue scalate: essere pressoché invisibile.

Ma anche le sensazioni gli piacevano. Issarsi pietra dopo pietra, le dita delle mani e dei piedi che cercano, frugano, trovano gli anfratti più nascosti, più reconditi. Saliva sempre a piedi nudi: era come avere quattro mani invece di due. Tornato a terra, assaporava l'indolenzimento acuto dei muscoli tesi fino allo spasimo. Amava il sapore dell'aria lassù, dolce e fredda come le pesche d'inverno. Gli piacevano gli uccelli, i corvi della torre spezzata, i piccoli usignoli che facevano il nido nelle crepe dei muri, il vecchio gufo che sonnecchiava nella soffitta polverosa al disopra dell'antica armeria. Bran li conosceva tutti.

Ma più di ogni altra cosa, a Bran piaceva raggiungere luoghi che nessun altro poteva raggiungere, vedere la grigia immensità della Prima Fortezza come nessun altro poteva vederla, o poteva averla mai vista. Questo trasformava l'intero castello nel suo giardino segreto.

Il suo posto preferito rimaneva però la torre spezzata. In un tempo ormai lontanissimo, era stata una torre di guardia, la più alta di Grande Inverno. Poi, molti secoli addietro, una folgore ne aveva colpito la cima, incendiandola, e tutto il terzo superiore della struttura era collassato su se stesso, crollando verso l'interno. La torre non era più stata ricostruita. Suo padre a volte mandava i cacciatori di ratti alla base del rudere, per eliminare le tane che si moltiplicavano tra i mucchi di pietre cadute dall'alto e le cataste di travi distrutte. A eccezione di Bran e dei corvi, però, nessuno osava neppure tentare di raggiungere la sommità.

Bran conosceva due strade per arrivarci. Si poteva scalare direttamente la parete esterna, ma le pietre erano instabili, la calce che le aveva tenute assieme ridotta in polvere da chissà quanto tempo, e a Bran non piaceva caricare tutto il proprio peso su quei vecchi sassi pericolanti.

Con l'altra strada, la migliore, si partiva dal parco degli dèi e si raggiungeva la sommità dell'albero-sentinella. Di là bisognava attraversare l'armeria e il corpo di guardia, saltando di tetto in tetto a piedi nudi, evitando di farsi sentire dai soldati. A quel punto, si arrivava al lato cieco della Prima Fortezza, la parte più antica del castello, un tozzo maniero cilindrico che appariva più alto di quanto non fosse in realtà. Ormai lo abitavano solo topi e ragni, ma le sue vecchie pietre erano ottimi punti d'appoggio per continuare la scalata. Di là si poteva comodamente salire fino a dove i doccioni si affacciavano sul vuoto, quindi, una presa dopo l'altra, un doccione dopo l'altro, si conquistava il fronte nord della fortezza. Era il punto in cui le due strutture quasi si toccavano. Ad allungarsi, ma ad allungarsi veramente, non era difficile passare sulla parete della torre spezzata. L'ultimo tratto era un'ascesa in verticale sulle pietre annerite dal tempo.

Su e su e su fino alla vetta, dove i corvi sarebbero venuti a vedere se c'era grano da beccare.

Bran volteggiò sui doccioni. Orecchie, zanne, ciechi occhi di pietra non avevano segreti per lui, nulla avrebbe dovuto avere segreti, per lui.

Eccetto le voci. Ne fu così sorpreso che per poco non perse la presa. La Prima Fortezza era deserta, sempre deserta.

«Non mi piace» diceva una donna, e le sue parole provenivano dall'ultima finestra di una fila appena sotto di lui. «Dovresti essere tu Primo Cavaliere, non Stark.»

«Per gli dèi: no» replicò un uomo con tono pigro, annoiato. «È un onore del quale faccio volentieri a meno. Fin troppo lavoro va di pari passo con quel cosiddetto onore.»

Bran rimase aggrappato ad ascoltare e di colpo, per la prima volta, ebbe paura di andare avanti: avrebbero potuto vedere i suoi piedi se avesse proseguito volteggiando verso il doccione seguente.

«Ma non ti rendi conto di quale pericolo corriamo?» riprese la donna. «Robert ama quell'uomo come un fratello.»

«I suoi fratelli, quelli veri, Robert li digerisce a stento. Non che io lo biasimi per questo: Stannis farebbe venire un'occlusione intestinale a un morto.»

«Evitami le battute di spirito. Stannis e Renly sono una cosa, Eddard Stark è tutto un altro discorso. A Stark Robert darà ascolto, che siano dannati tutti e due. Avrei dovuto insistere che nominasse te, ma ero certa che Stark avrebbe rifiutato.»

«Possiamo ancora considerarci fortunati» disse l'uomo. «La scelta del re avrebbe potuto ricadere su uno dei suoi fratelli, o addirittura su Ditocorto... Che gli dèi ci assistano. Datemi mille nemici onorevoli piuttosto che un solo nemico ambizioso, e dormirò sonni più tranquilli.»

Suo padre. Era di lui che quelle persone stavano parlando. Bran voleva udire di più. Avvicinarsi, di poco, di pochissimo... Ma se avesse volteggiato davanti alla finestra fino al doccione, l'avrebbero di certo visto.

«Dobbiamo tenerlo d'occhio» disse la donna. «E molto attentamente.»

«Preferisco tenere d'occhio te.» L'uomo pareva ancora più annoiato, adesso. «Torna qui.»

«Lord Eddard non è mai stato realmente interessato a niente che accada a sud dell'Incollatura» insistette la donna. «Mai... fino a ora. Vuole mettersi contro di noi, stanne certo. Per quale altra ragione avrebbe deciso di lasciare il suo trono qui nel Nord?»

«Per cento e una ragioni. A partire da quelle buffonate altisonanti chiamate dovere, onore e via blaterando. Forse Eddard Stark vuole il suo nome scolpito in grande nel libro della storia. Oppure vuole stare lontano dalla moglie, o forse vuole entrambe le cose. O magari, chissà, per una volta in vita sua vuole stare un po' al caldo.»

«Sua moglie è sorella di Lysa Arryn. C'è quasi da meravigliarsi che Lysa non sia qui a darci il benvenuto con le sue accuse.»

Bran abbassò lo sguardo. C'era uno stretto cornicione, largo appena qualche centimetro, subito sotto la finestra. Si abbassò, protendendosi verso di esso. Era troppo lontano. Non ci sarebbe mai arrivato.

«Ti stai scaldando troppo» disse l'uomo. «Lysa non è che una pecora spaventata.»

«Quella pecora spaventata divideva il letto con Jon Arryn.»

«Se avesse saputo qualcosa, puoi stare certa che sarebbe andata da Robert ben prima di scappare da Approdo del Re.»

«Dopo che lui aveva già acconsentito a fare adottare quella gelatina di suo figlio a Castel Granito? Non penso proprio. Sapeva perfettamente che la vita del ragazzo sarebbe stata il pegno del suo silenzio. E adesso che lui è al sicuro nel Nido dell'Aquila, Lysa potrebbe rialzare la cresta.»

«Madri!» L'uomo pronunciò la parola come se fosse stata un insulto infamante. «Mi sono fatto l'idea che partorire vi gioca brutti scherzi alla testa. Siete pazze, tutte quante.» La sua risata aveva un suono sgradevole. «Ma che la rialzi pure la cresta, lady Arryn. Qualsiasi cosa sa, o crede di sapere, non ha prove.» Ci fu una pausa. «O ne ha?»

«Tu t'illudi davvero che il re avrebbe bisogno di prove?» incalzò la donna. «Non mi ama! Tu lo sai, io lo so.»

«E dimmi, dolce sorella, di chi pensi sia la colpa?»

Bran studiò il cornicione. Era troppo stretto per atterrarci sopra, ma se fosse riuscito ad aggrapparsi a qualcosa e quindi tirarsi su... solo che una manovra del genere avrebbe fatto rumore e attirato l'attenzione dei due verso la finestra. Non capiva bene che cosa stava ascoltando, ma era certo che i due non sospettavano che lui, o qualcun altro, ascoltasse.

«Tu sei cieco come Robert» disse la donna.

«Se intendi dire che lui e io vediamo la medesima cosa, allora hai ragione» ribatté l'uomo. «E vediamo un uomo che sceglierebbe la morte piuttosto che tradire il proprio re.»

«Ne ha già tradito uno, di re. O te ne sei scordato, per caso? Oh, non nego che sia leale nei confronti di Robert, è fin troppo ovvio. Ma che cosa accadrà quando Robert sarà morto e Joffrey salirà al trono? E quanto prima ciò avverrà, tanto più tutti noi saremo in una posizione di maggiore sicurezza. Ogni giorno che passa, mio marito diventa sempre più impaziente, e con Stark al fianco sarà anche peggio. È ancora innamorato di sua sorella, ti rendi conto? Del cadavere di quell'insipida sedicenne. Quanto tempo pensi che passerà prima che mi metta da parte per una nuova Lyanna?»

Bran sentì d'improvviso la morsa di una paura senza nome. Desiderò con tutto se stesso tornare indietro e cercare i suoi fratelli. Ma per dire loro che cosa? Doveva andare più vicino. Doveva vedere chi stava parlando.

«Cerca di pensare meno al futuro e più ai piaceri che hai a portata di mano» sospirò l'uomo.

«Smettila!» esclamò la donna. Bran udì lo schiocco secco di uno schiaffo improvviso. Carne su carne. L'uomo rise di nuovo.

Bran si protese verso l'alto, si arrampicò sul doccione, avanzò carponi sul tetto. Era quella la via più facile. Raggiunse il doccione successivo, quello appena sopra la finestra dalla quale uscivano le voci.

«Tutto questo sta diventando estremamente tedioso, sorella» disse l'uomo. «Vieni qui e chiudi la bocca.»

Bran serrò le gambe attorno alla gola del doccione, intrecciò i piedi e roteò, rimanendo appeso a testa in giù nel vuoto. Lentamente, cautamente allungò il collo verso la finestra. Il mondo visto al contrario era strano. C'era un cortile direttamente sotto di lui, le pietre ancora bagnate per la neve disciolta.

Guardò dentro la stanza.

Un uomo e una donna stavano come lottando. Erano nudi. L'uomo gli voltava le spalle, la sua schiena impediva a Bran di vedere in viso la donna, che l'uomo spingeva contro il muro.

Poi vennero i rumori. Suoni molli, umidi. Bran capì: si stavano baciando. Continuò a guardare con occhi sbarrati, terrorizzato, il fiato mozzo. L'uomo spinse una mano tra le gambe di lei. Dovette farle male perché la donna cominciò a gemere con un tono basso, gutturale. «Fermati» gli disse. «Fermati, ti prego...» Continuò a dirgli di fermarsi, ma non lo respinse, e la sua voce era debole, incerta. Le dita di lei affondarono nei capelli dell'uomo, si attorcigliarono nei riccioli biondi, abbassarono il volto di lui tra i seni.

E Bran vide il suo viso: occhi chiusi, bocca aperta che continuava a gemere, capelli biondi che danzavano ritmicamente avanti e indietro, seguendo il movimento dei due corpi uniti. Era la regina Cersei Lannister.

Forse Bran fece un rumore perché gli occhi della donna si aprirono di scatto, videro, parvero conficcarsi nel volto di Bran. La regina urlò.

Poi tutto accadde in un vortice. Cersei spinse violentemente l'uomo lontano da sé continuando a urlare, a indicare. Bran cercò di risalire, si inarcò comprimendo i muscoli dell'addome fino a farsi male, le braccia protese verso il doccione. Ma si mosse troppo in fretta, le sue dita incontrarono la liscia pietra del doccione e scivolarono su di essa senza far presa. Nel panico, le sue gambe cedettero e cadde.

Per un istante, Bran ebbe le vertigini, sentì l'amaro sapore del fiele in gola mentre volava oltre la finestra. Protese la mano sinistra, che annaspò nel nulla, incontrò lo stretto cornicione e lo perse, ma la mano destra riuscì ad afferrarlo. Bran oscillò e andò a sbattere con violenza contro il muro. L'impatto gli fece uscire tutta l'aria dal petto. Rimase a penzolare nel vuoto aggrappato con una mano sola, ansimante.

Dalla finestra sopra di lui si affacciarono dei volti.

La regina. E ora Bran riconobbe anche l'uomo che era con lei: pareva l'immagine di lei riflessa in uno specchio.

«Ci ha visti» disse la regina spaventata.

«Così pare» confermò l'uomo.

Le dita di Bran cominciarono a perdere la presa. Afferrò il cornicione con l'altra mano, le unghie conficcate nella roccia impenetrabile.

«Prendi la mia mano» disse l'uomo allungandosi verso di lui. «Prima che tu cada.»

Bran gli afferrò il braccio. Strinse con tutte le sue forze. L'uomo lo sollevò fino al cornicione.

«Ma che cosa fai?» sibilò la regina.

L'uomo la ignorò. Era incredibilmente forte. Sistemò Bran in piedi sul davanzale della finestra. «Quanti anni hai, ragazzino?»

«Sette.» Bran tremava di sollievo. Si rese conto che le sue dita affondavano ancora nel braccio dell'uomo e lentamente lasciò la presa.

«Amore, amore...» L'uomo spostò lo sguardo sulla regina, la voce carica d'improvvisa repulsione. «Quali atti io compio per amore...» E spinse Bran nel vuoto.

Bran precipitò urlando nell'aria gelida. Non c'era più nulla a cui aggrapparsi. Il cortile salì verso di lui a velocità accecante.

Lontano, in qualche punto remoto, un lupo ululava. Nel cielo sopra la torre spezzata, i corvi volavano in cerchio, aspettando chicchi di grano.

TYRION

Da qualche parte nel labirinto di pietra della Prima Fortezza, un lupo ululò. Il lugubre verso rimase sospeso sopra il castello come un nero vessillo di morte.

Tyrion Lannister sollevò gli occhi dal libro che stava leggendo. La biblioteca di Grande Inverno era calda e accogliente, ma non riuscì comunque a reprimere un brivido. Qualcosa, nell'ululato dei lupi, trascinava un uomo lontano dalla propria dimensione per proiettarlo nelle foreste tenebrose della mente, a correre nudo alla testa del branco.

Il meta-lupo ululò di nuovo. Tyrion richiuse di schianto il pesante volume rilegato in cuoio. Era un ponderoso trattato vecchio di un secolo, scritto da un dotto maestro in merito al mutamento nel ciclo delle stagioni. La fiamma nella lanterna da lettura tremolava, l'olio ormai finito, mentre il chiarore dell'alba cominciava a filtrare dalle alte finestre. Il Folletto coprì uno sbadiglio con il dorso della mano. Era rimasto a leggere tutta la notte. Nulla di nuovo: Tyrion Lannister e il sonno non erano mai stati in buoni rapporti.

Nello scivolare giù dallo sgabello sentì le gambe irrigidite, indolenzite. Se le massaggiò cercando di riattivare la circolazione. Zoppicando vistosamente, si avviò verso il tavolo dove il septon bibliotecario dormiva alla grande, la guancia abbandonata sulle pagine del libro rimasto aperto di fronte a lui: una biografia del gran maestro Aethelmure, il migliore dei sonniferi.

«Chayle» disse Tyrion in un soffio.

Il giovane sussultò, ammiccando più volte. Nel movimento improvviso, il cristallo del suo ordine culturale che portava appeso alla grossa catena d'argento dondolò bruscamente da una parte all'altra del collo.

«Vado a fare colazione» riprese Tyrion. «Occupati tu di rimettere a posto i volumi. Sii cauto con i rotoli valyriani, la pergamena è molto secca. *Macchine di guerra* di Ayrmidon è rarissimo. La vostra è l'unica copia completa che io abbia mai visto.»

Chayle, ancora intontito dal sonno, lo guardò stralunato. Pazientemente, Tyrion gli ripeté le istruzioni, gli diede un paio di colpetti sulla spalla e lo lasciò al suo lavoro.

Fuori l'aria del mattino era fredda. Tyrion ne inspirò una lunga boccata e iniziò la difficile discesa per la ripida scala di pietra che si avvitava lungo la parete esterna della torre della biblioteca. Impresa né facile né rapida: quanto i gradini erano ripidi e stretti, tanto le sue gambe erano corte e contorte. Il sole non illuminava ancora le mura di Grande Inverno, ma nel cortile gli uomini stavano già lavorando sodo.

«Ce ne mette a morire, il ragazzino.» La voce roca di Sandor Clegane, il Mastino, parve rimbalzare contro la torre. «Sarebbe meglio che andasse più in fretta.»

Tyrion gettò un'occhiata verso il basso. Il Mastino era di fronte al giovane Joffrey, signorotti del clan Lannister si accalcavano attorno a loro.

«Quanto meno muore in silenzio» ribatté il principe. «È quel suo lupo a fare tutto il chiasso. La notte scorsa non mi è riuscito di chiudere occhio.»

L'ombra di Clegane si allungò sulla terra compatta del cortile mentre uno scudiero gli poneva in capo l'elmo nero. «Se lo desideri, principe» disse attraverso la celata aperta «posso far tacere io la creatura.» Lo scudiero collocò la spada lunga da combattimento nella mano guantata di metallo. Clegane la impugnò, bilanciandola, e assestò un paio di fendenti d'assaggio nell'aria gelida. Dietro di lui, il cortile riecheggiava del clangore di lame contro lame.

«Un mastino che uccide un lupo!» L'idea divertì il principe. «Grande Inverno è talmente infestato da lupi che gli Stark nemmeno s'accorgerebbero che ne manca uno.»

«Dissento, nipotino caro.» Tyrion saltò gli ultimi gradini e arrivò nel cortile. «Gli Stark sanno contare fino a sei, a differenza di certi principi di mia conoscenza.»

Joffrey ebbe quanto meno la buona grazia di arrossire, incassando la stoccata.

«Una voce dal nulla.» Clegane sbirciò dal proprio elmo, guardando in tutte le direzioni. «Spiriti dell'aria!»

Il principe rise. Rideva sempre quando la sua guardia del corpo si esibiva in quella farsa, alla quale Tyrion aveva fatto l'abitudine. «Quaggiù» disse infatti.

Il Mastino abbassò lo sguardo, fingendo di vedere il Folletto solo in quel momento. «Oh, il piccolo lord Tyrion. Le mie scuse. E io che nemmeno ti avevo visto...»

«Oggi, Clegane, non sono in vena di insolenze.» Poi Tyrion si rivolse al nipote: «Joffrey, hai aspettato anche troppo a fare visita a lord Eddard e alla sua lady per presentare loro la tua solidarietà».

«La mia solidarietà?» Joffrey apparve petulante come solamente un principe ereditario sa esserlo. «Cosa se ne farebbero?»

«Niente di niente, ma ci si aspetta che tu ti comporti in tal senso. La tua assenza è stata notata.»

«Il ragazzino Stark non è nulla per me e io non ho la minima intenzione di fare la donnicciola.»

Tyrion Lannister lo raggiunse e lo schiaffeggiò in piena faccia, duramente. La guancia di Joffrey s'infiammò.

«Di' un'altra parola, una sola» esclamò Tyrion «e ti servo il doppio.»

«Lo dirò alla mamma!» si infuriò Joffrey.

Tyrion lo schiaffeggiò di nuovo. Adesso il principe ereditario ne aveva due, di guance in fiamme.

«Ecco, bravo, tu dillo alla mamma» riprese Tyrion. «Prima, però, ti presenterai a lord e lady Stark e cadrai in ginocchio davanti a loro. Gli dirai quanto sei dispiaciuto, che le tue preghiere sono con loro e con il piccolo Brandon e infine che possono considerarti al loro servizio per qualsiasi cosa tu possa fare in quest'ora disperata, sia per loro sia per il loro figlioletto. Una qualche parte di quanto ho detto non ti è chiara?»

Il ragazzo parve sul punto di mettersi a piangere. Invece riuscì ad annuire debolmente, poi si girò di scatto e corse via tenendosi la guancia. Tyrion lo guardò scappare.

Un'ombra venne a incombere su di lui. Sandor Clegane gli torreggiava sopra come una scogliera. Il metallo nero opaco della sua armatura pareva risucchiare la luce del sole. La celata, che aveva la forma di un muso di mastino ringhiante assetato di sangue, era abbassata. Tyrion aveva sempre ritenuto che fosse comunque un notevole miglioramento rispetto alla faccia mostruosamente sfigurata dal fuoco di Clegane.

«Il principe si ricorderà di questo, piccolo lord» lo avvertì il Mastino, e la sua risata, distorta dall'elmo, risuonò come un basso gorgoglio.

«Ci conto, ma nel caso lo scordasse, fa' il bravo cagnolino, Clegane:

rinfrescagli tu la memoria.» Tyrion gettò uno sguardo attorno. «Hai idea di dov'è mio fratello?»

«A colazione con la regina.»

«Oh, bene.» Tyrion si congedò con un cenno del capo e si avviò fischiettando, alla massima velocità che le sue gambette gli consentivano. Sandor Clegane aveva inevitabilmente un carattere da mastino. Tyrion sapeva che il primo che l'avesse affrontato alla spada si sarebbe amaramente pentito di averlo fatto.

Nei quartieri degli ospiti di Grande Inverno l'atmosfera era cupa. Jaime sedeva con Cersei e i bambini al tavolo di una prima colazione priva di calore e di allegria. Le conversazioni erano appena sussurrate.

«Il re dorme ancora?» Tyrion si lasciò cadere su una sedia, ignorando il fatto di non essere stato invitato.

«Il re non è nemmeno andato a dormire» gli rispose sua sorella guardandolo con l'espressione di disgusto neppure troppo velato che Tyrion ricordava fin dai primordi della sua memoria. «È con lord Eddard. Il loro dolore lo ha colpito dritto al cuore.»

«Ha proprio un cuore grande, il nostro Robert» s'intromise Jaime con un sorriso pigro.

Erano ben poche le cose che Jaime Lannister prendeva sul serio, Tyrion lo sapeva bene. Eppure, durante i terribili, interminabili anni della sua infanzia, era stato l'unico a dimostrare nei suoi confronti una sia pure infinitesima misura di affetto, di rispetto. Per questo, Tyrion era disposto a perdonare tutto al fratello, o quasi tutto.

«Pane» disse al servo che si avvicinò. «Più due di quei piccoli pesci e un boccale della vostra buona birra scura per aiutarli ad andare giù. Oh, e anche della pancetta affumicata. E fatela arrostire finché non è ben croccante.»

L'uomo fece un breve inchino e si ritirò. Tyrion tornò a girarsi verso i suoi fratelli gemelli. Quella mattina apparivano davvero calati nella parte. Entrambi avevano scelto il verde, accuratamente in tinta con il verde dei loro occhi. Entrambi si erano acconciati i riccioli biondi nello stesso modo e ornamenti d'oro simili scintillavano ai loro polsi, alle dita, al collo.

Per l'ennesima volta, Tyrion si domandò come sarebbe stato avere un gemello, e per l'ennesima volta si rispose che era meglio non saperlo. Incontrare ogni giorno la propria immagine riflessa nello specchio era già un'impresa titanica di per se stessa. Due di lui? No, troppo spaventoso.

«Zio» chiese il principe Tommen «hai notizie di Bran?»

«La scorsa notte mi sono fermato alla sua stanza. Nessun cambiamento. Secondo maestro Luwin, è un buon segno.»

«Io non voglio che Brandon muoia.» La voce di Tommen era piena d'incertezza, di timore. Era un bambino delicato, molto diverso da suo fratello Joffrey. Quanto a diversità, comunque, Jaime e Tyrion non prendevano lezioni da nessuno.

«Anche lord Eddard aveva un fratello chiamato Brandon» rifletté Jaime. «Uno degli ostaggi uccisi dai Targaryen. Nome sfortunato.»

«Non sfortunato fino a quel punto, forse» disse Tyrion.

Il servo gli portò la colazione e lui staccò un pezzo di pane nero e se lo mise in bocca.

«Che intendi dire?» Cersei lo studiava con aria guardinga.

«Semplicemente che Tommen potrebbe non andare deluso.» Tyrion le elargì un sorriso ironico, fece un brindisi e mandò giù una sorsata di birra. «Il maestro pensa che Brandon potrebbe sopravvivere.»

Myrcella si lasciò sfuggire un gemito di sollievo e Tommen sorrise nervosamente, ma non erano loro che Tyrion stava osservando. Ci fu uno sguardo tra Cersei e Jaime: durò meno di un secondo, ma abbastanza per non sfuggire al Folletto.

«Una cosa simile non sarebbe misericordiosa.» Gli occhi di sua sorella tornarono ad abbassarsi sul tavolo. «Questi dei del Nord sono crudeli a prolungare la sofferenza del bambino.»

«Che cos'ha detto con precisione maestro Luwin?» domandò Jaime.

Tyrion sgranocchiò un pezzo di pancetta affumicata con aria pensosa.

«Maestro Luwin pensa che se il bambino doveva morire» disse alla fine «sarebbe già morto. Sono passati oltre quattro giorni dalla caduta, senza che si sia verificato alcun cambiamento.»

«Ma Bran potrebbe tornare a stare bene, zio?» Era la piccola Myrcella, che aveva ereditato la bellezza della madre ma non il suo carattere.

«La sua schiena è spezzata, piccola mia.» Tyrion scosse il capo. «Anche le sue gambe sono spezzate. Lo tengono in vita con acqua e miele, altrimenti morirebbe di fame. Se si sveglierà, sarà forse in grado di ricominciare a mangiare cibo vero. Ma quanto a camminare... mai più.»

«Se si sveglierà» ripeté Cersei. «È davvero probabile?»

«Solo gli dèi lo sanno.» Tyrion masticò un boccone di pane. «E il maestro può solo sperare.» Passò a un'altra fetta di pancetta. «Giurerei che è quel suo lupo senza nome a tenerlo in vita. Sta sotto la sua finestra, giorno e notte, a ululare. Ogni volta che lo scacciano, ritorna. Il maestro mi ha detto che a un certo punto, quando avevano chiuso la finestra per ridurre il rumore, il bambino stava diventando sempre più debole. Nel momento in cui l'hanno riaperta, il suo cuore ha ripreso a battere più forte.»

«C'è qualcosa di inquietante in quegli animali.» La regina rabbrividì. «Sono contro natura. Non permetterò che neppure uno di loro venga al Sud con noi.»

«Sarà duro impedirlo, sorella» obiettò Jaime. «Seguono le due ragazzine Stark dappertutto.»

Tyrion attaccò il pesce. «Voi partirete presto, quindi.»

«Mai abbastanza.» La fronte di Cersei si aggrottò. «Come sarebbe a dire voi? E tu? Per gli dèi, non dirmi che rimani in questo posto!»

«Benjen Stark sta per tornare ai guardiani della notte, portando con sé il figlio bastardo di suo fratello.» Tyrion si strinse nelle spalle. «Pensavo di andare con loro a vedere questa Barriera della quale abbiamo sentito parlare così tanto.»

«Che succede, fratellino?» sorrise Jaime. «Vuoi metterti anche tu quei vestiti neri?»

«Io fare voto di castità?» Tyrion rise. «Le puttane sarebbero in lutto da Dorne a Castel Granito. No, voglio solo mettermi in piedi in cima alla Barriera e farmi una bella pisciata dall'ultimo confine del mondo.»

«Non permetto che i bambini siano esposti a un simile linguaggio da fogna!» Cersei si alzò di scatto. «Tommen, Myrcella: andiamo via.»

La regina se ne andò indignata, strascico e cuccioli al rimorchio.

Jaime Lannister studiò il fratello con quei suoi freddi occhi verdi. «Stark non acconsentirà mai a lasciare Grande Inverno con il figlio in bilico tra la vita e la morte.»

«Se Robert gli comanderà di farlo, Stark lo farà» ribatté Tyrion. «E Robert gli comanderà di farlo. In ogni caso, non c'è nulla che lord Eddard possa fare per il suo piccolo.»

«Potrebbe porre fine ai suoi tormenti» dichiarò Jaime. «Se al suo posto ci fosse il mio, di figlio, io lo farei. Sarebbe un atto di misericordia.»

«Ti suggerisco di tenere per te il tuo concetto di misericordia, fratello caro» ribatté Tyrion. «Lord Stark non l'apprezzerebbe.»

«Anche se il bambino dovesse sopravvivere, sarebbe uno storpio. Peggio: un essere grottesco. Una morte rapida e pulita è la soluzione migliore.»

Tyrion alzò le spalle accentuando la loro deformità. «Restando in tema di esseri grotteschi» disse «mi permetto di non essere d'accordo. La morte è spaventosamente definitiva, mentre la vita... quante strade inesplorate.»

«Eccolo di nuovo, il piccolo, perverso folletto» gli sorrise Jaime.

«Come sempre» ammise Tyrion. «Io spero invece che il bambino viva. Sarebbe molto interessante scoprire se ha qualche cosa da dire.»

Il sorriso di suo fratello s'incurvò in una smorfia acida. «Tyrion, mio dolce fratello» e adesso c'era una nota tenebrosa nella sua voce «a volte mi domando da che parte stai.»

Tyrion aveva la bocca piena di pane nero e pesce. Mandò giù il tutto con una sorsata di birra scura.

«Jaime, diletto fratellino, tu mi ferisci.» Il sogghigno che riservò a Jaime Lannister parve lo snudarsi delle zanne di un meta-lupo. «Dovresti sapere quanto io amo la nostra famiglia.»

JON

Salì lentamente i gradini di pietra, cercando di non pensare che poteva essere l'ultima volta. Spettro lo seguiva, silenzioso come sempre. Fuori, refoli di neve vorticavano sui portali del castello e il grande cortile era un ribollire di rumori e di caos, ma dentro le spesse mura di pietra tutto era immobile, tiepido, silente. Fin troppo immobile e silente, per Jon.

Raggiunse il pianerottolo più in alto e si fermò per un lungo momento. Aveva paura. Sentì il muso di Spettro spingere contro la sua mano e il contatto gli diede coraggio. Si raddrizzò ed entrò.

Lady Stark era seduta accanto al letto. Era là da molto tempo, giorno e notte. Non si era mai allontanata dal capezzale di Bran, nemmeno per un istante. Si era fatta portare il cibo, pitali per espletare le proprie funzioni corporali, un piccolo, duro pagliericcio sul quale dormire. Ma i sussurri del castello dicevano che non aveva dormito molto, su quel pagliericcio. Aveva nutrito lei stessa il bambino con la mistura di erbe, miele e acqua che teneva accesa la flebile fiamma della sua vita. Non aveva mai lasciato la stanza. Per questo Jon si era tenuto lontano.

Ma ora il tempo era finito.

Rimase immobile sulla soglia, timoroso di parlare, ancora più timoroso di andare avanti. La finestra era aperta. Fuori, un lupo senza nome ululò. Spettro lo udì e alzò il muso.

Lady Stark si girò verso di lui e per alcuni attimi parve non riconoscerlo. Alla fine, strinse le palpebre. «Cosa sei venuto a fare qui?» La sua voce era piatta, priva di qualsiasi emozione.

«A vedere Bran. A dirgli addio.»

«Gliel'hai detto.» Non ci fu nessun cambiamento nella voce di Catelyn. I suoi lunghi capelli ramati erano opachi, aggrovigliati.

Nell'arco di una sola notte, pareva invecchiata di vent'anni. «Adesso vattene.»

Una parte di Jon voleva farlo, voleva scappare a gambe levate, ma l'altra parte sapeva che se l'avesse fatto, forse non avrebbe mai più rivisto Bran. Fece un cauto passo in avanti.

«Ti prego...» mormorò.

«Ti ho detto di andare via.» Qualcosa di raggelante si mosse negli occhi di lei. «Non ti vogliamo qui.»

In un'altra circostanza, quelle parole gli avrebbero messo le ali ai piedi portando lacrime ai suoi occhi. In questa circostanza, l'unico risultato che ottennero fu di farlo infuriare. Presto sarebbe diventato un confratello dei guardiani della notte e avrebbe affrontato pericoli ben più letali di Catelyn Tully Stark. «Bran è mio fratello» disse.

«Preferisci che ti faccia buttare fuori dalle guardie?»

«Chiamale pure, le tue guardie.» Jon accettò la sfida. «Non m'impediranno di vedere mio fratello. Nemmeno tu me lo impedirai.» Attraversò la stanza lasciando il letto come una muraglia tra loro. Guardò suo fratello.

Catelyn teneva tra le sue una mano di Bran. Pareva un artiglio. L'essere che giaceva in quel letto non era il Bran che Jon conosceva. La carne sembrava svanita. La pelle si tendeva sulle ossa simili a bastoni di legno. Sotto la coperta, s'indovinavano forme contorte, che Jon trovò quasi repellenti: le gambe. Gli occhi erano sprofondati nelle orbite, spalancati sul vuoto, completamente ciechi. Era come se la caduta avesse raggrinzito Brandon Stark all'interno di quanto restava del suo corpo. Pareva una foglia secca, che il primo colpo di vento avrebbe trascinato via, verso la tomba.

Eppure, dentro quella gabbia fragile di costole spezzate, continuava a esistere il respiro. Il torace si sollevava, si abbassava, tornava a sollevarsi.

«Bran» sussurrò Jon. «Perdonami se non sono venuto da te prima. Io... avevo paura.» Lacrime gli scesero sulle guance, ma non gliene importò nulla. «Ti prego, fratello, non morire. Ti prego. Tutti noi aspettiamo che tu ti risvegli. Robb e le ragazze e io... tutti noi...»

Lady Stark osservava senza dire una parola. Jon interpretò il suo silenzio come un segno di accettazione. Là fuori, il meta-lupo ululò di nuovo, il meta-lupo al quale Bran non aveva fatto in tempo a dare un nome.

«Io adesso devo andare, Bran» proseguì. «Zio Benjen mi aspetta. Vado a nord, alla Barriera. Dobbiamo partire oggi, prima che arrivino le grandi nevi.»

Ricordò quanto Bran fosse stato eccitato all'idea del viaggio. E d'un tratto abbandonare suo fratello in quello stato fu molto di più di quanto fosse in grado di sopportare. Si asciugò le lacrime, si protese in avanti e baciò leggermente Bran sulle labbra.

«Non volevo che lui andasse al Sud» disse lady Stark in un soffio. «Volevo che rimanesse qui con me.»

Jon le rivolse uno sguardo cauto. Lei non lo stava guardando, gli stava parlando, però era come se lui non fosse nemmeno nella stanza.

«Ho pregato tanto che non andasse» continuò Catelyn in quel tono distante. «Era il mio bimbo speciale. Sono andata all'altare e ho pregato sette volte i sette volti di dio perché Ned cambiasse idea e lo lasciasse qui con me. A volte, gli dèi esaudiscono le preghiere.»

Jon non sapeva cosa dire. «Non è stata colpa tua» azzardò dopo un silenzio imbarazzato.

Fu a quel punto che gli occhi di lei trovarono i suoi. Quando parlò, la sua voce era un fiume di veleno: «Non so che farmene della tua assoluzione... bastardo».

Jon abbassò lo sguardo. Catelyn continuava a stringere la mano di Bran tra le sue, le dita che parevano le ossa di un corvo.

«Addio, fratello.»

La voce di lei lo raggiunse sulla soglia: «Jon». Non aveva intenzione di fermarsi, ma non l'aveva mai chiamato per nome, perciò si girò. Catelyn lo guardava dritto in faccia, come se lo vedesse per la prima volta.

«Cosa c'è, lady Stark?»

«Avresti dovuto essere tu a schiantarti su quelle pietre.»

Poi Catelyn tornò a girarsi verso il figlio e scoppiò in un pianto disperato, tutto il suo essere scosso dai singhiozzi. Mai prima di allora Jon l'aveva vista piangere.

E per lui, quella fino al cortile fu una lunghissima discesa.

Fuori, il caos e il rumore continuavano: carri che venivano caricati, uomini che gridavano, cavalli fatti uscire dalle stalle, completi di sella e di redini. Stava nevicando, fiocchi impalpabili come cenere. Tutti erano ansiosi di partire.

Robb si trovava nel bel mezzo di quel bailamme, urlando ordini assieme agli altri ufficiali di Casa Stark. Sembrava essersi fatto uomo d'improvviso, come se la caduta di Bran e il crollo di sua madre l'avessero reso più forte. Al suo fianco c'era Vento grigio.

«Zio Benjen ti sta cercando dappertutto» disse a Jon. «Voleva partire un'ora fa.»

«Lo so.» Jon osservò il caos tutt'attorno a loro. «Andare via è molto più duro di quanto pensavo.»

«Anche per me sapere che te ne vai.» Il calore del corpo di Robb stava facendo sciogliere la neve che gli era caduta sui capelli. «L'hai visto?»

Jon annuì, non fidandosi di parlare perché temeva di lasciar cadere altre lacrime.

«Non morirà» dichiarò Robb. «So che non morirà.»

«Voi Stark siete duri da far fuori» convenne Jon. La sua voce suonò piatta, stanca. L'addio a Bran l'aveva come prosciugato dentro. Robb percepì che qualcosa non andava.

«Mia madre...»

«Lei è stata...» Jon andò alla ricerca delle parole adatte. «Molto gentile.»

«Bene.» Robb apparve sollevato. «La prossima volta che ci rivedremo, sarai uno degli uomini in nero.»

«È sempre stato il mio colore preferito.» Jon riuscì a rispondere al suo sorriso. «Quanto tempo pensi che passerà?»

«Non molto.» Robb attirò a sé il fratello e lo abbracciò con fierezza. «Addio, Snow.»

«Addio a te, Stark.» Jon rispose al suo abbraccio. «Prenditi cura di Bran.»

«Lo farò.»

Si sciolsero dall'abbraccio e si scambiarono un'occhiata imbarazzata.

«Zio Benjen mi ha detto di dirti di andare subito alle stalle» gli comunicò Robb alla fine, rompendo il silenzio. «Nel caso ti avessi visto.»

«Mi manca ancora un saluto» rispose Jon.

«Allora non ti ho visto» replicò Robb. Jon lo lasciò in piedi nella neve, circondato da carri, cavalli, lupi.

Non gli ci volle molto per arrivare all'armeria. Prelevò ciò per cui era venuto e continuò lungo il ponte coperto che portava alla Prima Fortezza.

Arya era nella sua stanza e riempiva un lucido baule di legnoferro ben più grosso di lei. Nymeria la aiutava. Tutto quello che Arya doveva fare era indicare. La meta-lupa trotterellava attraverso la stanza, afferrava tra le zanne un mucchietto di seta e glielo portava. Ma nell'attimo in cui captò l'odore di Spettro, sedette sulle zampe posteriori ed emise un guaito.

Nel vedere Jon, Arya saltò in piedi e volò a gettargli le braccia magroline attorno al collo.

«Temevo che te ne fossi andato.» Il respiro le si spezzò in gola. «E non mi lasciano andare fuori per gli addii.»

«Che altro hai combinato?» Jon era divertito.

«Niente, ti assicuro.» Arya si staccò da lui e fece una smorfia. «Era tutto pronto e impacchettato.» Accennò al colossale baule, pieno solamente per un terzo, e ai vestiti sparsi dappertutto nella stanza. «Ma septa Mordane mi dice che devo ricominciare daccapo. Le mie cose non erano piegate come si deve, mi dice. Una vera signora del Sud non scaraventa dentro il baule i suoi abiti come se fossero stracci vecchi, mi dice.»

«Ed è davvero questo che avevi fatto, sorellina?»

«Tanto finirà tutto stropicciato comunque» protestò Arya. «Che differenza fa com'è piegata la roba?»

«Un'altra cosa che non credo septa Mordane apprezzi» disse Jon «è l'aiuto di Nymeria.» La meta-lupa lo osservò in silenzio con gli occhi d'oro scuro. «Meglio così» riprese Jon «perché ho qui qualcos'altro che devi portarti dietro. Ed è meglio che sia impacchettato con molta attenzione.»

Il viso di Arya s'illuminò. «Un regalo?»

«Una specie. Chiudi la porta.»

Sul chi vive e tutta eccitata al tempo stesso, Arya si protese a dare un'occhiata nel corridoio. «Nymeria, qui.» Fece uscire la meta-lupa dalla stanza. «Di guardia» le ordinò, chiudendo la porta.

Jon tolse dall'involto di stoffa l'oggetto che aveva portato e lo tese a sua sorella.

Gli occhi di Arya si spalancarono, occhi scuri come i suoi. La voce di lei era un sussurro: «Una spada».

Il fodero era di soffice cuoio grigio, liscio e ricco come il peccato.

«Arya, questo non è un giocattolo...» Lentamente, Jon estrasse la lama, in modo che lei vedesse la sfumatura azzurra del puro acciaio. «Sta' attenta a non tagliarti. È affilata come un rasoio.»

«Alle ragazze non servono rasoi» scherzò lei.

«Ad alcune sì» sorrise Jon. «Le gambe della septa le hai mai viste?»

Arya ridacchiò alla battuta, ma il suo sguardo non si staccò mai dalla spada. «È così sottile...»

«Proprio come te» confermò Jon. «L'ho fatta fare da mastro Mikken apposta. I braavosiani usano spade come questa a Pentos, Myr e nelle altre città libere. Un uomo non lo decapita, ma a usarla nel modo giusto, con la rapidità giusta, lo può riempire di brutti buchi.»

«Io ce l'ho la rapidità!»

«Ma dovrai far pratica tutti i giorni.» Jon le mise l'elsa in mano, le mostrò come impugnarla e fece un passo indietro. «Come la senti? Ti piace il suo bilanciamento?»

«Direi di sì.»

«Prima lezione: infilzarli sempre di punta.»

Arya gli diede un colpo con il piatto della lama. «Lo so con quale parte colpirli!» dichiarò, ma immediatamente dopo fu assalita dai dubbi. «Septa Mordane me la porterà via.»

«Per portartela via, dovrà sapere che ce l'hai.»

«Ma Jon, con chi potrò fare pratica?»

«Troverai qualcuno» l'assicurò lui. «Approdo del Re è una vera città, mille volte più vasta di Grande Inverno. Fino al momento in cui non troverai un compagno di lama, osserva gli addestramenti nel cortile della Fortezza Rossa. E poi corri, va' a cavallo, diventa forte. Ma qualsiasi cosa tu faccia...»

Arya conosceva quel gioco privato tra loro due. Lei e Jon continuarono in coro: «Non-dirlo-a-Sansa!».

Jon le scompigliò i capelli. «Mi mancherai, sorellina.»

Improvvisamente, l'irriducibile Arya parve sul punto di mettersi a piangere. «Vorrei che tu venissi con noi.»

«Strade diverse a volte conducono allo stesso castello. Chi può sapere?» Ora Jon si sentiva meglio, non avrebbe permesso alla tristezza di aggredirlo di nuovo. «Devo andare, adesso. Se faccio aspettare zio Benjen un altro po', passerò il mio primo anno sulla Barriera a svuotare pitali.»

Arya corse da lui per l'ultimo abbraccio.

«Calma, sorellina!» l'avvertì con una risata. «Prima metti giù la spada.»

Lei la mise da parte quasi con vergogna, poi lo tempestò di piccoli baci.

Quando fu giunto sulla porta, si voltò verso di lei per l'ultima volta e la vide con la spada in pugno, intenta a bilanciarla nella mano.

«Oh, a momenti dimenticavo...» le disse. «Tutte le grandi spade hanno un nome.»

«Come Ghiaccio» convenne Arya studiando la sua lama. «E questa? Ce l'ha, un nome? Dimmelo, Jon!»

«Non indovini?» fece lui con un sorriso ironico. «Qual è la tua cosa preferita?»

Arya apparve perplessa, ma non durò che un batter d'occhi perché era rapida, molto rapida. Dissero in coro anche questo: «Ago!».

Il ricordo della loro ultima risata insieme riscaldò Jon Snow per tutta la lunga cavalcata verso settentrione.

DAENERYS

Daenerys Targaryen andò sposa a Khal Drogo nella pianura all'esterno delle mura della città libera di Pentos. Così voleva l'antico credo dei dothraki: ogni evento rilevante della vita di un uomo doveva accadere al cospetto del cielo.

Andò sposa piena di terrore, circondata di splendore barbarico. Drogo aveva chiamato a raccolta il suo intero khalasar e loro erano apparsi: quarantamila guerrieri dothraki con i loro quarantamila cavalli, più un numero incalcolabile di donne, bambini e schiavi. Avevano allestito un immane campo appena fuori le mura della città, erigendo palazzi di giunchi, mangiando tutto il mangiabile e facendo correre brividi gelidi lungo la schiena dei bravi cittadini di Pentos, la cui paura era andata crescendo di giorno in giorno.

«I miei colleghi magistri e io abbiamo fatto raddoppiare la Guardia cittadina» li informò magistro Illyrio, ingozzandosi di anatra al miele e di peperoni piccanti marinati.

Erano nella residenza di Drogo. Per l'occasione, il Khal era andato a unirsi al suo khalasar, concedendo a Daenerys e a suo fratello di rimanere nel maniero fino alle nozze.

«È meglio che la principessa Daenerys si sposi in fretta, prima che metà della ricchezza di Pentos finisca nelle tasche di mercenari e di braavosiani» commentò ser Jorah Mormont.

La notte in cui Dany era stata barattata al Khal, il cavaliere esiliato aveva messo la propria spada al servizio di Viserys, che aveva accettato l'offerta con entusiasmo. Da allora, Mormont era stato il loro inseparabile compagno.

Magistro Illyrio ridacchiò dietro la barba biforcuta. Per contro, l'espressione del Re Mendicante rimase seria.

«Quel barbaro può averla anche domani, se vuole.» Viserys

scoccò un'occhiata a sua sorella, lei distolse lo sguardo. «Basta che paghi il dovuto.»

«Fidati di me, principe. È tutto fatto.» Illyrio agitò la mano in un gesto languido che fece scintillare i troppi anelli sulle sue dita grassocce. «Il khal ti ha promesso la corona, e tu la corona avrai.»

«Sì, ma quando?»

«Quando il khal deciderà. Per prima cosa prenderà la fanciulla. Una volta che saranno marito e moglie, dovrà compiere il viaggio rituale e presentarla alle anziane del dosh khaleen, nella città sacra di Vaes Dothrak. E solamente dopo tutto questo, forse, pagherà il suo prezzo. Ma lo farà solo se i presagi dothraki saranno in favore della guerra.»

«Io defeco sui presagi dothraki!» Viserys era divorato dall'impazienza. «L'Usurpatore continua a sedere sul trono di mio padre. Quanto ancora dovrò aspettare?»

«Hai aspettato tutta la vita, mio giovane re.» Illyrio si strinse vistosamente nelle spalle. «Che sarà mai aspettare qualche altro mese? O qualche altro anno?»

«Ti suggerisco anch'io di essere paziente, mio signore.» Ser Jorah, che aveva viaggiato fino a Vaes Dothrak, concordò con un cenno del capo. «I dothraki mantengono la parola data, ma agiscono secondo la loro scala del tempo. Un uomo di rango inferiore a lui può presentarsi al khal e chiedergli di favorirlo, ma non deve mai avere la presunzione di esigere qualcosa da lui.»

«Attento a quella tua lingua, Mormont» s'infuriò Viserys «o te la farò strappare. Io non sono affatto un uomo di rango inferiore: io sono il legittimo sovrano dei Sette Regni! Il drago non chiede di essere favorito.»

Rispettosamente, ser Jorah abbassò lo sguardo.

Illyrio sorrise in modo enigmatico, strappò un'ala all'anatra e andò all'assalto della carne tenera; olio denso e miele gli gocciolavano sulla barba.

Dany si limitò a osservare il fratello, restando in silenzio. "I draghi sono finiti." Fu solo un pensiero nella sua mente, che non assunse mai forma di parole.

Ma quella notte, un drago venne da lei. Viserys la stava picchiando, le faceva male. Daenerys era nuda, intorpidita dalla paura. Cercava di allontanarsi da lui, ma il suo corpo sembrava goffo e sgraziato e rifiutava di obbedirle.

Lui la colpì di nuovo. Dany barcollò, cadde.

«Hai risvegliato il drago!» Viserys la prese a calci, senza smettere di urlare. Le cosce di lei erano viscide di sangue.

«Hai risvegliato il drago! Hai risvegliato il drago!» Gemendo, Dany chiuse gli occhi.

Quasi rispondendo al suo gemito, qualcosa si mosse con un rumore terribile, come di membrane che si squarciano dall'interno verso l'esterno, come di un immenso fuoco divorante.

Daenerys aprì gli occhi. Viserys era svanito. Tutt'attorno a lei, ruggivano immense colonne di fiamme. E al centro stesso delle fiamme... c'era il drago. Lentamente, la testa del rettile ruotò verso di lei. Gli occhi, ardenti come metallo liquefatto, si fissarono nei suoi.

Daenerys balzò a sedere sul letto, tremando, il corpo fradicio di sudore. Non aveva mai provato un simile terrore.

Non fino al giorno delle sue nozze.

La cerimonia ebbe inizio al sorgere del sole e proseguì fino al tramonto. Una giornata fatta di cibo, vino, danze, orge e duelli senza fine. Una possente collina di terra era stata eretta tra i palazzi di giunchi sorti nella pianura. Sulla sua cima, Daenerys sedette a fianco di Khal Drogo, dominando il ribollente Mare dothraki. Mai, nella sua breve vita, Dany aveva visto così tanta gente radunata tutta nello stesso luogo. Né tantomeno gente così strana, così spaventosa. Quando visitavano le città libere, i signori dothraki si addobbavano con abiti fastosi e usavano profumi intensi, ma al cospetto del grande cielo mantenevano le antiche tradizioni. Uomini e donne indossavano gilè di cuoio dipinto sul petto nudo e brache di crine di cavallo trattenute da catene formate da dischi di bronzo. I guerrieri intingevano le lunghe trecce nella morchia che trasudava dai bracieri.

Per l'intera durata dell'orgia matrimoniale, gli uomini e le donne del khalasar di Drogo si rimpinzarono di carne di cavallo arrostita con miele e peperoni, si ubriacarono fino all'incoscienza di latte fermentato di giumenta e dei vini pregiati di Illyrio, si derisero pesantemente l'un l'altro al disopra delle migliaia di fuochi accesi nella pianura. Le loro voci risuonavano rauche, aliene alle orecchie di Dany.

Viserys era seduto poco sotto di lei, splendido in una tunica di lana nera con un drago scarlatto ricamato sul torace, affiancato da Illyrio e ser Jorah. Erano i posti d'onore, appena più in basso dei cavalieri di sangue del khal, eppure, negli occhi violetti del fratello, Dany vedeva lampi d'ira. Viserys detestava essere seduto a un livello inferiore rispetto a lei, s'inferociva nel vedere gli schiavi che offrivano ogni portata al khal e alla sua sposa per primi, servendo poi a lui ciò che loro avevano rifiutato. Tuttavia l'unica cosa che poteva fare era ingoiare il proprio risentimento e lo ingoiò, mentre il suo umore diventava sempre più velenoso a ogni insulto inferto al suo rango reale.

Seduta nel fulcro di quell'orda sterminata, Daenerys non si era mai sentita tanto sola. Suo fratello le aveva ordinato di sorridere e lei aveva obbedito. Aveva continuato a sorridere finché il volto non aveva cominciato a farle male e aveva dovuto lottare per impedire alle lacrime di sgorgare. Sapeva quanto Viserys si sarebbe infuriato se l'avesse vista piangere, ed era terrorizzata alla sola idea di come avrebbe potuto reagire Khal Drogo.

Le vennero offerte montagne di cibo: tranci di carne fumante, corpose salsicce nere, tradizionali sanguinacci dothraki, e poi frutta esotica, erbe dolci stufate, elaborati pasticcini dei forni di Pentos. Dany respinse ogni cosa. Il suo stomaco era contratto, e sapeva che non sarebbe riuscita a inghiottire nulla.

Attorno a lei, non c'era nessuno con cui parlare. Khal Drogo dava ordini e scambiava battute con i suoi cavalieri di sangue e rideva alle loro risposte, ma l'aveva a malapena guardata. Dany e lui stentavano a comunicare. La lingua dothraki le era incomprensibile e quanto al khal, conosceva soltanto qualche parola del valyriano imbastardito che si parlava nelle città libere, e nemmeno una parola della lingua comune dei Sette Regni. In quel momento, a Daenerys sarebbe andata bene perfino qualche frase con Illyrio o con suo fratello, ma erano entrambi troppo più in basso rispetto a lei perché potessero udirla.

Così rimase seduta, avvolta nel suo sontuoso abito nuziale di seta, tentando di bere a piccolissimi sorsi una coppa di vino al miele.

Provò a parlare con se stessa: "Io sono il sangue del drago. Io sono Daenerys Targaryen, principessa della Roccia del Drago, nata dal sangue e dal seme di Aegon il Conquistatore".

Il sole era solo a un quarto del suo cammino lungo il cielo quando Dany vide morire il primo uomo. I tamburi battevano, alcune donne danzavano per il khal. Drogo osservava privo di espressione, ma i suoi occhi seguivano i loro movimenti sinuosi. Di quando in quando gettava loro un medaglione di bronzo che le ragazze si contendevano a unghiate.

Anche i suoi guerrieri si godevano lo spettacolo. Alla fine, uno di loro avanzò nel cerchio, afferrò una danzatrice per un braccio, la gettò a terra e la possedette lì, davanti a tutti, come uno stallone all'assalto di una giumenta.

«I dothraki si accoppiano come branchi di cavalli.» Illyrio aveva avvertito Dany che cose del genere sarebbero potute accadere. «Non esiste nulla di privato in un khalasar, e non hanno il senso del peccato o della vergogna come noi.»

Impaurita, Daenerys distolse lo sguardo dall'amplesso. Inutile: un secondo guerriero si lanciò verso un'altra danzatrice, poi un terzo. In breve, non ci fu più una direzione sicura nella quale guardare.

A un certo punto, due uomini cominciarono a contendersi la stessa donna. Dany udì un brontolio di minaccia, vide uno spingere l'altro. In un batter d'occhio gli arakh, le letali, affilatissime lame dothraki, metà spade e metà falci, luccicarono ai raggi del sole. Ebbe inizio una danza di morte con i due guerrieri che giravano uno attorno all'altro attaccando, menando fendenti, urlando, le lame che mulinavano alte sopra le loro teste. Nessuno alzò un dito per fermarli.

Il duello ebbe fine con la medesima rapidità con la quale era cominciato. Gli arakh sibilarono a distanza ravvicinata. Uno dei due uomini fece un passo falso e l'altro sferrò un fendente su un corto arco traverso. L'acciaio morse la carne appena sopra la vita dell'uomo, il suo ventre si squarciò dall'ombelico fino alla colonna vertebrale, eruttando nella polvere viscere pulsanti. Mentre il perdente dava gli ultimi sussulti dell'agonia, il vincitore afferrò una donna, nemmeno la stessa per la quale aveva combattuto, e la penetrò da dietro. Gli schiavi portarono via il cadavere, le danze ripresero.

Qualcos'altro di cui Illyrio l'aveva avvertita: «Un matrimonio dothraki senza almeno tre sventramenti è considerato decisamente noioso».

Il matrimonio di Daenerys Targaryen fu un successo smagliante: prima del tramonto, sulla pianura era corso il sangue di almeno una dozzina di uomini.

Con il passare delle ore, il suo terrore cresceva. L'unica cosa che rimase nella mente di Dany fu lo sforzo per non mettersi a urlare. Aveva paura dei dothraki, della loro ferocia animalesca, dei loro usi mostruosi, le apparivano come bestie dalla pelle umana e non veri uomini. Aveva paura di suo fratello, di ciò che avrebbe potuto farle se l'avesse deluso. Ma più di ogni cosa, aveva paura di ciò che sarebbe accaduto con il calare delle tenebre, dopo che Viserys l'avesse definitivamente gettata in pasto al gigante guerriero che beveva vino seduto accanto a lei, il volto inespressivo e crudele come una maschera di bronzo.

"Io sono il sangue del drago" si ripeté.

Quando il sole fu basso all'orizzonte, Khal Drogo batté più volte le mani. I tamburi cessarono di rullare, le danze si arrestarono, un silenzio improvviso scese sulla sterminata orgia. Drogo si alzò in piedi, facendo alzare Daenerys al suo fianco. Era arrivato il momento della consegna dei regali alla sposa.

E dopo i regali, lei lo sapeva, dopo che il sole fosse scomparso, sarebbe venuto il momento della prima cavalcata come marito e moglie e della consumazione del matrimonio. Dany cercò di allontanare il pensiero, ma senza riuscirci. Si strinse le braccia attorno al corpo, per fermare il tremito.

Suo fratello le donò tre ancelle. Dany era certa che non gli erano costate nulla: Illyrio aveva senza dubbio provveduto a far saltare fuori le ragazze. Irri e Jhiqui erano dothraki, capelli corvini, pelle colore del rame e occhi a mandorla. Doreah, carnagione chiara e occhi azzurri, veniva da Lys.

«Non sono comuni servette, dolce sorella» dichiarò Viserys mentre le ragazze venivano portate una per una al cospetto della sposa. «Illyrio e io le abbiamo scelte di persona apposta per te. Irri ti insegnerà a cavalcare, Jhiqui ti istruirà nella lingua dei dothraki e Doreah... ecco, Doreah ti renderà edotta nelle arti dell'amore. È molto esperta in materia.» Ebbe un sorriso appena accennato. «Il magistro e io te lo possiamo garantire.»

Ser Jorah Mormont si scusò per i propri doni: «È poca cosa, mia principessa, ma è tutto quanto si può permettere un povero esiliato».

Depose di fronte a lei una piccola pila di antichi testi. Erano storie e canti dei Sette Regni, scritti nella lingua comune, e Dany ringraziò il cavaliere con tutto il cuore.

A bassa voce, magistro Illyrio diede un ordine. Quattro schiavi muscolosi vennero avanti, trasportando un grosso baule di legno di cedro rinforzato in bronzo. Daenerys lo aprì. Conteneva velluti, damaschi e sete, una selezione di stoffe tra le più raffinate prodotte nelle nove città libere. Conteneva anche qualcos'altro: tre pesanti uova, tre perfette forme convesse, dai colori talmente prodigiosi da dare l'impressione che la loro superficie fosse ricoperta di pietre preziose. Dany rimase senza fiato. Erano gli oggetti più belli che avesse mai visto.

Con estrema delicatezza, sollevò un uovo. Le ci vollero entrambe le mani per riuscirci. Sulle prime pensò che fosse di fine porcellana o di smalto delicato o forse di vetro soffiato, ma era troppo pesante, pareva solida pietra. L'esterno era coperto di minuscole scaglie e nel ruotare l'uovo tra le dita, alla luce del sole morente, Dany le vide scintillare come metallo lucidato. Un uovo era di un verde profondo, con sfumature bronzee che apparivano e svanivano a seconda di come la luce investiva il guscio. Il secondo sembrava avorio pallido striato d'oro. L'ultimo era nero, impenetrabile come l'oceano a mezzanotte, eppure cosparso di tracce, di vortici scarlatti.

«Ma che cosa sono?» La voce di Dany era un sussurro pieno di meraviglia.

«Uova di drago.» Magistro Illyrio ne era giustamente orgoglioso. «Vengono dalla Terra delle Ombre, molto oltre Asshai. Il trascorrere degli eoni le ha trasformate in pietra, eppure la loro bellezza continua a risplendere.»

«Le conserverò per sempre.»

Daenerys aveva udito molte leggende sulle uova di drago, ma non ne aveva mai viste, né aveva mai pensato di poterne vedere. Era davvero un dono magnifico, anche se Dany sapeva che Illyrio poteva permettersi di fare il grandioso. Dalla vendita dell'ultima principessa Targaryen a Khal Drogo aveva ricavato una fortuna in cavalli e schiavi.

Come voleva la tradizione, i cavalieri di sangue del khal le offrirono le tre armi tradizionali dothraki. Aggo le presentò una frusta di cuoio dall'impugnatura d'argento, Cohollo un magnifico arakh decorato in oro e Qotho un arco d'osso di drago addirittura più alto di lei. Come parimenti voleva la tradizione, magistro Illyrio e ser Jorah le avevano insegnato a rifiutarle secondo il protocollo.

«Questi sono doni degni di un grande guerriero, o sangue del mio sangue. Io sono solo una donna. Che sia il signore mio marito a portare queste armi in mia vece.» E così anche Khal Drogo ricevette i doni della sposa.

Vennero anche altri regali, tanti, da parte di molti dothraki: sandali, gioielli e fermacapelli d'argento, cinture composte da medaglioni, gilè dipinti a mano e soffici pellicce, aromi e profumi, aghi e penne d'uccello, piccole ampolle di vetro rosso, una gonna fatta cucendo le pelli di mille e mille topi selvatici.

«Un bellissimo regalo, khaleesi» commentò magistro Illyrio dopo averle spiegato di che cosa si trattava. «Un augurio di buona fortuna.»

Tutto attorno a Dany, le pile dei regali crebbero e crebbero. Molti più doni di quanti avrebbe mai immaginato, di quanti avrebbe mai potuto desiderare o adoperare.

Khal Drogo fu l'ultimo a presentare il proprio dono. Mentre il khal si allontanava da lei, una corrente di attesa eccitata si dilatò dal centro del campo, simile a un'invisibile onda di marea che fosse arrivata a percorrere tutto il khalasar. E quando ritornò, la folla di coloro che avevano portato i regali si aprì, permettendogli di offrire a Dany un cavallo.

Era una splendida puledra dalla muscolatura guizzante, con una prorompente energia vitale. Di cavalli Daenerys capiva quanto bastava per rendersi conto che quell'animale era del tutto fuori del comune. Dalla puledra irradiava qualcosa che le tolse il fiato. Sul manto, grigio come il mare d'inverno, andava a ricadere una lunga criniera argentea, simile a un vapore caldo.

Esitante, Daenerys allungò una mano e le accarezzò il collo. Khal Drogo disse poche parole in dothraki.

«Argento come l'argento dei tuoi capelli» tradusse magistro Illyrio. «Così dice il khal.»

«È bellissima» mormorò Daenerys.

«È l'orgoglio del khalasar» ribadì Illyrio. «L'usanza impone che la khaleesi cavalchi un animale degno del suo rango a fianco del khal.»

Drogo fece un passo avanti, pose le mani sui fianchi di Daenerys, la sollevò come se fosse stata priva di peso e la accomodò sulla sella dothraki, molto più stretta delle selle alle quali lei era stata abituata fino a quel momento. Per un attimo, Dany rimase immobile, incerta sul da farsi. Nessuno le aveva accennato a quell'aspetto della cerimonia.

«E adesso che faccio?» chiese a Illyrio.

«Prendi le redini e cavalca, principessa.» Fu ser Mormont a risponderle. «Non è necessario che tu vada lontano.»

Nervosamente, Daenerys afferrò le briglie e infilò i piedi nelle corte staffe. Era una cavallerizza appena passabile perché aveva viaggiato quasi sempre per nave, carro o portantina, non a cavallo. Pregò di non cadere di sella, finendo in completa disgrazia, quindi diede alla puledra un lievissimo sprone con le ginocchia.

E per la prima volta da molte ore, cessò di avere paura. Forse, per la prima volta, cessò di avere paura in assoluto.

La folla si aprì di fronte a lei, migliaia di occhi non la persero di vista neppure per un attimo.

La puledra aveva un passo agile, levigato come seta. Daenerys si ritrovò a muoversi più rapidamente di quanto avesse voluto, ma non si spaventò: provò eccitazione. La cavalla accelerò al trotto, strappando a Dany un sorriso. Per lasciarle il passo, i dothraki si ammucchiarono gli uni sugli altri. Bastava la minima pressione delle ginocchia, il più lieve tocco alle redini per far rispondere il purosangue. Daenerys si lanciò al galoppo, e adesso i dothraki, nel togliersi di mezzo, ridevano, inneggiavano e urlavano in suo onore. Quando cominciò a manovrare per tornare indietro, si ritrovò davanti a un grosso braciere, con ali compatte di folla su entrambi i lati: nessun modo per aggirarlo, nessuno spazio per fermarsi in tempo.

Dal profondo di lei, sorse una temerarietà che non aveva mai saputo di avere: i suoi talloni si serrarono contro i fianchi della puledra, le sue mani la mandarono a briglia sciolta e il purosangue dalla criniera argentea volò al disopra delle fiamme come un ippogrifo.

Daenerys ritornò sulla collina dalla quale tutto aveva avuto inizio e si rivolse a magistro Illyrio: «Di' a Khal Drogo che mi ha fatto dono del vento».

Il grasso mercante tradusse, accarezzandosi la lunga barba gialla, e per la prima volta Daenerys vide il marito sorridere.

Mentre l'ultimo raggio di sole scompariva dietro le lontane mura della città libera di Pentos che si alzavano a occidente, Dany si rese conto di avere perduto qualsiasi senso del trascorrere del tempo. Khal Drogo impartì un secco ordine ai cavalieri di sangue e loro gli portarono il suo cavallo, uno stallone muscoloso, dalla criniera fulva. Il khal lo sellò personalmente. Mentre lo faceva, Viserys si avvicinò a sua sorella, ancora in sella al purosangue argenteo. Le sue dita affondarono nella gamba di lei.

«Dagli piacere, dolce sorella» disse in un soffio. «Altrimenti vedrai il drago risvegliarsi come mai si è risvegliato prima. È una promessa.»

La paura tornò ad attanagliarla con le parole del fratello. Di nuovo, si sentì come una bambina, una piccola di soli tredici anni, molto sola, tutt'altro che pronta ad affrontare ciò che stava per accadere.

Si avviarono assieme a cavallo, sotto le prime stelle che cominciavano ad apparire, lasciandosi alle spalle il khalasar e i castelli di giunchi intrecciati. Khal Drogo non disse una parola, limitandosi a condurre il suo stallone a un rapido trotto verso le tenebre incombenti davanti a loro. Le campanelle d'argento che gli adornavano la treccia tintinnavano al ritmo della cavalcata.

«Io sono il sangue del drago.» Questa volta Daenerys sussurrò le parole, in modo da farsi coraggio. «Io sono il sangue del drago. Io sono il sangue del drago...»

E i draghi non conoscono la paura.

In seguito non fu mai in grado di dire quanto a lungo, quanto lontano cavalcarono.

Era buio fitto quando si fermarono su un prato dall'erba alta in riva a un torrente. Drogo smontò per primo e con la medesima facilità con la quale ce l'aveva messa, sollevò Daenerys e la depositò a terra. Nelle sue mani, lei si sentì fragile come cristallo, le membra deboli come l'acqua di quel ruscello. Rimase immobile nell'oscurità, indifesa e tremante nel suo abito nuziale, mentre lui legava i cavalli. Quando gli occhi di lui incontrarono i suoi, scoppiò a piangere.

Khal Drogo osservò stupito le sue lacrime, il volto stranamente privo di espressione.

«No.»

Fu tutto quello che disse. Allungò una mano. Con il pollice massiccio e calloso, asciugò rudemente le lacrime sul viso di lei.

«Tu parli la lingua comune» disse Daenerys, sorpresa.

«No» ripeté lui.

Forse quella era la sola parola che sapeva. Eppure era una parola in più di quanto lei aveva pensato che conoscesse. In qualche modo, questo la fece sentire meglio.

Drogo le accarezzò leggermente i capelli, facendo scorrere le lunghe ciocche argentee tra le dita, sussurrandole qualcosa in dothraki. Daenerys non capì che cosa le disse, ma c'era calore nella voce di lui, e una tenerezza che non aveva mai creduto potesse esistere in quell'uomo.

Le pose un dito sotto il mento e le sollevò il viso. Di nuovo, i loro occhi s'incontrarono. Drogo torreggiava su di lei come su qualsiasi altro uomo o donna. Delicatamente, la prese sotto le ascelle e la fece sedere su una roccia arrotondata in riva al torrente, poi sedette a terra di fronte a lei, gambe incrociate, i loro volti finalmente alla medesima altezza.

«No» disse di nuovo.

«È l'unica parola che conosci?» gli chiese Daenerys.

Drogo non rispose. L'estremità della sua lunga treccia giaceva a terra di fianco a lui. Lui l'afferrò, se la mise di traverso su una spalla e cominciò a togliere le campanelle, una per una. Dopo un attimo, Dany si protese per aiutarlo. Quando ebbero finito, Drogo fece un cenno e lei capì. Lentamente, con cautela, cominciò a sciogliere la treccia.

Ci volle molto tempo. Rimase seduto immobile, a guardarla in silenzio. Quando lei ebbe finito, lui scosse il capo e i capelli gli si allargarono sulla schiena come un'ondata di pure tenebre, liscia e scintillante d'olio. Daenerys non aveva mai visto capelli così lunghi, così folti, così neri.

Venne il suo turno: Khal Drogo cominciò a spogliarla.

Le sue dita erano attente, sorprendentemente delicate. Uno dopo l'altro, senza fretta, rimosse i veli di seta che la avvolgevano. Dany rimase immobile, in silenzio, lo sguardo in quello di lui.

Drogo svelò i suoi piccoli seni e Daenerys non riuscì a vincersi: alzò le mani e si coprì.

«No.»

Gentilmente ma con fermezza, lui le allontanò le mani dai seni. Di nuovo le sollevò il viso, costringendola a guardarlo.

«No» ripeté.

«No» gli fece eco Dany.

Lui la fece alzare per togliere gli ultimi veli che ancora la coprivano. L'aria notturna era fredda sul suo corpo nudo. Daenerys rabbrividì, pelle d'oca le apparve sulle braccia e sulle gambe. Aveva nuovamente paura di quello che stava per succedere, ma per un po' non accadde nulla. Khal Drogo sedeva a gambe incrociate e la guardava, bevendo con gli occhi ogni parte di lei.

Cominciò a toccarla. All'inizio leggermente, poi in modo sempre più deciso. Dany poté percepire la possente forza delle mani di lui, ma mai, neppure per un istante, le fecero del male. Le prese la destra tra le sue e le accarezzò le dita, una dopo l'altra. Delicatamente, le fece scivolare una mano lungo la gamba. Esplorò il suo viso, seguendo la curva dell'orecchio, facendo scorrere un polpastrello sulle sue labbra. Affondò le dita nei suoi capelli argentei, spingendoglieli indietro. La fece voltare, le accarezzò il capo e la curva delle spalle, facendo scivolare le nocche lungo la sua colonna vertebrale.

Parve passare un'eternità prima che le sue dita giungessero infine ai seni di Daenerys. Titillò la pelle soffice sotto di essi finché lei non la sentì avvampare. Percorse con le dita il contorno dei suoi capezzoli, li prese tra il pollice e l'indice. Poi iniziò a tirarli. Al principio molto leggermente, poi con decisione sempre maggiore, finché Dany non sentì i capezzoli inturgidirsi, quasi al punto di farle male.

Allora Khal Drogo si fermò, la prese tra le braccia e se la pose in grembo. Daenerys si sentì avvampare e rimase senza fiato, il cuore che le martellava in petto. Lui le prese il viso tra le mani enormi, i suoi occhi esplorarono quelli di lei.

«No?»

Questa era una domanda, lei lo capì, lo sentì.

Gli prese una mano, la guidò verso il proprio ventre.

«Sì» disse in un sussurro.

Poi spinse con decisione il dito di lui nella profondità liquida, pulsante del proprio alveo.

EDDARD

Vennero da lui prima dell'alba, quando il mondo è ancora immobile, plumbeo.

Alyn lo scosse rudemente per la spalla, strappandolo a sogni inquieti. Ned Stark, ancora intontito dal sonno, si trascinò, nel gelo della notte che cominciava a svanire, fino al proprio cavallo già sellato e al suo re già in sella. Robert indossava spessi guanti marroni e un pesante mantello di pelliccia, il cappuccio sollevato a proteggere le orecchie. Sembrava in tutto e per tutto un orso bruno che fosse riuscito a scalare il dorso di un cavallo.

«Forza, Stark!» esclamò. «Forza! Forza! Abbiamo importanti affari di stato da discutere.»

«Senz'altro, maestà.» Ned fece un cenno ad Alyn, che sollevò il lembo d'ingresso della tenda. «Perché non ti accomodi?»

«No, no... no!» A ogni parola, il fiato del re condensava in nuvolette. «L'accampamento è pieno di orecchie. Inoltre, voglio farmi una buona cavalcata in questo tuo vasto Nord.»

Ser Boros e ser Meryn, della Guardia reale, erano a loro volta a cavallo, in attesa poco dietro di lui, con una dozzina di armigeri pronti alle loro spalle. Nessun modo di cavarsela: Ned poté soltanto stropicciarsi gli occhi, vestirsi e montare in sella.

Fu Robert a stabilire l'andatura, spronando al galoppo l'enorme destriero nero e costringendo Ned a tenere il passo accanto a lui. Gridò una domanda, ma le sue parole si dispersero nel vento senza che il re le udisse. Dopo quel tentativo di comunicazione, Ned continuò a cavalcare in silenzio. Ben presto, abbandonarono la Strada del Re e s'inoltrarono nella pianura ancora avvolta dalla nebbia notturna. La scorta era rimasta indietro, decisamente fuori portata d'udito, ma neppure allora Robert rallentò.

Incontrarono l'alba quando superarono una bassa altura. A quel punto, a svariate miglia dal grosso della carovana, il re decise finalmente di fermarsi. Era affannato ma anche esilarato quando Ned tirò le redini arrestandosi accanto a lui.

«Per gli dèi!» rise. «Fa bene partire al galoppo e cavalcare come si deve! Questa avanzata a passo di lumaca mi fa diventare matto, Ned.» Non era mai stato un uomo paziente, Robert Baratheon. «E quella maledetta casa su ruote, poi. Scricchiola e mugola e si attarda su ogni pietra della strada come se dovesse superare una montagna. Se a quella cosa infame si rompe un altro asse, le do fuoco, e Cersei può farsela a piedi. È una promessa!»

Ned rise. «Ti accenderò volentieri la torcia.»

«Molto bene!» Il re gli assestò una sonora manata sulla spalla. «Continuo ad accarezzare l'idea di lasciare tutti indietro e andare avanti.»

«Non stento a crederlo.» Un sorriso affiorò sul volto di Ned.

«E fai bene. Allora, Ned, che dici? Tu e io, nessun altro. Due cavalieri erranti sulla Strada del Re, la spada al fianco e chissà che cosa davanti a noi... Magari una contadinella, o una baldracca da taverna, per riscaldarci il letto la prossima notte.»

«Vorrei che potessimo farlo.» Ned inspirò a fondo. «Ma abbiamo dei doveri, mio signore... Verso il regno e i nostri figli, io verso la lady mia moglie e tu verso la tua regina. Non siamo più ragazzi.»

«Ned, tu non lo sei mai stato, ragazzo» commentò Robert. «Purtroppo. Eppure mi ricordo di quella tua ragazza... quella popolana. Com'è che si chiamava? Becca? No, quella era una delle mie, che gli dèi l'abbiano in gloria, capelli neri e grandi occhi azzurri nei quali potevi perderti. La tua si chiamava... Aleena? No, non Aleena. E sì che me l'avevi detto, il suo nome. Merryl, forse? Lo sai di chi parlo, no? La madre del tuo ragazzino bastardo.»

«Si chiamava Wylla» rispose Ned con glaciale cortesia. «E preferisco non parlare di lei.»

«Wylla, giusto!» Il re fece una smorfia e continuò imperterrito. «Dev'essere stata davvero una monta di quelle rare se perfino l'inflessibile lord Stark dimenticò il suo onore, anche per un'ora soltanto. Non mi hai mai detto che tipo era...»

«Né ho intenzione di farlo ora.» Le labbra di Ned erano contratte in una piega irata. «Lascia perdere, Robert. Fallo in nome dell'affetto che dici di avere per me. Agli occhi degli uomini e degli dèi, ho disonorato me stesso e Catelyn.»

«Dèi, siate generosi con quest'uomo.» Il re alzò lo sguardo al cielo. «Ma se la conoscevi a stento, Catelyn!»

«L'avevo appena presa in moglie. E portava in grembo il mio primo figlio.»

«Ned, sei troppo severo con te stesso. Lo sei sempre stato. Dannazione, quale donna vorrebbe Baelor il Benedetto nel proprio talamo?» Robert si diede una pacca sul ginocchio. «E va bene, visto che la metti giù così dura, non insisterò. Ma ti giuro, Ned, certe volte sei un bigotto tale che per emblema non dovresti avere il metalupo, ma l'istrice.»

Il sole allungò dita di luce tra le nebbie livide dell'alba. C'era un'ampia pianura davanti a loro, la terra nuda e scura, la sua prospettiva interrotta qua e là da tozzi tumuli allungati.

Ned li indicò al suo re: «Le tombe dei primi uomini».

Robert corrugò la fronte. «Vuoi dire che abbiamo cavalcato su un cimitero?»

«Il Nord è pieno di tumuli, maestà. Questa è una terra antica.»

«Antica e fredda.» Robert si strinse nella cappa e si voltò indietro. La scorta li aveva raggiunti, fermandosi ai piedi dell'altura. «In ogni caso» riprese «non ti ho fatto venire fin qui per parlare di tombe o per litigare su tuo figlio bastardo. È arrivata una staffetta a cavallo, questa notte, da parte di lord Varys, giù ad Approdo del Re.» Robert si tolse un messaggio dalla cintura e lo tese a Ned.

Varys l'eunuco, chiamato "il Ragno Tessitore", era il capo delle spie della Fortezza Rossa. Un tempo aveva servito Aerys Targaryen, ora serviva Robert Baratheon. Ned ricordò il doppio fondo della scatola con la lente e il messaggio di Lysa, contenente quella terribile accusa. Nello srotolare la pergamena, si sentì assalire dall'ansia, ma il nuovo messaggio non riguardava lady Arryn.

«Qual è la fonte di questa informazione?» chiese.

«Ricordi ser Jorah Mormont?»

«Vorrei poterlo dimenticare» rispose Ned, asciutto.

I Mormont dell'Isola dell'Orso erano un'antica casata, orgogliosa e onorevole, ma le loro terre erano fredde, remote e povere. Ser Jorah aveva tentato di rimpinguare le casse di famiglia vendendo alcuni cacciatori di frodo a un trafficante di schiavi della città libera di Tirosh, ma i Mormont erano anche vassalli degli Stark, e quel crimine aveva arrecato disonore a tutto il Nord. Ned in persona aveva compiuto il lungo viaggio fino all'Isola dell'Orso solamente per scoprire che ser Jorah era salito di corsa su una nave ed era andato in esilio, molto lontano dalla portata di Ghiaccio e dalla giustizia del re. Da allora erano passati cinque anni.

«Ser Jorah in questo momento si trova a Pentos» spiegò Robert. «È ansioso di ottenere il perdono della corona e di tornare dall'esilio. Lord Varys ne fa buon uso.»

«Magnifico! Adesso il mercante di schiavi è diventato una spia.»

Ned restituì la lettera, disgustato. «Preferirei che diventasse un cadavere.»

«Secondo Varys, le spie sono molto più utili dei cadaveri. Jorah a parte, cosa pensi di questa notizia?»

«Daenerys Targaryen che sposa un signore dothraki. E allora? Dovremmo mandarle un dono di nozze?»

«Perché no? Un pugnale, per esempio» ribatté Robert. «E un uomo abile nel maneggiarlo.»

Ned evitò di fingersi sorpreso. L'odio di Robert verso i Targaryen rasentava l'ossessione. Non aveva dimenticato le parole rabbiose che si erano scambiati quando Tywin Lannister aveva presentato a Robert i cadaveri della moglie e dei figli di Rhaegar Targaryen come pegno di lealtà al nuovo re. Eddard Stark aveva definito senza giri di parole quel gesto: assassinio. Anche la definizione di Robert Baratheon era stata chiara: guerra. E quando Eddard aveva rilevato che il principe e la principessa Targaryen erano bambini, il suo nuovo re aveva replicato: «Non vedo bambini qui: vedo solo la genia del drago». Neppure Jon Arryn, padre acquisito di entrambi, era stato in grado di placare la tempesta scoppiata tra loro. Eddard Stark, pieno di sordo furore, se n'era andato quello stesso giorno, diretto a sud, a combattere da solo le ultime battaglie della guerra. C'era voluta un'altra morte per riconciliarli: la morte di Lyanna, e il dolore che avevano condiviso per quel lutto.

«Maestà» questa volta Ned era deciso a non perdere il controllo «la giovane Targaryen è poco più di una bambina. E tu non sei Tywin Lannister, che stermina innocenti.»

Anche Rhaenys Targaryen era poco più di una bambina quando l'avevano fatta uscire in lacrime da sotto il letto dove si era nascosta per passarla a fil di spada. E il piccolo era un infante. I soldati di lord Lannister l'avevano strappato al seno della madre per poi fracassargli il cranio contro una parete.

«Per quanto tempo pensi che questa bambina continuerà a rimanere innocente, Stark?» La bocca del re si contrasse. «Quanto tempo pensi che passerà prima che l'innocente apra le gambe e cominci a sputare fuori altra genia di drago per tormentare me?»

«Sia come sia» obiettò Ned «l'assassinio di bambini rimane un atto... innominabile.»

«Innominabile?» si infuriò Robert. «Quello che Aerys il Folle ha fatto a tuo fratello Brandon è stato innominabile! Il modo in cui il lord tuo padre ha incontrato la morte è stato innominabile! E Rhaegar... Quante volte pensi che l'abbia stuprata, tua sorella? Quante centinaia di volte?»

La sua voce si era alzata al punto che il suo cavallo nitrì nervosamente. Il re diede un duro colpo di redini, troncando le proteste dell'animale, e puntò un indice accusatore verso Eddard Stark. «Ucciderò ogni Targaryen su cui riuscirò a mettere le mani. Scompariranno dalla faccia della terra come i loro draghi e io piscerò sulle loro tombe.»

Ned sapeva che era inutile controbattere quando l'ira travolgeva Robert. Se gli anni non avevano placato la sua sete di vendetta, non c'erano parole in grado di farlo. «Ma non puoi mettere le mani su questa, vero?» disse perciò con voce pacata.

«Molto difficile... e maledetti siano gli dèi!» La bocca del re si contorse ancora di più. «Un qualche viscido trafficante di formaggi puzzolenti di Pentos ha sistemato lei e suo fratello in una specie di villa dalle mura troppo alte, circondati da troppi castrati con il codino unto. E adesso li ha scaricati ai dothraki. Avrei dovuto farli uccidere anni fa, quando era più facile, ma Jon Arryn è stato contrario quanto te. E stupido io a dargli retta!»

«Jon Arryn era un saggio uomo d'onore e un valido Primo Cavaliere.»

«Certo. Intanto però si dice che questo Khal Drogo comandi un'orda di centomila guerrieri delle pianure» disse Robert, mentre l'accesso di furia si disperdeva con la rapidità con la quale era montato. «Cosa direbbe Jon Arryn di questo, eh?»

«Direbbe che, fino a quando resta nelle pianure, nemmeno un'orda di un milione di dothraki rappresenta una minaccia per i Sette Regni» ribatté Ned con la medesima calma. «I barbari non hanno navi. Odiano e temono il mare aperto.»

«Forse è davvero così.» Il re si agitò sulla sella, chiaramente scomodo a causa della sua mole. «Ma nelle città libere ci sono navi e io ti dico, Ned, che questo matrimonio non mi va giù. Nei Sette Regni sono molti coloro che ancora mi chiamano "l'Usurpatore". Hai dimenticato quante nobili casate combatterono al fianco dei Targaryen? Per ora tutti stanno fermi, ma tu dagli anche solo una minima opportunità e verranno a tagliarmi la gola nel letto. La mia e quella dei miei figli. Se il Re Mendicante dovesse attraversare il Mare Stretto alla testa di un'orda di dothraki, tutti quei traditori si schiereranno con lui!»

«Il Re Mendicante non lo attraverserà» insistette Ned. «E se per qualche assurdità del fato dovesse farlo, penseremo noi a ributtarlo in acqua. E nel momento in cui tu sceglierai un nuovo Protettore dell'Oriente...»

«Per l'ultima volta, Ned» brontolò il re. «Non investirò il ragazzino

Arryn di quella carica. Lo so che è tuo nipote, ma con i Targaryen che vanno a letto con i dothraki, sarei completamente pazzo a scaricare il peso di un quarto del mio regno sulle spalle di un ragazzo malaticcio.»

Ned era preparato a quella risposta. «Comunque sia, Robert, dobbiamo avere un Protettore dell'Oriente. Se Robert Arryn non va bene, allora nomina uno dei tuoi fratelli. Durante l'assedio di Capo Tempesta, Stannis ha dato chiara prova del suo valore.»

Il nome aleggiò tra loro. Il re corrugò la fronte e non rispose, visibilmente a disagio.

«A meno che» riprese Ned, senza staccargli lo sguardo di dosso «tu non abbia promesso l'investitura a qualcun altro.»

Robert si concesse un'espressione sorpresa, che divenne irritata molto in fretta. «E se anche fosse?»

«Jaime Lannister, non è così?»

Robert spronò il cavallo e cominciò a scendere lungo il pendio dell'altura, dirigendosi verso gli antichi tumuli. Ned gli si portò accanto, ma il re tenne gli occhi fissi avanti a sé.

«Esatto» ammise, chiudendo il discorso.

«Lo Sterminatore di Re.» Le voci erano vere dunque. Ora Eddard Stark sapeva di muoversi su un terreno molto infido e pericoloso. «Un uomo abile e coraggioso, nessun dubbio» riprese con cautela «ma la realtà, Robert, è che suo padre è lord protettore dell'Occidente. Verrà il tempo in cui Jaime gli succederà anche in quella carica. Nessuno dovrebbe dominare contemporaneamente sull'Oriente e l'Occidente dei Sette Regni.» Non espresse però il suo vero timore: l'investitura avrebbe consegnato metà degli eserciti dei Sette Regni nelle mani dei Lannister.

«Affronterò quello scontro quando il nemico mi si presenterà sul campo» si ostinò il re. «Al momento, lord Tywin appare eterno e inamovibile quanto Castel Granito, per cui dubito che Jaime arriverà a succedergli in un futuro prossimo. Non tormentarmi per questo, Ned, quello che è fatto è fatto.»

«Maestà, posso parlare con franchezza?»

«Come se fossi in grado di impedirtelo» mugugnò Robert.

Continuarono a cavalcare fianco a fianco, attraverso l'alta erba scura.

«Quanto puoi fidarti di Jaime Lannister?»

«È il gemello di mia moglie ed è un confratello investito della Guardia reale. La sua vita, la sua fortuna, il suo onore sono tutti legati a me.»

«Nello stesso modo in cui erano legati ad Aerys Targaryen» sottolineò Ned.

«Che ragione ho di non fidarmi di lui? Jaime ha fatto qualsiasi cosa io gli abbia chiesto. Non solo: è la sua spada che mi ha aiutato a ottenere il trono!»

"La sua spada ti ha aiutato a lordare il trono." Parole che Eddard Stark non permise lasciassero le sue labbra.

«Jaime aveva giurato solennemente di difendere la vita del re con la propria» disse Ned. «Poi, con quella stessa spada, a quello stesso re ha tagliato la gola.»

«Per i Sette Inferi, Ned!» Il re tirò le redini d'improvviso, costringendo il cavallo a fermarsi accanto a una delle antiche tombe. «Qualcuno doveva pur uccidere Aerys! Se non fosse stato Jaime, sarebbe toccato a me o a te!»

«Né tu né io eravamo confratelli investiti della Guardia reale.» Ned sapeva che il momento in cui Robert Baratheon avrebbe ascoltato l'intera verità prima o poi doveva arrivare, e decise che quel momento era giunto. «Ricordi la Battaglia del Tridente?»

«È con quella battaglia che ho conquistato la corona. Come potrei dimenticarla?»

«Tu ricevesti una ferita durante il tuo duello con Rhaegar» continuò Ned. «Così, quando l'armata Targaryen cominciò a ritirarsi, tu fosti costretto a lasciare a me l'inseguimento. I resti dell'esercito di Rhaegar fuggirono verso Approdo del Re e noi andammo loro dietro. Aerys il Folle si era asserragliato nella Fortezza Rossa assieme a svariate migliaia di lealisti e io ero sicuro di trovarmi di fronte alle porte della città sprangate e a un sanguinoso assedio.»

«Invece ti trovasti di fronte a un'intera città già conquistata dai nostri uomini.» Robert scosse la testa con impazienza. «E allora?»

«E allora non erano stati i nostri uomini a conquistare Approdo del Re» rispose Ned in tono controllato. «Erano stati gli uomini dei Lannister. Non era il cervo incoronato dei Baratheon a sventolare sui merli, era il leone dei Lannister, e la città l'avevano presa con il tradimento.»

La guerra era divampata per oltre un anno. Signori grandi e piccoli erano corsi a combattere sotto i vessilli dei Baratheon, altri erano rimasti con i Targaryen. I potentissimi Lannister di Castel Granito, Protettori dell'Occidente dei Sette Regni, sordi a tutte le invocazioni sia dei ribelli sia dei lealisti, avevano scelto di tenersi fuori dalla mischia. Aerys Targaryen dovette pensare che tutti i Sette Dèi avevano accolto le sue preghiere nel vedere lord Tywin Lannister comparire sotto le mura di Approdo del Re con un'armata di dodicimila soldati, tutti quanti spergiuranti lealtà alla dinastia del drago. Così il Re Folle aveva dato il suo ultimo folle ordine: spalancare le porte ai leoni.

«Il tradimento era merce che i Targaryen conoscevano fin troppo bene.» L'ira aveva ripreso a crescere in Robert. «Lannister li ha ripagati con la loro moneta. Non è stato niente di più e niente di meno di quanto meritavano. Non ho la minima intenzione di perderci il sonno, Ned.»

«Tu non eri là, Robert.» La voce di Eddard Stark era venata di amarezza. Per quattordici anni era stato costretto a coesistere con le sue stesse menzogne, e ancora adesso tornavano nei suoi incubi. «Non c'è stato alcun onore in quella conquista.»

«Che gli Estranei se lo portino alla dannazione, il tuo stramaledetto onore, Ned!» imprecò il re. «Quando mai un Targaryen ha saputo che cos'è l'onore? Scendi nella tua cripta, chiedi a tua sorella Lyanna dell'onore del drago!»

«Lyanna è stata vendicata, Robert.» Ned si arrestò accanto al suo re. «Tu l'hai vendicata, al Tridente.»

«Promettimi, Ned» gli aveva sussurrato Lyanna prima di andarsene per sempre.

«Non è servito a riportarla indietro.» Lo sguardo di Robert vagò sull'immensità grigiastra della pianura. «Maledetti siano gli dèi. Che vittoria amara hanno voluto concedermi... Perché io avevo pregato che fosse la ragazza, la mia vittoria. Tua sorella al sicuro... e di nuovo mia, com'era destinata a essere. E ora io chiedo a te, Ned, a che cosa serve sedere su un trono, quando gli dèi si fanno beffe tanto delle preghiere dei re quanto di quelle dei pastori?»

«Non ho risposte per gli dèi, maestà... ma soltanto per ciò che trovai quel giorno nella sala del Trono di Spade: Aerys morto, annegato nel suo stesso sangue, i teschi di drago che continuavano a osservare dalle pareti, gli uomini dei Lannister dappertutto. Sopra l'armatura dorata, Jaime Lannister portava il mantello bianco della Guardia reale. Ce l'ho ancora davanti agli occhi, Robert. Non si era nemmeno preso il disturbo di rinfoderare la spada. Ed era seduto sul Trono di Spade, ben più in alto di tutti i suoi cavalieri, con in testa un elmo a forma di muso di leone. E come gongolava, Robert! Come godeva per dov'era arrivato.»

«Niente che già non sappia» borbottò Robert.

«Forse c'è qualcosa che ancora non sai. Io ero in sella al mio cavallo, e ripercorsi in sella l'intera sala, in silenzio, tra due file di teschi di drago. In qualche modo, era come se quei teschi mi stessero fissando. Mi fermai di fronte al trono e lo guardai. Aveva la spada di traverso sulle ginocchia, ancora sporca del sangue del suo re. I miei uomini invasero la sala dopo di me e i Lannister si ritirarono. Non dissi una parola, aspettai e basta. Rimasi a guardarlo mentre lui continuava a stare seduto sul Trono di Spade, e aspettai. Alla fine Jaime rise, si alzò e si tolse l'elmo. "Nessun timore, Stark" mi disse "stavo solo tenendolo in caldo per il tuo caro amico Robert. Ma temo che non lo troverà un sedile particolarmente comodo."»

Il re gettò all'indietro il capo e scoppiò in una roboante risata. Spaventato dall'improvviso rumore, un nugolo di corvi si alzò in volo dall'alta erba scura, le ali che sbattevano caoticamente contro i resti della nebbia.

«E tu pensi che non dovrei fidarmi di Jaime Lannister perché si è stravaccato sul mio trono per qualche minuto?» Continuò a ridere. «Ma andiamo, Ned! Quel giorno Jaime Lannister aveva solo diciassette anni. Poco più che un ragazzo.»

«Ragazzo o uomo, non aveva alcun diritto di sedersi sul Trono di Spade.»

«Forse era stanco» commentò Robert. «Tagliare la gola a un re è un duro lavoro. E in quella maledetta sala non esiste altro posto per riposarsi se non quell'ancora più maledetto trono. Inoltre, Jaime disse il vero: il Trono di Spade è un sedile mostruosamente scomodo. In tutti i sensi.» Scosse il capo. «E va bene, ora che sono al corrente dell'oscuro peccato commesso da Jaime Lannister, possiamo perdonare e dimenticare. Ho la nausea di segreti, cospirazioni e affari di stato, Ned. È una noia anche peggiore del contar monete. Forza, facciamoci una bella cavalcata. Tu ricordi ancora come si fa a cavalcare, non è vero, Ned? Voglio tornare a sentire il vento nei capelli.»

Diede nuovamente di speroni, spingendo il cavallo al galoppo sul fianco dell'antica sepoltura, gli zoccoli che sollevavano fontane di terriccio frantumato.

Per un lungo momento, Ned non lo seguì. La sua vena di parole si era disseccata e fu invaso da un profondo senso di impotenza. E così se lo domandò di nuovo: perché si trovava lì, perché aveva accettato di trovarsi lì? Lui non era Jon Arryn, in grado di arginare con la sua saggezza l'indole selvaggia del re. Robert avrebbe fatto ciò che voleva, come sempre. Nulla di quanto Ned avrebbe potuto dire o fare sarebbe riuscito a cambiare quella realtà.

Lui apparteneva a Grande Inverno, a Catelyn nel suo dolore, al piccolo Bran. Tuttavia non sempre un uomo può trovarsi nel luogo cui appartiene. Con fare rassegnato, Eddard Stark spronò il cavallo e seguì il suo re.

TYRION

Il Nord si dilatava senza fine.

Tyrion Lannister aveva visto le mappe, ma i giorni di marcia lungo le piste selvagge che dalla Strada del Re li avevano condotti in quella desolazione raggelante gli avevano insegnato una dura lezione: le mappe sono una cosa, la terra è una cosa brutalmente diversa.

Avevano lasciato Grande Inverno lo stesso giorno del re, fendendo il caos del convoglio reale in partenza. Avevano varcato i portali della Prima Fortezza in mezzo a esili vortici di neve mentre attorno a loro echeggiavano le grida dei cavalieri e lo sbuffare dei cavalli, lo scricchiolare dei carri e il cigolare lamentoso delle ruote della mastodontica casa su ruote della regina. La Strada del Re si dipanava poco fuori i limiti del castello e della città. Gli alfieri, i carri, i cavalieri e gli armigeri si erano diretti a sud, portandosi via il clamore. Tyrion era andato a nord assieme a Benjen Stark e a suo nipote.

Oltre quel punto, il freddo era aumentato e il silenzio si era fatto profondo.

A ovest della strada s'innalzavano colline di silice, grigie e aspre, con alte torri di guardia sulle cime rocciose. A est il territorio si allargava in una pianura estesa fino agli estremi limiti dell'orizzonte. Ponti di pietra scavalcavano fiumi stretti, dalla corrente impetuosa. Anelli di piccole fattorie circondavano fortini protetti da mura di pietra e di legno massiccio. La via rimaneva ben trafficata. Durante la notte, Tyrion, Benjen e gli altri sostavano in austere taverne.

Ma a tre giorni di marcia da Grande Inverno, fitti boschi presero il posto delle coltivazioni e la Strada del Re si fece solitaria. Miglio dopo miglio, le colline di silice si facevano più alte e desolate. Il quinto giorno erano diventate montagne, freddi giganti di roccia di un colore grigio metallico con la neve che assediava i frastagliati acrocori di granito delle cime. E quando soffiava il vento del nord, lunghi pennacchi di cristalli di ghiaccio si gonfiavano come vessilli da quelle sommità.

Avendo la muraglia delle montagne a occidente, la Strada del Re era costretta a continuare verso nord deviando a nord-est. Il suo tracciato si snodava nel cuore di una foresta di querce, abeti e rovi: il più vecchio e tenebroso labirinto di alberi che Tyrion avesse mai avuto occasione di vedere. "Foresta del Lupo" l'aveva chiamata Benjen Stark: e i lupi erano là fuori, la notte vibrava dei loro ululati, alcuni branchi lontani, altri molto vicini. Le orecchie di Spettro, il meta-lupo albino di Jon Snow, si rizzavano alle voci ancestrali della notte, ma neppure una volta il suo ululato si levò in risposta. C'era qualcosa d'inquietante in quell'animale, pensava Tyrion.

Erano in otto, senza contare il lupo. Tyrion, come si confaceva a un Lannister, viaggiava con due uomini di scorta; Benjen Stark aveva con sé solamente il nipote bastardo più alcuni nuovi adepti per i guardiani della notte. Quando si fermarono ai margini della Foresta del Lupo per passare la notte nella protezione delle mura di un fortino tra gli alberi, venne a unirsi a loro Yoren, un altro membro della confraternita in nero. Era un uomo curvo, sinistro, i lineamenti celati dietro una barba nera come i suoi abiti. Dava l'impressione di essere resistente come una vecchia radice e duro come il basalto. Con lui c'erano un paio di giovani straccioni provenienti dalle Dita, i promontori rocciosi che si protendevano nell'Oceano Orientale.

«Stupratori» si era limitato a definirli Yoren, gettando loro uno sguardo freddo.

Tyrion si era reso conto dei sottintesi. La vita sulla Barriera era molto dura, ma certamente preferibile alla castrazione.

Cinque uomini, tre ragazzi, un meta-lupo, venti cavalli, una gabbia di corvi data a Benjen Stark da maestro Luwin: decisamente una bizzarra compagnia per un viaggio sulla Strada del Re, o su qualsiasi altra strada.

Tyrion si accorse che Jon Snow continuava a osservare Yoren e i suoi cupi compagni con un'espressione che assomigliava in modo preoccupante all'angoscia. Yoren aveva una spalla storta e si portava addosso un tanfo malsano. I suoi capelli e la sua barba erano appiccicosi di sporco rancido, pieni di pidocchi. Indossava abiti vecchi, malridotti, puzzolenti. Le sue due reclute, entrambe dall'aria idiota e crudele, puzzavano in modo anche peggiore.

Forse il giovane Snow cominciava a capire di aver commesso un madornale errore credendo che la confraternita dei guardiani della notte fosse composta da uomini come suo zio. Se così era stato, la vista di Yoren e dei suoi due brutti ceffi era un duro richiamo alla realtà. Tyrion si dispiacque per lui. Aveva scelto una vita aspra... o forse sarebbe stato più opportuno dire che una vita aspra era stata scelta per lui.

Per contro, Tyrion aveva molta meno simpatia per lo zio in nero. Benjen Stark sembrava condividere l'avversione di suo fratello Eddard per i Lannister. Era stato tutt'altro che compiaciuto quando Tyrion gli aveva confermato la sua decisione di andare con lui a nord a visitare la Barriera. «Un avvertimento, Lannister» aveva detto guardandolo dall'alto in basso, letteralmente. «Non troverai taverne alla Barriera.»

«Ma non dubito che riuscirete comunque a trovare un posto in cui mettermi» aveva ribattuto Tyrion. «Come vedi, non occupo molto spazio.»

Nessuno avrebbe detto di no al fratello della regina, questo era chiaro, per cui Tyrion avrebbe compiuto il viaggio. «Non credo che apprezzerai la cavalcata» aveva concluso Stark seccamente. «Puoi considerarla una promessa.» E aveva fatto di tutto per mantenerla.

Al termine della prima settimana, Tyrion aveva le cosce piagate dalle lunghe ore di sella, un inferno di crampi nelle gambette deformi, e tutto il suo essere raggelato fino al midollo, ma non si lasciò sfuggire un solo lamento. Sarebbe andato all'inferno piuttosto che dare a Benjen Stark una simile soddisfazione.

Era riuscito comunque a prendersi una piccola rivalsa. Con un gesto proprio della galanteria dei guardiani della notte, Benjen gli aveva offerto una pelliccia per il viaggio, certo che Tyrion, con altrettanta galanteria, l'avrebbe rifiutata. Invece, con un grazioso sorriso, il Folletto aveva accettato la vecchia pelle d'orso spelacchiata e maleodorante. E aveva fatto bene. Partendo da Grande Inverno, aveva portato con sé gli indumenti più caldi, ma ben presto si era reso conto che nessuno di quegli abiti era in grado di fornire adeguata protezione. Faceva freddo, là fuori. E non avrebbe fatto che aumentare. Le notti erano ormai sotto il limite di congelamento e quando il vento soffiava, era come una lama che scendesse a squarciare i più spessi strati di lana. Forse Benjen Stark si stava pentendo amaramente del suo impulso cavalleresco. Gli sarebbe servito di lezione: un Lannister non rifiuta mai niente, con o senza buona grazia. Un Lannister prende quanto gli viene offerto.

Sempre più a nord, sempre più in profondità nella Foresta del Lupo.

Fortini e taverne divennero sempre più rari e alla fine qualsiasi tipo di struttura scomparve del tutto e i cavalieri dovettero fare conto sulle loro sole forze.

Tyrion non era mai stato un asso nel preparare o smantellare accampamenti: troppo basso, troppo goffo, troppo impacciato. Così, mentre Benjen, Yoren e gli altri erigevano rifugi spartani, si occupavano dei cavalli e accendevano il fuoco, il Folletto prese l'abitudine di avvolgersi nella sua pelliccia, munirsi di un otre di vino e mettersi in un angolo a leggere.

Diciottesima notte di viaggio. Il suo vino era un raro liquore ambrato delle Isole dell'Estate che aveva portato con sé da Castel Granito e il libro era un ponderoso tomo sulla storia e le caratteristiche dei draghi. Proprio in vista dell'escursione verso nord, e con il permesso di lord Eddard Stark, il Folletto aveva preso a prestito alcuni rari testi dalla biblioteca di Grande Inverno.

Trovò un angolo confortevole appena al di là della portata dei rumori del campo, sulla riva di un torrente dal corso rapido e dalle gelide acque cristalline. Una quercia ancestrale, il tronco contorto in modo grottesco, gli fornì un provvidenziale riparo contro il vento. Si avvolse nella pelliccia, appoggiò la schiena contro il tronco, bevve una sorsata di vino e cominciò a leggere le proprietà dell'osso di drago.

"L'osso di drago è di colore nero a causa del suo elevato contenuto di ferro" spiegava il libro. "È anche resistente come l'acciaio, ma al tempo stesso leggero e flessibile, e naturalmente del tutto inattaccabile dal fuoco. Gli archi di osso di drago sono grandemente apprezzati dai guerrieri dothraki e sono anche delle piccole meraviglie. Un arciere con un arco di osso di drago può colpire più sicuramente e più lontano che con qualsiasi arco di legno."

Per Tyrion, i draghi avevano un fascino sinistro. Quando era giunto ad Approdo del Re per la prima volta, in occasione del matrimonio di sua sorella con Robert Baratheon, aveva assolutamente voluto vedere i teschi di drago che ornavano le pareti della sala del trono dei Targaryen. Re Robert li aveva fatti rimuovere, mettendo al loro posto bandiere e tappezzerie, ma Tyrion aveva insistito finché non era riuscito a scovarli, ammucchiati in uno scantinato umido.

Si era aspettato di esserne impressionato, forse anche spaventato. Non avrebbe mai pensato di trovarli bellissimi, e invece lo erano. Le loro ossa, nere come l'onice, incredibilmente lisce, parevano scintillare alla luce della torcia. Volevano il fuoco, amavano il fuoco. Lui questo l'aveva percepito. Aveva spinto la torcia nelle mandibole di uno dei teschi più grossi, osservando le ombre balenare contro le pareti del sotterraneo. Le loro zanne erano lunghe lame ricurve di diamante nero. Il calore della torcia era nulla per quelle zanne: erano state immerse in fuochi ben più imponenti. Tyrion era certo che, quando si era allontanato, le buie occhiaie vuote l'avevano osservato.

C'erano diciannove teschi. I più vecchi avevano oltre tremila anni, i più recenti solo un secolo e mezzo. Questi erano anche i più piccoli: due crani identici, stranamente deformati, i quali, messi assieme, non raggiungevano neppure la dimensione di quelli dei loro antenati. Erano tutto ciò che rimaneva delle creature emerse dalle ultime due uova dischiusesi sulla Roccia del Drago. Gli ultimi draghi dei Targaryen, forse gli ultimi in assoluto. Non erano vissuti a lungo.

Risalendo nel tempo, i teschi diventavano via via più grossi fino ad arrivare ai tre grandi mostri dei quali parlavano le ballate e le leggende, ai draghi che Aegon Targaryen e le sue sorelle avevano scatenato sui Sette Regni dei primordi. I trovatori avevano dato loro nomi di dei: Balerion, Meraxes, Vhaghar. Senza parole, senza fiato, Tyrion era rimasto immobile tra le loro fauci spalancate. Un uomo a cavallo sarebbe potuto entrare nella gola di Vhaghar, ma non ne sarebbe più uscito. Meraxes era ancora più grosso. E Balerion, il Terrore Nero, il più immane di tutti i draghi, avrebbe potuto inghiottire un intero bisonte, o addirittura uno dei pelosi mammut che si diceva avessero dominato nelle fredde pianure oltre il Porto di Ibben.

Tyrion era rimasto per molto tempo nel sotterraneo umido, lo sguardo fisso nelle tenebre che dominavano all'interno del gigantesco teschio di Balerion. Aveva cercato di immaginare le dimensioni dell'intero mostro quando era in vita, il suo aspetto nel momento in cui dispiegava le membranose ali nere per lanciarsi nei cieli vomitando fuoco e fiamme. Era rimasto finché la sua torcia non si era consumata.

Uno dei suoi remoti antenati, re Loren di Castel Granito, aveva tentato di opporsi al fuoco e alla conquista dei Targaryen alleandosi con re Mern dell'Altopiano. Era accaduto tre secoli prima, quando i Sette Regni erano ancora separati e non province di un unico, più vasto reame. Le forze congiunte dei due re erano composte da seicento vessilli, cinquemila cavalieri in armatura e dieci volte tanti tra cavalleggeri e fanti. L'esercito di Aegon, il Signore dei Draghi, raggiungeva a stento un quinto di quel numero, dissero gli estensori delle cronache, e la maggior parte erano coscritti di incerta lealtà che Aegon aveva incorporato dai ranghi del re precedente, sgozzato da lui in persona.

Le due armate si erano affrontate nelle vastità dell'Altopiano, in mezzo a campi di grano dorato pronto per il raccolto. Sotto la carica combinata dei due re, l'esercito dei Targaryen si era frantumato ed era fuggito in disordine. La guerra di conquista della Casa Targaryen parve giunta alla fine, scrissero i cronisti. Ma si trattò solo di pochi momenti: poi Aegon e le sue sorelle scesero in campo.

La Battaglia dell'Altopiano fu l'unica nella quale Meraxes, Vhaghar e Balerion vennero scatenati tutti assieme. In seguito, i cantastorie chiamarono quella battaglia *Campo di fuoco*.

Quasi quattromila uomini bruciarono vivi, tra loro anche re Mern dell'Altopiano. Re Loren di Lannister riuscì a scampare e a vivere abbastanza a lungo da arrendersi, giurare fedeltà alla Casa Targaryen e infine generare un figlio. Cosa della quale Tyrion Lannister gli era immensamente grato.

«Perché leggi così tanto?»

Tyrion alzò lo sguardo. Jon Snow era in piedi a qualche passo dalla vecchia quercia contorta e lo osservava pieno di curiosità.

«Guardami, ragazzo.» Tyrion chiuse il volume infilando l'indice tra le pagine per tenere il segno. «Guardami e dimmi quello che vedi.»

«Cosa sarebbe, una specie di trucco?» Lo sguardo di Jon era sospettoso. «Vedo te: Tyrion Lannister.»

«Sei sorprendentemente ben educato per un bastardo, Snow» sospirò il Folletto. «Quello che vedi è un nano. Quanti anni hai, dodici?»

«Quattordici.»

«Quattordici anni, e sei già più alto di quanto io potrò mai sperare di essere. Le mie gambe sono corte e storte. Cammino con difficoltà. Per evitare di cadere da cavallo, sono costretto a usare una sella speciale che io stesso ho ideato, forse t'interesserà sapere. L'alternativa era andare in giro in groppa a un pony. Le mie braccia sono abbastanza forti ma, di nuovo, troppo corte. Perciò non potrò mai essere uno spadaccino. Se fossi nato tra i bifolchi, mi avrebbero lasciato morire oppure venduto a un baraccone di fenomeni viventi. Purtroppo sono un Lannister di Castel Granito, e dove sono nato i fenomeni viventi sono di altro genere. Da me ci si aspettano grandi imprese. Mio padre Tywin è stato per vent'anni

Primo Cavaliere del re. Più tardi mio fratello Jaime ha ucciso quel medesimo re. Le grandi imprese delle Case nobili, si sa, sono sempre piene di piccole ironie. Mia sorella Cersei ha sposato il nuovo re e quel mio repellente nipotino Joffrey sarà re dopo di lui. Devo fare anch'io la mia parte a maggior gloria della mia casata, non sei d'accordo, Jon Snow? Giusto, molto giusto. Ma fare la mia parte in che modo? Mettiamola così: ho le gambe troppo corte rispetto al corpo, e la testa è certamente troppo grossa. Io però preferisco pensare che è appena sufficiente per il mio cervello. Ho una visione quanto mai realistica sia delle mie debolezze sia dei miei punti di forza. Come arma, mio fratello ha la spada e re Robert la mazza da combattimento. Io ho la mente, e per continuare a essere un'arma valida, la mente ha bisogno dei libri quanto una spada ha bisogno della pietra per affilarla.» Il corto pollice di Tyrion picchiò ritmicamente sulla rilegatura di cuoio. «Per questo, Jon Snow, io leggo così tanto.»

Il ragazzo assorbì con attenzione le sue parole rimanendo in silenzio. Non ne portava il nome, ma il suo volto era quello degli Stark: lungo, solenne, guardingo. Un volto che non lasciava trasparire nulla. Chiunque fosse stata la madre, assai poco di lei era passato al figlio.

«Che cosa leggi?» chiese Jon.

«Draghi.»

«A che scopo? Non esistono più, i draghi» disse Jon con la sicurezza propria dell'adolescenza.

«Questo è quanto si dice» ribatté Tyrion. «Triste, non trovi? Alla tua età, sognavo di avere un drago tutto per me.»

«Sul serio?» Il tono di Jon era sospettoso, forse temeva che Tyrion stesse prendendosi gioco di lui.

«Molto sul serio. In groppa a un drago, perfino un ragazzino tutto storto e molto brutto può guardare il mondo dall'alto in basso.» Tyrion spinse da parte la pelle d'orso e si alzò. «Accendevo dei fuochi nei sotterranei di Castel Granito e rimanevo a guardare le fiamme per ore, facendo finta che fossero l'alito di un drago. Certe volte immaginavo che potessero incenerire mio padre. Altre volte mia sorella...»

Jon Snow continuava a fissarlo, e negli occhi aveva un misto di repulsione e d'incantamento.

«Non guardarmi a quel modo, bastardo» sogghignò il Folletto. «Io conosco il tuo segreto. Non dirmi che non hai avuto visioni simili.»

«No.» Jon Snow era inorridito. «Io non...»

«No? Mai?» Tyrion inarcò un sopracciglio. «Ma certo che no!

Non c'è dubbio alcuno che gli Stark con te siano stati sempre incredibilmente buoni. E non c'è dubbio alcuno che lady Stark ti tratti proprio come uno degli altri suoi pargoletti. E anche tuo fratello Robb, sempre così gentile, giusto? E perché non dovrebbe? A lui Grande Inverno e a te la Barriera. Non dimentichiamo tuo padre. Deve certamente avere le sue ragioni per imballarti ben bene e spedirti ai guardiani della notte.»

«Basta!» I lineamenti di Jon Snow erano alterati dall'ira. «Quello dei guardiani della notte è un nobile dovere!»

«Sei un tipo troppo sveglio per credere a una frottola del genere» rise Tyrion. «I guardiani della notte sono il ricettacolo per la peggior feccia del regno. Credi che non abbia visto le occhiate che lanci a Yoren e ai suoi due baldi nuovi acquisti? Eccoli lì, i tuoi confratelli, Jon Snow. Che te ne pare, eh? Cafoni, debitori, bracconieri, stupratori, ladri... E bastardi come te. Tutti finiscono sulla Barriera, a fare la guardia agli elfi maligni e ai mostri-talpa dei quali ti ha riempito il cranio la tua balia. Solo che non esistono né elfi maligni né mostri-talpa. Peccato, vero? La notizia buona è che i pericoli sulla Barriera sono rari, quella cattiva è che ti si ghiacciano le palle alla grande. Ma visto che nella confraternita non è concesso figliare, non è che avere o non avere palle efficienti faccia poi tanta differenza. Vero?»

«Ho detto basta!...»

Il ragazzo, mani strette a pugno, gola chiusa dalle lacrime, sembrava sul punto di saltargli addosso.

E d'un tratto, assurdamente, Tyrion si sentì in colpa. Fece un passo verso Jon, intenzionato a dargli una pacca rassicurante sulla spalla e a dire qualche parola di scusa.

Nemmeno si rese conto di ciò che gli arrivò addosso. Un momento stava muovendosi verso Snow, il momento dopo si ritrovò con la schiena contro le radici sporgenti della quercia, il libro sui draghi che volava chissà dove, senza fiato a causa del duro, improvviso impatto, la bocca piena di terriccio gelido e foglie marce e del sapore acre del sangue.

Il meta-lupo albino incombeva su di lui, gli occhi rossi fiammeggianti, il fiato rovente di cose ancestrali, selvagge, letali. Non l'aveva visto muoversi, non sapeva da dove fosse spuntato. Cercò di raddrizzarsi, mentre fitte di dolore gli percorrevano la schiena. Doveva averla picchiata malamente nella caduta. Digrignò i denti pieno di frustrazione, afferrò una radice e si mise seduto. Tese una mano verso Jon. «Aiutami...»

E di nuovo, il pallido lupo fu in mezzo a loro. Non ringhiò. Quel maledetto animale non emetteva mai il benché minimo suono. I suoi occhi simili a braci ardenti tornarono a scintillare nell'oscurità e con essi le arcuate zanne messe a nudo. Più che sufficiente per Tyrion della nobile Casa Lannister.

«Come non detto: non aiutarmi.» Abbandonò la schiena dolorante contro le radici. «Vorrà dire che me ne starò qui finché non te ne andrai.»

Adesso Jon Snow stava sorridendo. Accarezzò il pelo candido del meta-lupo. «Chiedimelo con gentilezza.»

Tyrion della nobile Casa Lannister sentì la rabbia aggrovigliarsi dentro di lui, ma la controllò con la forza della volontà. Non era la prima volta che subiva un'umiliazione, e non sarebbe stata l'ultima. Forse in questo caso se l'era meritata.

«Ti sarò molto grato per la tua assistenza, Jon» disse in tono conciliante.

«Spettro: riposo» ordinò il ragazzo. Il meta-lupo sedette sulle zampe posteriori, ma gli occhi rossi non lasciarono mai Tyrion. Jon aggirò i grovigli di radici, prese il Folletto sotto le ascelle e lo mise in piedi facilmente. Poi raccolse il libro dal punto in cui era caduto e glielo diede.

Con il dorso della mano, Tyrion si ripulì le labbra dal terriccio ghiacciato e dal sangue, scoccando al lupo un'occhiata timorosa. «Perché mi ha attaccato?»

«Forse ti ha preso per uno di quegli elfi maligni.»

Tyrion scrutò il ragazzo, poi scoppiò a ridere, una risata nasale che gli venne fuori come per volontà propria. «Ah, per gli dèi.» Quasi si strozzò per la sua stessa risata, scuotendo il capo. «Vero, potrei essere scambiato per un elfo maligno. E ai mostri-talpa il tuo lupo che cosa farebbe?»

Jon raccolse l'otre di vino e gli ridiede anche quello. «Quanto ci tieni a saperlo?»

Per tutta risposta, Tyrion tolse il tappo, inclinò la testa e si lanciò un lungo sorso in bocca. Fu un fresco fuoco che gli colò lungo la gola e gli riscaldò il ventre.

Tese la sacca a Jon Snow. «Ne vuoi un po'?»

Il ragazzo accettò e bevve un breve sorso. «Però è tutto vero, non è così?» Jon restituì la sacca. «Quanto hai detto riguardo alla confraternita dei guardiani della notte, intendo.»

Tyrion annuì.

«Se così è» le labbra di Jon assunsero una piega amara «significa che così dev'essere.»

«Molto bene, bastardo.» Tyrion gli sorrise scoprendo i denti.

«Piuttosto che accettare una dura verità, la maggior parte degli uomini la negherebbe.»

«La maggior parte degli uomini» sottolineò il ragazzo. «Ma non tu.»

«No» ammise Tyrion. «Non io. Ormai sogno i draghi molto di rado. Come dice qualcuno, non esistono più, i draghi.» Raccattò la pelle d'orso. «Coraggio, ragazzo, sarà meglio che rientriamo prima che tuo zio chiami a raccolta i vessilli di guerra.»

Non era una lunga distanza quella che dovevano coprire, ma il terreno era accidentato e quando furono a destinazione le arcuate gambe di Tyrion erano tormentate dai crampi. Jon Snow gli offrì una mano per superare un altro spesso groviglio di radici, ma Tyrion rifiutò. Ce l'avrebbe fatta da solo, come sempre. Tuttavia si sentì sollevato alla vista dell'accampamento.

I rifugi erano stati eretti contro la muraglia crollata di un fortino abbandonato da molto tempo, in modo da essere al riparo dal vento. I cavalli erano stati nutriti e un fuoco ardeva nel buio. Seduto su una roccia, Yoren era intento a scuoiare uno scoiattolo.

L'odore seducente della carne stufata riempì le narici di Tyrion. Caracollò fino a Morrec, uno dei due uomini della sua scorta, che si stava occupando della pentola. Senza dire una parola, l'uomo gli offrì il mestolo. Tyrion assaggiò e gli restituì l'attrezzo. «Altro pepe» disse.

«Eccovi, finalmente.» Benjen Stark emerse dal rifugio che condivideva con il nipote. «Dannazione, Jon, non te ne andare in giro da solo. Ho temuto che ti avessero preso gli Estranei.»

«Invece sono stati gli elfi maligni» rise Tyrion.

Jon Snow sorrise e Benjen scambiò un'occhiata perplessa con Yoren. L'anziano guardiano della notte si strinse nelle spalle e tornò a dedicarsi al suo sanguinoso compito.

Lo scoiattolo fornì altra carne per lo stufato. Lo mangiarono più tardi, attorno al fuoco, con pane nero e formaggio stagionato. Tyrion condivise il vino della sua sacca con tutti e perfino Yoren divenne meno acido. Uno a uno, gli uomini si ritirarono nei loro rifugi, tranne Jon Snow, al quale era toccato il primo turno di guardia.

Tyrion fu l'ultimo a ritirarsi, come sempre. Quando raggiunse il rifugio che i suoi uomini gli avevano costruito, si girò per guardare Jon Snow. Il ragazzo era immobile, in piedi accanto al fuoco, e scrutava le fiamme con i lineamenti tesi.

Tyrion Lannister ebbe un sorriso triste e andò a dormire.

CATELYN

«Credo che tu voglia sapere quanto ci è costata la visita reale, mia signora» disse maestro Luwin. «È da tempo che dovremmo esaminare queste cifre.»

Erano trascorsi otto giorni dalla partenza di Ned e delle ragazze per il Sud. Quella sera, maestro Luwin era salito nella stanza di Bran portando con sé una lampada da lettura e i libri contabili di Grande Inverno.

Catelyn guardò il figlio e gli liberò la fronte dai capelli. Erano cresciuti molto, ben presto avrebbe dovuto tagliarli.

«Non ho alcun bisogno di esaminare le cifre, maestro Luwin.» I suoi occhi non si staccarono dalla forma contorta che giaceva nel letto. «So quanto ci è costata, puoi pure portarli via, quei libri.»

«Mia signora, la corte era dotata di notevole appetito. Dobbiamo rifornire i magazzini prima che...»

«Ho detto di portare via i libri» lo interruppe lei. «Penserà l'attendente a soddisfare le nostre necessità.»

«Non abbiamo più un attendente, mia signora» le ricordò maestro Luwin.

"Un piccolo, fastidioso topo grigio" pensò Catelyn "che quando morde non lascia la presa."

«Vayon Poole è andato al Sud» continuò Luwin «per allestire i quartieri di lord Stark ad Approdo del Re.»

«Certo, certo.» Catelyn annuì in modo assente. «Ora ricordo. Vayon Poole è andato al Sud...»

Com'era pallido Bran. Forse avrebbe dovuto far spostare il letto più vicino alla finestra, in modo che ricevesse il sole del mattino.

«Ci sono parecchi impegni che richiedono la tua immediata attenzione, mia signora.» Maestro Luwin collocò la lampada in una nicchia accanto alla porta e giocherellò con lo stoppino. «Oltre a un attendente, ci serve un nuovo comandante della Guardia al posto di Jory Cassel, più un nuovo mastro dei cavalli...»

Gli occhi di Catelyn si girarono di scatto per piantarsi in quelli di lui e la sua voce fu come lo schioccare di una frusta: «Un nuovo mastro dei cavalli?».

«Sì, mia signora.» Il maestro era scosso. «Anche Hullen è andato al Sud assieme a lord Eddard, per cui...»

«Mio figlio giace in questo letto con la schiena spezzata, Luwin. Mio figlio è in fin di vita... e tu vieni qui a discutere di un nuovo mastro dei cavalli? Pensi davvero che m'importi qualcosa di ciò che accade nelle stalle? Pensi davvero che questo abbia per me il benché minimo peso? Andrei a tagliare la gola a ogni cavallo di Grande Inverno con le mie mani se sapessi che aiuterebbe Bran a riaprire gli occhi! Capisci ciò che dico, Luwin? Lo capisci?»

«Sì, mia signora.» Maestro Luwin chinò rispettosamente il capo. «Però questi impegni...»

«Mi occuperò io di nominare queste persone, maestro Luwin.» Robb Stark era in piedi sulla soglia e la guardava. Catelyn non l'aveva neppure udito arrivare perché stava urlando. Quando se ne rese conto, una vampata di vergogna percorse ogni sua fibra. Cosa le stava accadendo? Era talmente stanca che la testa le doleva senza sosta.

Da lei, lo sguardo di maestro Luwin si spostò sul figlio. «Mi sono permesso di preparare un elenco di coloro che potrebbero essere presi in considerazione per quelle cariche» gli disse. Fece apparire un documento da una delle sue ampie maniche e lo tese a Robb.

Rapidamente, lui studiò i nomi. Catelyn vide che aveva le guance rosse per il freddo, i capelli ispidi, scompigliati dal vento. «Ti ringrazio, maestro Luwin. Sono tutti ottimi uomini.» Robb restituì la lista. «Prenderemo una decisione domani.»

«Molto bene, mio signore.» Il documento tornò a svanire nella manica.

«Ora lasciaci» concluse Robb.

Maestro Luwin s'inchinò brevemente e se ne andò. Robb chiuse la porta alle sue spalle e si girò verso Catelyn. Lei vide che portava la spada. «Madre, che stai facendo?»

Catelyn era sempre stata certa che Robb avesse l'aspetto dei Tully di Delta delle Acque. Capelli ramati, colorito acceso, occhi azzurri, l'aspetto che lei stessa e Sansa e Bran e Rickon avevano. Ma adesso, per la prima volta, vide in lui, nel suo volto, qualcosa di Eddard Stark. Qualcosa di duro e aspro quanto il Nord. «Cosa sto facendo?» gli fece eco stupefatta. «Come puoi chiedermelo, Robb?

Non lo vedi da te cosa faccio? Mi prendo cura di tuo fratello... mi prendo cura di Bran!»

«È così che chiami tutto questo? Non sei uscita di qui da quando Bran è caduto, non sei nemmeno venuta al portale del castello quando papà e le ragazze sono andati al Sud.»

«Ho detto loro addio stando qui e li ho guardati allontanarsi dalla finestra.»

Aveva implorato Ned di non lasciarla, non adesso, non dopo quanto era successo. Tutto era cambiato. Come poteva Ned non rendersene conto? Ma non era servito a nulla. «Non ho scelta» le aveva risposto suo marito e poi se n'era andato. Era stata quella la sua scelta.

«Non posso lasciare Bran» riprese Catelyn. «Nemmeno per un momento. Non quando ogni momento potrebbe essere l'ultimo. Io devo essere con lui se... se...» Prese la mano del figlio tra le sue. Il suo piccolo Bran. Così fragile, così sciupato. Quella mano così priva di forza. Eppure, sotto la pelle lei sentiva ancora il calore della vita.

«Bran non morirà, madre.» La voce di Robb si addolcì. «Maestro Luwin è sicuro che il momento di maggiore pericolo è ormai passato.»

«E se maestro Luwin si sbagliasse? Se Bran avesse bisogno di me e io non fossi qui?»

«Rickon ha bisogno di te, madre» rispose Robb con determinazione. «Ha soltanto tre anni. Non capisce cosa sta accadendo. Pensa che tutti lo abbiano abbandonato così viene dietro a me tutto il giorno. Si aggrappa alla mia gamba e piange, ma io non so come comportarmi con lui.» S'interruppe, mordendosi il labbro inferiore come faceva quando era lui ad avere l'età di Rickon. «Madre, anch'io ho bisogno di te. Tento, ma non posso fare... tutto da solo.»

La sua voce si spezzò e Catelyn ricordò che aveva solo quattordici anni. Voleva alzarsi, andare da lui, ma Bran teneva ancora la sua mano, così non si mosse.

Da qualche parte, un lupo ululò. Catelyn ebbe un tremito. Durò solo un attimo.

«È il lupo di Bran.» Robb aprì la finestra e la fredda aria notturna entrò a sopraffare l'atmosfera stantia della stanza. L'ululato crebbe d'intensità: un richiamo freddo, solitario, nutrito da una disperazione ancestrale.

«Chiudi, Robb! Bran deve stare al caldo.»

«Bran deve udire il loro canto.» Chissà dove, nel labirinto della Prima Fortezza, un secondo lupo si mise a ululare, poi un terzo, più vicino. «Questo è Cagnaccio. E questo Vento grigio. Ascolta con attenzione.» Robb seguì gli ululati che crescevano e tornavano a scemare, il coro dei lupi nelle tenebre. «Se ascolti, riesci a distinguere le loro voci.»

Catelyn ora stava tremando per la sofferenza, il freddo, l'ululato dei meta-lupi. Notte dopo notte, quegli ululati, quel vento gelido, quell'immane castello diventato troppo vuoto: tutto questo non avrebbe avuto mai fine. E il suo piccolo giaceva come un oggetto frantumato. Il più caro, il più delicato dei bambini. Bran che amava ridere e scalare fino al cielo, che sognava il mantello bianco della Guardia reale. Tutto finito, tutto perduto. Non avrebbe mai più udito il suo piccolo ridere.

Strappò la propria mano alla stretta di lui e singhiozzando si coprì le orecchie. Non voleva più udire quegli ululati incessanti, spaventosi. «Falli smettere!» gridò. «Non li sopporto più! Falli smettere, falli smettere!... Se non c'è altro modo, uccidili! Basta che tacciano!»

Non ricordò di essere caduta sulle pietre del pavimento, ma fu là che si rese conto di giacere.

«Non avere paura, madre.» Le forti braccia di Robb la sollevarono, la guidarono verso il lettino nell'angolo della stanza. «Non gli farebbero mai del male. Chiudi gli occhi, cerca di riposare» le disse con dolcezza. «Maestro Luwin mi ha detto che dalla caduta di Bran praticamente non hai dormito.»

«Non posso dormire!» Catelyn piangeva disperata. «Gli dèi mi perdonino, Robb, ma non posso farlo, capisci? Che cosa accadrebbe se lui morisse mentre io dormo? Se lui morisse... se lui...» I meta-lupi continuavano a ululare. Catelyn gridò e si coprì nuovamente le orecchie. «In nome degli dèi, Robb! Chiudi quella finestra!»

«Solo se mi prometti che cercherai di dormire.» Robb andò alla finestra e allungò una mano verso le imposte. Improvvisamente, si fermò. «I cani...» disse, ascoltando attento. Un suono diverso era andato a sovrapporsi al cupo ululare dei lupi. «I cani di Grande Inverno.» Robb tese le orecchie. «Stanno abbaiando tutti assieme. Non l'hanno mai fatto...»

Catelyn percepì le parole che si strozzavano nella gola del figlio. Alzò lo sguardo. Al debole chiarore della lampada, il volto del ragazzo era terreo. «Fuoco» disse in un sussurro. «C'è un incendio!...»

"Un incendio!" pensò lei. E subito dopo: "Bran!".

«Robb! Aiutami!» esclamò Catelyn alzandosi di colpo a sedere. «Aiutami a portare via Bran!»

«La biblioteca nella torre.» Robb parve non averla udita. «Sta bruciando.»

E ora, fuori della finestra aperta, anche Catelyn poteva vedere il baluginare rossastro delle fiamme. Emise un sospiro di sollievo. La biblioteca si trovava sul lato opposto del fossato. Nessun incendio sarebbe mai stato in grado di raggiungerli. Bran era al sicuro. «Siano lodati gli dèi» bisbigliò.

«Tu rimani qui, madre.» Robb la guardò con lo stesso sguardo con il quale si compatisce un folle. «Tornerò da te non appena avremo domato l'incendio.»

Un attimo dopo era andato. Lo udì gridare alle guardie fuori della stanza, udì tutti quanti precipitarsi giù per le scale, tre gradini per volta.

All'esterno, molte voci nel cortile urlavano: «Al fuoco!». Poi altre urla, passi in corsa, il nitrire dei cavalli spaventati, l'abbaiare frenetico dei cani. Gli ululati, però, erano cessati. Catelyn se ne rese conto nell'ascoltare quella cacofonia. I meta-lupi adesso tacevano.

Si diresse alla finestra ringraziando i sette volti del dio. Al di là del fossato, lingue di fiamma si contorcevano uscendo dalle finestre della biblioteca, volute di fumo salivano ad attorcigliarsi nel cielo scuro. Tutti quei preziosi, antichi testi che gli Stark avevano acquisito e conservato nei secoli. Tristemente, Catelyn chiuse le imposte su tutto quel sapere che finiva in cenere.

«Te non devi essere qua.»

C'era un uomo con lei nella stanza.

«Nessuno deve essere qua.»

La voce era un mugugnare acido, raschiante. L'ometto era sporco, vestito di luridi cenci che puzzavano di stalla, di sterco di cavallo. Catelyn conosceva tutti quelli che lavoravano nelle stalle e questo individuo non era uno di loro: un ometto da niente, ossuto, capelli biondastri, occhi pallidi infossati in una faccia scavata. Stringeva nel pugno una daga.

Catelyn guardò la daga, poi Bran. «No...» Quell'unica parola le uscì a stento dalla gola, simile a un sussurro rauco.

«È misericordia.» In qualche modo, lui parve averla udita. «È come se lui è già morto.»

«No!» Catelyn ritrovò la voce. «Non lo farai!»

Si girò e spalancò la finestra per gridare aiuto. L'uomo le fu addosso. Si era mosso in modo rapido, molto rapido per un ometto così da niente. Il puzzo che emanava toglieva il fiato. La sua mano sinistra si chiuse sulla bocca di lei, soffocando l'urlo. Le tirò indietro la testa, esponendone la gola. Poi l'uomo alzò la daga.

Con tutte le sue forze, Catelyn afferrò la lama con entrambe le mani e la allontanò dalla propria gola. Lo udì bestemmiare vicinissimo all'orecchio. Sentì le dita viscide di sangue, eppure non lasciò la presa attorno all'arma. La mano che le copriva la bocca si contrasse, mozzandole il respiro. Catelyn girò la testa e riuscì a mordere con forza tra il palmo e l'articolazione del pollice. L'uomo gemette di dolore. Catelyn digrignò i denti e mosse la testa da una parte all'altra, dilaniando la carne.

L'uomo balzò indietro, lasciandola andare. Catelyn aveva la bocca piena del sapore del sangue. Inspirò a fondo e urlò. L'assassino la prese per i capelli e la scaraventò attraverso la stanza. Catelyn inciampò e cadde. Lui le fu nuovamente addosso, respirando forte, tremando, la daga grondante sangue stretta nella destra. In un punto indefinito alle spalle di lui, Catelyn vide un'ombra scivolare attraverso la porta aperta.

«Te non devi essere qua» ripeté l'ometto ottusamente.

Ci fu una specie di basso brontolio, meno di un ruggito, neppure una minaccia: soltanto l'accenno di una minaccia, ma l'ometto la percepì e alzò la testa proprio mentre il lupo fendeva l'aria. Piombarono insieme a terra, addosso a Catelyn. Il lupo azzannò sotto la mascella. L'urlo dell'uomo durò meno di un secondo, poi il meta-lupo diede uno strappo verso l'alto, staccandogli metà gola.

Spruzzi di sangue arrivarono fin sul volto di Catelyn, simili a una pioggia calda.

Il lupo la stava osservando, le fauci rosse e gocciolanti, gli occhi che brillavano come diamanti nella stanza immersa nelle tenebre. Catelyn capì che era il meta-lupo di Bran. Non poteva essere che lui.

«Ti ringrazio...» La sua voce era un sussurro appena percettibile. Sollevò verso l'animale una mano tremante e il meta-lupo le si avvicinò, la annusò. Poi la sua lingua umida, ruvida, cominciò a leccare il sangue che la copriva. Una volta che lo ebbe leccato tutto, si girò senza fare rumore, saltò sul letto di Bran e si sdraiò accanto a lui.

Catelyn cominciò a ridere istericamente.

Stava ancora ridendo quando la trovarono, quando Robb, maestro Luwin e ser Rodrik fecero irruzione assieme a metà degli armati di Grande Inverno.

E dopo che finalmente la sua risata fu cessata, l'avvolsero in coperte calde e la trasportarono nelle sue camere. La Vecchia Nan la spogliò, l'aiutò a entrare in una vasca piena d'acqua calda e ripulì il suo corpo del sangue raggrumato.

Maestro Luwin venne a medicarle le ferite. Quelle alle dita erano profonde, l'avevano scavata fin quasi all'osso. Nei punti in cui l'ometto le aveva strappato i capelli, la cute era scorticata e bruciante. Il maestro l'avvertì che ora sarebbe cominciato il dolore, perciò le diede una bevanda di latte di papavero per aiutarla a dormire.

E finalmente Catelyn chiuse gli occhi.

Quando li riaprì, le dissero che aveva dormito per quattro giorni. Si limitò ad annuire, restando seduta sul letto. Un incubo. Questa era adesso la sua percezione degli ultimi eventi. Un incubo iniziato con la caduta di Bran, un sogno orribile pieno di sofferenza e di sangue. Ma il dolore alle mani le ricordava che invece era tutto vero. Si sentiva debole, con la testa vuota, eppure, al tempo stesso, piena di determinazione, come se un peso enorme le fosse stato tolto dalle spalle.

«Portatemi pane e miele» ordinò ai servi. «E dite a maestro Luwin che è necessario cambiare la medicazione.» Per un momento la guardarono sorpresi, poi obbedirono di corsa.

Nella mente di Catelyn, la memoria di come si era ridotta continuava a essere ben presente, così come la vergogna di essersi ridotta a quel modo. Aveva voltato le spalle a tutti: i figli, il marito, la sua nobile Casa. Non avrebbe permesso che accadesse di nuovo, mai più. Avrebbe mostrato a questa gente del Nord come si comporta una Tully di Delta delle Acque.

Robb arrivò prima del pane e del miele. Assieme a lui c'erano Rodrik Cassel, Theon Greyjoy, il protetto di suo marito, e infine Hallis Mollen, un muscoloso uomo della guardia dalla corta barba castana. «Il nuovo comandante della guardia del castello» lo presentò Robb. Suo figlio vestiva cuoio scuro e cotta di maglia di ferro. E, ancora, portava la spada.

Fu Catelyn a porre la prima, inevitabile domanda: «Chi era?».

«Nessuno conosce il suo nome» le rispose Hallis Mollen. «Non era un uomo di Grande Inverno, mia signora, ma alcuni affermano di averlo visto aggirarsi nel castello in queste ultime settimane.»

«Uno degli uomini del re, quindi» concluse Catelyn. «O dei Lannister. Qualcuno che è rimasto indietro quando gli altri se ne sono andati.»

«Può darsi» disse Hallis. «Con tutti i forestieri che sono passati per il castello, è arduo dire al soldo di chi fosse.»

«Si è nascosto nelle stalle» affermò Greyjoy. «Ne aveva ancora addosso il puzzo.»

«Com'è possibile che nessuno si sia accorto di lui?» esclamò Catelyn in tono secco.

«Lord Stark ha preso con sé molti cavalli, e altri ne abbiamo inviati a nord con i guardiani della notte» spiegò Hallis Mollen con un'espressione desolata. «Le stalle sono rimaste mezze vuote. Non dev'essere stato difficile per lui tenersi lontano dagli stallieri. Hodor forse l'ha visto. Dicono che quel ragazzo si è comportato in modo diverso dal solito, ma via di testa com'è...» Mollen scosse il capo.

«Abbiamo scoperto dove dormiva» aggiunse Robb. «In una borsa di cuoio nascosta sotto la paglia, c'erano novanta corone d'argento.»

«Sono lieta di constatare che la vita di mio figlio è venduta a caro prezzo» commentò amaramente Catelyn.

Mollen la guardò con espressione confusa. «Mia signora, stai forse dicendo che quell'uomo voleva uccidere il tuo bambino?»

Anche Greyjoy aveva i suoi dubbi. «È pura follia.»

«È venuto per Bran» affermò con decisione Catelyn. «Ha continuato a borbottare qualcosa sul fatto che nessuno avrebbe dovuto trovarsi nella stanza. Ha appiccato il fuoco alla biblioteca pensando che io sarei accorsa portando con me tutte le guardie. E se non fossi stata come impazzita dal dolore, il tranello avrebbe funzionato.»

«Madre, perché qualcuno vorrebbe uccidere Bran?» chiese Robb. «Per gli dèi, uccidere un bambino inerme, che giace tra la vita e la morte...»

Catelyn lanciò al primogenito un'occhiata quasi di sfida. «Se sei destinato a regnare sul Nord, è bene che tu pensi con lucidità, Robb. Rispondi tu stesso a questa tua domanda: chi ha interesse a uccidere un bambino che giace tra la vita e la morte?»

Prima che Robb potesse rispondere, i servi tornarono con un piatto di cibo, molto più di quanto lei avesse chiesto: pane appena sfornato, burro, miele, marmellata di mirtilli, pancetta affumicata, un uovo bollito, formaggio, tè alla menta. E assieme a tutto questo, giunse anche maestro Luwin.

Catelyn guardò il cibo. Tutt'a un tratto non aveva più fame. «Come sta mio figlio, maestro?»

Luwin abbassò gli occhi e disse sottovoce: «Nessun cambiamento, mia signora».

Era la risposta che Catelyn si aspettava, nulla di più, nulla di meno. Sentiva il dolore pulsare nelle sue mani, come se la lama stesse continuando a scavare in profondità nella sua carne. Liquidò i servi e spostò nuovamente lo sguardo su Robb. «Hai trovato la risposta?»

«Qualcuno teme che Bran possa svegliarsi» rispose lui. «Teme quello che potrebbe dire o fare. Teme qualcosa che lui sa.»

«Molto bene, figlio.» Catelyn era orgogliosa di lui. «Bran dev'essere protetto.» Si girò verso il nuovo comandante delle guardie. «Come c'è stato un assassino, potrebbero essercene altri.»

«Quante guardie vuoi, mia signora?» chiese Mollen.

«Fino a quando lord Eddard resterà lontano, è mio figlio Robb il signore di Grande Inverno» gli rispose.

«Metti un uomo nella stanza di mio fratello, Hallis, giorno e notte.» Robb parve aumentare di statura. «Un altro fuori della porta e due in fondo alle scale. Nessuno vedrà Bran senza il permesso mio o della lady mia madre.»

«Sarà fatto, mio signore.»

«Che sia fatto subito» puntualizzò Catelyn.

«E il suo lupo rimarrà nella stanza con lui» aggiunse Robb.

«Sì» concordò Catelyn. E ripeté con forza: «Sì».

Hallis Mollen s'inchinò e uscì.

Ser Rodrik attese che se ne fosse andato prima di intervenire: «Lady Stark, hai osservato in qualche modo la daga usata dall'assassino?».

«Non in quelle circostanze, Rodrik» gli rispose lei con un sorriso amaro. «Ma posso dire di aver certamente notato quanto fosse affilata. Perché me lo domandi?»

«Ce l'aveva ancora stretta nel pugno. Ho subito avuto l'impressione che si trattasse di un'arma troppo costosa per un individuo simile, così l'ho esaminata a lungo e con attenzione: lama d'acciaio di Valyria, elsa di ossa di drago. È davvero improbabile trovare un uomo del genere con un'arma di tanto valore. Troppo raffinata. È stato qualcun altro a dargliela.»

Catelyn annuì lentamente, riflettendo, poi disse: «Robb, chiudi la porta».

Lui la guardò perplesso, ma fece come gli aveva chiesto.

«Ciò che sto per dirvi non deve uscire da questa stanza» riprese Catelyn. «Giurate. Se anche soltanto una parte di quanto sospetto ha un fondamento di verità, Ned e le mie ragazze si sono avviati verso pericoli letali. Una sola parola nelle orecchie sbagliate, e per loro sarebbe la fine.»

«Lord Eddard è come un secondo padre per me» dichiarò Theon Greyjoy. «Io giuro.»

«Hai il mio giuramento» fece eco maestro Luwin.

«Anche il mio, mia signora» affermò ser Rodrik.

Lo sguardo di Catelyn si spostò su suo figlio. «Robb?»

Lui annuì.

«Mia sorella Lysa ritiene che i Lannister abbiano assassinato suo marito, lord Jon Arryn, Primo Cavaliere del re.» Catelyn li scrutò uno a uno. «Ricordo che il giorno della caduta di Bran Jaime Lannister non si unì alla battuta di caccia, ma rimase a Grande Inverno.» Un profondo silenzio era calato nella stanza. «Io non credo che Bran sia caduto dalla torre spezzata... credo che sia stato spinto.»

L'affermazione li sconvolse tutti.

«Mia signora, è un'ipotesi mostruosa» esclamò Rodrik Cassel. «Perfino lo Sterminatore di Re esiterebbe di fronte all'omicidio di un bambino innocente.»

«Sul serio?» chiese Theon Greyjoy serrando le labbra. «Io non ne sarei così certo.»

«Non c'è limite all'orgoglio dei Lannister» affermò Catelyn «né alla loro ambizione.»

«Il bambino era molto abile nelle scalate» disse pensieroso maestro Luwin. «Conosceva ogni pietra di Grande Inverno.»

«Dèi onnipotenti!» I giovani lineamenti di Robb si deformarono nell'ira. «Se è vero, la pagherà.» Sguainò la spada e la sollevò alta sopra la testa. «Lo ucciderò con le mie mani!»

«Metti via quell'acciaio!» tuonò ser Rodrik. «I Lannister sono a centinaia di leghe da qui. E mai, mai sfoderare la spada a meno che tu non sia pronto a usarla. Sciocco ragazzo, quante volte te l'ho ripetuto?»

Robb, colto in fallo, tornò di colpo a essere un ragazzo di quattordici anni e rimise la spada nel fodero.

«Così mio figlio ora porta la spada» commentò Catelyn rivolta a ser Rodrik.

«Ho ritenuto che fosse giunto il momento» osservò l'anziano maestro d'armi.

Robb guardò la madre, pieno di aspettativa.

«È giunto da tempo» confermò Catelyn. «Ben presto, Grande Inverno potrebbe aver bisogno di tutte le sue lame. Ed è molto meglio che non siano di legno.»

«Mia signora.» Theon Greyjoy mise la mano sull'impugnatura della propria spada. «Se si arriverà a tanto, grande è il debito che la mia Casa ha nei confronti della nobile Casa Stark.»

«Ma ciò che realmente abbiamo» obiettò maestro Luwin allentando la catena del suo ordine nel punto in cui gli stringeva il collo «sono congetture. È il fratello della nostra amata regina che stiamo accusando. E lei non accetterà graziosamente una cosa simile. Dobbiamo avere delle prove o, in caso contrario, dovremo mantenere eterno silenzio.»

«La prova è quella daga» affermò ser Rodrik. «Una lama così raffinata non può non essere stata notata.»

Catelyn si rese conto che la verità poteva trovarsi in un unico luogo. «Qualcuno deve andare ad Approdo del Re» disse.

«Io» si offrì immediatamente Robb.

«No, il tuo posto è qui.» Le tornarono in mente le parole di Ned: «Dev'esserci sempre uno Stark a Grande Inverno».

Il suo sguardo passò a ser Rodrik, con i suoi poderosi baffoni bianchi, a maestro Luwin, nel suo saio grigio, al giovane Theon Greyjoy, aitante, bruno, impetuoso. Chi mandare? Chi sarebbe stato creduto? Forse conosceva la risposta fin dal primo istante, e non si trovava in nessuno di quegli uomini. Con uno sforzo doloroso si liberò delle coperte e scese dal letto. Le dita bendate erano rigide e insensibili come pietre. «Devo andare io stessa.»

«Ma mia signora» protestò maestro Luwin «è davvero una decisione saggia? È certo che i Lannister accoglieranno il tuo arrivo con estremo sospetto.»

«E che ne sarà di Bran?» esclamò Robb. Il povero ragazzo adesso era completamente disorientato. «Non vorrai lasciarlo proprio ora.»

«Ho fatto tutto quello che potevo per Bran.» Catelyn appoggiò una mano bendata sul braccio del figlio. «La sua vita è nelle mani degli dèi e di maestro Luwin. E come tu stesso mi hai ricordato, Robb, ho anche altri figli ai quali pensare.»

«Mia signora, ti servirà una nutrita scorta» intervenne Theon.

«Hallis e uno squadrone di armigeri» propose Robb.

«No. Un gruppo numeroso attira attenzioni indesiderate» obiettò Catelyn. «Non voglio che i Lannister sappiano che sto arrivando.»

«Permetti che almeno io ti accompagni, mia signora» protestò ser Rodrik. «La Strada del Re può essere pericolosa per una donna priva di scorta.»

«Non prenderò la Strada del Re» rispose Catelyn. Rifletté per un lungo momento, poi annuì. «Due cavalieri si muovono alla stessa velocità di uno solo. E a una velocità molto maggiore di un'intera colonna rallentata da carri e case su ruote. Sarò lieta della tua compagnia, ser Rodrik. Seguiremo il corso del fiume Coltello Bianco fino al mare e a Porto Bianco noleggeremo una nave. Cavalli robusti e forti venti ci porteranno ad Approdo del Re ben prima di Ned e dei Lannister.»

"E a quel punto, vedremo quello che c'è da vedere" pensò.

SANSA

Eddard Stark se n'era andato prima dell'alba.

«L'ha mandato a chiamare il re.» Septa Mordane informò Sansa mentre facevano colazione. «Un'altra battuta di caccia, credo. Mi è stato detto che ci sono ancora dei bisonti selvaggi in queste regioni.»

«Non ho mai visto un bisonte selvaggio.» Sansa allungò un pezzo di pancetta affumicata a Lady, accucciata sotto il tavolo, e la meta-lupa la prese dalle sue dita con la delicatezza di una regina.

Septa Mordane arricciò il naso, mostrando il suo disappunto, mentre faceva colare del miele su una fetta di pane. «Una nobile signora non dovrebbe nutrire cani dal proprio desco.»

«Non è un cane, è un meta-lupo» la corresse Sansa, mentre la lingua ruvida di Lady continuava a leccarle gentilmente le dita. «E poi mio padre dice che possiamo tenerli sempre con noi, se vogliamo.»

«Tu sei una brava ragazza, Sansa» tagliò corto septa Mordane, per nulla ammorbidita «ma quando si parla di quella creatura diventi testarda come tua sorella Arya. A proposito» arricciò di nuovo il naso «dove sarebbe questa mattina la nostra Arya?»

«Non aveva appetito» rispose Sansa, ma sapeva perfettamente che sua sorella doveva aver fatto un'incursione nelle cucine ore prima, scroccando la colazione da uno dei ragazzi al lavoro ai fornelli.

«Ricordale che dev'essere ben vestita, oggi» insistette la septa. «L'abito di velluto grigio, per esempio. Siamo tutte invitate a viaggiare nella reale casa su ruote, assieme alla regina e alla principessa Myrcella. È necessario che ci presentiamo eleganti come si conviene.»

Sansa era già elegante come si conviene. Si era spazzolata i lunghi capelli ramati fino a farli risplendere e aveva indossato il suo più bel vestito di seta azzurra. Da una settimana contava i giorni che la separavano da oggi. Era un grande onore viaggiare assieme alla regina. Inoltre, avrebbe potuto esserci anche il principe Joffrey, suo promesso sposo. Il matrimonio non sarebbe stato celebrato certo molto presto, ma quel semplice pensiero le suscitava sensazioni sconosciute. Sansa non conosceva il principe Joffrey, eppure era già innamorata di lui. Era proprio come aveva sempre sognato che dovesse essere un principe: alto, bello, forte, con i capelli d'oro. E lei non aveva intenzione di perdere la benché minima opportunità di passare del tempo con lui, per quanto raramente queste potessero presentarsi. Un'unica cosa la spaventava, in quel momento: Arya. Sua sorella aveva una specie di dono per rovinare tutto. Impossibile dire quale altra diavoleria avrebbe escogitato quel giorno.

«Va bene, septa, le dirò del vestito.» La voce di Sansa era di colpo venata d'incertezza. «Ma temo che si vestirà come sempre.» Si augurò che non mettesse tutte loro in imbarazzo. «Posso andare?»

«Sì.» Septa Mordane passò alla fetta successiva di pane e miele e Sansa scivolò giù dalla panca. Lady la seguì da vicino mentre usciva a gran velocità dalla sala comune della locanda.

Fuori c'era l'inevitabile, rumoroso caos di ogni mattina.

Per un lungo momento, Sansa rimase immobile in mezzo alle grida, alle imprecazioni e al cigolare delle ruote di legno, mentre gli uomini smontavano tende grandi e piccole e caricavano i carri per la nuova giornata di viaggio.

La locanda nella quale avevano fatto sosta, la più grande che Sansa avesse mai visto, era una monumentale struttura a tre piani di pietra pallida. Ma a dispetto della sua mole, era riuscita ad accomodare solamente un terzo della carovana reale. Con l'aggiunta del gruppo di Grande Inverno e degli altri cavalleggeri che si erano uniti lungo la strada, il convoglio era cresciuto a oltre quattrocento unità.

A Sansa ci volle un po' per trovare la sorella. Era seduta sulla riva del Tridente e cercava di tenere ferma Nymeria mentre le toglieva dal pelo grumi di fango disseccato. La meta-lupa non appariva particolarmente contenta di subire quell'operazione. Quanto ad Arya, indossava gli stessi indumenti di cuoio con i quali era andata a cavallo il giorno precedente, e quello prima ancora.

«È meglio che tu vada a metterti qualcosa di carino» esordì Sansa. «Così dice septa Mordane. Oggi viaggeremo assieme alla principessa Myrcella, nella casa su ruote della regina.»

«Non io.» Arya dovette tirare con forza per staccare un grumo di fango più ostinato degli altri dall'arruffata pelliccia grigia di

Nymeria. «Io oggi andrò con Mycah fino alla diga a monte, alla ricerca dei rubini.»

«Rubini...» Sansa non aveva la minima idea di che cosa sua sorella stesse parlando. «Quali rubini?»

«Ma quelli di Rhaegar, no?» Arya le scoccò l'occhiata che si riserva ai completi imbecilli. «È qui che è stata combattuta la grande Battaglia del Tridente. È qui che Robert Baratheon ha ucciso Rhaegar Targaryen e ha conquistato la corona.»

«Cosa? Tu oggi non puoi andare alla ricerca proprio di nessun rubino.» Sansa fissò trasecolata la sua magrissima sorella. «La principessa Myrcella ci aspetta. La regina Cersei ci ha invitate tutt'e due!»

«Non m'importa. La casa su ruote non ha nemmeno una finestra. Da là dentro non si vede niente!»

«Ma che cosa ti aspetti di vedere?» Sansa cominciava a irritarsi. Quell'invito era molto importante per lei e adesso, proprio come aveva temuto e come sempre succedeva, quella sciocca di sua sorella stava per rovinare tutto. «Ci sono soltanto campi e fattorie e fortini.»

«Ti sbagli» la contraddisse Arya «e di grosso. Se ogni tanto venissi anche tu fuori a cavallo con noi, te ne accorgeresti.»

«Io odio andare a cavallo» protestò Sansa. «La sola cosa che ottieni dopo aver finito è essere sporca, coperta di polvere e con dolori da tutte le parti.»

Arya si strinse nelle spalle.

«E sta' ferma!» esclamò rivolta a Nymeria. «Non ti sto facendo male.» Poi tornò a rivolgersi a Sansa. «Mentre stavamo superando l'Incollatura, ho contato trentasei diversi tipi di fiori che nemmeno sapevo esistessero. E Mycah mi ha mostrato una lucertola-leone.»

Sansa represse un brivido. C'erano voluti dodici giorni per superare l'Incollatura, il restringimento nel continente che formava una specie di divisione naturale tra il Sud e il Nord dei Sette Regni. Il convoglio reale era stato costretto ad avanzare su un percorso contorto che si snodava tra nere paludi infette che parevano non avere né inizio né fine. Sansa aveva odiato ogni istante di quella traversata. L'atmosfera era opaca, graveolente, la pista talmente stretta che di notte non erano stati neppure in grado di allestire un accampamento decente, finendo con il fermarsi lungo la Strada del Re. Erano premuti tutt'attorno da fitti boschetti di alberi dalle radici sommerse dai cui rami pendevano frastagliati tendaggi di muschi e licheni. Fiori enormi emergevano dal fango e fluttuavano sulla superficie delle acque stagnanti. Chi fosse stato così stupido da tentare di lasciare il sentiero per coglierli, sarebbe stato risucchiato dalle sabbie mobili, stritolato dai serpenti raggomitolati sui rami bassi, attaccato dalle letali lucertole-leone in agguato appena sotto la superficie dell'acqua, simili a neri tronchi dotati di occhi e di zanne.

Naturalmente, nulla di tutto questo aveva fermato Arya. Un giorno era rientrata sorridendo a tutta dentatura, come un cavallo, con i capelli e i vestiti ridotti a un pastone di fango. Tra le braccia stringeva un caotico mazzo di fiori verdi e purpurei che aveva strappato di persona dalla palude per farne dono al loro padre. Sansa aveva sperato che almeno lui le dicesse di comportarsi come la lady di nobile famiglia che si supponeva lei fosse, ma lui non l'aveva fatto, anzi: l'aveva addirittura abbracciata e ringraziata per i fiori. E questo aveva fatto sentire Sansa anche peggio.

Poi era stata la volta di quei fiori rossastri chiamati "baci velenosi", dai quali Arya aveva ricavato una pruriginosa irritazione alle braccia. Sansa era convinta che quello le sarebbe servito di lezione, ma niente da fare. Sua sorella si era fatta una sonora risata, e il giorno seguente si era spalmata fango – fango, proprio così! – sugli arrossamenti della pelle, esattamente come avrebbe fatto una qualsiasi ignorante paesana delle paludi, e questo solo perché quel suo amichetto, Mycah, le aveva detto che il fango avrebbe fermato il prurito.

Ultimamente Arya aveva dei lividi sulle braccia e sulle spalle, strane chiazze, alcune rossastre, altre tendenti al giallastro. Sansa le aveva notate quando aveva visto sua sorella spogliarsi per andare a dormire. Come Arya si fosse procurata quelle chiazze, i Sette Dèi erano i soli a saperlo.

«E la settimana scorsa abbiamo trovato la torre di guardia stregata.» Arya continuava a ripulire il pelo di Nymeria e a parlare, tutta entusiasta delle cose che aveva scoperto durante il viaggio verso il Sud. «E il giorno prima abbiamo inseguito un branco di cavalli selvaggi. Avresti dovuto vedere come se la sono data a gambe nel momento in cui hanno sentito l'odore di Nymeria.»

Forse perché aveva udito il proprio nome, la meta-lupa si agitò di nuovo. «Ti ho detto di stare ferma!» le comandò Arya. «Devo pulirti dall'altro lato, sei ancora tutta sporca di fango.»

«Arya, non dovresti allontanarti dalla colonna» le ricordò Sansa. «Non te l'ha forse detto nostro padre?»

«Non mi sono allontanata così tanto.» Arya scrollò le spalle. «E poi, con me c'è sempre stata Nymeria. Non è che vado via tutti i giorni. Certe volte è bello anche solo cavalcare a fianco dei carri e parlare con la gente.»

Sansa sapeva tutto quello che c'era da sapere sul genere di gente con la quale ad Arya piaceva parlare: signorotti di basso rango, stallieri, servette, uomini anziani, bambini mezzi nudi, mercenari di dubbia nascita. Arya era capace di fare amicizia con chiunque.

E poi quel Mycah. Lui era il peggiore di tutti: un selvaggio garzone di macellaio di tredici anni che dormiva nel carro della carne e si portava sempre addosso il puzzo del tagliere da macellazione. Solo a guardarlo, a Sansa si rovesciava lo stomaco, mentre Arya sembrava preferire la sua compagnia a quella di chiunque altro, inclusa la sorella maggiore.

«Devi venire con me.» Adesso Sansa cominciava a perdere la pazienza. «Non puoi respingere l'invito della regina. Septa Mordane ti sta aspettando» disse con fermezza.

Arya fece finta di non sentire e diede una strappata dura con il pettine. Nymeria, irritata, ebbe un sussulto e sfuggì alla sua presa. «Nymeria! Torna subito qui!»

«Ci saranno torta al limone e tè» continuò Sansa, con fare da adulta, tutta compresa delle responsabilità del protocollo. Lady le si strofinò contro la gamba e Sansa la grattò dietro le orecchie, proprio come le piaceva. Lady sedette sulle zampe posteriori e guardò Arya che correva dietro a Nymeria. «E poi, mi spieghi per quale ragione vuoi andartene in giro su un vecchio cavallo puzzolente quando potresti startene comodamente sdraiata su cuscini di piume, a mangiare torta al limone assieme alla regina Cersei?»

«La ragione» le rispose Arya con noncuranza «è che a me la regina non piace.»

A Sansa mancò il respiro. Persino Arya, sua sorella, osava dire una cosa simile.

Ma quella continuò imperterrita: «Non mi permette nemmeno di portare Nymeria». S'infilò il pettine nella cintola e si avvicinò cautamente alla sua meta-lupa, che la osservava con diffidenza.

«La casa su ruote di corte non è posto adatto a un lupo» dichiarò Sansa. «E poi lo sai benissimo che la principessa Myrcella ne ha paura.»

«La principessa Myrcella non è che una bamboletta molle...» Arya andò all'assalto e riuscì ad agguantare Nymeria attorno al collo, ma nel momento in cui sfoderò di nuovo il pettine, Nymeria riuscì a divincolarsi dalla sua stretta e se la diede a gambe. «Lupo cattivo!» gridò Arya, frustrata, e le tirò dietro il pettine. «Cattivo!...»

Sansa non poté reprimere un sorriso. Il mastro del canile di Grande Inverno una volta le aveva detto che i cani tendono ad assomigliare ai loro padroni. Abbracciò con dolcezza Lady, che le leccò la guancia. Sansa ridacchiò, ma non fu un'idea brillante: Arya la udì e si girò di scatto verso di lei, fulminandola con lo sguardo.

«Non m'importa niente di quello che dici. Tu va' pure dalla regina Cersei.» C'era un'espressione inflessibile sulla faccia allungata, ossuta di Arya. «Io vado a cavalcare.»

«Per gli dèi, Arya, certe volte ti comporti come una bambinetta capricciosa. E va bene: ci andrò da sola. Molto meglio così. Lady e io ci mangeremo tutta quella buona torta al limone e ci divertiremo un sacco senza di te!»

Si voltò per andarsene.

«Non penso proprio» le gridò dietro Arya. «Lady non ti permetteranno di portarla.»

Sansa non fece in tempo a mettere assieme una risposta che Arya era già partita di corsa lungo la sponda del Tridente, all'inseguimento di Nymeria.

Sola, umiliata, Sansa si incamminò per la lunga strada del ritorno. Sapeva che ad aspettarla alla locanda c'era septa Mordane. Lady le trotterellava al fianco. Sansa era sulla soglia del pianto. In fondo, tutto ciò che voleva era che le cose fossero belle e delicate, come dicevano le rime delle ballate. Perché Arya non poteva essere dolce e carina come la principessa Myrcella? Quanto le sarebbe piaciuto avere una sorella come lei.

Non sarebbe mai riuscita a capire come fosse possibile che due sorelle, nate solamente a due anni di distanza, potessero essere così diverse una dall'altra. Sarebbe stato tutto più semplice se anche Arya fosse stata bastarda, come il loro fratellastro Jon Snow. Assomigliava addirittura a lui, con la faccia allungata e i capelli castani degli Stark, proprio l'opposto della lady loro madre. Inoltre, la madre di Jon era stata una popolana, o almeno questo si sussurrava. Una volta, quando era ancora molto piccola, aveva chiesto a sua madre se non ci fosse stato qualche sbaglio, se gli elfi maligni non avessero portato via la sua vera sorella. Ma lady Catelyn, ridendo, aveva assicurato che no, non c'era stato nessuno sbaglio: Arya era sua figlia, la vera sorella di Sansa, sangue del loro sangue. Sansa rifiutava di credere che la mamma le avrebbe mentito su una cosa simile, per cui doveva essere la verità.

Via via che Sansa si avvicinava al centro dell'accampamento, quei dispiaceri furono rapidamente dimenticati.

Un folto gruppo di gente si era raccolto attorno alla casa su ruote della regina. Sansa udì tante voci eccitate, come il ronzio di un grande alveare. I portelli della casa erano spalancati, la regina in persona era in piedi in cima ai gradini di legno e sorrideva a qualcuno ai piedi della scala.

«Miei bravi cavalieri» la udì dire Sansa «il concilio mi rende un grande onore.»

Sansa prese da parte un signorotto che conosceva. «Che succede?» gli chiese.

«Il concilio ristretto della corona ci ha mandato incontro alcuni cavalieri da Approdo del Re» le rispose lui. «Una guardia d'onore per re Robert.»

Ansiosa di vedere, Sansa lasciò che Lady le aprisse un varco tra la folla. Perché quando appariva un meta-lupo, tutti si facevano prontamente da parte. C'erano due cavalieri genuflessi al cospetto della regina, con armature così raffinate e splendide che Sansa ammiccò ai loro riflessi.

Uno di essi indossava una cotta di maglia smaltata di bianco, brillante come un campo innevato di fresco, con guarnizioni d'argento che si accendevano alla luce del sole. Quando si tolse l'elmo, Sansa vide che si trattava di un uomo anziano, con i capelli bianchi come la sua armatura, tuttavia ancora forte e asciutto. Sulle spalle portava l'ampio mantello candido della Guardia reale.

Il suo compagno era un giovane sulla ventina, con armatura d'acciaio color verde foresta. Era l'uomo più bello che Sansa avesse mai visto: alto, atletico, vigoroso; lunghi capelli neri come la notte gli ricadevano fin sulle spalle incorniciando un volto perfettamente rasato, nel quale scintillavano due occhi verdi come il metallo che lo proteggeva. Sotto il braccio reggeva un elmo munito di corna di cervo, in una splendida fusione ornata d'oro.

Sulle prime, Sansa non notò il terzo uomo. Non era genuflesso come gli altri, ma stava in piedi, in disparte, accanto ai cavalli. Un uomo magro, austero, che si limitava a osservare. Il suo volto senza barba era butterato, con occhi infossati e guance scavate. Non era vecchio, ma gli rimanevano solamente pochi ciuffi di capelli dietro le orecchie, che aveva lasciato crescere lunghi come quelli di una donna. Come armatura indossava una cotta di maglia sopra strati di duro cuoio, senza il minimo ornamento. Il tutto segnalava molti anni di scontri. Da dietro la sua spalla destra sporgeva il fodero di una spada, di pelle sbiadita, usurata. Una grande spada da impugnarsi a due mani, con la lama troppo lunga perché l'arma potesse essere portata al fianco.

«Il re è andato a caccia» stava dicendo la regina ai due cavalieri inginocchiati «ma sono certa che al suo ritorno sarà molto lieto di vedervi.»

Sansa non riusciva a staccare gli occhi dal terzo uomo. Lui parve percepire di essere osservato e lentamente girò la testa verso di lei. Lady ringhiò e Sansa si sentì invadere dal terrore più cieco che avesse mai provato. D'istinto, arretrò finendo addosso a qualcuno.

Mani forti l'afferrarono per le spalle. Per un attimo, Sansa credette che si trattasse di suo padre, ma quando si girò vide la maschera sfigurata dal fuoco di Sandor Clegane, il Mastino, con la bocca atteggiata alla smorfia grottesca che era il suo sorriso.

«Stai tremando, ragazzina.» La sua voce era una specie di rantolo. «Ti faccio davvero così paura?»

Le faceva paura, certo, tanta. Le aveva fatto paura fin dalla prima occhiata che aveva gettato al suo volto devastato. Eppure quella paura sbiadiva al confronto di quanta gliene instillava il volto del cavaliere senza nome.

Sansa si svincolò dalla sua presa, mentre il Mastino si lasciava sfuggire una risata rauca. Lady si frappose tra loro, ringhiando un avvertimento, e Sansa cadde in ginocchio, le braccia strette attorno alla sua lupa. Adesso l'attenzione e gli sguardi di tutti erano su di lei. Sansa poteva udire i loro commenti a bassa voce, il loro ridacchiare.

«Un lupo» disse qualcuno.

«Per i Sette Inferi» esclamò qualcun altro. «Quello è un metalupo! Che ci fa all'accampamento?»

«Roba degli Stark» ribatté la voce roca del Mastino. «Li usano come balie asciutte.»

Sansa vide che i due cavalieri di fronte alla regina non erano più inginocchiati. Avevano sguainato le spade e stavano guardando lei e Lady. Sentì di nuovo il morso della paura, della vergogna, e i suoi occhi si riempirono di lacrime.

«Joffrey» disse la regina «va' da lei.»

E il suo principe le fu al fianco.

«Lasciatela stare!» disse Joffrey. Torreggiò su di lei, splendido in lana azzurra e cuoio nero, i riccioli dorati che scintillavano ai raggi del sole come una corona. Le porse la mano e l'aiutò ad alzarsi. «Che succede, mia dolce signora? Perché hai paura? Nessuno qui ti farà del male. Mettete via le spade, tutti quanti. Il lupo è il suo cucciolo, nient'altro.» Si voltò verso Sandor Clegane. «E tu, Mastino, levati di torno. Stai spaventando la mia promessa sposa!»

Il Mastino, cane fedele e obbediente, s'inchinò e si fece strada tra la gente ammucchiata. Sansa ebbe qualche difficoltà a raddrizzarsi. Che stupida era stata. Era una Stark di Grande Inverno, una nobile lady, e un giorno sarebbe stata regina. «Non era Clegane a spaventarmi, mio dolce principe» spiegò a Joffrey. «Era quell'altro.»

I due cavalieri appena arrivati dal Sud si scambiarono un'occhiata.

«Vuol dire Payne?» ridacchiò il più giovane, quello nell'armatura color verde foresta.

Il cavaliere dai capelli bianchi parlò a Sansa con grande gentilezza: «A volte, mia dolce lady, ser Ilyn Payne fa paura anche a me. In effetti, ha un aspetto terribile».

«Così come deve essere.» La regina Cersei scese dalla casa su ruote e la folla le fece largo. «Se i malvagi non temono la giustizia del re, ebbene, vuol dire che a tutelarla è stato messo l'uomo sbagliato.»

«Maestà» finalmente Sansa ritrovò la voce «hai senza dubbio alcuno scelto quello giusto.» Una liberatoria risata generale eruppe dalla folla.

«Ben detto, figliola» commentò il vecchio dal mantello bianco. «E non c'era da aspettarsi altro dalla figlia di lord Eddard Stark. A dispetto di quanto fuori dalle regole sia stato il nostro incontro, sono onorato di fare la tua conoscenza.» Fece un inchino. «Sono ser Barristan Selmy, della Guardia reale.»

Sansa lo conosceva di fama, e adesso tutta l'educazione formale che septa Mordane le aveva insegnato così diligentemente nel corso degli anni poté fare bella mostra di sé. «Lord comandante della Guardia» disse. «Consigliere di Robert, nostro re, e di Aerys Targaryen prima di lui. L'onore è tutto mio, prode cavaliere. Perfino nel remoto Nord, i trovatori cantano le lodi di Barristan il Valoroso.»

«Vorrai dire Barristan il Vecchioso.» Il cavaliere in armatura verde rise di nuovo. «Non adularlo, è già fin troppo pieno di sé.» Le sorrise. «E ora, ragazzina-lupo, puoi dare anche a me un nome. Dopo di che accetterò che tu sia la degna figlia del Primo Cavaliere del re.»

Accanto a Sansa, Joffrey s'irrigidì. «Ti pare questo il modo di rivolgerti alla mia promessa sposa?» esclamò.

«Posso rispondere.» Sansa acquietò in fretta la rabbia del principe e sorrise al cavaliere. «Il tuo elmo, mio signore, è adornato di corna dorate. Il cervo è l'emblema della Casa reale. Re Robert ha due fratelli. Per la tua giovane età, non puoi essere altri che Renly Baratheon, lord di Capo Tempesta e consigliere del re. Questo è quindi il nome che io ti do.»

«Per la sua giovane età» si intromise ser Barristan scherzando «non può essere altri che un fatuo bellimbusto. Questo è quindi il nome che io gli do!»

Ci fu un'altra risata generale, iniziata dallo stesso lord Renly. La tensione iniziale si era definitivamente dissipata e Sansa cominciava a sentirsi a proprio agio... Non durò. Ser Ilyn Payne si fece largo tra i due uomini e le andò di fronte, senza sorridere. Non disse una sola parola. Lady digrignò le zanne e cominciò a ringhiare, un suono basso, carico di minaccia. Sansa calmò la metalupa con una lieve carezza sul collo. «Mi dispiace di averti offeso, ser Ilyn» gli disse.

Attese una risposta che non venne. Ser Ilyn Payne, il boia del regno, la guardò con occhi che sembravano privi di colore e parve strapparle di dosso le vesti e la pelle mettendo a nudo la sua anima. Sempre in silenzio, ser Ilyn si girò e se ne andò.

Sansa non capì. Guardò Joffrey e chiese: «Ho detto qualcosa che non avrei dovuto, mio principe? Per quale ragione non mi ha parlato?».

«Ser Ilyn non è stato particolarmente loquace, in questi ultimi quattordici anni» commentò lord Renly con un sorriso ambiguo.

Joffrey folgorò lo zio con uno sguardo carico di odio allo stato puro, poi prese la mano di Sansa tra le sue. «Aerys Targaryen gli fece strappare la lingua con tenaglie arroventate» spiegò.

«La vera eloquenza di ser Ilyn sta nella sua spada» intervenne la regina. «E la sua devozione alla corona è fuori di ogni dubbio.» Poi aggiunse con un grazioso sorriso: «Sansa, i miei bravi consiglieri e io abbiamo alcune cose da discutere fino al ritorno del re e del lord tuo padre. Temo che saremo costrette a rinviare la tua giornata con Myrcella. Ti prego di estendere le mie scuse anche alla tua dolce sorellina. Joffrey, forse tu sarai così gentile da intrattenere la nostra ospite, quest'oggi».

«Con grande piacere, madre» rispose in tono formale Joffrey.

Poi prese Sansa per il braccio e la guidò lontano dalla casa su ruote. L'umore di Sansa volò istantaneamente fino al più alto dei cieli. L'intera giornata assieme al suo principe! Guardò Joffrey con adorazione. Ed era sempre così galante. Il modo in cui l'aveva salvata da ser Ilyn e dal Mastino, oh dei, era quasi come nelle ballate d'amore dei menestrelli. Come la volta in cui Serwyn dallo Scudo a Specchio aveva salvato la principessa Daeryssa dai giganti. O come il principe Aemon, Cavaliere del Drago, che aveva difeso l'onore della regina Naerys contro le infamanti insinuazioni di ser Morgil.

Il tocco della mano di Joffrey sulla sua manica, e il suo cuore batté più in fretta. «Che cosa ti piacerebbe fare, Sansa?»

"Stare con te!..." pensò lei, ma disse: «Qualsiasi cosa ti allieti, mio principe».

Joffrey ci pensò su un momento, poi propose: «Potremmo fare una cavalcata».

«Io adoro andare a cavallo!» esclamò Sansa.

Joffrey gettò un rapido sguardo alle loro spalle, a Lady che li seguiva da vicino. «Il tuo lupo potrebbe spaventare i cavalli, e sembra che il mio cane spaventi te. Che ne dici se li lasciamo qui entrambi e procediamo soli tu e io?»

«Se così desideri.» Sansa esitò. «Suppongo di poter legare Lady da qualche parte.» Ma continuò a non capire la considerazione del principe. «Non sapevo che avessi un cane...»

«È il cane di mia madre, in realtà» rise Joffrey. «È lei che me l'ha messo alle costole perché mi faccia la guardia.»

«Ah, vuoi dire Sandor Clegane, il Mastino.» Sansa si sarebbe presa a schiaffi per essere stata così lenta a capire. Mai il suo principe l'avrebbe amata se lei fosse sembrata stupida. «Ma è prudente per te lasciarlo indietro?»

Il principe parve irritato dalla domanda. «Non aver paura, mia lady. Sono quasi un uomo adulto, e per combattere non uso certo spade di legno come i tuoi fratelli. L'unica cosa che mi serve è questa.»

Sfoderò la spada e gliela mostrò. Era una spada lunga da combattimento: scintillante acciaio azzurro, forgiata al castello, a doppio taglio, impugnatura rivestita di cuoio, pomello a testa di leone. Una spada lunga, certo, ma anche opportunamente adattata alle dimensioni di un ragazzo di dodici anni. Sansa emise un gridolino pieno d'ammirazione.

«Io la chiamo Dente di leone» dichiarò Joffrey.

E fu Dente di leone la loro sola compagnia. Lasciarono all'accampamento il meta-lupo e il Mastino e cavalcarono verso est, seguendo la sponda settentrionale del Tridente.

Era una giornata radiosa, magica. L'aria era calda, satura del profumo dei fiori, e i boschi avevano una bellezza delicata che nel Nord Sansa non aveva mai visto. Il cavallo del principe Joffrey era un purosangue veloce come il vento. Lui lo lanciava con temerario abbandono, costringendo Sansa a spronare al massimo per tenergli dietro. Era una giornata da dedicare alle avventure. Esplorarono le caverne che si aprivano sulla riva rocciosa. Seguirono le tracce di una pantera-ombra fino alla sua tana. Quando ebbero fame, Joffrey arrivò a un fortino che aveva individuato dal pennacchio di fumo e ordinò ai soldati di procurare cibo e vino per sé e per la sua signora. Pranzarono con trote appena pescate e Sansa bevve più vino di quanto non ne avesse mai bevuto prima.

«Mio padre ci permette solo una coppa» confessò al suo principe. «E solo nei giorni di festa.»

«La mia promessa sposa può bere tutto il vino che vuole.» Joffrey le riempì la coppa.

Cavalcarono più lentamente dopo il pasto. Joffrey cantò per lei, con voce alta, suadente, pura. Sansa si sentiva leggermente stordita per il troppo vino. «Non dovremmo rientrare?» provò a suggerire.

«Non ancora» ribatté Joffrey. «Il campo di battaglia è poco più avanti, all'ansa del fiume. È là che mio padre ha ucciso in duello Rhaegar Targaryen. Gli ha sfondato il petto, *crack*, proprio al centro dell'armatura.» Fece mulinare un'immaginaria mazza ferrata mostrandole come aveva fatto Robert. «E poi mio zio Jaime ha ucciso il vecchio Aerys e mio padre è diventato re... Che cos'è questo rumore?»

Anche Sansa lo udiva. *Clack-clack-clack.* Colpi irregolari che parevano fluttuare tra i rami del bosco lungo il fiume.

«Non saprei, mio principe.» Pareva un suono di legni picchiati l'uno contro l'altro, un suono che rendeva Sansa nervosa. «Joffrey, torniamo indietro.»

«Voglio vedere cos'è.» Joffrey diresse il cavallo verso il punto da cui provenivano i suoni. Sansa non ebbe altra scelta che seguirlo. I colpi si fecero più forti, più definiti. Erano proprio legni picchiati uno contro l'altro. Oltre ai colpi, gli ansiti di qualcuno che respirava pesantemente. E ogni tanto, un gemito.

«C'è qualcuno.» Sansa era preoccupata. Lady, perché mai l'aveva lasciata all'accampamento?

«Con me sei al sicuro.» Joffrey sguainò Dente di leone, e il rumore dell'acciaio che usciva dal fodero di cuoio mandò un brivido gelido giù per la schiena di Sansa. «Da questa parte.» Joffrey avanzò in mezzo a un gruppo di alberi.

C'era una radura in riva al fiume. E nella radura c'erano un ragazzo e una ragazza. Giocavano ai cavalieri, andando all'attacco una dell'altro nell'erba folta. Le loro spade erano pezzi di legno, manici di scopa a giudicare dall'aspetto. Il ragazzo aveva qualche anno più della ragazza, la passava di tutta la testa, era decisamente più forte e aggressivo. La ragazza, un affarino tutt'ossa e muscoli, con indosso un gilè di cuoio lurido, riusciva a parare molti dei colpi di lui con il proprio bastone, ma non tutti. Quando lei tentò un assalto, lui intercettò il suo bastone, lo deviò e picchiò duro sulle dita dell'avversaria. La ragazza gridò di dolore e lasciò cadere la "spada".

Il principe Joffrey rise. Il ragazzo si girò di scatto, gli occhi spalancati pieni di paura. Immediatamente, lasciò cadere il bastone nell'erba. La ragazza fulminò con un'occhiata le due figure a cavallo, continuando a succhiarsi le nocche malamente pestate.

Sansa, inorridita, incredula, esclamò: «Arya?...».

«Andate via!» Arya aveva gli occhi pieni di lacrime di rabbia. «Che cosa ci fate qui? Lasciateci in pace.»

«Quella sarebbe tua sorella?» Joffrey, ugualmente incredulo, continuò a spostare lo sguardo da Sansa ad Arya.

Sansa, arrossendo, fu costretta ad annuire.

Joffrey esaminò il ragazzo. Era chiaramente un plebeo, faccia lentigginosa, capelli rossi arruffati. «E tu, ragazzo, chi saresti?» Lo disse con tono di comando, noncurante del fatto che l'altro aveva un anno più di lui.

«Mycah» borbottò il ragazzo. Poi riconobbe il principe e aggiunse: «Mio signore».

«È il garzone del macellaio» spiegò Sansa.

«È un mio amico» ribatté Arya con tono deciso. «Lasciatelo stare.»

«Un garzone di macellaio che vuole essere un cavaliere, giusto?» Joffrey volteggiò a terra, spada in pugno. «Coraggio, garzone di macellaio, raccogli la tua lama di legno.» Gli occhi del principe scintillavano di eccitazione. «Vediamo come ti batti da cavaliere.»

Mycah rimase immobile, paralizzato dalla paura.

«Ti ho detto di raccogliere la spada.» Joffrey continuò ad avanzare verso di lui. «O forse è solo con le ragazzine che preferisci misurarti?»

«Mi ha chiesto lei di farlo, mio signore... È stata lei...» si difese Mycah.

A Sansa bastò un'occhiata a sua sorella, al suo viso congestionato, per sapere che il garzone di macellaio stava dicendo il vero. Ma Joffrey non era in condizione di ascoltare niente: il troppo vino l'aveva reso sfrenato. «E allora, la raccogli la tua spada oppure no?»

«Non è una spada, mio signore, è solo un bastone.» Mycah scosse il capo. «Nient'altro che un bastone di legno.»

«E tu non sei nient'altro che un garzone di macellaio, non certo un cavaliere.» Joffrey sollevò Dente di leone, ne appoggiò la punta acuminata appena sotto l'occhio di Mycah. Il garzone tremava. «Perché è la sorella della mia signora quella che tu stavi colpendo, lo sai, questo?»

La punta affondò nella carne di Mycah e uno scintillante rigagnolo di sangue corse lungo la sua guancia.

«Fermati!» Arya aveva urlato con furore, poi si chinò ad afferrare il suo bastone di legno caduto nell'erba.

In Sansa tornò la paura. «Arya! No! Stanne fuori!»

«Non gli farò del male, ragazzina.» Joffrey parlava ad Arya, ma non tolse mai lo sguardo di dosso al garzone. «Non tanto.»

Arya andò all'attacco.

Sansa saltò giù dal cavallo per bloccarla, ma fu troppo lenta. Arya mulinò il pezzo di legno impugnandolo a due mani. *Crack!* Il bastone si abbatté contro la nuca del principe e si spezzò in due. E dopo questo, di fronte agli occhi inorriditi di Sansa Stark, le immagini si mescolarono le une dentro le altre in una specie di vortice.

Joffrey barcollò e roteò su se stesso bestemmiando.

Alla massima velocità che le sue gambe gli consentivano, Mycah partì di corsa in direzione degli alberi.

Arya andò nuovamente all'attacco, mulinando il bastone, ma questa volta Joffrey, la testa grondante sangue, gli occhi che mandavano lampi di furore, lo intercettò con Dente di leone. Il bastone volò via dalle mani di Arya.

Sansa urlava: «No! No! Fermi! State rovinando tutto! Fermatevi!». Ma nessuno l'ascoltò.

Arya raccolse un sasso e lo lanciò mirando alla faccia di Joffrey. Mancò il bersaglio. La pietra picchiò contro il cavallo del principe, che nitrì di dolore e partì al galoppo sulla scia di Mycah.

«Fermatevi! Fermatevi!» gridava Sansa.

Joffrey mulinò la spada contro Arya urlando parole terribili, oscene. Arya arretrò dal letale pericolo, ma Joffrey continuò a incalzarla, a farla indietreggiare verso il bosco finché Arya non fu inchiodata con la schiena contro un albero.

Accecata dalle lacrime, sconvolta dal terrore, Sansa non sapeva cosa fare.

Poi un lampo grigio le passò accanto, la superò. Nymeria arrivò addosso a Joffrey e le sue fauci si chiusero attorno al braccio armato del principe, costringendolo a lasciare la presa. Joffrey andò a terra, la meta-lupa che rotolava sopra di lui nell'erba, le zanne che scavavano nel suo braccio.

«Richiamala!» Adesso era il principe a urlare di dolore. «Richiama questa belva!»

«Nymeria!» La voce di Arya schioccò come una frustata.

Nymeria aprì le fauci, si allontanò da Joffrey e andò a fermarsi al fianco di Arya.

Il principe rimase prostrato nell'erba, gemendo, reggendosi il braccio che era stato azzannato. La manica della sua tunica era fradicia di sangue.

«Non ti ha fatto male.» Arya andò a raccogliere dall'erba Dente di leone e torreggiò su di lui, con la spada impugnata a due mani. «Non tanto.»

«No...» Joffrey emise una specie di gemito terrorizzato quando alzò lo sguardo su di lei. «No... non farmi male. Lo dico alla mamma...»

«Non toccarlo!» urlò Sansa a sua sorella.

Arya roteò su se stessa e lanciò la spada lontano con tutte le sue forze. L'acciaio azzurro scintillò nei raggi del sole mentre la spada girava e girava sopra il fiume. Un ultimo riflesso, poi Dente di leone svanì nell'acqua con un tonfo.

Joffrey si lasciò sfuggire un ultimo gemito. Arya corse al proprio cavallo, saltò in sella e diede di sprone, con Nymeria che la tallonava da presso.

Una volta che furono lontane, Sansa corse dal suo principe, s'inginocchiò accanto a lui.

«Joffrey» singhiozzò. Lui aveva gli occhi chiusi, il respiro affannoso. «Che cosa ti hanno fatto... che cosa ti hanno fatto. Mio povero principe. Non avere paura.» Sansa allungò una mano. «Torno a quel fortino. Vado a cercare aiuto.» Teneramente, le sue dita accarezzarono i soffici capelli biondi di lui.

Gli occhi di Joffrey si spalancarono di colpo.

«E allora vai!... Vai!» le disse con rabbia. Nel suo sguardo, Sansa Stark non vide nient'altro che odio, nient'altro che il più totale disprezzo. «E non mi toccare!»

EDDARD

«L'hanno trovata, mio signore.»

Ned si alzò rapidamente. «Uomini nostri o dei Lannister?» chiese.

«È stato Jory Cassel» rispose Vayon Poole, il suo attendente. «La bambina sta bene.»

«Siano ringraziati gli dèi.» Erano giorni che lord Eddard Stark aveva mandato i suoi soldati alla ricerca di Arya, ma anche quelli della regina la cercavano. «Dov'è?» riprese. «Di' a Jory di portarla da me. Subito!»

«Sono spiacente, mio signore» rispose Poole. «Gli uomini alla porta erano guardie dei Lannister. Quando Jory l'ha riportata indietro hanno informato la regina e Arya è stata condotta direttamente al cospetto del re.»

«Maledetta donna!» Ned si mise in movimento a passo di carica. «Trova Sansa e portala nella sala delle udienze. Potremmo aver bisogno anche della sua parola.»

Eddard Stark sentì crescere dentro di sé un furore cieco mentre scendeva gli scalini della torre. I primi tre giorni aveva condotto le ricerche di persona. Dal momento della scomparsa di Arya, non aveva pressoché chiuso occhio e quel mattino si era sentito così angosciato e indebolito da riuscire a reggersi in piedi a stento. Adesso il furore gli ridava forza.

Mentre attraversava il cortile della fortezza, molti uomini lo chiamarono, ma lui li ignorò tutti quanti. Avrebbe voluto mettersi a correre come un pazzo, ma era il Primo Cavaliere del re, e il Primo Cavaliere del re deve conservare la dignità. Questo non gli impedì di percepire gli occhi che lo seguivano, le voci soffocate che si chiedevano che cos'avrebbe fatto.

Avevano interrotto il viaggio con una sosta forzata in un castello modesto, a mezza giornata di cavallo a sud del Tridente. I membri del convoglio reale vi si erano installati quali ospiti non invitati del signore locale, ser Raymun Darry, mentre la ricerca di Arya e del garzone di macellaio continuava su entrambe le sponde del fiume.

Non erano ospiti graditi. Ser Raymun viveva sotto i vessilli di pace del re, ma nella Battaglia del Tridente la Casa Darry si era schierata con il drago di Rhaegar Targaryen. E questo né re Robert né ser Raymun l'avevano dimenticato. Uomini del re, uomini di Darry, uomini dei Lannister e uomini di Stark, tutti ammucchiati tra le mura di una fortezza decisamente troppo piccola. Le tensioni stavano avvicinandosi al punto di ebollizione.

Il re aveva requisito la sala delle udienze di ser Raymun e fu là che Ned trovò tutti quanti. La stanza era affollata, fin troppo. A quattr'occhi, Robert e lui sarebbero stati in grado di risolvere la situazione in termini amichevoli, ma non era questo il caso.

Robert, espressione contratta, corrucciata, era verso il fondo della sala, stravaccato sull'alto scranno di ser Raymun. Cersei Lannister e il loro figlio Joffrey erano in piedi al suo fianco. La regina teneva la mano su una spalla di Joffrey, il cui braccio era avvolto da una spessa fasciatura di bende di seta.

Arya era immobile al centro della sala, assieme al solo Jory Cassel. Tutti gli occhi erano puntati su di lei.

«Arya» disse Ned a voce alta. Poi andò da lei, gli stivali che echeggiavano sonori sul pavimento di pietra. Nell'istante in cui lo vide, lei mandò un grido e scoppiò in singhiozzi. Ned mise un ginocchio a terra di fronte a lei e la prese tra le braccia.

«Padre... mi dispiace...» Ned sentì che sua figlia stava tremando. «Mi dispiace... mi dispiace...»

«Lo so.»

Era così minuta tra le sue braccia, una ragazzina tutta pelle e ossa. Chi poteva credere che fosse stata in grado di creare tanti e così gravi problemi?

«Sei ferita?»

«No.» Il viso di Arya era coperto di sporco e le lacrime vi avevano tracciato sinuose linee rosa. «Fame, un po'. Ho mangiato bacche, ma non c'era altro, là fuori.»

«Molto presto sarai nutrita.» Eddard Stark si raddrizzò e fronteggiò il re. «Qual è il significato di tutto questo?»

Il suo sguardo spaziò per la sala, alla ricerca di facce amiche, ma con le sole eccezioni di quelle dei suoi uomini, non ne trovò. Ser Raymun Darry non lasciava trasparire nulla. Il mezzo sorriso di lord Renly Baratheon poteva significare qualsiasi cosa. Il vecchio ser Barristan, comandante della Guardia reale, appariva giustamente austero. Gli altri erano tutti uomini Lannister, tutti ostili. L'unico aspetto positivo di quel cupo consesso era che mancavano sia Sandor Clegane sia Jaime Lannister, entrambi impegnati nelle ricerche a nord del Tridente.

«Per quale ragione non mi è stato subito riferito che mia figlia era stata ritrovata?» La voce di Ned era decisa. «Perché non sono stato immediatamente convocato qui?»

Si era rivolto a Robert Baratheon, ma fu Cersei Lannister a rispondere: «Come osi rivolgerti al tuo re con un simile tono?».

«Quietati, donna.» In qualche modo, re Robert riemerse alla realtà. «Mi dispiace, Ned. Non è mai stato mio intento spaventare la ragazzina. Ma portarla qui e risolvere la questione al più presto mi è parsa la miglior cosa da fare.»

«E di quale questione stiamo parlando?» La voce di Ned Stark era glaciale.

«Come tu ben sai, Stark» si fece avanti la regina «questa tua figlioletta ha attaccato mio figlio! Lei e quel suo... garzone di macellaio. E quella specie di belva feroce che la tua figlioletta si porta sempre dietro ha cercato di strappargli via un braccio.»

«Non è vero» esclamò Arya ad alta voce. «Gli ha solo dato un morso, uno piccolo. Lui stava facendo del male a Mycah.»

«Joff ci ha detto come sono andate le cose» replicò la regina. «Tu e il tuo macellaio l'avete percosso con dei bastoni mentre tu gli aizzavi contro il lupo.»

«Le cose non sono andate per niente così.» Arya era di nuovo sulla soglia del pianto. Ned le mise una mano sulla spalla.

«Invece sì!» sbraitò con tono petulante il principe Joffrey. «Mi sono venuti contro, tutti assieme! E lei ha gettato Dente di leone nel fiume!» Mentre parlava, il principe non degnò mai Arya di uno sguardo. A Ned questo non sfuggì.

«Bugiardo!» gridò Arya.

«Sta' zitta!» le urlò il principe.

«Basta così!» E questo era l'ordine del re, la voce resa rauca dalla rabbia. Robert Baratheon si alzò dallo scranno. Nella sala, il silenzio era assoluto. Robert folgorò Arya da dietro la muraglia della sua monumentale barba nera.

«Tu mi dirai ciò che è accaduto, bambina. Mi dirai tutto e mi dirai il vero. E ricorda: mentire al tuo re è una grave offesa.» Si girò verso suo figlio. «E quando lei avrà finito, verrà il tuo turno. Ma fino a quel momento, Joff... morditi la lingua!»

Quando Arya cominciò a raccontare la sua versione, Ned udì una porta aprirsi da qualche parte alle sue spalle. Si girò e vide Vayon

Poole entrare nella sala delle udienze assieme a Sansa. Tutti e due si tennero discretamente sul fondo della sala. Quando Arya arrivò alla parte in cui la spada di Joffrey era finita nel Tridente, Renly Baratheon scoppiò in una sonora risata.

«Ser Barristan» fece il re, seccato «scorta mio fratello fuori di qui prima che si strozzi dal ridere.»

«Mio fratello mi onora di eccessiva gentilezza.» Renly controllò un altro accesso di risa. «La porta per andarmene so trovarla da solo.» Fece un salamelecco all'indirizzo di Joffrey. «E forse un po' più tardi, mio valoroso principe, tu riuscirai a spiegarmi come abbia fatto una ragazzina di nove anni, della stessa minacciosa mole di un topolino bagnato, prima a disarmarti con un manico di scopa spezzato, e poi a gettare il tuo temibile gladio nel fiume.»

La porta cominciò a richiudersi dietro di lui.

«Dente di leone lo chiamava, quel suo spiedino» lo udì sghignazzare Ned.

Venne il turno del principe Joffrey, pallido in volto, di dare una ben diversa versione degli eventi. Una volta che anche lui ebbe finito, il re si alzò di nuovo.

«Ma per i Sette Inferi!» Robert era l'immagine perfetta di uno che avrebbe preferito trovarsi in qualsiasi altro posto all'infuori di quello. «Lei dice una cosa, lui un'altra... Che cosa dovrei fare a questo punto, eh?»

«Arya e Joffrey non erano soli sulla riva del Tridente.» Ned Stark si girò verso il fondo della sala. «Sansa, vieni avanti.» Lui sapeva esattamente cos'era accaduto, lo sapeva dalla notte stessa in cui Arya era scomparsa. «Di' al tuo re cos'è successo.»

Piena di esitazione, l'altra sua figlia venne avanti. Indossava velluto azzurro con decorazioni bianche, una collana d'argento attorno al collo. I lunghi capelli scuri scintillavano dopo un lungo, attento lavoro di spazzola. Ammiccò alla sorella, poi al suo principe.

«Padre, io... ecco... io non so.» Anche lei era sulla soglia delle lacrime, anche lei avrebbe voluto trovarsi mille miglia lontana. «Non ricordo. È successo tutto talmente in fretta...»

«Schifosa!» Arya piombò addosso alla sorella come un ariete inferocito, l'abbatté sul pavimento e si mise a tempestarla di pugni. «Bugiarda! Bugiarda! Bugiarda! Bugiarda!...»

«Arya!» urlò Ned. «Fermati!»

Ma ci volle tutta la forza di Jory Cassel per strapparla dalla sorella e impedirle di continuare a colpirla.

Ned rimise in piedi Sansa. «Stai bene? Ti ha fatto male?» Sansa, lo sguardo fisso su Arya, nemmeno parve udirlo.

«La ragazzina è anche più selvatica di quella lurida bestia che si trascina dietro!» sentenziò Cersei Lannister. «Robert, voglio che venga punita!»

«Per i Sette Inferi!» imprecò Robert. «Ma guardala, Cersei! È una bambina. Cosa ti aspetti che faccia, una fustigazione sulla pubblica piazza? Alla malora le liti di marmocchi. Basta: finisce qui. Nessuno si è fatto niente.»

«Niente?» La regina era furibonda. «Joff si porterà quelle cicatrici addosso per il resto dei suoi giorni.»

«Proprio così.» Robert Baratheon guardò il maggiore dei suoi figli. «Chissà che non gli servano di lezione. Ned, provvedi che tua figlia sia più disciplinata.»

«Con piacere, maestà» rispose Ned, con immenso sollievo.

«E io farò lo stesso con mio figlio» concluse Robert, cominciando ad andarsene.

«E che ne sarà del meta-lupo?» La regina non aveva ancora finito. «Farai in modo che anche la bestia feroce che ha sbranato tuo figlio sia più disciplinata?»

«Il dannato meta-lupo.» Il re si fermò e tornò a girarsi, la fronte corrugata. «Me n'ero completamente dimenticato.»

Ned vide Arya irrigidirsi tra le braccia di Jory.

«Non abbiamo trovato traccia del meta-lupo, maestà» si affrettò a dire Jory Cassel.

«No?» Robert non parve particolarmente contrariato. «E allora addio anche a lui.»

La voce di Cersei si levò alta: «Cento dragoni d'oro all'uomo che mi porterà la sua pelle!».

«Pelle costosa» commentò Robert. «Io non ci voglio avere nulla a che fare, donna. Se proprio la vuoi, quella pelle, la pagherai con l'oro dei Lannister.»

«Non immaginavo che fossi diventato così avaro» ribatté freddamente la regina. «Il re che avevo creduto di sposare mi avrebbe portato la pelle di quell'animale ai piedi del letto prima del tramonto.»

L'espressione di Robert si incupì per l'ira. «Niente male come giochetto di magia senza il lupo in questione.»

«Ma noi ce l'abbiamo un lupo.» La voce di Cersei Lannister era calma, misurata. Solamente nei suoi occhi verdi brillava la luce del trionfo.

A tutti occorsero alcuni momenti per capire.

«Come vuoi.» Il re scrollò le spalle irritato. «Sarà ser Ilyn a occuparsene.»

«Robert» protestò Ned «non stai parlando sul serio.»

«Ne ho abbastanza di questa storia, Ned.» Il re non era in vena di ulteriori discussioni. «Un meta-lupo è una bestia selvaggia. Presto o tardi, finirà con il rivoltarsi contro tua figlia nello stesso modo in cui l'altro ha fatto con Joffrey. Dalle un cagnolino, sarà anche più contenta.»

Solo in quel momento anche Sansa arrivò alla verità. «Non sta parlando di Lady, vero?» Nel rivolgersi a Ned, i suoi occhi erano di nuovo pieni di paura. «Oh, no... non Lady! Lady non ha fatto del male a nessuno... è buona, Lady!»

«Lady nemmeno c'era!» gridò Arya. «Lasciatela stare!»

«Padre, non permettere che la uccidano» supplicò Sansa. «Ti prego, padre! Non è stata Lady. È stata Nymeria. E Arya. Non Lady. Padre! Non lasciare che le facciano del male. Lady sarà buona, padre, te lo prometto... te lo giuro!...»

Eddard Stark poté solamente prendere sua figlia tra le braccia. Guardò Robert, il suo vecchio amico, il suo fratello di sangue. «Ti prego, Robert. In nome dell'affetto che hai per me, dell'amore che avevi per mia sorella... ti prego.»

Il re li guardò tutti quanti per un lungo momento. Infine si girò verso la sua regina. «Che tu sia maledetta, Cersei» disse con profondo disgusto.

Ned si raddrizzò, sciogliendosi delicatamente dalla stretta di Sansa. Tutta la stanchezza di quegli ultimi quattro giorni gli era tornata addosso. «In questo caso, Robert, che sia tu a farlo.» C'era di nuovo il gelo nella voce di lord Stark. «Abbi almeno questo coraggio.»

Robert lo guardò con occhi freddi e inespressivi. Non disse una parola. Alla fine si girò e se ne andò, i passi pesanti come piombo. La sala era piena di silenzio.

«Il meta-lupo» disse Cersei Lannister non appena il re se ne fu andato. «Dov'è quel meta-lupo?» Accanto a lei, il principe Joffrey stava sorridendo.

Ser Barristan Selmy rispose con riluttanza: «L'animale è incatenato fuori del corpo di guardia, maestà».

«Chiamate Ilyn Payne.»

«Non chiamate nessun boia» la fermò Eddard Stark. «Jory, conduci le mie figlie nelle loro stanze. E poi portami Ghiaccio.» Le parole avevano il sapore del fiele, ma si costrinse a farle uscire: «Se è da fare, ci penserò io».

«Tu, Stark?» Cersei Lannister lo osservò, piena di sospetto. «Che cos'è, un trucco? Perché proprio tu vuoi fare una cosa del genere?»

«Perché quella creatura viene dalle terre del Nord.» Tutti gli sguardi erano fissi su di lui, ma era quello di Sansa il solo a scavarlo dentro. «E merita di meglio del macellaio di corte.»

Il cucciolo di meta-lupo era dove gli avevano detto.

Ned le rimase seduto accanto per molto tempo. Gli occhi continuavano a bruciargli. Il pianto disperato di sua figlia non cessava di martellargli nella mente.

«Lady...»

Il nome fece fatica a lasciare le sue labbra. Non aveva mai prestato troppa attenzione ai nomi che i suoi figli avevano scelto, ma ora, guardando la lupa di Sansa, si rese conto di quanto lei avesse scelto bene. Lady era la più piccola della cucciolata, la più graziosa, la più gentile e fiduciosa. Anche lei lo guardò, grandi occhi dorati nel fitto pelo fulvo.

Alla fine, Jory Cassel gli portò Ghiaccio.

Quando tutto fu finito, disse a Jory: «Scegli quattro uomini. Voglio che riportino il corpo al Nord e che la seppelliscano a Grande Inverno».

«Tutta quella strada?» Jory non riusciva a crederci.

«Tutta quella strada» confermò Ned. «La donna Lannister non avrà mai questa pelle di lupo.»

Ned si avviò verso la torre, con la speranza di riuscire finalmente a riposare un poco. In quel momento, Sandor Clegane e il suo gruppo di cavalieri varcarono il portale del castello, di ritorno dalla loro caccia. C'era qualcosa gettato di traverso sul dorso del destriero di Clegane, una forma avvolta in una cappa resa scura dal sangue. «Nessuna traccia di tua figlia, Primo Cavaliere» esordì il Mastino. «Ma la giornata non è andata del tutto sprecata. Abbiamo preso il suo cuccioletto.»

Clegane si sbarazzò del suo macabro carico, lasciandolo cadere sul selciato di fronte a Ned. Lui si piegò in avanti e allungò una mano per scostare la cappa. Ora avrebbe dovuto trovare le parole da dire ad Arya, ma non era Nymeria. Era Mycah, il garzone di macellaio. Il suo cadavere, incrostato di sangue secco, era stato pressoché tagliato in due in diagonale, dalla spalla alla cintola. Un unico colpo micidiale, terribile, sferrato dall'alto verso il basso.

«Questo ragazzo era a piedi e disarmato, Clegane» disse Ned. «E tu l'hai colpito dal tuo cavallo.»

Dietro la celata del suo repellente elmo a muso di cane, gli occhi del Mastino mandarono lampi. «Si è messo a correre.» Sandor Clegane rise in faccia a Ned. «Non è stato abbastanza veloce.»

BRAN

"Vola." Una voce gli sussurrava dalle tenebre. La caduta pareva non avere fine.

"Vola!" Ma Bran non sapeva volare, poteva solo continuare a cadere.

Maestro Luwin aveva fatto un bambino di creta, una volta. L'aveva messo nel forno finché la creta non era diventata scura e dura. Gli aveva messo addosso i vestiti di Bran, poi l'aveva gettato dall'alto delle mura. Bran ricordava il modo in cui era esploso in mille pezzi. «Ma io non cado» aveva detto a maestro Luwin. Invece continuava a cadere.

Fendeva turbinanti nebbie grigiastre, tendaggi spessi, opachi. La terra era talmente lontana che riusciva a vederla a stento, ma sentiva a quale folle velocità stava cadendo. E sapeva, sapeva che cosa l'aspettava là sotto. Perfino nei sogni, nessuno cade per l'eternità. Ci si risveglia sempre una frazione di secondo prima di colpire il suolo. Anche questo sapeva. Una frazione di secondo prima di colpire il suolo.

"E se non succedesse?" chiese di nuovo la voce.

Adesso la terra era più vicina, ancora lontanissima, eppure nettamente più vicina. Prima o poi, l'avrebbe colpita.

Lassù, nelle tenebre, il freddo era raggelante. Niente sole, niente stelle. Solo il terreno che saliva inesorabilmente per frantumarlo, le nebbie grigiastre e la voce che sussurrava. Voleva piangere.

"No, non piangere. Vola!"

«Non so volare! Non posso volare, non posso...» disse Bran.

"Come fai a esserne certo? Hai mai provato?"

La voce era acuta, sottile. Bran gettò uno sguardo attorno a sé, cercando di capire da dove proveniva. Un corvo scendeva a spirale assieme a lui, lo seguiva nella caduta, appena fuori dalla portata delle sue braccia.

«Aiutami» disse Bran.

"Ci sto provando. Di' un po', hai del grano?" rispose il corvo.

Le tenebre si capovolsero, rotearono, si rovesciarono. Bran riuscì comunque a frugarsi nelle tasche, a tirare fuori una manciata di chicchi. Le tenebre si contorsero. I piccoli chicchi dorati gli scivolarono tra le dita e caddero nel vuoto. Caddero con lui.

Il corvo gli atterrò sulla mano e cominciò a mangiare.

«Ma tu sei davvero un corvo?» chiese Bran.

"E tu stai davvero cadendo?" chiese a sua volta il corvo.

«Sto sognando.»

"Ne sei certo?"

«Quando colpirò il suolo, mi sveglierò» disse Bran all'uccello.

"Quando colpirai il suolo, morirai." Detto questo, il corvo riprese a mangiare i chicchi di grano.

Bran guardò in basso. Adesso vedeva le montagne, le cime innevate. Vedeva gli argentei percorsi dei fiumi che solcavano le foreste. Chiuse gli occhi e cominciò a piangere.

"Le lacrime non ti serviranno a niente" disse il corvo. "Te l'ho già detto. La risposta non è piangere: è volare. Ma quanto difficile sarà mai?" Il corvo lasciò la mano di Bran e volteggiò attorno a essa. "Io lo faccio, no?"

«Tu hai le ali!» protestò Bran.

"Forse anche tu le hai."

Bran si tastò le spalle, alla ricerca di lunghe penne remiganti. Non trovò niente. Le sue dita incontrarono soltanto pelle secca, tesa.

"Esistono diversi tipi di ali" insistette il corvo.

Bran osservò le proprie gambe, le braccia. Vide un corpo scarno, dalle ossa sporgenti come rostri. Era sempre stato così scheletrico? Non riusciva a ricordare.

Dalle nebbie emerse un volto. «Amore, amore...» Lineamenti illuminati di una luce dorata. «Quali atti io compio per amore.»

Bran urlò.

"No! No!" Il corvo volò a spirale attorno a lui, gracchiando in modo ossessivo, quasi furibondo. "Non pensare a quello! Non ora. Metti da parte quella cosa. Dimenticala. Falla svanire." Atterrò sulla spalla di Bran, lo beccò e il volto dorato svanì.

Bran continuava a cadere a una velocità accecante, adesso. Le nebbie cineree gli sibilavano attorno mentre precipitava verso la terra.

«Ma che cosa mi stai facendo?» chiese al corvo. Aveva la gola contratta dalle lacrime.

"Ti sto insegnando a volare."

«Non posso volare!»

"Adesso stai volando."

«No! Sto cadendo!»

"Ogni volo ha inizio con una caduta" sentenziò il corvo. "Guarda giù."

«Ho paura...»

"Guarda giù!"

Bran guardò. Sentì le viscere diventargli acqua. Il suolo gli stava precipitando addosso. L'intero mondo si dilatava sotto di lui, una gigantesca scacchiera di bianco, marrone, verde. Poteva vedere ogni dettaglio con tale cristallina chiarezza che per un momento dimenticò la paura. Poteva vedere tutti i Sette Regni e tutti gli esseri dei Sette Regni.

Vide Grande Inverno come solamente le aquile potevano vederlo. Da quell'altezza, le sue altissime torri non erano che bassi, tozzi moncherini, e le imponenti mura nient'altro che rilievi appena accennati nella terra.

Vide maestro Luwin sulla sua terrazza, intento a studiare il cielo attraverso un lucido tubo di bronzo, la fronte aggrottata mentre prendeva alcune note in un libro.

Vide suo fratello Robb, più alto e forte di come lo ricordava, che si allenava con la spada nel cortile del castello. Una spada d'acciaio.

Vide Hodor, il gigante dalla mente semplice, dirigersi alla forgia di Mikken con un'incudine sulla spalla; la trasportava con la medesima facilità con cui un altro uomo avrebbe trasportato una balla di fieno.

Vide il cuore stesso del parco degli dèi. Il volto scolpito nel grande, pallido albero-diga si rifletteva nelle acque scure dello stagno, le foglie frusciavano nel vento gelido. Il volto percepì lo sguardo di Bran. I suoi occhi immobili da millenni si distolsero dall'immagine riflessa sulla superficie delle acque impenetrabili e guardarono in alto, verso di lui, pieni di conoscenza antica.

Guardò verso est. Vide un grande vascello sfrecciare sulle acque del Morso. Sua madre era sola in una cabina, lo sguardo fisso su una daga macchiata di sangue che teneva davanti a sé. Vide i rematori con i muscoli tesi ritmicamente sui remi e ser Rodrik Cassel curvo su una murata, scosso da tremiti e sussulti. E poi vide una spaventosa tempesta avanzare verso di loro, venti impetuosi e lampi accecanti che squarciavano l'orizzonte nero, ma nessuno sul vascello sembrava in grado di vedere la minaccia in avvicinamento.

Guardò verso sud, verso la maestosa corrente bluverde del Tridente. Vide suo padre, il volto scavato dalla sofferenza, implorare re Robert e sua sorella Sansa passare le notti a piangere disperata mentre Arya osservava in silenzio, tenendo i suoi segreti ben stretti nel cuore. Attorno a loro si affollavano ombre sinistre. Una era scura come la cenere e il suo volto era il muso di un mastino digrignante, un'altra indossava un'armatura del colore dei raggi del sole, dorata e bellissima. Su entrambe incombeva l'ombra di un gigante in armatura fatto di pietra. Ma quando il gigante sollevò la celata, non c'era nulla dietro di essa: in quel nulla, solo tenebre e orrido sangue nero.

Bran alzò lo sguardo e scrutò attraverso il Mare Stretto, verso le città libere, il verde Mare dothraki e oltre, fino a Vaes Dothrak, ai piedi della sua immane montagna, fino ai paesi fiabeschi del Mare di Giada, fino ad Asshai presso la Terra delle Ombre, dove i draghi si muovevano nella luce dell'alba.

Guardò infine verso nord. Vide la Barriera che scintillava come cristallo azzurro. Jon Snow, il suo fratello bastardo, dormiva in un letto gelido e la sua pelle si faceva livida e dura al ricordo del calore perduto per sempre.

Dopo aver visto tutto questo, Brandon Stark scrutò oltre la Barriera, oltre le foreste senza fine ammantate di neve, oltre la Costa Congelata e i giganteschi fiumi di ghiaccio azzurrino, oltre le morte desolazioni nelle quali nulla cresceva e nulla viveva. Scrutò a nord, ancora più a nord, fino ai tendaggi di luce nei cieli vuoti all'estremo confine del mondo. Guardò in profondità al di là di quei tendaggi, nel cuore stesso dell'inverno.

E allora urlò di terrore e il calore delle lacrime scavò sentieri di fuoco nel suo volto.

"Ora sai" sussurrò il corvo appollaiato sulla sua spalla. "Ora capisci perché devi vivere."

«Perché?» chiese Bran che non capiva, mentre cadeva e cadeva e cadeva.

"Perché l'inverno sta arrivando."

Bran guardò il corvo sulla sua spalla. Il corvo sostenne il suo sguardo. Aveva tre occhi e il terzo era pieno di una conoscenza terribile.

Bran tornò a guardare giù. Adesso non c'era più niente. Solamente neve, gelo e morte, un abisso in fondo al quale rostri di ghiaccio erano in attesa di ghermirlo, lance acuminate che correvano verso di lui. Tanti altri sognatori giacevano là sotto, impalati su quelle gelide punte. La paura, una paura disperata, tornò a invaderlo.

«È possibile che un uomo che ha paura possa essere anche coraggioso?» Era la sua voce a parlare, ma lontanissima e flebile.

«Possibile?» Fu la voce di suo padre a rispondergli. «È quello il solo momento in cui un uomo può essere coraggioso.»

"Adesso, Bran" dichiarò il corvo. "Decidi. O voli o muori."

La morte di ghiaccio salì verso di lui, urlando e sibilando.

Brandon Stark allargò le braccia e cominciò a volare.

Ali invisibili si riempirono di vento e lo riportarono in alto. Sotto di lui, quelle spaventose lance di ghiaccio si allontanarono. Sopra di lui, il cielo si spalancò. Bran salì e salì. Era incredibile, meraviglioso, meglio di qualsiasi scalata, di qualsiasi altra cosa potesse esistere. Il mondo divenne nuovamente piccolo e distante.

«Sto volando!» Bran era estatico.

"Lo vedo." Poi, di colpo, il corvo con tre occhi si staccò dalla sua spalla e si mise a svolazzargli in faccia, sbattendo le ali, accecandolo. Bran barcollò mentre il corvo lo artigliava, lo beccava nel centro della fronte, in mezzo agli occhi.

«No! Che fai?...» gridò.

Le nebbie grigie si squarciarono come un velo opaco. Il corvo con tre occhi spalancò il becco e gracchiò: un rauco suono di paura che parve arrivare fino al più alto dei cieli.

Non era un corvo. Era una donna dai lunghi capelli neri. Bran ricordava di averla già vista. Ma certo: una domestica di Grande Inverno.

Allora Bran si rese conto di essere in un letto alto, in una fredda stanza di una delle torri della Prima Fortezza. La donna dai capelli neri lasciò cadere il bacile di terracotta che reggeva, mandandolo a frantumarsi sul pavimento. Cominciò a urlare e si lanciò di corsa giù lungo i gradini di pietra: «Si è svegliato! Si è svegliato! Si è svegliato!...».

Bran si tastò la fronte, in mezzo agli occhi. Il punto in cui il corvo l'aveva beccato continuava a dolere, ma non c'era nessun segno, nessuna ferita, nessuna traccia di sangue. Non c'era niente di niente.

Cercò di scendere dal letto, ma non ci riuscì. Si sentiva debole, intontito, intorpidito. Accanto a lui, qualcosa si mosse e saltò atterrando sulle sue gambe. Lui non sentì nulla. Due occhi gialli, splendenti come soli, si fissarono nei suoi. La finestra era aperta e ventate d'aria fredda invadevano la stanza, ma il calore che emanava il meta-lupo lo avviluppava come quello generato da un bagno caldo.

Il suo cucciolo... Ma come poteva essere diventato così grosso? Bran cercò di accarezzarlo. La sua mano tremava come una foglia al vento.

Robb Stark irruppe nella stanza, senza fiato per la corsa fino alla cima della torre. Il meta-lupo senza nome stava leccando il viso di suo fratello.

«Estate.» Bran lo guardò serio. «Il suo nome è Estate.»

CATELYN

«Saremo ad Approdo del Re entro un'ora.»

«I tuoi sono stati validi rematori, capitano.» Catelyn si voltò verso di lui dalla murata del vascello, costringendosi a sorridere. «Come segno della mia gratitudine, ciascuno di loro riceverà un cervo d'argento.»

«Sei fin troppo generosa, lady Stark.» Il capitano Moreo Tumitis le indirizzò un lieve inchino. «L'onore di avere avuto a bordo una grande lady come te è l'unica ricompensa della quale i miei uomini hanno bisogno.»

«Desidero che abbiano comunque in premio quell'argento» insistette Catelyn.

«Come tu desideri» sorrise Moreo.

Parlava fluentemente la lingua comune dei Sette Regni, con appena una traccia dell'accento della città libera di Tyrosh. Le aveva detto che ormai da trent'anni solcava il Mare Stretto, prima come rematore, poi come nostromo e infine come capitano di una sua flotta mercantile. La *Danzatrice delle tempeste* era la sua quarta nave, due alberi e sessanta remi, ed era la più veloce.

Quando Catelyn e ser Rodrik erano arrivati a Porto Bianco, al termine di una lunga galoppata lungo il fiume, tra le navi disponibili la *Danzatrice* si era dimostrata effettivamente la più rapida. La gente di Tyrosh era nota per la sua avidità e ser Rodrik aveva insistito perché affittassero un peschereccio nell'arcipelago delle Tre Sorelle, ma Catelyn aveva deciso per il vascello a remi, e si era rivelata la scelta migliore. Avevano avuto venti contrari per la maggior parte della traversata e, senza i buoni muscoli dei rematori del capitano Tumitis, in quel momento non avrebbero ancora doppiato i promontori delle Dita. Invece erano ormai in vista di Approdo del Re, e della fine del viaggio.

"Vicino." Quel pensiero continuava a rimbalzare nella mente di Catelyn. "Così vicino." Sotto le bende di lino, nel punto in cui la daga dell'assassino era affondata nella sua carne, le dita continuavano a pulsare. Un dolore sordo, ossessionante, quasi il preannuncio di altro dolore. Non sarebbe più riuscita a piegare le ultime due dita della mano sinistra e le altre avrebbero sempre funzionato male. Eppure, era stato un prezzo infimo da pagare per la vita di Bran.

Ser Rodrik apparve sulla tolda.

«Mio buon amico» lo salutò Moreo da dietro la barba biforcuta tinta di verde. Quelli di Tyrosh amavano i colori sgargianti perfino per quanto riguardava la barba. «Sono lieto di vedere che ti senti meglio.»

«Ti ringrazio, capitano» gli rispose ser Rodrik. «Sono due giorni che non desidero più di essere morto.» S'inchinò a Catelyn. «Mia signora.»

In effetti, era vero: ser Rodrik Cassel si sentiva meglio. Era un po' dimagrito rispetto a quando avevano lasciato Porto Bianco, ma aveva quasi riguadagnato il suo aspetto normale. I venti brutali del Morso e la rabbia del Mare Stretto erano stati per lui un autentico tormento. Durante una tempesta improvvisa, al largo della Roccia del Drago, c'era mancato poco che non finisse fuori bordo, svanendo negli abissi. Era riuscito chissà come a rimanere aggrappato a una fune finché tre marinai di Moreo non l'avevano recuperato e portato sottocoperta.

«Il capitano mi stava dicendo che il nostro viaggio volge al termine» disse Catelyn.

«Ma come?» Ser Rodrik tirò fuori un sorrisetto ironico. «Così presto?»

Senza più i suoi formidabili baffoni bianchi, il valido maestro d'armi di Grande Inverno aveva un aspetto strano. Appariva più piccolo, meno impetuoso e più vecchio di dieci anni. Nel corso della sussultante traversata del Morso, non aveva avuto altra scelta se non sottomettersi al rasoio del barbiere di bordo. Il mal di mare lo aveva spesso costretto a rimanere piegato in due sulla murata e a vomitare nel vento turbinante, rendendo disgustosi i suoi magnifici baffi.

«Vi lascio discutere i vostri affari in privato.» Moreo fece un altro lieve inchino e si dileguò.

La *Danzatrice delle tempeste* filava sull'acqua come una libellula, le sue ali composite formate dai vari ordini di remi si alzavano e tornavano a immergersi a un ritmo perfetto.

«Temo, mia signora» disse ser Rodrik mantenendo la presa sul parapetto, gli occhi fissi sulla costa in rapido movimento «di non essere stato per te quello che si direbbe un valido protettore, durante questa crociera.»

«Siamo qui incolumi, ser Rodrik.» Lei gli toccò un braccio. «È l'unica cosa che conta.» La mano di Catelyn scivolò sotto la cappa. Le sue dita rigide, incerte, incontrarono la daga che portava al fianco, l'arma dell'assassino. Voleva toccarla, sapere che era sempre al suo posto. In qualche modo, questo le dava sicurezza. «Ora dobbiamo raggiungere il maestro d'armi di re Robert» riprese «con la speranza che ci si possa fidare di lui.»

«Ser Aron Santagar è un uomo vanesio, ma anche onesto.» Per antica abitudine, ser Rodrik alzò la mano per arricciarsi baffi che avevano cessato di esistere e reagì, inevitabilmente, con un'espressione perplessa. «Forse riconoscerà la lama, questo sì, tuttavia... mia signora, nell'attimo in cui scenderemo a terra, saremo in pericolo. A corte c'è chi riconoscerà il tuo volto.»

«Ditocorto» disse Catelyn a labbra serrate.

Un'immagine salì fluttuando dalla sua memoria: la faccia di un ragazzo, anche se ormai non lo era più da parecchio. Suo padre era morto molti anni prima e il ragazzo era diventato lord Baelish, ma quel nomignolo, Ditocorto, gli era rimasto appiccicato addosso. Era stato Edmure, fratello di Catelyn, a darglielo tanto tempo prima, a Delta delle Acque. I modesti possedimenti della famiglia Baelish si trovavano su una delle penisole delle Dita e per la sua età il giovane Petyr Baelish era corto di corporatura e di statura: Ditocorto, quindi.

Ser Rodrik tossicchiò. «Una volta lord Baelish, be', ecco...» La frase andò alla deriva mentre cercava le parole adatte, con fare diplomatico.

«Era il protetto di mio padre.» Catelyn aveva superato la diplomazia da un pezzo. «Siamo cresciuti assieme a Delta delle Acque, lui e io. Io lo vedevo come un fratello, ma i suoi sentimenti per me... andavano ben oltre. Quando venne annunciato che sarei andata sposa a Brandon Stark, Petyr lo sfidò a duello per ottenere lui la mia mano. Brandon aveva vent'anni, Petyr solamente quindici. Implorai Brandon di risparmiarlo, cosa che lui fece, ma non senza avergli lasciato una cicatrice. Poco dopo mio padre lo mandò lontano e da allora non l'ho più rivisto.» Catelyn sollevò il viso nel pulviscolo marino, quasi che il vento potesse portare via quei ricordi. «Dopo l'uccisione di Brandon, Petyr mi scrisse a Delta delle Acque ma bruciai quella lettera senza nemmeno leggerla perché sapevo già che sarei andata sposa a Ned al posto di suo fratello.»

Di nuovo, le dita di ser Rodrik andarono alla ricerca dei baffi che non c'erano più. «Ditocorto è un membro del concilio ristretto, adesso.»

«Ero sicura che sarebbe salito ai livelli più alti» disse Catelyn. «È sempre stato molto intelligente, perfino da ragazzo. Però l'intelligenza è una cosa, la saggezza un'altra. Mi chiedo come sia cambiato in tanti anni.»

Dall'alberatura del vascello i mozzi lanciarono grida e il capitano riapparve sulla tolda correndo, dando ordini. Tutt'attorno a Catelyn e a ser Rodrik cominciò a fervere un'attività quasi frenetica. La *Danzatrice delle tempeste* era giunta in vista di Approdo del Re, che dominava dalle cime delle tre alture a sud.

Tre secoli prima, quelle alture erano coperte di fitte foreste e solamente un pugno di pescatori viveva a sud del Fiume delle Rapide Nere, nel punto in cui la sua corrente profonda e impetuosa andava a gettarsi nel mare. Poi Aegon Targaryen, il Conquistatore, aveva compiuto la traversata partendo dall'Isola della Roccia del Drago. Qui era approdato con la sua armata, e sulla più alta di quelle tre colline aveva eretto le prime, rozze costruzioni di legno e terra.

Adesso, quell'antico insediamento si era dilatato in una città che copriva la costa e la spiaggia a perdita d'occhio. Magazzini, porti secondari e granai; case di pietra, locande di legno e mercati; taverne, cimiteri e bordelli: una massa di edifici ammucchiati uno sopra l'altro, uno dentro l'altro. I clamori che si levavano dal mercato del pesce erano udibili fin da quella distanza.

Nel labirinto di costruzioni si snodavano strade tortuose bordate di alberi, strane vie serpeggianti e vicoli talmente stretti da impedire il passaggio a due uomini affiancati. Sulla sommità della Collina di Vysenia torreggiava il Grande Tempio di Baelor, con le sue sette torri di cristallo. Dal lato opposto della città, sulla Collina di Rhaenys, si alzavano le mura annerite della Fossa del Drago, la mastodontica cupola ridotta a un mucchio di rovine, le porte di bronzo chiuse da un centinaio di anni. Le Strade delle Sorelle, dritte come frecce, attraversavano il dedalo urbano. Molto più lontano, alte e possenti, si ergevano le mura della città.

C'erano oltre cento moli lungo la costa di Approdo del Re, nel porto brulicante di vascelli. Pescherecci per fondali profondi andavano e venivano assieme a chiatte fluviali, i traghettatori lavoravano con lunghi pali per far avanzare i loro battelli da una sponda all'altra del Fiume delle Rapide Nere, mercantili a remi provenienti dalle città libere di Braavos, Pentos e Lys scaricavano senza sosta le loro merci.

Ormeggiata accanto a una tozza baleniera del Porto di Ibben, Catelyn individuò l'elaborata lancia della regina, lo scafo che pareva nero a causa delle acque torbide. Una dozzina di navi da guerra, le vele arrotolate, i rostri d'acciaio di speronamento accarezzati dalla corrente, si allineavano in attesa minacciosa più a monte, lungo il fiume.

Al disopra, al di là di tutto questo, quasi scrutando dalla più alta delle tre colline di Aegon, si elevavano le sette gigantesche torri cilindriche, protette da bastioni di ferro, che componevano la Fortezza Rossa: un enorme, sinistro labirinto fatto di barriere difensive, sale dai soffitti a volta, ponti coperti, baraccamenti, prigioni sotterranee, muraglie traforate da nidi per arcieri. Un labirinto interamente realizzato in una pallida pietra rossastra. Era stato Aegon il Conquistatore a ordinarne la costruzione e Maegor il Crudele, suo figlio, ne aveva visto il completamento. Dopo, aveva fatto decapitare ogni architetto, ogni operaio, ogni falegname che ci aveva lavorato. «Solo la stirpe del drago» aveva dichiarato «conoscerà i segreti della fortezza costruita dal Signore dei Draghi.»

Ma i vessilli che ora sventolavano sulle mura non erano neri, erano dorati, e al posto del drago a tre teste che sputava fuoco, emblema della Casa Targaryen, ora garriva nel vento il cervo incoronato della Casa Baratheon.

«Mia signora. Mentre ero costretto a letto» disse ser Rodrik «ho pensato alla nostra migliore linea di condotta. Non puoi entrare tu stessa nella fortezza. Andrò io, e porterò Aron da te, in un posto sicuro.»

Catelyn fissava il suo anziano cavaliere, sagoma immobile contro l'alveare della città che continuava a scorrere alle sue spalle. La *Danzatrice delle tempeste* era prossima alla riva e Moreo gridava ordini nel valyriano involgarito delle città libere.

Passarono a poppa di un maestoso due alberi delle Isole dell'Estate in manovra per uscire dal porto, le immani vele gonfiate dal vento dell'oceano.

«Saresti a rischio quanto me.»

«Non credo proprio.» Ser Rodrik sorrise. «Prima, guardando la mia immagine riflessa nell'acqua, ho stentato a riconoscermi. L'ultima persona a vedermi senza baffi è stata mia madre, che è morta da quarant'anni. Ritengo, mia signora, di essere ragionevolmente al sicuro.»

Moreo gridò un altro ordine. Con un unico movimento, sessanta remi si sollevarono dall'acqua, le pale ruotarono in posizione rovesciata e i remi tornarono a immergersi, invertendo la spinta. Il vascello iniziò a rallentare in vista dell'ultima fase della manovra di attracco. Un ultimo ordine, e i sessanta remi si alzarono e svanirono all'interno dello scafo. La nave urtò contro il molo e i marinai della città libera di Tyrosh saltarono a terra e corsero alle funi di ormeggio.

«Approdo del Re, mia signora, come tu hai comandato.» Il capitano Moreo venne da loro, tutto sorrisi. «Mai altra nave ha compiuto una traversata più veloce e sicura della mia *Danzatrice delle tempeste.* Ti occorre un qualsiasi genere di assistenza per trasportare le tue cose al castello?»

«Non vado al castello, capitano» rispose Catelyn. «Ma forse puoi suggerirci una locanda, un posto pulito e confortevole non troppo lontano dal fiume.»

«Senza dubbio.» Moreo si arricciò la verde barba biforcuta. «Conosco diversi posti in grado di soddisfare le tue necessità. Ma prima, mia signora, e consentimi di essere temerario, ci sarebbe la piccola questione della seconda metà del pagamento che avevamo pattuito. Più naturalmente quell'argento supplementare che sei stata così generosa da promettere. Sessanta cervi, se non vado errato.»

«Non vai errato, capitano: sessanta cervi per i tuoi rematori» confermò Catelyn.

«Per i rematori, certamente. Al tempo stesso, mia signora, forse sarebbe opportuno che fossi io a conservarli per loro fino al rientro a Tyrosh. Per il bene delle loro mogli e dei loro figli, è chiaro. Se dessimo loro l'argento qui, finirebbero con lo sprecarlo tutto in bagordi.»

«Esistono cose molto peggiori per le quali spendere il proprio denaro» s'intromise ser Rodrik. «E l'inverno sta arrivando.»

«Inoltre, ogni uomo ha diritto alle proprie scelte» aggiunse Catelyn. «I tuoi rematori si sono ampiamente meritati l'argento. Il modo in cui lo spendono è affare loro.»

«Come tu desideri, mia signora.» Moreo fece un altro sorriso e un altro inchino.

Così Catelyn pagò ciascun rematore di persona. Aggiunse due monete di rame per gli uomini che trasportarono i suoi bauli su per i viottoli ripidi della Collina di Visenya, fino alla locanda suggerita da Moreo.

La proprietaria era un'arcigna matrona dallo sguardo malfidente. Squadrò Catelyn e ser Rodrik con sospetto, arrivando addirittura a saggiare con i denti la moneta che Catelyn le offrì, giusto per essere sicura che fosse buona. Le stanze però erano ampie e arieggiate, inoltre Moreo aveva garantito che nelle cucine della matrona veniva fatta la zuppa di pesce più saporita dei Sette Regni. Ma la cosa migliore fu il suo totale disinteresse per la loro identità.

«È meglio che tu stia lontana dalla sala comune» raccomandò ser Rodrik, una volta che si furono sistemati. «Perfino in un posto come questo, non si può mai dire chi può vederti.» Ser Rodrik indossò una lunga cappa con cappuccio, coprendo con essa cotta di maglia di ferro, daga e spada lunga da combattimento. «Sarò di ritorno prima che scenda la notte» assicurò. «Assieme a ser Aron. Ora, mia signora, cerca di riposare un po'.»

Catelyn era stanca. Avevano compiuto un viaggio lungo ed estenuante e gli anni erano passati anche per lei. Le finestre della stanza si aprivano su uno scenario di tetti e vicoli, con il Fiume delle Rapide Nere sullo sfondo. Osservò ser Rodrik allontanarsi a passo veloce nelle strade affollate. Restò a osservarlo finché non venne inghiottito dalla folla. Solo allora si decise a seguire il suo suggerimento.

Il materasso era imbottito di paglia, non di piume, ma non ebbe alcun problema a scivolare nel sonno.

La svegliarono colpi decisi, perentori.

Catelyn si rizzò a sedere sul letto. All'esterno, i tetti di Approdo del Re erano immersi nella luminosità purpurea del tramonto. Aveva dormito più a lungo di quanto avrebbe voluto.

Di nuovo, un pugno picchiò duramente contro la porta e una voce disse: «Aprite! In nome del re!».

«Un momento» rispose Catelyn. Si avvolse nella cappa. La daga si trovava sul tavolino accanto al letto. Prima di togliere il chiavistello alla porta di legno massiccio, la impugnò con determinazione.

Gli uomini che quasi fecero irruzione nella stanza indossavano le armature nere e i mantelli dorati della Guardia cittadina. Il comandante vide la lama nella mano di lei e non represse un sorriso. «Non c'è alcun bisogno di armi, mia signora. Siamo qui per scortarti al castello.»

«Per ordine di chi?»

Le mostrò una pergamena arrotolata. Nel sigillo di lacca grigia era impresso un usignolo. Dalle labbra di Catelyn sfuggì un sussurro: «Petyr...».

Aveva fatto molto presto. Qualcosa doveva essere accaduto a ser Rodrik. Catelyn tenne lo sguardo fisso sul comandante delle guardie. «Voi sapete chi sono?»

«No, mia signora. Lord Ditocorto ha semplicemente ordinato di condurti da lui e di trattarti con il massimo riguardo.»

Catelyn annuì. «Aspettate fuori mentre mi preparo.»

Si lavò le mani con l'acqua del bacile e le fasciò in bende pulite. Le sue dita ferite, ancora doloranti, erano goffe e maldestre nell'allacciare il corpetto, nell'annodare al collo la stringa della lunga cappa marrone. Come aveva fatto Ditocorto a scoprire che era ad Approdo del Re? Ser Rodrik non gliel'avrebbe mai rivelato. Era vecchio, certo, ma anche ostinato come un mulo e fedele fino all'estremo. Forse erano arrivati troppo tardi. Forse i Lannister avevano raggiunto Approdo del Re prima di loro. No, non poteva essere. In quel caso, ci sarebbe stato anche Ned, e sicuramente sarebbe andato da lei. Ma allora...?

Moreo Tumitis, ecco la risposta. Moreo sapeva chi erano e dove alloggiavano. Catelyn si augurò che si strozzasse, con i denari avuti per aver passato l'informazione.

Gli uomini della Guardia cittadina avevano portato un cavallo anche per lei. Mentre i lampioni stradali venivano accesi, Catelyn, circondata da guardie che indossavano mantelli dorati, sentì su di sé gli occhi della città.

Quando arrivarono, la grata della Fortezza Rossa era serrata e il grande portale principale era sbarrato per la notte, ma in tutta l'immane struttura luci scintillavano dietro le molte finestre. Gli uomini della Guardia lasciarono le loro cavalcature fuori delle mura e scortarono Catelyn attraverso la stretta porta di una garitta, poi lungo un'interminabile scala a spirale che saliva dentro una delle sette torri.

L'uomo sedeva da solo a un massiccio tavolo di legno, un lume a olio accanto a sé mentre scriveva. Le sue mani posarono la penna e i suoi occhi si fissarono su di lei quando le guardie la introdussero nella stanza spoglia.

«Cat» disse l'uomo lentamente.

«Per quale ragione mi hai fatta condurre qui in questo modo?»

Lui si alzò, facendo un secco gesto alle guardie: «Lasciateci». Gli armati si dileguarono. «Confido che tu non sia stata maltrattata» riprese, dopo che i loro passi si furono persi nel silenzio della torre. «Ho dato istruzioni molto precise in merito.» Notò le bende. «Le tue mani...»

«Non sono avvezza a venire requisita come una donna da postribolo.» Catelyn, con voce gelida, ignorò la domanda. «Da ragazzo conoscevi il valore della cortesia. Col tempo è forse cambiato qualcosa, Petyr?»

«Ho provocato la tua ira, mia signora.» Lord Baelish apparve contrito. «Mai è stata questa la mia intenzione.»

L'espressione del suo viso fece riemergere in Catelyn ricordi lontani ma vividi. Durante la sua adolescenza, Petyr era stato un ragazzo mellifluo in modo accattivante: dopo ognuna delle sue discolate, appariva sempre contrito. Era una specie di dono. No, il tempo non lo aveva cambiato molto. Quel ragazzo minuto era diventato un uomo minuto, di qualche centimetro più basso di lei. Un uomo snello, rapido nei movimenti, con i medesimi lineamenti affilati di allora, gli stessi occhi irridenti tra il grigio e il verde. Adesso, anche se non aveva ancora trent'anni, il suo mento era ornato di un pizzetto a punta, e qualche filo d'argento aveva fatto la sua comparsa sulle tempie. Un argento che s'intonava alla fibbia a forma di usignolo che chiudeva il suo mantello. Aveva sempre amato l'argento, fin da ragazzino.

«Come hai fatto a sapere che ero in città?» gli chiese.

«Lord Varys sa sempre tutto.» Un nuovo sorriso mellifluo apparve sul suo volto. «Sarà con noi tra breve, ma prima ho voluto vederti da solo. Troppi anni, Cat. Quanti, ci pensi?»

«Ma guarda.» Di nuovo, Catelyn ignorò il suo tentativo alla familiarità. «È stato il Ragno Tessitore a trovarmi.»

«Meglio che tu non lo chiami a quel modo.» Ditocorto strinse gli occhi. «È un tipo molto sensibile. Immagino sia dovuto al fatto che è un eunuco. Nulla accade in questa città senza che Varys lo sappia. Certe volte, sa addirittura le cose prima che accadano. Ha spie dappertutto: i suoi uccelletti, li chiama. È stato uno di loro a udire della tua venuta. Fortunatamente, Varys è venuto da me per primo.»

«E perché proprio da te?»

«Perché no?» Si strinse nelle spalle. «Sono maestro del conio e consigliere personale del re. Ser Barristan e lord Renly sono andati a nord incontro a Robert, lord Stannis è salpato per la Roccia del Drago... Oltre a me c'è solo il gran maestro Pycelle. Per cui, sono stato io la scelta più ovvia. In fondo, ero amico di tua sorella Lysa. E Varys questo lo sa.»

«E cos'altro sa Varys?»

«Tutto quanto... Eccetto la ragione che ti ha portata fin qui.» Petyr inarcò un sopracciglio. «Quale ragione ti ha portata fin qui, Catelyn?»

«A una moglie è consentito di sentire nostalgia del proprio marito. E se una madre vuole essere vicina alle proprie figlie, chi le direbbe di no?»

«Superbo, mia delicata signora, assolutamente splendido.» Ditocorto rise. «Ma non ti aspettare che mi beva una storiella del genere. Ti conosco troppo bene. Quelle belle parole dei Tully, com'è che fanno?...»

«Famiglia, dovere, onore.» Catelyn le recitò meccanicamente, sentendo la gola diventarle secca di colpo. Ditocorto aveva ragione: la conosceva troppo bene.

«Ma certo: famiglia, dovere, onore» le fece eco lui. «Questi richiedevano che tu rimanessi dove il Primo Cavaliere del re ti ha lasciata, a Grande Inverno. Invece, mia signora, dev'essere successo qualcosa di grave. Questo tuo viaggio, così inaspettato e improvviso, indica urgenza. Ora, ti prego, permettimi di aiutarti. I vecchi, cari amici non dovrebbero esitare ad appoggiarsi l'uno all'altro.»

Ci fu un cauto bussare alla porta.

«Entra» disse Ditocorto.

L'uomo che entrò era calvo come un uovo e di corporatura abbondante, azzimato, profumato, incipriato. Sopra una veste di seta color porpora, lunga fino ai piedi, indossava un gilè filigranato d'oro. Ai piedi calzava pantofole di soffice velluto.

«Lady Stark.» Le prese una mano tra le sue. «Quale ineguagliata gioia rivederti dopo così tanti anni.» Il suo tocco era molle e umido, il suo alito sapeva di lillà. «Oh, le tue povere mani. Ti sei forse bruciata, mia dolce signora? Le dita sono talmente delicate... Il nostro buon maestro Pycelle sa preparare unguenti miracolosi. Vuoi che te ne faccia portare un vasetto?»

«Ti ringrazio, mio signore.» Catelyn ritirò la mano dalle sue. «Il nostro maestro Luwin si è già occupato delle mie ferite.»

«Quale ferale notizia quella riguardante tuo figlio.» Lord Varys fece oscillare il cranio lucido. «E in tale tenera età. Crudeli sono gli dèi.»

«In questo, lord Varys, mi trovi perfettamente d'accordo» rispose Catelyn. «Molto crudeli sono gli dèi.»

Il titolo nobiliare era una cortesia estesa a tutti i membri del concilio del re. La sola cosa della quale Varys era signore erano le sue ragnatele sotterranee, i suoi soli sudditi le spie che lavoravano nell'ombra.

«Voglio credere, mia dolce lady» disse l'eunuco facendo volteggiare le dita grassocce «che tu e io ci troveremo d'accordo su molto più che la crudeltà degli dèi. Ho profonda stima del lord tuo marito, il nostro nuovo Primo Cavaliere. E so che entrambi amiamo il re.»

«Certo» si costrinse a dire Catelyn. «Naturalmente.»

«Mai un re è stato più amato del nostro re Robert.» Ditocorto ebbe un altro dei suoi sorrisi. «Per lo meno stando a ciò che ode lord Varys.»

«E anche un'altra cosa, mia signora» riprese l'eunuco. «Ci sono uomini, nelle città libere, dotati di stupefacenti poteri di guarigione. Di' solamente una parola e io invierò uno di loro al tuo amato Bran.»

«Maestro Luwin continua a fare tutto il possibile per Bran.» Catelyn non avrebbe parlato di Bran, non lì, con quegli uomini. Si fidava poco di Ditocorto e nulla di Varys. Non avrebbe permesso loro di vedere la sua sofferenza. «Mi dice lord Baelish» continuò rivolta a Varys «che è a te che devo il piacere di trovarmi alla Fortezza Rossa.»

«Oh, sì.» Lord Varys ridacchiò come una ragazzina. «Confesso la mia colpa, tuttavia spero che vorrai perdonarmi, gentile signora.» Si accomodò su una sedia e intrecciò le dita, poi disse: «Mi chiedo ora se possiamo incomodarti con la richiesta di mostrarci la daga».

Catelyn lo osservò incredula. Ragno Tessitore: lo era veramente, solo molto più temibile, molto più letale. Sapeva cose che nessuno poteva neppure immaginare. A meno che...

«Ser Rodrik» disse lentamente. «Che cosa gli avete fatto?»

«Un momento, un momento.» Ditocorto appariva anche più stupefatto di lei. «Mi sento come il cavaliere arrivato sul campo di battaglia senza lancia. Di quale daga staremmo parlando? E chi sarebbe ser Rodrik?»

«Ser Rodrik Cassel, maestro d'armi di Grande Inverno» lo informò Varys. «Ti assicuro, lady Stark, che al tuo valente cavaliere nessuno ha fatto nulla. Si è presentato alla fortezza nel primo pomeriggio per fare visita a ser Aron Santagar, giù all'arsenale. Hanno parlato di una certa daga. Poi, verso il tramonto, sono andati via assieme, diretti a quel sudicio alloggio nel quale tu stavi. Sono ancora là tutti e due, intenti a bere nella sala comune in attesa del tuo ritorno. Ser Rodrik è stato molto in ansia nello scoprire che te n'eri andata.»

«Come sai tutto questo?»

«Cinguettii di uccellini» rispose Varys sorridendo. «Io so molte cose, dolce signora. È la natura stessa del mio servizio per il re.» Scrollò le spalle. «Tu hai con te quella daga, sì?»

«Eccola.» Catelyn la tolse da sotto il mantello e la gettò sul tavolo, proprio davanti a lui. «Forse altri cinguettii ti diranno il nome dell'uomo cui appartiene.»

Con esagerata delicatezza, lord Varys sollevò il pugnale e fece scorrere il polpastrello del pollice lungo il filo della lama. Il sangue sgorgò d'improvviso, rosso, scintillante. L'eunuco strillò e lasciò cadere l'arma.

«Attento» lo avvertì Catelyn. «È estremamente affilata.»

«Acciaio di Valyria» riconobbe Ditocorto. «Nulla tiene il filo come l'acciaio di Valyria.»

Varys si succhiò il dito, lanciando a Catelyn un opaco sguardo di ammonimento.

«Eccellente bilanciamento.» Ditocorto soppesò la daga nel palmo della mano. «Tu vuoi dunque scoprire a chi appartiene. È questo lo scopo della tua venuta? Non hai alcun bisogno di ser Aron per avere informazioni, mia signora. Avresti potuto venire direttamente da me.»

«Se l'avessi fatto, Petyr, che cosa mi avresti detto?» gli chiese Catelyn.

«Che esisteva un solo pugnale del genere ad Approdo del Re.» Ditocorto afferrò la lama tra il pollice e l'indice, eseguì una secca torsione del polso e lanciò la daga dietro le proprie spalle. Non ebbe bisogno di osservarla conficcarsi in profondità nel rivestimento di quercia della parete, l'acciaio che vibrava rapido dopo l'impatto. «E che apparteneva a me.»

«A te?» Non aveva alcun senso. Petyr non era venuto a Grande Inverno.

«In realtà» Ditocorto attraversò il locale a passi misurati «mi è appartenuta fino al torneo svoltosi in onore del compleanno del principe Joffrey.» Staccò la lama dal legno. «Io avevo scommesso su ser Jaime Lannister. Io e metà della corte.» La sua espressione mite e indifesa lo fece apparire di nuovo l'adolescente pronto a tutto di Delta delle Acque. «Così quando ser Loras Tyrell lo disarcionò, molti di noi si ritrovarono con le tasche vuote. Ser Jaime venne alleggerito di cento dragoni d'oro, la regina si giocò un pendente di smeraldi, io persi il mio coltello. Sua grazia Cersei riebbe il pendente di smeraldi, ma colui che aveva vinto la scommessa si tenne tutto il resto.»

«Chi fu il vincitore?» La voce di Catelyn era di nuovo secca, per la paura e per il furore. Il dolore alle dita aveva ripreso a fiammeggiare. «Chi?»

«Tyrion Lannister» rispose Ditocorto, mentre lord Varys non staccava gli occhi dal viso di Catelyn. «Il Folletto.»

JON

Il cozzare delle spade echeggiava per tutto il cortile, dilatandosi nell'aria gelida.

Jon andò nuovamente all'attacco mentre il sudore gli scendeva lungo il torace protetto da lana nera, cuoio spesso e maglia di ferro. Grenn barcollò all'indietro e cercò di difendersi alla meglio sollevando la spada. Jon penetrò nella sua guardia con un fendente basso e picchiò con forza contro la gamba dell'avversario, facendolo barcollare ancora di più. Grenn tentò un fendente dall'alto in basso, ma Jon parò e rispose con una falciata rovescia che ammaccò l'elmo dell'avversario. Nel momento in cui Grenn tentò un fendente laterale, Jon deviò la lama e con il gomito avvolto nella maglia di ferro colpì con forza dritto al centro del torace dell'avversario, che crollò pesantemente nella neve. Jon gli fece volare via la spada con un fendente al polso che strappò a Grenn un grido di dolore.

«Basta così!» La voce di ser Alliser Thorne era affilata quanto una lama d'acciaio di Valyria.

Grenn si afferrò la mano colpita gemendo: «Il bastardo mi ha spezzato il polso!».

«Il bastardo ti ha tagliato i tendini, spaccato in due quella zucca vuota che hai al posto del cranio e infine mozzato la mano. O meglio, l'avrebbe fatto se queste spade fossero state affilate. Per fortuna ai guardiani della notte servono anche stallieri, oltre che ranger.» Ser Alliser fece un cenno a Jeren e al Rospo. «Voi due, rimettete in piedi questo bue. Ha da organizzare un funerale: il suo.»

Jon si tolse l'elmo, e intanto osservava gli altri due ragazzi che tiravano su Grenn da terra. La fredda aria del mattino era piacevole sul viso. Si appoggiò sulla spada e respirò a pieni polmoni, concedendosi un momento per assaporare la vittoria.

«Quella è una spada lunga da combattimento, non il bastone di un vecchio cadente» commentò ser Alliser acido. «Ti fanno forse male le ginocchia, lord Snow?»

Jon odiava quell'appellativo, un soprannome che ser Alliser gli aveva appioppato fin dal primo giorno di addestramento. Gli altri ragazzi l'avevano adottato all'istante e così adesso, ovunque andasse, Jon non udiva altro. Rimise la spada nel fodero. «No» replicò.

Thorne andò verso di lui a passi rapidi, accompagnato solo da un lieve fruscio di cuoio nero. Era sulla cinquantina, corporatura massiccia, molto grigio di capelli, gli occhi come schegge d'ossidiana. «Fuori la verità» gli ordinò.

«Sono stanco» ammise Jon. Aveva il braccio destro intorpidito per il peso della spada e adesso che lo scontro era finito cominciava a sentire il dolore dei colpi degli avversari.

«Stanco? No: sei debole.»

«Ho vinto.»

«Non sei tu ad avere vinto: è quel bue ad avere perso.»

Uno degli altri ragazzi ridacchiò, ma Jon evitò di ribattere: ormai aveva imparato le sue lezioni. Aveva abbattuto tutti quelli che ser Alliser gli aveva mandato contro, ma dal maestro d'armi aveva ottenuto solo derisione. Thorne lo odiava, su questo non aveva più dubbi, ma naturalmente odiava gli altri ragazzi anche più di lui.

«Chiudiamo qui» li apostrofò Thorne. «C'è un limite all'inettitudine che riesco a mandar giù in un solo giorno. Se mai gli Estranei ci verranno contro, mi auguro proprio che abbiano arcieri. Carne da freccia, questo è la maggior parte di voi.»

Jon seguì il resto delle reclute verso l'armeria. Camminava da solo, come quasi sempre accadeva. C'erano una ventina di giovani nel gruppo con il quale si stava addestrando, ma non uno che potesse definire un amico. La maggior parte aveva due, tre anni più di lui, però nessuno valeva neanche la metà di Robb a quattordici anni. Dareon era svelto, ma aveva troppa paura di essere colpito. Pyp maneggiava la spada come se fosse stata una daga, Jaren era delicato come una ragazza, Grenn lento e impacciato. Halder menava colpi carichi di forza bruta, ma finiva dritto in tutti gli attacchi dell'avversario. Più aveva a che fare con loro, più il suo disprezzo aumentava.

Una volta dentro, Jon appese la spada a un gancio che sporgeva dalla parete di pietra grezza, ignorando gli altri. Metodicamente, cominciò a togliersi la maglia di ferro, la tunica di cuoio, le maglie inzuppate di sudore. Blocchi di carbone ardevano in un braciere di ferro collocato verso il fondo dello stanzone allungato. Non serviva a niente, quel braciere: Jon si ritrovò a tremare. Il gelo non lo abbandonava mai. Nel giro di pochi anni, perfino la memoria del calore sarebbe svanita.

La stanchezza gli crollò addosso di colpo, mentre tornava a indossare i rozzi indumenti neri che costituivano la tenuta di ogni giorno. Sedette su una panca e lottò per chiudere il mantello con le dita intirizzite. "Freddo maledetto" pensò ricordando Grande Inverno, con le sue acque bollenti che scorrevano nelle pareti, simili a sangue nelle vene di un corpo umano. Al Castello Nero le sorgenti di calore erano cosa rara. Qui i muri erano gelidi, e le persone anche di più.

Nessuno gli aveva detto che entrare nella confraternita avrebbe significato tutto questo. Nessuno tranne il Folletto. Nella lunga strada verso l'estremo Nord, il nano era stato l'unico a dirgli la verità, ma a quel punto era troppo tardi. E suo padre? Sapeva cos'avrebbe trovato sulla Barriera? Doveva saperlo, e questa consapevolezza contribuiva solo a rendere la sofferenza più acuta.

In quel luogo freddo, ai confini del mondo, perfino suo zio l'aveva abbandonato. Lassù, l'affabile Benjen Stark che aveva conosciuto si era tramutato in un individuo completamente diverso. Quale primo ranger, Benjen passava le sue serate assieme al lord comandante Mormont, a maestro Aemon e agli altri ufficiali dei Guardiani. Jon era stato scaricato senza troppi complimenti alle cure non proprio cordiali di ser Alliser Thorne.

Tre giorni dopo il loro arrivo, a Jon era giunta voce che Benjen Stark avrebbe guidato una mezza dozzina di uomini in un pattugliamento nella Foresta Stregata, molto a settentrione della Barriera. La notte prima della spedizione, nella grande sala comune dalle pareti foderate di legno scuro, Jon aveva implorato lo zio di lasciarlo andare con lui.

«Non siamo a Grande Inverno.» Benjen aveva continuato a tagliare la carne con forchetta e pugnale. «Sulla Barriera, un uomo ottiene solo ciò che si guadagna. Tu non sei un ranger, Jon. Sei un ragazzino inesperto che puzza ancora d'estate.»

«Avrò quindici anni il prossimo compleanno» aveva ribattuto Jon, stolidamente. «Quasi un uomo fatto.»

«Sei un ragazzo, Jon.» La fronte di Benjen si era aggrottata. «E tale resterai finché ser Alliser non dirà che sei pronto a diventare un uomo dei guardiani della notte. Se hai pensato che avere il sangue degli Stark ti avrebbe fruttato un trattamento diverso, toglitelo dalla testa. Nel momento in cui prestiamo giuramento alla confraternita, le nostre famiglie passano in seconda linea. Tuo padre avrà sempre un posto nel mio cuore, ma adesso sono questi i miei fratelli.» Con la punta del pugnale aveva indicato gli uomini attorno a loro, duri uomini vestiti di nero.

Jon si era alzato all'alba del giorno seguente per vedere lo zio partire. Uno dei componenti della pattuglia, un uomo grosso e brutto, cantava una canzone oscena nel sellare il cavallo e il suo fiato condensava nell'aria glaciale del mattino. Benjen Stark aveva sorriso. Ma non aveva avuto nessun sorriso per suo nipote. «Quante volte dovrò ancora dirtelo, Jon? La risposta è no. Parleremo al mio ritorno.»

Osservando lo zio e gli altri allontanarsi lungo il tunnel d'uscita, a Jon erano tornate in mente le parole che il Folletto gli aveva detto sulla Strada del Re. E poi un'immagine aveva attraversato la sua mente: Ben Stark cadavere nella neve arrossata dal suo stesso sangue. Aveva provato un'orrida repulsione. Cosa stava diventando? Più tardi, nella solitudine della sua cella-alloggio, aveva affondato il volto nel caldo pelo bianco di Spettro.

Solo, certo. Ebbene, se quello era il suo destino, la solitudine sarebbe diventata la sua corazza. Non c'era nessun parco degli dèi al Castello Nero, solo un piccolo tempio accudito da un septon quasi sempre ubriaco. Jon riuscì a trovare la forza di non pregare nessuno degli dèi, antichi o recenti che fossero, perché se gli dèi esistevano, dovevano essere crudeli e implacabili al pari dell'inverno.

Aveva nostalgia dei suoi veri fratelli: Rickon, il più piccolo, gli occhi che brillavano quando voleva farsi dare un dolcetto; Robb, suo rivale e migliore amico, suo eterno compagno; Bran, ostinato e curioso, pronto ad accodarsi a Jon e a Robb qualsiasi cosa volessero fare, in qualsiasi posto volessero avventurarsi. Aveva nostalgia anche delle ragazze, perfino di Sansa, che l'aveva chiamato sempre e solamente "il mio fratellastro" da quando aveva imparato il significato della parola "bastardo". E poi Arya... quella cosina pelle e ossa, con le ginocchia e i gomiti perennemente scorticati, i capelli sempre arruffati e i vestiti sempre malridotti, ma al tempo stesso così fiera, così forte dentro. Arya gli mancava addirittura più di Robb perché, come lui, sembrava trovarsi sempre nel posto sbagliato al momento sbagliato. Lei riusciva sempre a farlo sorridere e adesso avrebbe dato qualsiasi cosa per averla lì, per scompigliarle i capelli e guardarla fare una smorfia, per sentirla concludere una frase con lui.

«Mi hai spezzato il polso, razza di bastardo.»

Jon alzò gli occhi nell'udire la voce sgradevole, carica di minaccia.

Grenn, collo spesso e faccia congestionata, torreggiava su di lui. Alle sue spalle si ammucchiavano tre dei suoi amici. Uno era Todder, un ragazzo basso dalla voce raschiante che tutti chiamavano "Rospo". Gli altri due erano i reietti che Yoren aveva portato con sé al Nord: stupratori delle penisole delle Dita. Jon ne aveva dimenticato i nomi: a meno che non fosse assolutamente necessario, evitava di rivolgere loro la parola. Erano dei prepotenti, dei bruti senza nemmeno la parvenza dell'onore.

Jon si alzò in piedi. «Se me lo chiedi con gentilezza, ti spezzo anche l'altro.»

Grenn aveva sedici anni e lo dominava di tutta la testa. Erano in quattro e più grossi di lui, ma nessuno gli faceva paura. Nel cortile li aveva battuti uno dopo l'altro.

«Magari invece siamo noi a spezzare te» disse uno degli stupratori.

«Perché non ci provi?» Jon fece per prendere la spada, ma uno di loro glielo impedì torcendogli il braccio dietro la schiena.

«Ci hai fatto fare una figura schifosa» sbraitò il Rospo.

«Facevate schifo già prima» lo rimbeccò Jon. Il ragazzo che gli teneva il braccio aumentò con violenza la torsione e il dolore fiammeggiò dentro di lui, ma Jon incassò stoicamente, senza emettere un lamento.

Il Rospo si avvicinò. «Ha la lingua pronta, il signorino.» Aveva occhietti ravvicinati, porcini. «L'hai forse presa da tua madre, bastardo? Cos'era tua madre, una puttana? Prova a dirci come si chiamava» sghignazzò. «Magari un paio di botte gliele ho date anch'io.»

Jon si contorse come un'anguilla. Il tacco del suo stivale calò come un maglio sul piede del ragazzo che lo tratteneva: un urlo, e il braccio fu libero. Jon si avventò contro il Rospo e lo scaraventò su una panca. In un batter d'occhio gli fu addosso, le mani serrate sulla gola, e cominciò a sbattergli la nuca contro il pavimento di terra battuta.

I due reietti delle Dita lo strapparono via e lo scaraventarono lontano, Grenn cominciò a prenderlo a calci e Jon stava rotolando lontano dai colpi quando una voce rimbombò nell'oscurità dell'armeria: «Piantatela! Immediatamente!».

Jon fu subito in piedi. Donal Noye incombeva su di loro. «C'è il cortile per i combattimenti» disse l'armaiolo. «Tenete le vostre risse fuori dalla mia armeria, se non volete che diventino le mie risse. La qual cosa non vi piacerebbe per niente.»

Il Rospo era ancora con il sedere a terra e si massaggiava la nuca con circospezione. Quando ritirò le dita, le trovò umide di sangue. «Ha cercato di uccidermi!»

«Vero» confermò uno degli stupratori. «L'ho visto io.»

«Mi ha spezzato il polso.» Grenn lo protese verso Noye perché potesse esaminarlo.

«Una botta.» L'armaiolo sprecò meno di un decimo di occhiata. «Forse una slogatura. Maestro Aemon ti darà un unguento. Todder, va' con lui. È meglio dare uno sguardo a quella testa. E voialtri tornate nelle vostre celle. Non tu, Snow, tu rimani.»

Jon si lasciò cadere pesantemente su una lunga panca, con il braccio pulsante per il dolore, ignorando le occhiate piene di silenziose promesse che gli altri gli lanciarono andandosene.

«Alla confraternita serve ogni uomo disponibile» disse Noye dopo che il manipolo si fu dileguato. «Perfino uomini come il Rospo. Non ricaverai molto onore uccidendolo.»

«Ha detto che mia madre era...»

«... una puttana, l'ho sentito. E con ciò?»

«Lord Eddard Stark non è uomo da farsi le puttane!» esclamò Jon. «Il suo onore...»

«... non gli ha certo impedito di mettere al mondo un bastardo. O sbaglio?»

L'ira di Jon era divorante. «Posso andare?»

«Te ne andrai quando io te lo dirò.»

Jon distolse lo sguardo e si mise a fissare con aria cupa il fumo che si levava dal braciere. Le grosse dita di Noye gli afferrarono il mento e lo costrinsero a voltare il capo. «Guardami quando ti parlo, ragazzo.»

Jon lo guardò. L'armaiolo della confraternita, naso largo e piatto, barba ispida non rasata, aveva il torace simile a un barile di birra e il ventre non era da meno. La manica sinistra della sua tunica di lana nera, vuota, era ripiegata all'altezza della spalla e trattenuta da una spilla d'argento a forma di spada da combattimento. «Non sono le parole a fare di tua madre una puttana. Tua madre era ciò che era, e nulla di ciò che il Rospo può dire cambierà quel passato. Qui sulla Barriera ci sono uomini le cui madri erano per davvero puttane.»

"Non la mia." Quel pensiero continuava a rimbalzare, instancabile e ostinato, nella mente di Jon, ma la realtà era che lui, di sua madre, non sapeva nulla. Eddard Stark non aveva mai detto una parola su di lei. Eppure, Jon la sognava tanto spesso da riuscire quasi a vederne il viso. E nei suoi sogni, sua madre era bellissima, di origini nobili, con occhi pieni di gentilezza.

«Tu credi di avere avuto un'esistenza grama perché sei il figlio bastardo di un grande signore?» riprese l'armaiolo. «Quel ragazzo, Jeren, è stato lasciato sulla soglia di casa di un septon. E Cotter

Pyke è nato in una cantina, dalla serva di una taverna. Adesso è il comandante del Forte Orientale.»

«Non me ne importa» ribatté Jon. «Non m'importa di loro, né di te, di Thorne, di Benjen Stark o di chiunque altro... Io lo odio, questo posto. È troppo... troppo freddo.»

«Lo è. Freddo, duro, crudo. Così è la Barriera e così sono gli uomini che la sorvegliano. Un posto ben diverso dalle favolette che ti ha raccontato la tua balia. Lo sai che ti dico, Snow? Che mi faccio una pisciata e su quelle favolette e sulla tua balia. La realtà della Barriera rimane, e tu ora ne fai parte. A vita.»

«Vita» ripeté Jon, il volto pieno di amarezza.

Della vita, l'armaiolo Donal Noye sapeva molto, l'aveva vissuta. Aveva prestato giuramento solo dopo aver perduto il braccio nell'assedio di Capo Tempesta. Prima era stato fabbro di Stannis Baratheon, il fratello del re. Aveva visto i Sette Regni da cima a fondo, era andato a puttane e si era ubriacato in mille taverne, aveva combattuto mille battaglie. Si diceva che fosse stato lui a forgiare la mazza ferrata con la quale re Robert aveva spezzato la vita di Rhaegar Targaryen nella Battaglia del Tridente. Aveva fatto cose che Jon non sarebbe mai stato in grado neppure d'immaginare. E quando ormai era diventato vecchio, ben oltre i trent'anni, era stato colpito in profondità da un'ascia. La ferita aveva continuato a suppurare finché non c'era stata altra via che amputargli il braccio. Solo allora, monco ma ancora ben lontano dalla fine dei suoi giorni, era salito fino alla Barriera.

«Esatto: vita» riprese Donal Noye. «Se sarà breve o lunga, la scelta è tua. Se vai avanti per la strada sulla quale ti sei incamminato, è solo questione di tempo prima che uno dei tuoi fratelli venga a farti visita nel mezzo della notte per tagliarti la gola.»

«Non sono miei fratelli» replicò Jon con rabbia. «Mi odiano perché sono migliore di loro.»

«No. Ti odiano perché ti comporti come se lo fossi. Ti guardano, e quello che vedono è un bastardo tirato su in un castello di gran signori, che crede di essere anche lui un gran signore.» L'armaiolo si protese verso di lui. «Ebbene, non lo sei. Ricordatelo: sei uno Snow, non uno Stark, sei un bastardo e un prepotente.»

«Prepotente?» Jon quasi si strozzò nel ripetere la parola, un'accusa talmente infamante da mozzargli il fiato in gola. «Sono stati loro ad aggredirmi! Quattro contro uno!»

«Quattro che là fuori, nel cortile, tu avevi umiliato e che probabilmente di te hanno paura. Ho guardato come combatti, Snow. Addestrarsi con te è uno spreco di tempo e di forze. A darti una spada che taglia, quei quattro sarebbero carne da macello. Tu lo sai, io lo so e anche loro lo sanno. Tu non lasci loro scampo, li copri di vergogna. Di' un po', questo ti fa forse sentire orgoglioso?»

Jon esitò. Si era sentito orgoglioso nel batterli tutti. E perché non avrebbe dovuto? Ma adesso, da come l'armaiolo la stava mettendo, era come se avesse fatto qualcosa di sbagliato. «Sono tutti più vecchi di me» disse, sulla difensiva.

«Più anni, più muscoli, più forza, è vero. Ma scommetto che è stato il maestro d'armi di Grande Inverno a insegnarti come ci si batte con avversari più grossi. Chi era, un vecchio cavaliere?»

«Ser Rodrik Cassel» rispose Jon, cauto. C'era una trappola, qui, poteva sentirla stringersi attorno a lui.

«Ora tu ascolta me, ragazzo, e ascoltami bene.» Donal Noye tornò a protendersi verso di lui, faccia a faccia. «Nessuno di questi quattro che ti hanno aggredito ha mai avuto un maestro d'armi finché non è apparso ser Alliser. I loro padri erano contadini, carrettieri, bracconieri, fabbri, minatori e rematori su un mercantile. Quello che sanno del duello, l'hanno imparato tra i magazzini del porto, nei vicoli fetidi di Vecchia Città e di Lannisport, nelle taverne e nei bordelli lungo la Strada del Re. Forse, prima di venire alla Barriera, avranno anche tentato di duellare con dei bastoni, ma credi alle mie parole: neppure uno su venti è mai stato abbastanza ricco da potersi comprare una vera spada.» Adesso era il volto duro di Donal Noye a essere pieno di amarezza. «Quanto sei orgoglioso delle tue vittorie ora, lord Snow?»

«Non chiamarmi a quel modo!» esclamò Jon, ma la carica che nutriva la sua rabbia si era esaurita. Di colpo si sentì pieno di vergogna. «Io non ho mai... ecco... pensato...»

«Meglio che cominci a farlo. Pensa, Snow» lo ammonì Noye. «Oppure comincia ad andare a dormire con un pugnale accanto al letto. Ora puoi andare.»

Era quasi mezzogiorno e il sole si era aperto la strada tra le nubi quando Jon si fermò fuori dell'armeria e alzò lo sguardo alla Barriera, torreggiante dilatazione di sfumature azzurre, cristalline sotto i raggi accecanti. Era arrivato al Castello Nero settimane prima, eppure quella visione continuava a mettergli il gelo nelle ossa. Secoli e secoli di polvere, pietrisco, detriti portati dal vento l'avevano butterata, scavata, coperta di strati opachi. Spesso appariva di un grigio plumbeo, il colore del cielo nuvoloso, ma quando il sole la illuminava, scintillava come se contenesse una sua interna luce vivente.

«La più grande struttura mai eretta da mano d'uomo.» Erano state queste le parole che Benjen Stark aveva detto a Jon quando l'avevano avvistata la prima volta in lontananza, risalendo la Strada del Re.

«E di certo anche la più inutile.» Questo invece era stato il giudizio di Tyrion Lannister. Un giudizio pronunciato con una smorfia ironica. Ma continuando ad avvicinarsi, i giudizi erano cessati e anche la smorfia ironica. La Barriera era visibile da miglia di distanza, una linea azzurro pallido estesa da un estremo all'altro dell'orizzonte settentrionale, gigantesca, ininterrotta. "Questo è l'ultimo confine del mondo" pareva essere il suo silenzioso messaggio.

Quando finalmente erano arrivati in vista del Castello Nero, le torri di pietra e i fortini di tronchi erano sembrati nient'altro che una manciata di giocattoli gettati nella neve, frammenti insignificanti al cospetto della mastodontica muraglia di ghiaccio. L'antica piazzaforte dei confratelli in nero non somigliava neppure remotamente a Grande Inverno, non era nemmeno un castello vero e proprio. Non c'erano mura, attorno al Castello Nero. Non poteva essere difeso né da sud, né da est, né da ovest, ma non aveva importanza. Per i guardiani della notte esisteva un'unica direzione dalla quale poteva arrivare il pericolo: nord. E a nord si ergeva la Barriera.

Era alta duecentocinquanta metri, il triplo del più alto dei castelli che proteggeva. Benjen Stark aveva detto che la sua sommità era larga abbastanza da permettere il passaggio di dodici uomini a cavallo, in armatura pesante e affiancati. Mastodontiche catapulte e ciclopiche gru di legno parevano montare di sentinella su di essa, simili a vestigia scheletriche di uccelli leggendari. E tra quegli scheletri, piccoli come formiche, camminavano gli uomini in nero.

In quel momento, osservando la Barriera dalla soglia dell'armeria, Jon si sentiva schiacciato come quando l'aveva vista per la prima volta. Era la natura profonda della Barriera. Ci si dimenticava della sua esistenza come ci si dimentica del suolo, dell'aria, del cielo. Ma c'erano delle volte in cui pareva che al mondo non esistesse nient'altro, qualcosa di molto più antico dei Sette Regni. Solamente a osservarla, a Jon venivano le vertigini. Poteva percepire su di sé il peso titanico di tutto quel ghiaccio, come se stesse per crollargli addosso. E capì che se fosse crollata, l'intero universo sarebbe stato travolto.

«Ti spinge a domandarti cosa c'è al di là.»

Jon sussultò e si guardò attorno. Poi guardò giù. «Lannister. Non ti avevo visto... voglio dire, pensavo di essere solo.»

«È sempre interessante cogliere la gente di sorpresa.» Tyrion Lannister era talmente infagottato di pellicce da sembrare un orso in miniatura. «Non si sa mai quello che si può imparare.»

«Non imparerai niente da me» dichiarò Jon.

Dopo la conclusione del viaggio, non aveva visto molto spesso il nano. Quale fratello della regina, Tyrion Lannister era considerato un onorevole ospite dei guardiani della notte. Jeor Mormont, il lord comandante, gli aveva dato i propri quartieri nella Torre del Re, chiamata a quel modo anche se nessun re ci alloggiava da oltre un secolo. Inoltre Tyrion cenava al tavolo di lord Mormont, passava i giorni cavalcando sulla Barriera e le notti giocando a dadi e bevendo assieme a ser Alliser, a Bowen Marsh e agli altri ufficiali della confraternita.

«Oh, io imparo dappertutto.» Il piccolo uomo indicò la Barriera con un nodoso, contorto bastone di legno scuro. «Come dicevo... Per quale ragione, quando qualcuno erige un muro, qualcun altro immediatamente si domanda cosa c'è dall'altra parte?» Inclinò la testa di lato e scrutò Jon con quei suoi curiosi occhi dai colori diversi. «Perché tu vuoi sapere cosa c'è dall'altra parte, non è così?»

«Non particolarmente» rispose Jon. Invece avrebbe voluto andare in pattuglia con Benjen Stark ed esplorare le profondità della Foresta Stregata, pronto a combattere i bruti di Mance Rayder, il Re oltre la Barriera, pronto a difendere il reame contro gli Estranei. Tuttavia decise che era meglio non parlare di ciò che voleva. «I ranger dicono che ci sono solamente boschi, montagne e laghi ghiacciati. E poi tanta neve, tantissimo ghiaccio.»

«Non dimenticarti degli elfi maligni e delle creature della notte» aggiunse Tyrion. «Non commettere l'errore di farlo, lord Snow... A che altro servirebbe quella cosa enorme?»

«Non chiamarmi lord Snow.»

«Preferiresti essere chiamato "il Folletto"?» Tyrion Lannister inarcò un sopracciglio. «Mostra che le loro parole possono ferirti, e non sarai più libero dalla derisione. Se proprio vogliono darti un nome, accettalo, fallo tuo, in modo che poi non possano mai più usarlo per farti del male.» Tyrion fece un altro movimento con il bastone. «Forza, vieni con me. A quest'ora nella sala comune stanno probabilmente distribuendo qualche infame zuppa, e non mi dispiacerebbe proprio mandare giù una ciotola di roba calda.»

Nemmeno a Jon sarebbe dispiaciuto, così si affiancò al Folletto rallentando in modo da tenere il passo con il movimento incerto e vacillante del nano. Stava alzandosi il vento. Tutt'attorno, le vecchie costruzioni di legno scricchiolavano sotto la sua sferza. Da qualche parte, un'imposta dimenticata aperta sbatteva senza sosta. Ci fu un tonfo soffocato: un cumulo di neve si era staccato da un tetto atterrando alle loro spalle.

«Non vedo il tuo lupo» rilevò Tyrion.

«Durante gli addestramenti lo lascio incatenato nelle vecchie stalle. In questa stagione chiudono con assi gli alloggiamenti dei cavalli, così nessuno va a dare fastidio a Spettro. Il resto del tempo lo tengo con me. La mia cella è nella Torre di Hardin.»

«Quella con gli spalti a pezzi, macerie nel cortile e un puntello per tenerla in piedi? Proprio come il nostro nobile re Robert dopo una notte di bevute. Pensavo che tutti quegli edifici fossero abbandonati.»

«A nessuno importa niente di dove dormi.» Jon si strinse nelle spalle. «La maggior parte delle vecchie torri è vuota e ti puoi scegliere la cella che ti pare.»

C'era stato un tempo in cui il Castello Nero era servito di base per oltre cinquemila uomini più i loro serventi, i cavalli e le armi. Quel tempo era finito. Ora si arrivava a malapena a un decimo di quel numero, e molte parti della piazzaforte stavano andando in rovina.

«Mi farò un punto d'onore di dire a tuo padre di mandare qui un bel po' di spaccapietre ai lavori forzati, prima che quella torre finisca definitivamente in pezzi.» La risata di Tyrion Lannister condensò nell'aria gelida.

A Jon non sfuggì il sarcasmo, ma neppure l'innegabile verità. Lungo tutta l'estensione della Barriera, la confraternita in nero aveva costruito diciannove fortini, ma solamente tre erano ancora occupati. Uno era il Forte Orientale, sulla grande costa rocciosa sferzata dai venti del mare. L'altro era la Torre delle Ombre, sulle impervie montagne a occidente, dove la Barriera stessa aveva fine. Tra quei due estremi, nel punto in cui terminava, o iniziava, la Strada del Re, si ergeva il Castello Nero. Tutte le altre piazzeforti, vuote da molto tempo, erano luoghi solitari, desolati, abitati da fantasmi, dove il vento raggelante ululava attraverso finestre ridotte a occhiaie cieche, le torrette sorvegliate dagli spiriti dei morti.

«Sto meglio da solo» disse Jon con ostinazione. «Tutti hanno paura di Spettro.»

«Ragazzi prudenti» commentò Tyrion, ma poi cambiò argomento. «Corre voce che tuo zio sia fuori da troppo tempo.»

Nella mente di Jon tornò il ricordo del selvaggio desiderio che aveva provato: Benjen Stark morto nella neve arrossata. Guardò altrove, perché il Folletto aveva un'acuta percezione degli stati d'animo e non voleva che gli leggesse la colpa negli occhi.

«Ha detto che sarebbe tornato per il mio compleanno» ammise. Ma quel giorno era venuto e andato, ignorato da tutti, da due settimane. «Benjen è uscito a cercare ser Waymar Royce, suo padre è uno degli alfieri di lord Arryn. Ha detto che si sarebbero spinti fino alla Torre delle Ombre, che è molto lontana e molto in alto sulle montagne.»

«Ho anche sentito dire che parecchi validi ranger sono scomparsi di recente» insistette Tyrion mentre salivano i gradini che portavano alla sala comune. Fece una smorfia e aprì la porta dicendo: «Gli elfi maligni devono essere affamati, quest'anno».

La sala era enorme e percorsa da correnti d'aria gelida. Il grande fuoco che ardeva nel vasto camino di pietra serviva a poco. Alcuni corvi avevano fatto il nido fra le travature della volta. Jon li udì gracchiare. Accettò una ciotola di cibo caldo e alcune fette di pane nero dai cuochi di turno quel giorno. Grenn, il Rospo e altri suoi compagni erano seduti su una panca vicino al fuoco, e ridevano e si insultavano l'un l'altro con voci rauche. Jon li osservò pensieroso per un lungo momento e alla fine risolse di andare a sedere all'estremo opposto della sala, da solo. Non rimase solo per molto: Tyrion Lannister venne a sedersi di fronte a lui.

«Orzo, cipolle, carote.» Il Folletto annusò con espressione diffidente. «Qualcuno dovrebbe ricordare al cuoco che le rape non sono bistecche.»

«È stufato di montone.» Jon si tolse i guanti e si riscaldò le mani nel flusso di vapore che saliva dalla ciotola mentre il profumo gli faceva venire l'acquolina in bocca.

«Snow.»

Quella voce, simile ad acciaio di Valyria. Ma questa volta nel tono di ser Alliser Thorne c'era una nota sconosciuta a Jon. Si girò verso di lui.

«Il lord comandante vuole vederti. Subito.»

Per qualche attimo, Jon fu troppo spaventato perfino per muoversi. Perché il lord comandante voleva vederlo? Avevano saputo qualcosa di Benjen? «Si tratta di mio zio?» mormorò. Forse era morto. Forse la sua visione era diventata realtà. «È tornato sano e salvo?»

«Il lord comandante non apprezza che lo si faccia aspettare» fu la risposta di ser Alliser. «E io non apprezzo che un bastardo discuta i miei ordini.»

«Falla finita, Thorne.» Tyrion Lannister spinse indietro la panca e si alzò. «Lo stai spaventando.»

«Tieniti fuori da faccende che non ti riguardano, Lannister. Questo non è il tuo posto.»

«In compenso lo è la corte del re.» Il Folletto sorrise. «Una sola parola nell'orecchio giusto, e tu finirai i tuoi giorni da vecchio inacidito quale sei, senza più avere la possibilità di addestrare anche un solo ragazzo. Ora di' a Snow per quale ragione il Vecchio Orso vuole vederlo. Riguarda suo zio?»

«No. È una cosa completamente diversa. È arrivato un uccello messaggero da Grande Inverno con qualcosa che riguarda suo fratello.» Si corresse: «Fratellastro».

«Bran.» Jon balzò in piedi. «È accaduto qualcosa a Bran.»

«Jon.» Tyrion Lannister gli pose una mano sul braccio. «Mi dispiace ragazzo. Tanto.»

Jon lo udì a malapena. Allontanò la mano di Tyrion e attraversò la sala a passi rapidi, che divennero una corsa ancora prima di arrivare all'uscita. Corse al maniero del comandante aprendosi la strada attraverso cumuli di neve perenne. Superate le guardie, salì i gradini a due alla volta e, quando finalmente fu al cospetto del lord comandante, i suoi stivali erano fradici e lui aveva il fiato grosso e gli occhi sbarrati. «Bran» ansimò. «Che cosa dice di Bran?»

Jeor Mormont, lord comandante dei guardiani della notte, era un vecchio ruvido, con un enorme cranio calvo e un'arruffata barba grigia. Sull'avambraccio reggeva un corvo al quale stava dando chicchi di grano.

«Mi si dice che sai leggere, Snow.» Si sbarazzò del corvo, che sbatté le ali e andò a posarsi sul davanzale della finestra, da dove osservò Mormont togliersi dalla cintola una pergamena arrotolata e porgerla a Jon.

«Grano» gracchiò l'uccello. «Grano. Grano.»

Il dito di Jon seguì il contorno del meta-lupo nel sigillo spezzato di ceralacca bianca. Riconobbe la calligrafia di Robb, ma mentre cercava di leggere le parole parvero confondersi, mescolarsi le une nelle altre. Si rese conto che stava piangendo. In qualche modo, in mezzo alle lacrime, trovò il nesso tra quelle parole confuse.

«Bran si è svegliato» disse alla fine. «Gli dèi hanno voluto ridarcelo.»

«Sì, ma è uno storpio» commentò Mormont. «Mi dispiace, ragazzo. Leggi il resto della lettera.»

Jon lesse, ma non aveva importanza, nessuna importanza: Bran sarebbe vissuto, questo solo contava. «Mio fratello vivrà.»

Lord Mormont scosse il capo, prese una manciata di grano ed emise un fischio. Il corvo tornò sul suo avambraccio. «Vivrà! Vivrà!» gracchiò.

Jon scese le scale a tutta velocità, un sorriso in faccia e la lettera di Robb stretta nel pugno. «Mio fratello vivrà!...» disse alle guardie, che si scambiarono un'occhiata.

Tornò di corsa nella sala comune, da Tyrion Lannister che stava finendo di mangiare. Afferrò l'ometto sotto le ascelle, lo fece volteggiare nell'aria, lo fece girare come una trottola. «Bran vivrà! Bran vivrà!...»

Tyrion parve trasecolato. Jon lo rimise a terra e gli cacciò la pergamena tra le dita. «Ecco, leggi.»

Altri uomini in nero stavano raccogliendosi attorno a loro incuriositi. A qualche passo di distanza, Jon notò Grenn. La sua mano era avvolta in una spessa fasciatura di lana. Appariva in ansia, a disagio, nient'affatto minaccioso. Jon gli si avvicinò, e subito Grenn indietreggiò alzando le mani. «Stammi lontano, bastardo.»

«Mi dispiace per il tuo polso» sorrise Jon. «Mio fratello Robb usò con me lo stesso trucco, una volta, ma con una lama di legno. Un male da Sette Inferi. Il tuo dev'essere anche peggio. Se vuoi, ti posso mostrare come ci si difende da quel tipo di attacco.»

Alliser Thorne lo udì. «E così lord Snow adesso vuole prendere il mio posto.» Ebbe una smorfia. «Farò meno fatica io a insegnare a un lupo a fare le capriole che tu a addestrare questi buoi.»

«Accetto la scommessa, ser Alliser» ribatté Jon. «Mi piacerebbe proprio vedere Spettro fare le capriole.»

Jon udì Grenn trattenere il fiato, sconvolto da una simile temerarietà. Nella sala si fece silenzio.

Poi Tyrion Lannister sghignazzò. Tre confratelli in nero ridacchiarono da un tavolo vicino. Infine non ci fu alcun modo per arginare la risata generale che si dilatò alle panche, ai tavoli, al fuoco, ai cuochi. I corvi annidati sopra di loro si agitarono. Infine, anche Grenn cominciò a ridacchiare.

Gli occhi di ser Alliser Thorne non si staccarono mai da Jon Snow. Via via che la risata si estendeva, la sua espressione divenne cupa, la sua mano si chiuse a pugno.

«Hai commesso un errore, lord Snow.» Il suo tono era velenoso come quello di un nemico. «Un grave errore.»

EDDARD

Eddard Stark superò a cavallo i torreggianti portali di bronzo della Fortezza Rossa. Si sentiva indolenzito, sfinito, affamato e irritato. Era ancora in sella e sognava una vasca d'acqua calda, un piatto di arrosto e un materasso imbottito di piume quando l'attendente del re gli si avvicinò per dirgli che il gran maestro Pycelle aveva convocato una riunione urgente del concilio ristretto. Era richiesto anche l'onore della presenza del Primo Cavaliere, non appena per lui fosse stato conveniente, era chiaro.

«Per me sarebbe conveniente domattina» rispose seccamente Ned, smontando da cavallo.

L'attendente si esibì in un profondo inchino. «Andrò a porgere al concilio il tuo rincrescimento, lord Stark.»

«Non andare a porgere niente, dannazione.» Ned non avrebbe offeso il concilio ancora prima di cominciare. «Li vedrò. Prega loro di darmi solo il tempo per rendermi presentabile.»

«Sì, mio signore» assentì l'attendente. «Se ti aggrada, ci siamo permessi di riservarti i quartieri che erano stati di lord Arryn, nella Torre del Primo Cavaliere. Farò portare lassù le tue cose.»

«I miei ringraziamenti.» Ned si tolse i grossi guanti di cuoio per cavalcare e li infilò nella cintura. Alle sue spalle, il resto della colonna reale cominciò a fluire attraverso il portale. Individuò Vayon Poole, il suo attendente, e gli fece cenno di avvicinarsi. «Sembra che il concilio ristretto abbia immediato bisogno di me. Assicurati che le mie figlie arrivino ai rispettivi alloggi e di' a Jory Cassel di tenerle là. Che Arya non s'imbarchi nelle sue solite esplorazioni.» Poole s'inchinò, mentre Ned tornava a rivolgersi all'attendente reale: «I miei carri stanno ancora arrancando nelle vie della città. Mi serviranno indumenti adatti».

«Provvederò con grande piacere, mio signore.»

E così lord Eddard Stark, stanco morto e con indosso abiti non suoi, arrivò nella sala del concilio per il suo incontro d'esordio con quattro dei maggiorenti della corte del re: tutti attendevano lui.

La sala era arredata riccamente. Al posto delle usuali stuoie di canapa, il pavimento era coperto da tappeti pregiati provenienti dalla città libera di Myr. In un angolo, cento animali mitici dipinti a colori sgargianti si protendevano da un bassorilievo delle Isole dell'Estate. Alle pareti pendevano arazzi da Norvos, Qohor, Lys. Ai lati della porta troneggiavano due sfingi di Valyria con gli occhi di scintillanti granati nelle facce di marmo nero.

Fu il consigliere che a Ned piaceva meno ad accostarsi a lui non appena entrò: lord Varys, l'eunuco.

«Lord Stark, sono stato tremendamente rattristato nell'apprendere dei problemi da te incontrati lungo la Strada del Re.» Il tocco dell'eunuco lasciò tracce di cipria sulla manica di Ned. «Tutti noi abbiamo visitato il tempio, accendendo candele per il principe Joffrey. E tutti noi continuiamo a pregare per una sua pronta guarigione.»

«I vostri dei vi hanno ascoltato» rispose Ned con fredda cortesia. «Il principe recupera le forze di giorno in giorno.»

Si sganciò dalla sua stretta e dalla penetrante nube di profumo che circondava l'eunuco. Varys emanava l'odore dolciastro di fiori che sono stati lasciati su un sarcofago troppo a lungo. Ned attraversò la sala dirigendosi verso il bassorilievo e Renly Baratheon, che era immerso in una conversazione sussurrata con un individuo di bassa statura. Poteva trattarsi solamente di Ditocorto. Quando Robert aveva preso il trono, Renly era un ragazzino di otto anni. Crescendo, aveva assunto una somiglianza con il fratello maggiore che Ned trovò sconcertante. Nel guardarlo, ebbe la sensazione che il tempo avesse invertito il proprio flusso, gli parve di essere di nuovo con il Robert Baratheon appena uscito vittorioso dalla Battaglia del Tridente.

«Vedo, lord Stark, che sei felicemente arrivato» esordì Renly.

«Lo stesso vale per te. Devi perdonarmi, ma a volte sei davvero l'immagine di tuo fratello.»

«Solo una brutta copia» commentò Renly stringendosi nelle spalle.

«Molto più elegante dell'originale, tuttavia» s'intromise Ditocorto. «Lord Renly spende in vestiario più della metà delle dame di corte messe assieme.»

Il che non era troppo lontano dalla verità. Lord Renly indossava velluto verde scuro con una dozzina di cervi d'oro ricamati sulla sopratunica. Attorno a una spalla, drappeggiata con studiata noncuranza, c'era una mezza cappa trattenuta al collo da una fibbia in cui era incastonato un solo smeraldo. «Ci sono crimini ben peggiori» rise Renly. «Il modo in cui tu ti vesti, tanto per citarne uno.»

Ditocorto ignorò la battuta. «Sono anni che mi auguro d'incontrarti, lord Stark.» Il sorriso che scoccò a Ned era al limite dell'insolenza. «Non dubito che lady Catelyn ti abbia parlato di me.»

«L'ha fatto» rispose Ned in tono freddo. La maliziosa arroganza delle sue parole l'aveva punto sul vivo. «So che hai avuto il piacere di conoscere anche mio fratello Brandon.»

Renly Baratheon rise. Lord Varys si accostò per sentire meglio.

«Fin troppo bene» ribatté Ditocorto. «Porto ancora addosso un pegno della sua stima. Brandon ti ha parimenti parlato di me?»

«Spesso, e con un certo calore.»

Ned sperò che ciò concludesse il battibecco. Non aveva né il tempo né la pazienza per i duelli verbali che piacevano a loro.

«E io che pensavo che voi Stark e il calore non andaste d'accordo» proseguì Ditocorto, imperterrito. «Qui nel Sud, si dice che siate fatti di ghiaccio e che solo nel momento in cui superate l'Incollatura cominciate a sciogliervi.»

«Non ho intenzione di sciogliermi in tempi brevi, lord Baelish. Su questo ci puoi contare.» Ned gli voltò le spalle e andò verso il tavolo del concilio. «Maestro Pycelle, confido che tu stia bene.»

«Quanto basta per un uomo della mia età, mio signore.» Il gran maestro gli rivolse un sorriso dall'alto scranno sul quale sedeva a un capo del tavolo. «Ma mi stanco con facilità, temo.»

Ciuffi di capelli candidi spuntavano qua e là alla base della cupola calva che sovrastava la sua faccia gentile. Il collare del suo ordine culturale non era un semplice anello di metallo come quello di maestro Luwin. Era composto da due dozzine di pesanti catene attorcigliate a formarne una più grossa e tintinnante che scendeva dalla gola al petto. Gli anelli erano una mescolanza di pressoché tutti i metalli conosciuti: ferro nero e oro rosso, rame lucido e piombo opaco, e poi acciaio, alluminio, argento, ottone, bronzo, platino; tormaline e ametiste ornavano l'elaborato vortice metallico, con rubini e smeraldi incastonati in vari punti strategici. «Suggerisco di cominciare» disse il gran maestro. «Ad aspettare un altro po', ho timore di addormentarmi.»

«Come desideri.»

All'altro capo del tavolo lo scranno del re, con un cuscino su cui era ricamato in oro il cervo incoronato dei Baratheon, era vuoto. Ned sedette accanto a esso, sulla destra: il Primo Cavaliere era la mano destra del re. «Miei lord» esordì formalmente «chiedo scusa per avervi fatto aspettare.»

«Tu sei il Primo Cavaliere» rispose Varys. «Noi siamo al tuo servizio.»

Gli altri presero posto, e a quel punto la verità tornò a colpire Eddard Stark come una mazza ferrata: non apparteneva a quel posto, alla compagnia di quegli uomini. Gli tornarono in mente le parole che Robert gli aveva detto nel sepolcro sotterraneo di Grande Inverno: «Sono circondato da adulatori, da imbecilli». Ned passò lo sguardo sulle facce attorno al tavolo e si domandò quali fossero gli adulatori e quali gli imbecilli, ma si disse che sapeva già la risposta.

«Siamo solamente in cinque» osservò.

«Lord Stannis è andato alla Roccia del Drago poco dopo la partenza del re per il Nord» spiegò lord Varys. «E il nostro valoroso ser Barristan senza dubbio cavalca a fianco del re nell'attraversare la città, come si conviene al lord comandante della Guardia reale.»

«Forse dovremmo attendere che anche il re e ser Barristan siano presenti» disse Ned.

«Attendere che mio fratello ci faccia la grazia della sua regale presenza?» Renly Baratheon scoppiò in una sonora risata. «Sarà una lunga attesa.»

«Il nostro amato re Robert porta molti fardelli» rispose Varys. «Per alcune piccole questioni si fida di noi, in modo da alleggerirne il peso.»

«Ciò che lord Varys intende dire» spiegò Renly «è che tutte le faccende che riguardano bilanci, economia e giustizia annoiano a morte mio fratello. Il governo del reame spetta quindi a noi. Lui impartisce qualche ordine, di tanto in tanto.» Si tolse dalla manica una pergamena strettamente arrotolata e la depose sul tavolo. «Per esempio, proprio questa mattina mi ha ordinato di precedere la colonna reale al galoppo e di venire a chiedere al gran maestro Pycelle di convocare questo concilio al più presto. Ha un importante compito da affidarci.»

Ditocorto sorrise e passò la pergamena a Ned. Recava il sigillo reale. Ned spezzò la ceralacca con il pollice e scorse il documento per rendersi conto di quale fosse l'ordine così urgente impartito dal re in persona. Via via che leggeva, la sua incredulità aumentava. Sembrava non esserci limite alla bizzarria di Robert e che a lui, Ned Stark, venisse imposto di mandare avanti quella bizzarria in suo nome era come versare sale su una ferita aperta. «Dei pietosi...» imprecò.

«Ciò che lord Eddard vuole dire» annunciò lord Renly «è che sua grazia ci comanda di allestire un grande torneo in onore della nomina del nuovo Primo Cavaliere.»

«Quanto?» chiese subito Ditocorto.

«Quarantamila dragoni d'oro al vincitore» rispose Ned, leggendo ad alta voce il testo della pergamena «ventimila al cavaliere che arriverà secondo, altri ventimila al vincitore della Grande mischia, diecimila al vincitore della competizione degli arcieri.»

«In tutto, novantamila pezzi d'oro.» Ditocorto respirò a fondo. «E non dobbiamo trascurare le altre spese. Robert vorrà una festa formidabile. Questo significa cuochi, carpentieri, serve, cantanti, giocolieri, buffoni...»

«Da queste parti» intervenne Renly «di buffoni ne abbiamo in abbondanza.»

Il gran maestro Pycelle guardò Ditocorto. «E sarà il Tesoro a sostenere questi oneri?»

«Di quale Tesoro parli?» ribatté Ditocorto, con una smorfia. «Risparmiami l'imbecillità, gran maestro. Sai bene quanto me che i forzieri della corona sono vuoti da anni. Sarò costretto a chiedere un ennesimo prestito e i Lannister saranno compiacenti, nessun dubbio in merito. Al momento, dobbiamo a lord Tywin qualcosa come tre milioni di dragoni. Che differenza potranno mai fare altri centomila?»

«Un momento, lord Baelish.» Ned Stark era sconvolto. «Stai dicendo che la corona è indebitata per tre milioni di pezzi d'oro?»

«La corona è indebitata per oltre sei milioni di pezzi d'oro, lord Stark. La fetta più grossa la dobbiamo ai Lannister, ma abbiamo chiesto prestiti anche a lord Tyrell, alla Banca di Ferro di Braavos e a svariati consorzi commerciali di Tyrosh. Di recente, ci siamo rivolti pure al Credo, e l'Alto Septon tira su il prezzo peggio di un pescivendolo di Dorne.»

«Aerys Targaryen aveva lasciato il Tesoro traboccante d'oro.» Ned rifiutava di accettare la realtà. «Come avete potuto permettere che accadesse una cosa simile?»

«Il maestro del conio si limita a trovare i fondi necessari.» Ditocorto si strinse nelle spalle. «Il re e il Primo Cavaliere li spendono.»

«Non posso credere che lord Arryn abbia permesso a Robert di ridurre il reame a mendicare!»

Il gran maestro Pycelle scosse il testone calvo. «Lord Arryn era un uomo prudente, ma temo che sua maestà non sempre presti orecchio ai saggi consigli.»

«Il mio reale fratello adora tornei e festini» precisò Renly Baratheon «e detesta tutto ciò che lui definisce "contare monete".»

«Parlerò io con sua maestà» affermò Ned. «Questo torneo è una stravaganza assurda, qualcosa che il reame non può permettersi.»

«Parla pure con lui» ribatté lord Renly. «Noi dovremo comunque pianificare questa stravaganza assurda.»

«Lo faremo un altro giorno» rispose Ned. Aveva parlato con tono brusco, forse troppo, a giudicare dalle occhiate degli astanti. Non era più a Grande Inverno, questo doveva ricordarlo ogni momento. A Grande Inverno, solamente il re era un'autorità superiore alla sua. Qui, ad Approdo del Re, lui era solo il primo tra eguali. «Perdonatemi, miei lord» disse in tono più conciliante. «Sono molto stanco per il viaggio. Sospendiamo la seduta, per oggi, e riprendiamola quando tutti saremo in forma migliore.»

Non chiese e non attese il loro consenso. Si alzò senza aggiungere altro, fece un cenno di commiato con il capo e uscì.

Cavalieri, cavalli e carri continuavano a riversarsi attraverso il portale della Fortezza Rossa. Il cortile era un caos di fango, sudore, grida. Il re non era ancora arrivato, venne detto a Eddard.

Dopo la brutta storia del Tridente, gli Stark e il loro gruppo avevano viaggiato molto più avanti del grosso della colonna reale, in modo da separarsi dai Lannister e dalle tensioni crescenti tra loro. Robert si era visto poco. Si diceva che viaggiasse nell'immane casa su ruote della regina, ubriaco la maggior parte del tempo. Se era vero, potevano passare molte ore prima che arrivasse. Per quanto riguardava Ned, sarebbe arrivato sempre troppo presto. Un'occhiata al viso di Sansa era sufficiente a risvegliare il furore che gli covava dentro. Le ultime due settimane di quel viaggio erano state un vero tormento. Sansa se la prendeva con Arya perché riteneva che avrebbe dovuto essere Nymeria a venire sgozzata, non Lady. E Arya, dopo aver appreso la fine che aveva fatto il suo piccolo amico garzone di macellaio, si era chiusa in un cupo isolamento. Quanto a Eddard Stark, continuava ad avere sinistre visioni dell'inferno congelato al quale erano destinati gli Stark di Grande Inverno.

Attraversò il cortile esterno e superò una grata aperta che conduceva a un ponte coperto dirigendosi verso quella che riteneva essere la Torre del Primo Cavaliere.

«Stai andando dalla parte sbagliata, Stark.» Ditocorto si materializzò fuori dalle ombre. «Vieni con me.»

Guardingo, Ned lo seguì. Ditocorto lo guidò dentro un torrione, giù per una scala, oltre un piccolo cortile racchiuso da muri, lungo un corridoio deserto nel quale armature vuote montavano la guardia simili a sentinelle spettrali, reliquie dei Targaryen d'acciaio nero con scaglie di drago sugli elmi, ora abbandonate, dimenticate.

«Non è questa la strada per arrivare ai miei quartieri, Baelish.»

«Ho forse detto che lo era? In realtà, ti sto portando a una segreta dove ti taglierò la gola e farò sparire la tua carcassa dietro un muro» gli rispose Ditocorto, la voce che grondava sarcasmo. «Non ho tempo per i tuoi sospetti, Stark. Tua moglie ti sta aspettando.»

«E io non ho tempo per i tuoi giochetti, Ditocorto. Catelyn è a Grande Inverno, a mille miglia da qui.»

«Sul serio?» Gli occhi grigioverdi di Ditocorto scintillarono divertiti. «Allora dev'essere spuntata fuori una sua incredibile sosia. Decidi, Stark: o vieni adesso, o io terrò Catelyn per me.» Ditocorto si avviò giù per altri gradini.

Ned gli andò dietro, ancora più guardingo, chiedendosi se quella giornata maledetta avrebbe avuto mai fine. Non era a proprio agio negli intrighi, ma cominciava a comprendere che per un uomo come Ditocorto erano invece come l'aria che respirava.

C'era una pesante porta di quercia e ferro alla base della scala. Petyr Baelish sollevò la trave che la sbarrava e fece cenno a Ned di passare. Uscirono nella luce purpurea del tramonto, sulla sommità di uno strapiombo sospeso sopra il fiume.

«Ma qui siamo fuori della Fortezza Rossa» rilevò Ned.

«Sei un uomo difficile da imbrogliare, lord Stark» rispose Ditocorto con sarcasmo. «Come l'hai notato? Il sole? O forse il cielo? Seguimi. E guarda dove metti i piedi: nella roccia sono stati scavati ad arte degli appoggi per i piedi. Cerca di non cadere. Ti spezzeresti l'osso del collo e non credo che Catelyn capirebbe.» Detto questo, agile come una scimmia, cominciò a scendere lungo la parete dello strapiombo.

Ned studiò la pietra per un lungo momento poi si mosse, ma più lentamente. Gli appoggi c'erano, come aveva promesso Ditocorto, leggere depressioni invisibili dal basso, a meno di non sapere che esistevano. Il fiume scorreva in fondo al baratro, talmente in basso da dare le vertigini. Ned tenne il volto girato verso la roccia e cercò di guardare giù il meno possibile.

Quando finalmente arrivò in fondo, su uno stretto sentiero fangoso che costeggiava il fiume, trovò Ditocorto pigramente appoggiato a una roccia, intento a mangiare una mela. Era quasi arrivato al torsolo.

«Sei diventato un vecchio imbolsito, Stark.» Baelish lanciò il torsolo nella corrente. «Nessun problema. Il resto della strada lo copriremo a cavallo.» Aveva lasciato due destrieri ad aspettarli. Ned montò in sella e lo seguì al trotto lungo la pista, lontano dalla Fortezza Rossa e verso il ventre della città.

Ditocorto tirò le redini di fronte a un edificio di legno a tre piani che cadeva a pezzi; alcune lanterne ne illuminavano le finestre nel crepuscolo incombente. Dall'interno uscivano musica e risate sbracate che parevano andare a fluttuare sulla corrente del fiume. Sopra l'ingresso, un'ornata lanterna a olio chiusa in un globo di vetro rosso piombato oscillava nel vento, appesa a una pesante catena.

Ned Stark smontò di sella con rabbia. «Questo è un bordello!» Afferrò Ditocorto per la spalla e lo costrinse a voltarsi. «Tutta questa strada per portarmi in un bordello?»

«C'è tua moglie qui dentro.»

Quello fu l'insulto conclusivo. «Brandon è stato troppo tenero con te» esclamò Ned sbattendo Ditocorto contro il muro mentre la punta della daga saliva fino a sfiorare il pizzetto appuntito.

«Mio signore! No!» gridò una voce angosciata alle spalle di Ned. «Lord Baelish dice il vero!» Si udirono dei passi affrettati alle loro spalle.

Ned ruotò su se stesso, lama in pugno, pronto a fronteggiare la minaccia. L'uomo dai capelli bianchi continuò ad avanzare verso di loro. Indossava una rozza tunica marrone e la pappagorgia tremolava nella corsa. «Niente che ti riguardi» iniziò a dire Ned, poi strinse le palpebre e abbassò la daga: non credeva ai propri occhi. «Ser Rodrik?»

Rodrik Cassel annuì con decisione. «La tua lady ti attende di sopra.»

«Catelyn è davvero qui?» Ned rinfoderò il pugnale, sbalordito. «Non è una beffa di Ditocorto?»

«Vorrei anch'io che lo fosse, ma non è così» disse Ditocorto raddrizzandosi. «Forza, Stark: seguimi. E una volta tanto, sforzati di apparire un po' più fetente e un po' meno Primo Cavaliere. Cerca di non farti riconoscere. Passando, potresti palpeggiare una tetta, magari due.»

Entrarono e attraversarono un'affollata sala comune. Una donna grassa cantava canzoni laide mentre ragazze molto meno grasse e molto più sensuali, vestite di fluttuanti veli di seta multicolore, si strusciavano addosso ai loro amanti, sedute sulle loro ginocchia. Nessuno degnò Ned di un'occhiata. Ser Rodrik rimase al piano terra. Ditocorto fece strada fino al terzo piano, per un corridoio, fino a una porta.

Oltre quella porta c'era Catelyn. Gettò un grido nel vederlo, corse tra le sue braccia, lo strinse con tutte le sue forze.

«Mia signora.» La voce di Ned era un sussurro.

«Meno male» commentò Ditocorto, chiudendo la porta. «La riconosci.»

«Temevo che non saresti mai arrivato, mio signore» disse Catelyn in un soffio, il viso affondato nel petto di lui. «Petyr mi ha tenuta informata. Mi ha detto dei guai tra Arya e il giovane principe. Come stanno le mie ragazze?»

«Tutt'e due piene di dolore e di rabbia. Cat, non capisco. Che ci fai ad Approdo del Re? Cos'è accaduto? Bran? Si tratta di Bran? È forse...» La parola che stava per pronunciare era "morto". Ma non uscì dalle sue labbra.

«Si tratta di Bran» disse Catelyn. «Ma non è quello che pensi.»

«E allora che altro? Perché questo viaggio, amore mio?» Ned si guardò attorno. «E che significa questo posto?»

«Significa esattamente ciò che è.» Ditocorto si accomodò sulla panca nel rientro della finestra. «Un bordello. Riesci a pensare a un luogo meno probabile nel quale trovare la nobile Catelyn Tully?» Sorrise. «Inoltre, guarda caso, questo raffinato esercizio commerciale è di mia proprietà, così è stato tutto molto più facile da organizzare. Da parte mia, sono deciso a fare l'impossibile per evitare che i Lannister vengano a sapere della presenza di Catelyn ad Approdo del Re.»

«E per quale motivo?» chiese Ned. In quel momento notò le mani di sua moglie, il modo incerto in cui le muoveva, le cicatrici recenti, la rigidezza delle ultime due dita della sinistra. «Catelyn, ti sei ferita!» Prese le mani tra le sue, le girò e le esaminò. «Per gli dèi. Sono tagli profondi, fatti da una lama!... Come è potuta succedere una cosa simile, mia signora?»

Catelyn afferrò la daga che teneva sotto la cappa e gliela consegnò. «Un uomo aveva questa lama in pugno. Un uomo mandato a tagliare la gola a nostro figlio Bran, a far scorrere il suo sangue.»

Lo sguardo di Ned prese fuoco. «Mandato da chi?»

«Lascia che ti dica tutto, amore mio.» Catelyn pose un dito sulle labbra di lui. «Occorrerà meno tempo. Ascolta...»

E così ascoltò mentre lei gli raccontava tutto, dall'incendio della biblioteca della torre, alle guardie di Approdo del Re, all'incontro con Varys e Ditocorto. Quando ebbe finito, Eddard Stark sedette al tavolo, la mente offuscata, la daga stretta nel pugno. Il lupo di Bran aveva salvato la vita del ragazzo. Cosa aveva detto Jon quando avevano trovato la cucciolata di meta-lupi nella neve? «I tuoi figli erano destinati ad avere questi cuccioli, mio signore.» Lui aveva ucciso quello di Sansa, e in nome di che cosa? Era colpa, quella che gli si contorceva dentro? O forse era paura? Se gli dèi avevano veramente mandato loro quei lupi, quale distruttiva follia aveva lui commesso?

Si costrinse a riportare la mente sulla daga e sul suo significato. «La daga del Folletto» ripeté. Non aveva senso. La sua mano si serrò attorno alla liscia impugnatura di osso di drago. Con un movimento improvviso, menò un fendente verso il basso. L'acciaio si conficcò in profondità nel legno del tavolo. La daga rimase eretta su di esso, quasi a deriderlo. «Perché Tyrion Lannister vorrebbe Bran morto? Il bambino non gli ha fatto nulla.»

«Ma voi Stark che altro avete dentro il cranio, oltre alla neve?» intervenne Ditocorto. «Da solo, Tyrion Lannister non avrebbe mai compiuto un gesto del genere.»

«Se la regina ha avuto parte in questo delitto... o peggio, gli dèi non vogliano... se l'ha avuta il re...» Ned si alzò e passeggiò avanti e indietro nella stanza, simile a un animale in gabbia. «No, rifiuto di crederlo.»

Eppure, nel momento stesso in cui pronunciò quelle parole, altre parole gli tornarono alla memoria. Lui e Robert, in quel gelido mattino nella terra delle tombe dei primi uomini. Robert che parla di assoldare lame per far sgozzare l'ultima principessa Targaryen. Dal passato tornarono anche le immagini. Rivide la piccola testa del figlio infante di Rhaegar Targaryen ridotta a una massa rossastra. Ricordò il modo in cui il re aveva girato le spalle allora, come le aveva girate poco prima nella sala dei Darry. Risentì le suppliche di Sansa, e quelle remote di Lyanna.

«È più verosimile che il re non ne sapesse nulla» disse Ditocorto. «Non sarebbe la prima volta. Il nostro buon Robert si è allenato a chiudere gli occhi davanti alle cose che non vuole vedere.»

A questo, Ned non trovò nulla da obiettare. Un'ultima immagine: Mycah, il piccolo garzone di macellaio, povero corpo sventrato, quasi tagliato in due. Nemmeno allora il re aveva detto una sola parola. La testa gli pulsava.

«Che sapesse o no, l'accusa rimane tradimento.» Ditocorto si accostò al tavolo e tolse la daga dal legno. «Tenta pure di lanciare una simile accusa al re, Stark. Ti ritroverai a fare un balletto con Ilyn Payne prima ancora di aver finito di parlare. Quanto alla regina... se tu riuscissi a trovare una prova, e se riuscissi a farti ascoltare da Robert, allora, forse, può darsi che...»

«Noi abbiamo una prova» dichiarò Ned. «La daga!»

«Questa?» Ditocorto giocherellò con la lama. «Ottimo acciaio. Ma come vedi, mio signore, è a doppio taglio. Il Folletto spergiurerà di averla perduta, o che gli è stata rubata mentre si trovava a Grande Inverno. E con il suo sicario morto, chi oserà dubitarne?» Con noncuranza gettò l'arma a Ned. «Il mio consiglio è buttarla nel fiume e dimenticare che è stata forgiata.»

«Lord Baelish» ribatté Ned freddamente «io sono uno Stark di

Grande Inverno. Mio figlio giace in una torre, ridotto a uno storpio. Potrebbe essere morto, e Catelyn con lui, se un cucciolo di lupo trovato nella neve non avesse salvato la vita a entrambi. Se tu credi davvero che io possa dimenticare tutto questo, significa che oggi sei un idiota ancora peggiore di quando mettesti mano alla spada per affrontare mio fratello.»

«Io sarò anche un idiota, Stark, ma cammino ancora, respiro, parlo, mentre tuo fratello ha trascorso gli ultimi quattordici anni a decomporsi in un sepolcro nei sotterranei di Grande Inverno. Tu sembri molto ansioso di andare a tenergli compagnia, e non sarò certo io a dissuaderti. Ma per quanto mi riguarda, preferirei non entrare a far parte della vostra allegra brigata. Proprio no, grazie tante.»

«Sei l'ultimo che chiamerei a far parte di qualsiasi brigata, lord Baelish.»

«Oh, mio signore, non sai quanto mi ferisci dicendo ciò.» Ditocorto si pose una mano sul cuore in un gesto melodrammatico. «Ho sempre considerato voi Stark dei soggetti di rara pesantezza. Tuttavia, per ragioni che mi sfuggono nel modo più totale, Catelyn sembra avere sviluppato per te una qualche forma di attaccamento. Quindi è per lei che compirò lo sforzo di tenerti in vita. Tipica crociata dell'idiota, lo ammetto, ma a tua moglie non potrei mai rifiutare niente.»

«Ned, ascolta.» Catelyn intervenne prima che lui potesse ribattere. «Ho detto a Petyr dei nostri sospetti sulla morte di Jon Arryn, e mi ha promesso di aiutarci a scoprire la verità.»

Non era una buona notizia per Eddard Stark, eppure su un punto Ditocorto aveva ragione da vendere: avevano bisogno di aiuto e un tempo Petyr Baelish era stato come un fratello per Catelyn. Questa non sarebbe certamente stata la prima volta in cui lui si trovava costretto a fare lega con qualcuno che disprezzava. «E sia.» Ned fece scivolare la daga nella cintola. «Prima hai parlato di Varys. Anche lui sa tutto?»

«Non è da me che l'ha appreso» rispose Catelyn. «Non hai sposato una sprovveduta, Eddard Stark. Varys ha sistemi per scoprire cose che nessun altro potrebbe mai scoprire o sapere. È una qualche arte oscura la sua, Ned, te lo giuro.»

«Ha spie.» Ned non si lasciò impressionare. «Lo sanno tutti.»

«La cosa va ben al di là delle spie» insistette Catelyn. «Ser Rodrik ha parlato con ser Aron Santagar in completa segretezza, eppure il Ragno Tessitore era al corrente della loro conversazione. Quell'uomo mi fa paura, Ned.»

«Lascia lord Varys a me, dolce lady» s'intromise Ditocorto. «E prego che tu voglia perdonarmi per la piccola oscenità che sto per dire. In fondo, quale posto migliore di questo per le oscenità?» Ditocorto sorrise sollevando una mano, le dita incurvate ad artiglio. «Io tengo in pugno i coglioni di quell'uomo. O meglio: li terrei se li avesse. Nel momento in cui le tende venissero aperte, tanti uccelletti si metterebbero a cantare, e questo a Varys non piacerebbe affatto. Se fossi in te, Catelyn, avrei molta più paura dei Lannister che dell'eunuco.»

Nulla che Ned non sapesse. Non riusciva ad allontanare dalla mente il giorno in cui Arya era stata trovata, l'espressione sul viso di Cersei Lannister mentre diceva che «loro ce l'avevano, un lupo» con quel tono così morbido, così distante. E non riusciva ad allontanare dalla mente nemmeno Mycah, la morte improvvisa di Jon Arryn, la caduta di Bran. E infine il vecchio, folle Aerys Targaryen, che muore ai piedi del trono mentre il suo sangue si secca su una spada dorata.

«Mia signora» disse a Catelyn. «Non c'è molto di più che tu possa fare qui. Ti chiedo di tornare a Grande Inverno al più presto. Come c'è stato un assassino, possono essercene altri. Chiunque abbia decretato la morte di Bran non impiegherà molto tempo per scoprire che il piccolo vive ancora.»

«Io speravo di vedere le ragazze...»

«Non è la migliore delle idee» intervenne Ditocorto. «La Fortezza Rossa è piena di occhi curiosi, e i bambini parlano.»

«Lord Baelish ha ragione, amore mio.» Ned l'abbracciò. «Prendi ser Rodrik e tornate a cavallo a Grande Inverno. Veglierò io sulle ragazze. Tu va' a casa, dai nostri figli, a vegliare su di loro.»

«Come desideri, mio signore.» Catelyn sollevò il volto e Ned la baciò. Sentì le dita ferite di lei aggrapparsi alla sua schiena, una stretta quasi disperata, come se volesse proteggerlo.

«Forse il lord e la lady gradirebbero l'uso di una delle stanze?» suggerì Ditocorto. «Ma è meglio che ti avverta, Stark: da queste parti, è un servizio che costa.»

«Vorrei un momento da sola con mio marito» disse Catelyn. «Nient'altro.»

«Molto bene.» Ditocorto si avviò alla porta. «Ma che non sia troppo lungo. Il Primo Cavaliere e io faremo bene a rientrare al castello prima che la nostra assenza venga notata.»

Catelyn gli si accostò e gli prese le mani. «Non dimenticherò l'aiuto che mi hai dato, Petyr. Quando i tuoi uomini sono venuti a prendermi, non sapevo se mi stavano portando da un amico o da un nemico. Ora credo di aver trovato più di un amico: ho trovato il fratello che credevo di avere perduto.»

«Sono un inguaribile sentimentale, dolce lady.» Petyr Baelish sorrise. «Meglio non dirlo a nessuno, però. Ho impiegato anni a convincere la corte che sono infido e crudele. Detesterei vedere tutti i miei tenaci sforzi andare sprecati.»

Ned non credette una sola parola di quell'affermazione, ma fu in tono garbato e gentile che disse: «Hai anche i miei ringraziamenti, lord Baelish».

«Per gli dèi, adesso il forziere è proprio pieno!» commentò Ditocorto avviandosi.

Ned attese che la porta si fosse chiusa alle sue spalle prima di tornare a rivolgersi alla moglie.

«Una volta che sarai arrivata a casa, manda messaggi con il mio sigillo a Helman Tallhart e a Galbart Glover. Che mettano assieme cento arcieri ciascuno e costruiscano fortificazioni difensive al Moat Cailin. Duecento arcieri ben decisi, schierati sull'Incollatura, sono in grado di inchiodare un'intera armata. Inoltre manda lord Manderly a riparare e rinforzare tutte le difese di Porto Bianco. E che le faccia sorvegliare da uomini validi. Da questo momento in poi, voglio Theon Greyjoy sotto stretta sorveglianza. In caso di guerra, avremo un dannato bisogno della flotta di suo padre.»

«Guerra...» La paura era evidente sul volto di Catelyn.

«Non arriveremo a tanto» la rassicurò Ned prendendola di nuovo tra le braccia e pregando che quanto aveva detto fosse vero. «I Lannister non conoscono pietà verso i deboli. Aerys Targaryen l'ha imparato pagando con il suo stesso sangue. Ma non oseranno attaccare il Nord senza avere le forze dell'intero reame alle spalle. E non le avranno. Ora tocca a me fare la parte dell'idiota come se tutto fosse a posto. Non dimentichiamo, amore mio, perché ho accettato di venire qui: per avere la prova che sono stati i Lannister a uccidere Jon Arryn...»

Le mani di lei lo artigliarono di nuovo. «Se davvero lo hanno ucciso loro» disse «che cosa accadrà?»

Aveva messo il dito nella piaga.

«La giustizia del reame emana dal re» le rispose. «Quando avrò la verità, dovrò andare da Robert.» "Pregando tutti gli dèi che sia ancora l'uomo che ebbi al fianco sul Nido dell'Aquila, e non l'uomo che temo sia diventato." Ma questo lord Eddard Stark non lo disse.

TYRION

«Sei certo di volerci già lasciare?»

«Fin troppo, lord Mormont. Mio fratello Jaime si starà domandando che ne è stato di me. Potrebbe addirittura pensare che mi hai convinto a indossare il nero.»

«Vorrei poterci riuscire.» Mormont afferrò una chela di granchio e la spezzò con una semplice stretta del pugno. Aveva i suoi anni, il lord comandante, ma conservava ancora la forza di un orso. «Sei un uomo astuto, Tyrion. E sulla Barriera c'è bisogno di uomini della tua stoffa.»

Il Folletto fece una smorfia ironica. «Visto che la metti così, lord Mormont, solcherò i Sette Regni per mare e per terra alla ricerca di altri nani e te li manderò tutti quassù.»

Entrambi risero, Tyrion succhiava la polpa da una zampa di crostaceo e andava quindi all'assalto della successiva. I granchi erano arrivati quella mattina stessa dal Forte Orientale, in un barile pieno di neve, ed erano ottimi.

Tra tutti gli uomini in nero seduti al tavolo, ser Alliser Thorne fu il solo a non associarsi al buonumore generale. «Lannister si prende gioco di noi» disse.

«Solo di te, ser Alliser» ribatté il Folletto.

Questa volta la risata degli uomini attorno al tavolo fu incerta.

«Hai una lingua temeraria, per essere nemmeno metà di un uomo.» Gli occhi scuri di Thorne, pieni di disprezzo, si fissarono in quelli di Tyrion. «Forse tu e io dovremmo continuare questa conversazione nel cortile degli addestramenti.»

«A che scopo? I granchi sono qui, non nel cortile.»

La battuta provocò altre risate.

Ser Alliser si alzò, la bocca ridotta a una fessura. «Vieni a ripetere le tue spiritosaggini con l'acciaio in pugno.»

Tyrion si concentrò sulla propria mano destra. «Io ho dell'acciaio in pugno, ser Alliser, ma ha l'aspetto di una forchettina da granchi. Non importa...» Il Folletto saltò in piedi sulla sedia e cominciò a punzecchiare il torace di Thorne con la piccola posata. «Che ne dici di un duello senza quartiere?»

Una risata generale echeggiò nella sala. Per poco, il lord comandante non si strozzò, frammenti mezzi masticati di cibo gli sfuggirono dalle labbra. Da sopra il davanzale della finestra, perfino il suo corvo volle girare il coltello nella piaga: «Duello! Duello! Duello!».

Ser Alliser uscì dalla sala camminando come se qualcuno gli avesse infilato una daga nel didietro.

Mormont stava ancora cercando di riprendere fiato. Tyrion gli assestò una sonora pacca sulla schiena. «Al vincitore la preda di guerra» proclamò. «I granchi di Thorne spettano a me!»

Il lord comandante ritrovò l'uso della parola. «Sei stato perfido a provocare ser Alliser a quel modo» lo redarguì.

Tyrion tornò a sedersi e mandò giù un sorso di vino. «Se un uomo si dipinge un bersaglio sul petto, deve aspettarsi che prima o poi qualcuno lanci una freccia. Ho visto dei cadaveri dotati di più senso dell'umorismo del vostro ser Alliser.»

«Non sono d'accordo» obiettò Bowen Marsh, lord attendente dei guardiani della notte, un uomo tondo e rosso come un melograno. «Dovresti sentire gli appellativi che appioppa ai ragazzi che addestra.»

Tyrion ne aveva uditi alcuni con le proprie orecchie.

«Mi sono fatto l'idea che quei ragazzi hanno qualche soprannome anche per lui» ribatté. «Toglietevi le incrostazioni di ghiaccio dagli occhi, miei bravi lord. Ser Alliser Thorne dovrebbe spalare sterco nelle vostre stalle, non addestrare i vostri giovani guerrieri.»

«Non c'è penuria di stallieri nella confraternita in nero, Lannister» borbottò lord Mormont. «Di questi tempi, sembra che non ci mandino altro: stallieri, ladruncoli, stupratori. Ser Alliser è un cavaliere investito, uno dei pochi ad aver preso il Nero da quando ne sono il lord comandante. Ha combattuto valorosamente ad Approdo del Re.»

«Dalla parte sbagliata» intervenne ser Jaremy Rykker in tono secco. «E so di cosa parlo: c'ero anch'io dalla parte sbagliata, proprio accanto a lui, sugli spalti della Fortezza Rossa. Tywin Lannister ci offrì una scelta davvero splendida: entrare a far parte dell'ordine in nero oppure ritrovarci con la testa infilata su una picca prima del calar del sole. Senza offesa, Tyrion.»

«Senza offesa, ser Jaremy. Mio padre ha una predilezione per le teste infilate sulle picche, soprattutto per quelle di coloro che l'hanno in qualche modo infastidito. E una faccia nobile quanto la tua avrebbe senza dubbio fatto un figurone sulle mura della città sopra la Porta del Re. Saresti stato davvero splendido, lassù.»

«Apprezzo molto, Lannister» rispose ser Jaremy con un sorriso sardonico.

Il lord comandante Mormont si schiarì la voce e commentò: «Certe volte ho il sospetto che ser Alliser abbia ragione su di te, Tyrion. Tu ci deridi per davvero. Sia noi sia la nostra nobile missione qui sulla Barriera».

«Tutti abbiamo bisogno di essere derisi di tanto in tanto» Tyrion si strinse nelle spalle «altrimenti inizieremmo a prenderci troppo sul serio.» Alzò la coppa. «Altro vino, per cortesia.»

Fu Rykker a riempirgliela.

«Per essere così piccolo» commentò Bowen Marsh «sei dotato di una sete molto grande.»

«Io penso che lord Tyrion sia un uomo molto grande» disse maestro Aemon dall'estremo opposto del tavolo. Aveva parlato con voce calma, controllata. Tuttavia il silenzio scese sui cavalieri in nero, perché quando quella voce parlava tutti ascoltavano. «Penso che sia un gigante venuto tra noi fino a questo nostro ultimo confine del mondo.»

«Sono stato definito in molti modi, mio signore, ma mai un gigante» rispose cortesemente Tyrion.

«Ciò nondimeno» gli occhi opachi, lattiginosi di maestro Aemon si spostarono su Tyrion «ritengo che sia la verità.»

Per una volta, fu Tyrion Lannister a non avere l'ultima parola. Poté solo chinare il capo in segno di rispetto. «Sei troppo gentile nei miei confronti, maestro Aemon.»

Il cieco sorrise. Era minuto, pieno di rughe, senza capelli, rinsecchito dagli anni. Il collare del suo ordine culturale formato di molti metalli diversi pendeva afflosciato dal suo collo scarno. «Anch'io sono stato definito in molti modi, lord Tyrion» disse l'anziano sapiente. «Gentile è sempre stato uno dei più rari.»

Questa volta fu Tyrion a iniziare la risata generale.

La cena era finita e tutti se n'erano andati, tranne Tyrion e Mormont. Il lord comandante fece accomodare il Folletto su una sedia accanto al fuoco e gli offrì una coppa di liquore d'erbe talmente forte da far venire le lacrime agli occhi.

«La Strada del Re può essere pericolosa anche qui, tanto a nord» rilevò Mormont.

«Ho con me Jyck e Morrec» rispose Tyrion. «E so che anche Yoren sta tornando a sud.»

«Yoren è uno solo. La confraternita ti scorterà fino a Grande Inverno.» Il tono di Mormont non ammetteva repliche. «Tre uomini dovrebbero bastare.»

«Se proprio insisti, mio lord, potresti mandare anche il giovane Snow. Sarebbe lieto di rivedere i suoi fratelli.»

«Snow?» L'espressione di Mormont si aggrottò sotto la spessa barba grigia. «Oh, vuoi dire lo Stark bastardo. Meglio di no. È bene che i giovani dimentichino la vita che si sono lasciati alle spalle, fratelli, madri e tutto il resto. Una visita a casa non farebbe che risvegliare sentimenti che è meglio rimangano in letargo. Conosco queste cose. Il mio stesso sangue... Dopo il disonore arrecato da mio figlio Jorah, è mia sorella Maege che domina sull'Isola dell'Orso. Ho nipoti che non ho mai incontrato.» Bevve una breve sorsata. «Inoltre, Jon Snow è soltanto un ragazzo. Avrai tre valide spade a proteggerti, lord Tyrion.»

«Sono toccato dalla tua sollecitudine, lord Mormont.» La forte bevanda gli stava facendo sentire la testa leggera, ma non al punto da non rendersi conto che il Vecchio Orso voleva qualcosa da lui. «Mi auguro di poter ripagare la tua gentilezza.»

«Puoi» dichiarò apertamente Mormont. «Tua sorella siede a fianco del re, tuo fratello è un grande cavaliere e tuo padre è uno dei lord più potenti dei Sette Regni. Parla loro in nostro favore, informali delle nostre necessità, qui all'estremo Nord. Hai visto la realtà con i tuoi occhi. E la realtà è che la confraternita dei guardiani della notte sta morendo. La nostra forza è ormai scesa al di sotto dei mille uomini. Seicento qui, al Castello Nero, duecento alla Torre delle Ombre, ancora meno al Forte Orientale. E solo un terzo sono guerrieri. La Barriera si estende per centinaia di leghe. Pensa a questo, Tyrion: centinaia di leghe... E tre uomini soltanto per difendere ogni miglio in caso di attacco.»

«Tre e un terzo» precisò Tyrion soffocando uno sbadiglio.

Mormont neppure parve udirlo. «Ho mandato Benjen Stark alla ricerca del figlio di Yohn Royce, disperso al suo primo pattugliamento.» Il Vecchio Orso si riscaldò le mani protendendole verso le fiamme. «Il giovane Royce era inesperto e immaturo quanto l'erba della primavera, eppure ha insistito per avere l'onore del comando dicendo che gli spettava in quanto cavaliere. Non ho voluto offendere suo padre, così ho ceduto. Ho mandato il giovane ser Waymar là fuori assieme a due confratelli in nero tra i migliori. Quanto sono stato sciocco.»

«Sciocco» concordò il corvo. Tyrion alzò lo sguardo. L'uccello li stava fissando dalle travature, con scintillanti occhi d'ossidiana. «Sciocco. Sciocco» ripeté. Non c'era da dubitare che se gli avesse tirato il collo, a lord Mormont sarebbe dispiaciuto non poco.

«Gared era vecchio quasi quanto me» continuò il lord comandante, ignorando del tutto l'irritante creatura alata «e stava sulla Barriera addirittura da più anni. Eppure, sembra che abbia tradito il suo giuramento e sia fuggito. Non l'avrei mai creduto possibile. È stato catturato e condannato per diserzione e lord Stark mi ha fatto avere la sua testa da Grande Inverno. Di Waymar Royce e dell'altro confratello, Will, niente di niente: un disertore morto, due dispersi. E adesso, anche Ben Stark è disperso.» Mormont respirò a fondo. «Chi manderò alla sua ricerca? Tra due anni, avrò settant'anni. Sono troppo vecchio, troppo provato per continuare a reggere questo fardello, ma se io lo depongo, chi lo raccoglierà? Alliser Thorne? Bowen Marsh? Dovrei essere cieco quanto maestro Aemon per non vedere cosa sono veramente quegli uomini. I guardiani della notte sono diventati un esercito di ragazzi tetri e vecchi stanchi. Oltre agli uomini che questa sera hai visto seduti al mio tavolo, ne ho forse altri venti che sanno leggere, ancora meno che sanno pensare, o pianificare, o comandare. Un tempo, i guardiani della notte passavano l'estate a potenziare le difese e ogni lord comandante elevava la Barriera oltre il livello in cui l'aveva trovata. Adesso, l'unica cosa che possiamo fare è restare in vita.»

Mormont era mortalmente sincero. Tyrion lo capì al di là di ogni dubbio, e si sentì in qualche modo colpevole verso quel vecchio. Lord Mormont aveva trascorso sulla Barriera la maggior parte della sua vita e aveva bisogno di credere che tutti quegli anni non erano stati gettati al vento.

«Il re sarà informato delle vostre necessità, e ne parlerò anche a mio padre e a mio fratello Jaime» disse Tyrion. «È una promessa.» Lo era: Tyrion Lannister manteneva la parola. Ma il resto, lo lasciò nel silenzio. E il resto era che re Robert l'avrebbe ignorato, suo fratello Jaime si sarebbe fatto una risata e lord Tywin gli avrebbe chiesto se aveva perduto il lume della ragione.

«Tu sei un uomo ancora giovane, Tyrion» riprese Mormont. «Quanti inverni hai visto?»

«Otto, nove.» Il Folletto si strinse nelle spalle. «Non ricordo.»

«E sono stati tutti brevi.»

«Come tu dici, mio signore.» Tyrion era nato nel cuore dell'inverno. Un terribile, crudele inverno che i maestri dicevano fosse durato quasi tre anni. Ma le sue prime memorie riguardavano comunque la primavera.

«Quando ero ragazzo» riprese Mormont «udivo dire che una lunga estate significava sempre che un lungo inverno stava arrivando. Questa estate è durata più di nove anni, Tyrion. Il decimo sarà qui presto. Pensa a tutto questo.»

«Quando io ero ragazzo, la mia balia mi disse che se gli uomini fossero stati buoni, gli dèi avrebbero concesso loro un'estate senza fine. Forse siamo stati migliori di quanto pensiamo.» Tyrion sogghignò. «Forse la Grande Estate è a portata di mano.»

«Non sei così stupido da credere a una simile fandonia, mio signore.» Lord Mormont non era affatto divertito. «Le giornate hanno già cominciato ad accorciarsi. Non può sussistere alcuno sbaglio. Maestro Aemon ha ricevuto lettere dalla Cittadella, rilevazioni che concordano con le sue. È la fine dell'estate che abbiamo di fronte.» Il Vecchio Orso strinse con forza la mano di Tyrion. «Tu devi fare in modo che loro capiscano, mio signore. Le tenebre si stanno avvicinando. Ci sono cose selvagge nei boschi... meta-lupi e mammut e orsi grossi come bisonti. E in sogno, ho visto forme ancora più tenebrose.»

«In sogno» gli fece eco Tyrion, che aveva maledettamente bisogno di un'altra coppa di quel liquore d'erbe.

Mormont non si rese conto del sarcasmo nel tono del Folletto. «I pescatori vicino al Forte Orientale hanno visto esseri bianchi aggirarsi sulla spiaggia.»

«Ah, sì?» Questa volta, Tyrion non riuscì a tenere a freno la lingua. «I pescatori di Lannisport spesso vedono sirene aggirarsi sulla spiaggia.»

«Denys Mallister scrive che le genti delle montagne hanno cominciato a spostarsi verso sud, superando la Torre delle Ombre in grande numero. Più grande di quanto si riesca a ricordare. Stanno fuggendo, Tyrion... Ma fuggendo da che cosa?» Lord Mormont andò alla finestra e scrutò nel buio insondabile del Nord. «Le mie sono vecchie ossa, Lannister, ma mai si sono sentite dentro un gelo come questo. Riferisci al re ciò che ti ho detto, ti prego. Riferisci al re che l'inverno sta arrivando. E quando sarà arrivato, quando la Lunga notte sarà giunta, solamente i guardiani della notte si ergeranno tra il reame e le tenebre che caleranno dal Nord. Che gli dèi ci aiutino se non saremo pronti quando quel momento verrà.»

«Che gli dèi aiutino me se questa notte non dormo per qualche ora. Yoren è deciso a partire all'alba.» Tyrion si alzò, assonnato dal vino, sfinito da tutti quei discorsi di catastrofi imminenti. «Ti sono grato per i riguardi che hai avuto nei miei confronti, lord Mormont.»

«Diglielo, Tyrion. Diglielo e fa' in modo che ti credano. È solamente questa la gratitudine della quale ho bisogno.»

Mormont emise un fischio e il corvo volò ad appollaiarsi sulla sua spalla. Sorrise e diede all'uccello qualche chicco di grano che tirò fuori di tasca. Fu quella l'immagine di commiato che Tyrion Lannister ebbe del lord comandante dei guardiani della notte.

Fuori, il freddo era paralizzante. Avvolto nelle sue spesse pellicce, Tyrion si infilò i guanti e rivolse un vacuo cenno di saluto ai poveri disgraziati intirizziti che montavano la guardia sulla porta del maniero del comandante. Camminando quanto più in fretta gli consentivano le sue gambette deformi, attraversò il cortile diretto ai suoi quartieri nella Torre del Re. Gli stivali spezzavano la crosta notturna che si era formata al suolo, facendo scricchiolare a ogni passo la neve indurita. Il suo fiato condensava davanti a lui simile a un vessillo spettrale. S'infilò le mani sotto le ascelle, pregando che Morrec si fosse ricordato di riscaldargli il letto con i carboni ardenti del focolare.

Al di là della Torre del Re incombeva la Barriera, immensa e misteriosa, scintillante alla luce della luna. Per un momento, si fermò e restò a osservarla. Le gambe gli dolevano per il freddo e per la velocità con la quale si era mosso, ma d'un tratto si sentì pervadere da un'ondata di follia: un ultimo sguardo, questo voleva, un'ultima occhiata oltre l'estremo confine del mondo. Non avrebbe avuto altre occasioni. L'indomani cominciava il suo viaggio verso sud, e non riusciva nemmeno lontanamente a immaginare per quale motivo avrebbe voluto mai fare ritorno a quella desolazione congelata. Davanti a lui c'era la Torre del Re con le sue promesse: calore, un letto soffice, sonno quieto. Eppure Tyrion Lannister la superò, dirigendosi verso l'immane muraglia.

Una scalinata di legno saliva lungo il lato sud. Massicce travi erano state inserite nel ghiaccio dove erano congelate, ancorando i gradini direttamente nella massa cristallizzata. Salendo, la scala si dipanava zigzagante, con un percorso simile a quello di una folgore. I confratelli in nero gli avevano assicurato che quella scala era molto più robusta di quanto non apparisse, ma le gambe gli dolevano al punto da fargli respingere anche solo l'ipotesi di servirsene per salire. S'infilò quindi nella gabbia di ferro ai piedi della scala e diede una decisa tirata alla corda della campana d'avvertimento: tre rapidi colpi uno dopo l'altro.

Rimase ad aspettare per quella che gli parve un'eternità, chiuso tra le sbarre, la Barriera alle spalle; così a lungo da avere il tempo di domandarsi perché si imbarcava in una simile impresa. Stava quasi per rinunciare quando la gabbia di ferro cominciò a salire con un sussulto.

All'inizio salì in un modo ineguale, incerto, che divenne via via sempre più regolare. Sotto di lui, il suolo cominciò ad allontanarsi e la gabbia a oscillare nel vuoto. Tyrion serrò le mani attorno alle sbarre. Il gelo del ferro filtrò attraverso i guanti, fino alle sue corte dita. Morrec aveva acceso il fuoco nella sua stanza nella Torre del Re, notò il Folletto con soddisfazione. Per contro, il maniero del comandante appariva immerso nel buio. Chiaramente, il Vecchio Orso aveva più buon senso di lui.

Fu al disopra delle torri, e continuava a salire. Sotto di lui, nel chiarore della luna, si dilatava il Castello Nero. Da quella prospettiva, Tyrion poté vedere quanto tutto apparisse vuoto, abbandonato: torrioni privi di finestre, mura che crollavano, cortili assediati da macerie. Più oltre, le luci fioche della Città della Talpa, il piccolo villaggio che sorgeva lungo la Strada del Re, a mezza lega dal quartier generale dei guardiani della notte. Più oltre ancora, la luce si rifletteva sui torrenti gelidi che dalle montagne scendevano verso la pianura. Tutt'attorno, il mondo era una cupa estensione di colline desolate, di campi pieni di pietre punteggiati di chiazze di neve.

«Per i Sette Inferi!» La voce gutturale risuonò dietro di lui, poco sopra di lui. «È il nano!»

La gabbia si arrestò con un ultimo sussulto e rimase sospesa sull'abisso, oscillando lentamente avanti e indietro, le funi che scricchiolavano.

«Recuperalo, dannazione.» Un'imprecazione, un rumore di legno che gemeva sotto sforzo mentre la gabbia veniva inclinata e finalmente la sommità della Barriera fu sotto di lui. Attese che l'oscillazione cessasse prima di aprire lo sportello e saltare sul ghiaccio. Una massiccia sagoma in nero era curva sull'argano, una seconda tratteneva la gabbia con una mano guantata. Le loro teste, le loro facce erano completamente avvolte in sciarpe di lana nera che lasciavano solo una fessura per gli occhi. I loro corpi apparivano goffi e tozzi sotto strati e strati di lana e cuoio, nero sovrapposto a nero.

«E cosa vorresti, a quest'ora della notte?» chiese quello che manovrava l'argano.

«Un ultimo sguardo.»

Gli uomini in nero si scambiarono occhiate acide.

«Guarda pure tutto quello che vuoi» fece l'altro. «Cerca solo di non cadere di sotto, piccolo uomo, o il Vecchio Orso vorrà la nostra pelle.»

C'era un basso capanno di assi appena sotto la grande gru di sollevamento. Quando i due confratelli ne aprirono la porta ed entrarono, il Folletto intravide il debole lucore rossastro di un braciere ed ebbe una fugace sensazione di calore. La porta del capanno si richiuse. Tyrion Lannister rimase solo al cospetto del Nord.

Faceva un freddo ancora più raggelante, là in alto. Il vento, simile a un'amante brutale, sembrava volergli strappare i vestiti di dosso. La strada che correva lungo la sommità della Barriera era addirittura più larga di quanto non fosse, per la maggior parte del suo tracciato, la Strada del Re. Tyrion non aveva paura di cadere, anche se appoggiare i piedi sul ghiaccio era un'impresa infida. I confratelli in nero spargevano ghiaia sui due camminamenti laterali, ma l'andirivieni di centinaia di piedi finiva con lo sciogliere la crosta gelata sottostante e lentamente, inesorabilmente, la ghiaia sprofondava nel ghiaccio fino a essere inghiottita. Questo costringeva i confratelli a triturare altre pietre e a spargere altra ghiaia in un ciclo che pareva senza inizio e senza fine.

Ma Tyrion era pronto ad affrontare sia il vento sia il ghiaccio. Guardò a est, poi a ovest, scrutando la dilatazione della Barriera. Guardò quella strada bianca che pareva estendersi all'infinito, assediata da due neri abissi. Ovest, decise, per nessuna ragione definibile. Cominciò a camminare, seguendo il sentiero prospiciente il versante nord, dove la ghiaia sembrava essere stata sparsa più di recente.

Le guance gli bruciavano per il freddo intenso e le gambe gli dolevano a ogni passo, ma ignorò il dolore e continuò ad avanzare nel vento che gli vorticava attorno, con la ghiaia che scricchiolava sotto le suole degli stivali. Davanti a lui, il nastro congelato si dipanava seguendo il profilo delle colline, sempre più in alto, sempre più lontano, fino a svanire oltre l'orizzonte occidentale. Il Folletto superò una mastodontica catapulta, alta quanto le mura di una città, la struttura d'appoggio affondata nel ghiaccio ancestrale della Barriera. Il braccio di lancio, smontato per lavori di ripristino e poi semplicemente dimenticato, giaceva sulla superficie congelata simile a un giocattolo abbandonato, parzialmente risucchiato nel ghiaccio.

«Alto là! Chi va là?»

L'intimazione, pronunciata da una voce soffocata, proveniva dall'altra parte della catapulta e inchiodò Tyrion dove si trovava.

«Se sto fermo troppo a lungo, Jon, rimarrò qui per sempre a fare la bella statuina di ghiaccio.» Tyrion continuò però a non muoversi. Dal buio, una pallida forma sinuosa scivolò verso di lui e annusò le sue pellicce. «Che si dice, Spettro?»

Jon Snow gli si avvicinò. Sotto gli strati di lana e cuoio, il cappuccio della cappa calato sul volto, il ragazzo appariva più massiccio, più poderoso.

«Lannister.» Si abbassò la pesante sciarpa che gli proteggeva la bocca. «Questo è l'ultimo posto al mondo in cui mi sarei aspettato di vederti.»

Jon era armato di una grossa picca con rostro d'acciaio più alta di lui. Al fianco, in un fodero di cuoio rigido, portava la spada. Un liscio corno da guerra, nero con ornamenti d'argento, quasi scintillava di traverso al suo petto.

«Questo è l'ultimo posto al mondo in cui mi sarei aspettato di essere visto» ammise Tyrion. «Ho seguito un impulso capriccioso. Se do una grattata a Spettro dietro le orecchie, dici che mi stacca la mano?»

«Non con me qui» lo rassicurò Jon.

Il Folletto affondò le dita guantate nella folta pelliccia del lupo albino. Gli occhi rossi lo fissarono, primordiali, impassibili. Spettro ormai gli arrivava all'altezza del torace. Un altro anno, forse meno – di questo Tyrion cominciava a essere dolorosamente certo – e sarebbe stata la belva a guardare lui dall'alto in basso.

«Che ci fai quassù, Jon... Oltre a ghiacciarti quello che hai in mezzo alle gambe?»

«Mi hanno assegnato un turno di guardia notturno. Di nuovo. Ser Alliser ha gentilmente provveduto a far sì che il comandante della vigilanza avesse per me un occhio di riguardo. È convinto che se sto in piedi per metà della notte, finirò con l'addormentarmi durante gli addestramenti di giorno. Finora si è sbagliato.»

«E Spettro?» sogghignò Tyrion. «Ha già imparato a fare le capriole?»

«Un'altra delusione per ser Alliser. In compenso, questa mattina Grenn si è difeso bene contro Halder. E Pyp non lascia più cadere la spada con la stessa frequenza di prima.»

«Pyp?»

«Il suo vero nome è Pypar» precisò Jon. «È il ragazzo piccolo con le orecchie grandi. Mi ha notato mentre facevo vedere certe cose a Grenn e mi ha chiesto di farle vedere anche a lui. Thorne non gli aveva neppure insegnato come impugnare correttamente la spada.» Lo sguardo di Jon si spostò verso nord. «Ho un miglio di Barriera da sorvegliare. Vieni con me?»

«Se non vai troppo in fretta...»

«Il comandante della vigilanza mi ha detto di muovermi, in modo da evitare che mi si geli il sangue nelle vene, ma non mi ha detto a quale velocità.»

Avanzarono nel buio, Spettro di fianco a Jon come un'ombra candida.

«Domani parto» disse Tyrion.

«Lo so.» C'era una velata tristezza nella voce di Jon.

«Tornando al Sud, voglio fare sosta a Grande Inverno. Se hai qualche messaggio...»

«Di' a Robb che arriverò a comandare i guardiani della notte, in modo da tenerlo al sicuro. Digli che può pure mettersi a ricamare con le ragazze e dare la sua spada a mastro Mikken perché la fonda per farci ferri di cavallo.»

«Tuo fratello è più grosso di me» rise Tyrion. «Rifiuto di essere latore di messaggi che potrebbero costarmi la pelle.»

«Rickon ti chiederà quando torno a casa. Cerca di spiegargli che non tornerò, se ci riesci. Digli anche che può avere tutte le mie cose, gli farà piacere.»

"Ma quante richieste, da quanta gente" pensò il Folletto, che disse: «Potresti mandargli una lettera».

«Rickon non sa leggere. E Bran...» Jon si fermò all'improvviso. «Io non so che messaggio mandare a Bran. Aiutalo tu, Tyrion.»

«Quale aiuto potrei dargli? Non sono un maestro come Luwin o come Aemon, non so come alleviare la sua sofferenza. Non ho incantesimi per ridargli le gambe.»

«Hai dato aiuto a me quando ne avevo bisogno» disse Jon.

«Parole, questo ti ho dato. Nient'altro che parole.»

«E allora da' le tue parole anche a Bran.»

«Tu stai chiedendo a uno zoppo di insegnare a uno storpio come si fa a ballare.» Tyrion scosse il capo. «Per quanto onesto possa essere quell'insegnamento, il risultato sarebbe solamente una cosa grottesca. Tuttavia, lord Snow, io so cosa significa amare il proprio fratello. Darò a Bran tutto l'aiuto che sarò in grado di dargli.»

«Ti ringrazio, mio lord Lannister.» Jon si tolse il guanto e gli offrì la destra. «Amico mio.»

Tyrion si sentì stranamente commosso. «La maggior parte di quelli della mia risma sono dei bastardi» disse con un lieve sorriso. «Ma tu sei il primo bastardo che ho per amico.» Si tolse il guanto con i denti e afferrò la mano di Jon, carne a contatto di carne. La stretta del ragazzo era forte e sicura.

Jon Snow tornò a infilarsi il guanto. Di colpo, si girò e raggiunse il basso, congelato parapetto sul lato nord della Barriera. Più oltre c'era il baratro, e più oltre ancora solamente tenebre insondabili e selvagge terre ignote. Tyrion lo seguì. Rimasero uno accanto all'altro, immobili di fronte all'estremo confine del mondo.

I guardiani della notte impedivano alla foresta di avanzare oltre il mezzo miglio dal versante settentrionale della grande muraglia. Le fitte macchie di alberi di legno-ferro, alberi-sentinella e querce erano state abbattute secoli prima e al loro posto rimaneva una vasta striscia di terra di nessuno completamente allo scoperto, che correva lungo tutto il tracciato della Barriera. Nessun nemico poteva sperare di attaccare senza essere visto. Tyrion però aveva sentito dire che col tempo, in altri punti della Barriera, nelle tante zone lontane dai tre forti che fungevano da capisaldi, la natura era tornata ad avanzare: le grigie radici degli alberi-sentinella e quelle pallide degli alberi-diga avevano invaso la terra giungendo fino all'ombra stessa del gigantesco muro. Il Castello Nero, però, era un divoratore di legna da ardere, perciò lì le asce dei confratelli in nero continuavano a respingere l'assalto della foresta.

Tuttavia la foresta non era mai troppo lontana. Da quell'altezza, Tyrion era in grado di vedere gli alberi scuri incombere appena al di là della terra di nessuno. Parevano una seconda barriera, una specie di immagine speculare della prima, fatta di pura oscurità. Erano state ben poche le asce che avevano sfidato quelle ombre, quel labirinto di rami, radici e rovi nel quale neppure la luce della luna riusciva a penetrare. Gli alberi vi crescevano colossali, e i ranger parlavano di una loro vita segreta, sotterranea, invisibile. Non a caso i guardiani della notte chiamavano "Foresta Stregata" quel labirinto.

Tyrion Lannister restò a osservare le tenebre compatte, nessun fuoco che spezzasse la loro densità, investito dal vento che pareva una lama glaciale nelle viscere. Lì, sull'estremo confine del mondo, tutte le sue facezie sugli elfi maligni non sembravano più tanto divertenti, e le leggende che parlavano degli Estranei, gli oscuri nemici in agguato nella notte, assumevano una loro letale realtà.

«Mio zio è da qualche parte là fuori» disse Jon in un sussurro, appoggiandosi alla picca, lo sguardo che esplorava il fitto buio. «La prima volta che mi mandarono qui, continuavo a pensare che zio Benjen sarebbe tornato proprio quella notte. Mi misi ir. testa di essere io il primo ad avvistarlo, ad avvertire tutti suonando il corno. Ma non è tornato, né quella notte né nessun'altra.»

«Dagli tempo» lo incoraggiò Tyrion.

Molto lontano verso nord, un lupo si mise a ululare. Un altro gli fece eco, poi un altro ancora. Spettro inclinò il capo, restando in ascolto.

«Se non tornerà, Spettro e io andremo a cercarlo.» Questo promise Jon Snow, mettendo una mano sul collo del suo meta-lupo.

«Ti credo, amico» rispose Tyrion Lannister, rabbrividendo. «Ti credo...» Ma pensò: "E poi, chi verrà a cercare te?".

ARYA

Suo padre si era scontrato di nuovo con il concilio. Arya vide la rabbia sul suo volto nell'attimo stesso in cui arrivò a tavola, in ritardo per l'ennesima volta. Il primo piatto, una densa zuppa dolce di zucca, era già stato portato via. Si trovavano nella sala piccola, così chiamata per distinguerla dalla sala grande, in grado di ospitare migliaia di invitati durante i più sontuosi festini del re. Tuttavia attorno ai tavoli a cavalletti della sala piccola, un vasto locale allungato dall'alto soffitto a volta, potevano sedere e cenare almeno duecento persone.

Jory Cassel fu il primo ad alzarsi. «Mio signore.»

Un momento dopo, il resto della Guardia personale del lord di Grande Inverno si alzò in segno di rispetto. Indossavano tutti una cappa nuova, di spessa lana grigia con bordi di satin bianco. Un fermaglio d'argento battuto a forma di mano tratteneva un lembo ripiegato della cappa, identificando chi la indossava come appartenente alla Guardia del Primo Cavaliere. Erano solo una cinquantina, perciò la sala era semivuota.

«State comodi» rispose loro Eddard Stark. «Vedo che avete cominciato senza di me. Sono lieto di constatare che in questa città ci sono ancora uomini dotati di buon senso.» Fece cenno di riprendere il pasto e i servitori portarono vassoi di costolette arrostite in una crosta di aglio e altre erbe.

«Gira voce che avremo un torneo, mio signore» disse Jory tornando a sedersi. «Si dice che vi parteciperanno cavalieri provenienti da tutto il reame, che si affronteranno e faranno festa in onore della tua investitura a Primo Cavaliere del re.»

Anche prima che suo padre rispondesse, Arya si era resa conto che quell'idea gli piaceva ben poco. «Si dice anche che il torneo è l'ultima cosa al mondo che avrei voluto?» ribatté infatti lui.

Gli occhi di Sansa si spalancarono, pieni di meraviglia, di aspettativa. «Un torneo?» disse in un soffio. Sedeva tra septa Mordane e Jeyne Poole, lontano da Arya il più possibile, ma non al punto da essere rimproverata per questo. «Ci sarà permesso di assistere, padre?»

«Tu sai come la penso, Sansa. Sembra che io debba non soltanto allestire i giochi di Robert, ma anche fingere di essere onorato. Questo però non mi obbliga a imporre una simile stravaganza alle mie figlie.»

«Oh, padre, per favore! Io voglio vedere.»

«Ci sarà anche la principessa Myrcella» intervenne septa Mordane. «È più giovane di lady Sansa. Ci si aspetta che tutte le altre lady di corte siano presenti. Il torneo è in tuo onore, lord Stark. Apparirebbe improprio che la tua famiglia fosse assente.»

«Immagino sia così.» Ned aveva un'espressione amareggiata. «Molto bene, farò in modo che ci sia un posto per te, Sansa» spostò lo sguardo «e per te, Arya.»

«Non m'importa nulla del loro stupido torneo» dichiarò Arya. Ci sarebbe stato anche il principe Joffrey, e lei lo odiava.

«Sarà uno splendido evento.» Sansa sollevò il capo. «Quanto alla tua presenza, ne faremo volentieri a meno.»

«Basta così, Sansa.» L'ira apparve sul volto del loro padre. «Insisti con quel tono e mi farai cambiare idea. Sono annoiato a morte da questa guerra senza fine tra voi due. Siete sorelle e mi aspetto che come tali vi comportiate. Sono stato chiaro?»

Sansa si morse il labbro, annuendo. Arya, scura in volto, abbassò lo sguardo e continuò a fissare il proprio piatto. Sentì le lacrime bruciarle negli occhi e se le asciugò con il dorso della mano, in un gesto pieno di rabbia: nessuno l'avrebbe vista piangere.

Per un lungo momento, l'unico rumore fu il tintinnare di forchette e coltelli.

«Prego tutti voi di scusarmi» dichiarò lord Eddard ai commensali. «Davvero non ho appetito questa sera.» Si alzò e lasciò la sala.

Sansa attese che se ne fosse andato prima di mettersi a bisbigliare in modo eccitato con Jeyne Poole, la sua migliore amica. Verso il fondo del tavolo, Jory Cassel rise alla battuta di qualcuno e Hullen, mastro dei cavalli, si mise a disquisire di cavalli. «Prendiamo il tuo cavallo da guerra. Potrebbe non essere adatto al torneo. Proprio non sono la stessa cosa, il campo di battaglia e quello di un torneo.» Era una storiella che tutti quanti avevano già udito fino alla noia e oltre. Desmond, Jacks e Harwin, figlio di Hullen, gli gridarono tutti assieme di piantarla. Porther chiese altro vino.

Nessuno parlò ad Arya, ma non gliene importava nulla. Non aveva voglia di parlare. Se gliel'avessero permesso, avrebbe consumato i pasti nella sua stanza, da sola. Certe volte, quando suo padre doveva partecipare a pranzi e cene ufficiali con un nobile venuto da un posto o un altro, glielo permettevano, ma il più delle volte mangiavano nel solarium dei quartieri di suo padre: solo lui e le due figlie. Erano quelli i momenti in cui Arya sentiva di più la mancanza dei fratelli. Avrebbe voluto fare arrabbiare Bran, giocare con il piccolo Rickon e vedere il sorriso di Robb, sentire la mano di Jon che le scompigliava i capelli e udire la sua voce che la chiamava "sorellina" e finire la medesima frase in coro con lui. Adesso, tutti loro appartenevano al passato. Non le rimaneva che Sansa, e questa non le rivolgeva la parola a meno che non fosse il loro padre a imporglielo.

A Grande Inverno mangiavano quasi sempre nella sala grande. Suo padre diceva che se il signore di un castello voleva conservarsi la fedeltà dei suoi uomini, doveva condividere il cibo con loro. «Fa' in modo di conoscere gli uomini che ti seguono» l'aveva sentito dire a Robb. «E fa' in modo che anche loro possano conoscere te. Mai chiedere ai tuoi uomini di andare a morire per uno sconosciuto.» A Grande Inverno, lord Stark teneva sempre una sedia vuota alla propria tavola, e ogni giorno chiedeva a un uomo diverso di occuparla. Una sera poteva essere Vayon Poole, l'attendente di palazzo, e allora avrebbero parlato di conio, di magazzini del pane e di servitori. Un'altra sera sarebbe stato Mikken e suo padre l'avrebbe ascoltato raccontare di armi e spade e di quanto calda dovrebbe essere una forgia e del miglior modo di lavorare l'acciaio. Un'altra sera sarebbe stato Hullen, con le sue conferenze senza fine sui cavalli. Un'altra sera ancora septon Chayle, il bibliotecario, oppure Jory Cassel, o ser Rodrik, o addirittura la Vecchia Nan, con le sue antiche storie strampalate.

In quei giorni, Arya era felice di rimanere a tavola con suo padre, ad ascoltare tutti quei discorsi. Ma le piaceva anche ascoltare gli uomini che sedevano sulle panche, e per lei non faceva differenza che fossero duri soldati di ventura, nobili cavalieri, baldi signorotti in giovane età oppure armigeri veterani di mille battaglie. Adorava tirare loro addosso palle di neve e aiutarli a rubare fette di torta dalle cucine. Le loro mogli le davano dolcetti e lei inventava nomignoli buffi per i loro figli più piccoli e giocava a principesse e stregoni, a caccia al tesoro e a vieni-nel-mio-castello con i più grandi. Tom il Grasso la chiamava "Arya Fra-i-piedi", perché era lì che si trovava sempre, molto meglio di "Arya Faccia-di-cavallo".

Ma questo accadeva a Grande Inverno, lontano un abisso di tempo e di spazio. Adesso tutto era cambiato. Dall'arrivo ad Approdo del Re, era la prima sera che Arya cenava con il resto degli uomini. Non li sopportava. Odiava il suono delle loro voci, il modo in cui ridevano, le storie che raccontavano. Erano stati suoi amici, certo, e con loro attorno si era sentita sicura. Ma era stata tutta una menzogna. Quegli stessi uomini avevano permesso alla regina di far uccidere Lady, e già quello era stato orribile. Poi il Mastino aveva trovato Mycah e l'aveva fatto a pezzi. Jeyne Poole le aveva detto che avevano riportato quei pezzi al macellaio dentro un sacco. Sulle prime, il pover'uomo aveva creduto che si trattasse di un maiale malamente squartato. Eppure, nessuno di quegli uomini aveva detto una sola parola, nessuno aveva osato mettere mano a una spada, nessuno aveva fatto niente di niente. Non Harwin, che parlava sempre da duro. Non Alyn, che voleva diventare cavaliere. Nemmeno suo padre.

«Era mio amico...» La voce di Arya fu un sussurro che nessuno poté udire. Non aveva toccato le costolette che aveva nel piatto, ed erano ormai fredde. Un esile strato di grasso si era solidificato sotto di esse. Arya osservò le loro linee ricurve e le venne la nausea. Spinse indietro la sedia e si alzò.

«Dove avresti intenzione di andare, nobile signorina?» le chiese septa Mordane.

«Non ho fame.» Arya dovette compiere uno sforzo per ricordare le buone maniere. «Posso lasciare la tavola, per cortesia?»

«No» rispose la septa. «Hai appena toccato cibo. Ora tornerai a sederti e vuoterai il tuo piatto.»

«Vuotalo tu, il mio piatto!» Prima che qualcuno fosse in grado di fermarla, aveva già infilato la porta, lasciandosi alle spalle le risate degli uomini e la voce sempre più stridula di septa Mordane che la chiamava.

Tom il Grasso, che montava la guardia alla porta della Torre del Primo Cavaliere, nel vedere Arya arrivare di corsa sbatté le palpebre un paio di volte, senza sapere cosa fare. Poi udì septa Mordane che urlava.

«Un momento, piccola.» Allungò una mano per acchiapparla. «Cosa c'è che non va?»

Arya gli passò in mezzo alle gambe e si precipitò su per la stretta scala a chiocciola pestando forte sui gradini di pietra mentre Tom il Grasso arrancava ansimando al suo inseguimento.

La sua stanza era il solo luogo che le piacesse di tutta Approdo del Re. E in quella stanza, la cosa che le piaceva di più era la porta, di scuro legno di quercia rinforzato da robuste fasce di ferro nero. Una volta calata la massiccia trave di sbarramento, nessuno poteva entrare: né septa Mordane, né Tom il Grasso, né Sansa, né Jory, né il Mastino. Nessuno! Arya sbatté la trave sui supporti.

Fu solo a quel punto che si sentì abbastanza al sicuro da mettersi a piangere.

Andò a sedersi presso la finestra. Li odiava tutti, ma più di tutti odiava se stessa. La colpa era sua, per qualsiasi cosa malefica fosse accaduta. Era Sansa a dirlo. E anche Jeyne.

«Arya, piccola.» Tom il Grasso stava bussando alla porta. «Cosa c'è che non va? Sei lì dentro?»

«No!»

Il bussare cessò. Un momento dopo, Arya udì i passi allontanarsi. Non era troppo difficile far fesso Tom il Grasso. Andò presso il baule ai piedi del letto, lo aprì e cominciò a tirare fuori i vestiti con entrambe le mani. Bracciate di seta e velluto, di lana e satin finirono ad ammucchiarsi sul pavimento. Perché era in fondo a quel baule che l'aveva nascosta. Arya la sollevò quasi con tenerezza, poi estrasse lentamente dal fodero la lama sottile.

Ago.

Il pensiero tornò a Mycah, e i suoi occhi si riempirono di lacrime. Colpa sua, colpa sua, colpa sua! Non avrebbe mai dovuto chiedergli di giocare al duello...

«Arya Stark!» Un altro bussare alla porta, molto più forte del precedente. «Apri questa porta immediatamente! Mi hai capito? Immediatamente!»

Arya roteò su se stessa, Ago in pugno. «Non provarti a entrare, septa!» Menò un paio di selvaggi fendenti nel vuoto.

«Il Primo Cavaliere sarà informato di ciò!» gridò septa Mordane, inferocita.

«Non m'importa! Vattene!»

«Tu pagherai per il tuo insolente comportamento, madamigella! È una promessa!»

Arya rimase in ascolto presso la porta finché il rumore dei passi della septa non svanì in lontananza.

Tornò alla finestra, Ago in pugno, e guardò in basso, nel cortile della Fortezza Rossa. Se solo fosse stata capace di scalare come Bran, sarebbe scivolata fuori da quella finestra e scesa lungo la parete della torre. Sarebbe fuggita lontano da quel posto orribile, molto lontano da Sansa e da septa Mordane e dal principe Joffrey, da tutti loro, con un po' di cibo rubato dalle cucine, Ago, i suoi stivali buoni e un mantello caldo. Sarebbe riuscita a trovare Nymeria nei boschi attorno al Tridente, e assieme sarebbero tornate a Grande Inverno, oppure avrebbero addirittura raggiunto Jon sulla Barriera. Desiderò che Jon fosse lì con lei. Forse non si sarebbe sentita tanto sola.

Un altro bussare alla porta, gentile e discreto. Arya si girò di scatto, mentre i suoi sogni di fuga si disperdevano.

«Arya.» Era la voce di suo padre. «Apri la porta. Dobbiamo parlare.»

Arya andò a togliere la barra. Suo padre era solo, e appariva rattristato più che arrabbiato. Questo la fece sentire anche peggio. «Posso entrare?» le chiese. Lei annuì, abbassando lo sguardo piena di vergogna. Suo padre chiuse la porta. «Di chi è quella spada?»

«Mia.» Arya non si era resa conto di avere ancora Ago in pugno.

«Dammela.»

Con riluttanza, Arya gli consegnò la spada, chiedendosi se l'avrebbe mai più avuta indietro. Suo padre la esaminò alla luce, studiando entrambi i lati del taglio. «Una lama braavosiana» riconobbe. «Eppure il marchio dell'armaiolo io l'ho già visto. Questa è opera di Mikken.»

Arya tornò ad abbassare lo sguardo. Non poteva mentire a suo padre.

«Mia figlia di nove anni viene armata dalla fucina del mio stesso castello.» Eddard Stark sospirò. «E io non ne so niente. Ci si aspetta che il Primo Cavaliere domini gli eventi di tutti i Sette Regni, ma sembra che non sia nemmeno in grado di dominare ciò che succede in casa sua. Come mai possiedi una spada, Arya? Come l'hai avuta?»

Arya si morse il labbro e rimase in silenzio. Non avrebbe mai tradito suo fratello Jon, nemmeno con il loro padre.

«Immagino che il come, in fondo, non abbia molta importanza» concluse lord Eddard dopo qualche momento, continuando a osservare la spada con espressione cupa. «Questo non è un giocattolo da bambini, e certo non è un gingillo da ragazze. Che direbbe septa Mordane se sapesse che ti sei messa a giocare con le spade?»

«Non stavo affatto giocando» esplose Arya. «E io la odio, septa Mordane.»

«Basta così.» Il tono di suo padre divenne secco, duro. «La septa sta solamente facendo il suo dovere, e lo sanno gli dèi se tu non hai trasformato in una battaglia il compito di quella donna. Tua madre e io le abbiamo affidato l'impossibile incarico di fare di te una lady.»

«Io non voglio essere una lady!» s'infiammò Arya.

«E io dovrei subito spezzare questo giocattolo, in modo da porre fine a queste tue assurdità una volta per tutte.»

«Ago non si spezzerà» lo sfidò Arya, ma la sua voce tradiva l'incertezza.

«Hai addirittura dato un nome alla tua spada.» Suo padre sospirò di nuovo. «Oh, Arya, piccola mia, soffiano venti selvaggi dentro di te. Il "sangue del lupo", queste sono le parole che avrebbe usato mio padre. Lyanna ne aveva qualche goccia, e mio fratello Brandon molto più di qualche goccia. Solo che il sangue del lupo li ha portati entrambi in un sepolcro ben prima del tempo.» Ad Arya non sfuggì la tristezza nella sua voce. Assai di rado parlava di suo padre, di suo fratello, di sua sorella, tutti morti molto prima che lei fosse nata. «Forse anche Lyanna avrebbe portato la spada, se mio padre gliel'avesse permesso» riprese lord Eddard. «A volte, Arya, in te io vedo lei. Addirittura le assomigli.»

«Lyanna era bella» disse Arya, sorpresa. Tutti lo dicevano. Mentre nessuno l'aveva mai detto di lei.

«Lo era» confermò lord Eddard. «Bella e fiera, e morta prima del tempo.» Sollevò la spada, lama in verticale, simile a una specie di confine tra loro. «Arya, che intenzioni avevi con questo... Ago? Chi speravi d'infilzare? Tua sorella? Septa Mordane? Cosa sai dell'arte della scherma?»

La sola cosa che ad Arya venne in mente fu quanto le aveva detto Jon. «Infilzali con la punta» farfugliò.

Suo padre represse una risata. «Immagino sia effettivamente quello lo scopo finale.»

Arya aveva un bisogno disperato di spiegare, di fare in modo che lui capisse. «Io stavo cercando di imparare...» I suoi occhi si riempirono di lacrime. «E chiesi a Mycah di far pratica con me.» La sofferenza, la colpa, le arrivarono addosso come una valanga. Si girò, scossa dai singhiozzi. «Sono stata io a chiederglielo. Io! È stata tutta colpa mia...»

Le braccia di suo padre la cinsero. La tenne stretta mentre lei continuava a piangere, il viso affondato nel petto di lui.

«Non è così, tesoro mio» sussurrò lord Eddard. «Sii triste per aver perduto il tuo amico, ma non biasimare te stessa. Non sei stata tu ad assassinarlo. Quel delitto è opera del Mastino, e della donna crudele che lui serve.»

«Li odio!» disse Arya in un singulto, il viso arrossato dal pianto. «Il Mastino e la regina e il principe Joffrey e anche il re. Tutti li odio! Joffrey ha mentito. Le cose sul Tridente non sono andate affatto come ha detto lui. E odio anche Sansa. Lei sapeva, aveva visto. Ma ha mentito perché vuole che Joffrey la ami.»

«Tutti diciamo menzogne. Non avrai realmente pensato, Arya, che io abbia creduto alla storiella che Nymeria è scappata, vero?»

Arya arrossì, colta in fallo. «Jory aveva promesso di stare zitto.»

«E Jory ha mantenuto la promessa.» Suo padre sorrise. «Ma esistono cose che non è necessario mi vengano dette. Perfino un cieco si sarebbe reso conto che quella lupa non ti avrebbe mai abbandonata di sua volontà.»

«Siamo stati costretti a tirarle contro dei sassi» rievocò Arya, ancora più disperata. «Io le avevo detto di andare, di essere libera, che non la volevo più. C'erano altri lupi con i quali poteva stare, avevamo udito i loro ululati. Jory disse che le foreste erano piene di selvaggina, e che Nymeria per nutrirsi avrebbe potuto cacciare. Ma lei invece continuò a seguirci. Così fummo costretti a lanciare pietre. Io l'ho colpita... due volte! Lei mi ha guardato, ha uggiolato... Io mi sono così vergognata... Ma era la cosa giusta da fare, non è vero, padre? La regina l'avrebbe uccisa.»

«Proprio così. E arrivo a dire, Arya, che la tua menzogna... non è stata priva di onore.» Nell'abbracciare sua figlia, lord Eddard aveva messo da parte la spada. Tornò a riprenderla e andò alla finestra. Per un lungo momento rimase immobile, lo sguardo sul cortile. Quando si voltò, c'era un'espressione pensierosa sul suo volto. «Siediti, Arya» le disse, sedendo sulla panca nel rientro della finestra con Ago di traverso sulle ginocchia. «Ci sono alcune cose che devo spiegarti.»

Piena d'ansia, Arya si sistemò sul bordo del letto.

«Sei troppo giovane perché io ti getti addosso i miei fardelli» riprese lord Eddard. «Al tempo stesso, però, sei una Stark di Grande Inverno. Tu conosci il motto della nostra famiglia.»

«L'inverno sta arrivando» rispose Arya in un soffio.

«Tempi aspri, crudeli» assentì suo padre. «Ne abbiamo avuto un assaggio sul Tridente, piccola mia. E prima ancora, nel nostro castello, quando Bran cadde dalla torre spezzata. Tu sei nata durante la lunga estate, e non hai conosciuto altro che il caldo e la luce. Ma ora l'inverno sta veramente arrivando. Ricorda il sigillo della nostra casa, Arya.»

«Il meta-lupo.» Nel dirlo, la sua mente tornò a Nymeria. Si abbracciò le ginocchia, pervasa da una paura improvvisa.

«Lascia che ti dica qualcosa sui lupi, piccola. Quando la neve cade e i venti gelidi soffiano, il lupo solitario perisce, mentre il branco sopravvive. L'estate è il tempo delle liti, ma d'inverno dobbiamo proteggerci gli uni con gli altri, condividere il calore, mettere assieme le nostre forze. Quindi, se proprio devi odiare qualcuno, odia coloro che davvero vogliono il nostro male. Septa Mordane è una brava donna, e Sansa... è tua sorella. Sarete anche diverse quanto il sole e la luna, ma nei vostri cuori scorre il medesimo sangue. Tu hai bisogno di lei, come lei ha bisogno di te... E io, gli dèi mi assistano, ho bisogno di voi, di tutt'e due.» La voce di suo padre suonava piena di una stanchezza infinita.

«Non odio Sansa» si ritrovò a dire Arya. «Non realmente» e questa era una menzogna solo in parte.

«Non è mia intenzione spaventarti, ma nemmeno mentirti. Siamo giunti in un luogo oscuro, pieno di pericoli. Non siamo più a Grande Inverno. Abbiamo nemici che ci vogliono distruggere. Non possiamo combatterci tra noi. La tua continua ribellione, il correre via, le parole dure, la disobbedienza... A casa, tutte queste cose non sarebbero altro che i giochi estivi di una bambina. Qui e ora, con l'inverno che incombe, sono tutt'altra cosa. È giunto il tempo di crescere.»

«Lo farò» promise Arya. Non aveva mai amato suo padre come in quel momento. «Anch'io posso essere forte. Tanto quanto Robb.»

Lord Eddard le tese Ago, dalla parte dell'elsa. «Tieni.»

Lei guardò la spada, gli occhi pieni di stupore. Per un attimo, ebbe timore di toccarla, timore che se avesse allungato la mano, suo padre l'avrebbe portata via per sempre. Ma lui disse: «Prendila, ti appartiene, se non sbaglio».

«Posso tenerla?» Lei riprese la spada. «Sul serio?»

«Sul serio» sorrise suo padre. «Se anche te la portassi via, non ho il minimo dubbio che nel giro di una settimana troverei un pugnale sotto il tuo cuscino. Cerca almeno di non infilzare tua sorella, quale che sia la provocazione.»

«Non lo farò.» Arya strinse Ago a sé, osservando suo padre lasciare la stanza. «Te lo prometto, padre.»

Chiese scusa. Chiese a septa Mordane di perdonarla la mattina dopo, a colazione. La septa la squadrò con espressione sospettosa, ma suo padre annuì la sua approvazione.

Tre giorni più tardi, poco dopo mezzogiorno, Vayon Poole, l'attendente di lord Stark, mandò Arya nella sala piccola. I tavoli a cavalletti erano stati smantellati e ammucchiati contro le pareti assieme alle panche. La sala appariva vuota, ma poi una voce sconosciuta disse: «Sei in ritardo, ragazzo». Dalle ombre emerse un uomo snello, senza capelli ma con un gran naso a becco. Teneva in mano due sottili spade di legno. «Domani mi aspetto che tu sia qui a mezzogiorno preciso.» Parlava con l'accento strascicato delle città libere, forse Braavos, o Myr.

«Chi sei?» chiese Arya.

«Il tuo maestro di danza.» Le lanciò una spada di legno. Arya cercò di prenderla al volo, senza riuscirci. La spada rimbalzò sul pavimento con un rumore secco. «Domani sarai in grado di prenderla. Per ora raccoglila.»

Non era un semplice pezzo di legno, ma una vera e propria spada, con impugnatura e guardia. Arya la raccolse. Nervosamente, la impugnò a due mani, tenendola di fronte a sé. Era più pesante di quanto apparisse, molto più di Ago.

«Non è quello il modo, ragazzo.» L'uomo calvo batté i denti una volta. «Non è una spada lunga che richiede entrambe le mani. Te ne basterà una, di mano.»

«È troppo pesante» dichiarò Arya.

«Lo è allo scopo di renderti più forte, e darti equilibrio. La cavità al suo interno è piena di piombo, difatti. Una sola mano per impugnarla.»

Arya tolse la destra e si asciugò sui pantaloni il palmo sudato. Impugnò la spada con la mano sinistra. L'uomo parve approvare.

«La sinistra va bene. Tutto è invertito, il che metterà il tuo avversario in una situazione difficile. La tua postura è errata. Ruota il corpo di lato. Così. Sei magro quanto lo stelo di una freccia, lo sai, vero? Anche questo va bene: sei un bersaglio piccolo. Ora il modo d'impugnarla. Lasciami vedere.» Le andò vicino, studiò la sua mano e le divaricò le dita, sistemandole in modo differente. «Difatti. Non stringere così forte, no. La presa dev'essere delicata.»

«E se la lascio cadere?»

«La lama dev'essere un prolungamento del tuo braccio» rispose l'uomo calvo. «Puoi forse lasciar cadere un pezzo del tuo braccio? No, certo. Per nove anni Syrio Forel è stato primo spadaccino del Signore del Mare di Braavos. Syrio Forel sa queste cose. Tu ascoltalo, ragazzo.»

Era la terza volta che la chiamava "ragazzo". «Sono una ragazza» precisò Arya.

«Ragazzo, ragazza...» Syrio Forel non si scompose. «Per me sei una lama, nient'altro.» Batté di nuovo i denti. «Difatti, così s'impugna. Ricorda: non stai impugnando una mazza ferrata. Stai impugnando un...»

«... Ago» completò Arya, con fierezza.

«Difatti. Ora daremo inizio alla danza. Ricorda, piccola, non è la danza del ferro degli occidentali che andremo a imparare, non è la danza del re, fendenti e colpi. No, no, no. Questa è la danza braavosiana, la danza dell'acqua, rapida e improvvisa. Tutti gli uomini sono fatti d'acqua, lo sapevi, questo? E quando li buchi, l'acqua fuoriesce e gli uomini muoiono. Ora danza con me.» Fece un passo indietro e sollevò la propria spada di legno. «Danza e cerca di colpirmi.»

Arya Stark cercò di colpirlo. Ci provò per quattro ore consecutive, finché ogni muscolo del suo corpo non le fece male. Non ci riuscì mai, nemmeno una volta, e intanto Syrio Forel continuava a battere i denti e a dirle cosa fare e come farlo.

Il giorno dopo ebbe inizio la vera danza.

DAENERYS

«Il Mare dothraki.» Ser Jorah Mormont tirò le redini fermandosi accanto a lei sulla sommità della collina.

La pianura vuota, immensa, si stendeva sotto di loro, di fronte a loro, fino ai limiti estremi dell'orizzonte e oltre. Era un mare, capì Daenerys. Oltre quel punto, colline, montagne, alberi, strade, città cessavano di esistere. Esisteva solamente la pianura senza fine, e la sua erba ondeggiava nel vento come le onde di un mare. «È così... verde.»

«Lo è qui e adesso» concordò ser Jorah. «In primavera, si trasforma in una distesa di fiori purpurei da un orizzonte all'altro. Sembra un mare di sangue. Poi, con l'arrivo della stagione secca, è un intero mondo che diventa del colore del bronzo antico. E quest'erba che vedi, fanciulla, è solo la hranna. Ci sono centinaia di specie di erbe, là fuori: gialle come il limone e viola come l'indaco, azzurre, arancioni e simili all'arcobaleno. E molto più lontano, nella Terra delle Ombre al di là di Asshai, dicono che esistano oceani di erba fantasma, più alta di un uomo a cavallo, gli steli pallidi come vetro opaco. Distrugge ogni altra erba e splende nelle tenebre a opera delle legioni dei dannati. I dothraki credono che un giorno l'erba fantasma coprirà il mondo intero. E allora tutta la vita avrà fine.»

«Non voglio parlare di questo.» La sola idea mandò un brivido lungo la schiena di Daenerys. «È talmente bello, qui. Non voglio nemmeno pensare alla morte.»

«Come desideri, khaleesi» disse rispettosamente ser Jorah.

Daenerys si voltò all'udire un suono di voci alle sue spalle. Lei e Mormont avevano lasciato indietro il resto del gruppo. Ora gli altri li avevano raggiunti e stavano salendo verso il crinale dell'altura. La sua ancella Irri e i giovani arcieri del suo khas cavalcavano con la fluidità dei centauri. Per contro, Viserys non riusciva ad abituarsi alle staffe corte e alla sella piatta. In mezzo ai dothraki, suo fratello faceva una figura meschina. Mai e poi mai avrebbe dovuto venire. Magistro Illyrio aveva insistito perché rimanesse a Pentos e gli aveva offerto ospitalità nella sua residenza, ma Viserys era stato irremovibile. Sarebbe rimasto addosso a Drogo fino a quando il khal non avesse pagato il suo debito verso di lui, fino a quando non fosse tornato in possesso della corona che gli era stata promessa. «E se tenterà d'imbrogliarmi, imparerà a sue spese cosa significa risvegliare il drago» aveva giurato Viserys, la mano sull'elsa della spada presa a prestito. Il commento di Illyrio era stato un ammiccamento, seguito da un augurio di buona fortuna.

Adesso, al cospetto del Mare dothraki, Dany non era minimamente disposta a sentire le lamentele di suo fratello. Era una giornata troppo perfetta: cielo di un blu profondo, un falco in cerca di preda che roteava altissimo, l'erba che oscillava e sussurrava al minimo soffio di vento, l'aria calda sul viso. Dany era in pace. Non avrebbe consentito a Viserys di turbarla.

«Aspetta qui» disse a ser Jorah. «Di' a tutti loro di non muoversi. Di' loro che questo è il mio comando.»

Il cavaliere sorrise. Ser Jorah non era un uomo attraente. Aveva spalle e collo massicci come quelli di un toro e un'ispida peluria nera gli copriva braccia e torace, talmente fitta che non erano avanzati peli per la testa. Eppure, Dany trovò conforto nel suo sorriso. «Stai imparando a parlare come una regina, Daenerys.»

«Non una regina.» Lei fece voltare il cavallo. «Una khaleesi.»

Da sola, scese al galoppo lungo il fianco della collina. Il terreno era ripido, disseminato di rocce, ma cavalcò temerariamente, la gioia e il pericolo simili a musica nel suo cuore.

Per tutta la vita, Viserys le aveva detto e ripetuto che era una principessa, ma non si era mai sentita tale fino al momento in cui aveva cominciato a cavalcare la splendida puledra d'argento.

Gli inizi non erano stati facili. Il khalasar aveva levato le tende il giorno dopo il matrimonio, spostandosi a est, verso la città sacra di Vaes Dothrak. Al terzo giorno, Daenerys era stata certa di essere in punto di morte. Piaghe da sella, repellenti e sanguinose, si erano aperte sulle sue natiche. L'interno delle cosce era spellato al punto da esporre la carne viva. Le redini avevano ridotto le sue mani a un labirinto di piaghe. I muscoli delle gambe e della schiena le dolevano talmente che si teneva in sella a stento. Al calare della notte, le sue ancelle erano costrette ad aiutarla a scendere da cavallo.

Ma la notte non portava alcun sollievo. Di giorno, Khal Drogo la ignorava come durante la cerimonia che li aveva uniti in matrimonio. Trascorreva le serate bevendo con i suoi guerrieri e i suoi cavalieri di sangue, spingendo al galoppo i suoi magnifici cavalli, guardando donne ballare e uomini morire sotto le lame degli arakh. Per Dany, non c'era posto in quegli aspetti della vita del khal. Veniva lasciata a cenare da sola, oppure con ser Jorah e suo fratello. Dopo, poteva solo piangere fino all'oblio del sonno. Eppure ogni notte, poco prima dell'alba, Drogo scivolava nella sua tenda, la svegliava nelle tenebre e la possedeva con l'intensità con la quale cavalcava il suo stallone. La prendeva sempre da dietro, secondo l'usanza dothraki, cosa di cui Dany era grata perché così suo marito non poteva vedere le lacrime che le rigavano il volto e lei poteva usare il cuscino per soffocare le urla di dolore. Una volta che aveva finito, Drogo chiudeva gli occhi e cominciava a russare sommessamente. Dany, il corpo pestato, indolenzito, giaceva immobile accanto a lui, troppo dolorante per riuscire a dormire.

Era andata avanti a quel modo giorno dopo giorno, notte dopo notte, finché era stata certa di non essere in grado di sopportare quel tormento un istante di più. La morte era la sola via d'uscita...

Ma quella notte il drago era tornato da lei. Nel sogno, Viserys non c'era. C'erano soltanto lei e il drago. Scaglie nere come le tenebre, viscide e scintillanti di sangue. Era il suo sangue, Dany non aveva avuto dubbi. Gli occhi del drago erano pozze di magma liquefatto. E quando aveva spalancato le fauci, fuoco era eruttato in un flusso incandescente. Fuoco. Il drago aveva cantato per lei. Daenerys aveva aperto le braccia per accogliere la fiamma, aveva lasciato che l'avvolgesse e la inghiottisse. Il fuoco l'aveva ripulita, temperata. Aveva percepito la propria carne fumare, annerirsi, finire in pezzi carbonizzati. Aveva sentito il sangue bollire nelle vene, disintegrarsi in vapore. Eppure, in quell'annientamento nella fiamma, non c'era stato alcun dolore, alcuna sofferenza. Dopo il fuoco, si era sentita rinascere più forte, più fiera.

All'alba del giorno seguente, per qualche ragione misteriosa, buona parte del dolore se n'era andata. Era come se gli dèi avessero udito le sue invocazioni e avessero avuto pietà di lei. Perfino le sue ancelle si erano rese conto del mutamento.

«Khaleesi» aveva detto Jhiqui «qualcosa non va? Sei malata?»

«Lo ero.» Daenerys aveva risposto rimanendo immobile di fronte alle uova di drago che magistro Illyrio le aveva donato il giorno delle nozze. Ne aveva toccata una, la più grossa. Delicatamente, le punte delle sue dita erano scivolate lungo il guscio, nero e scarlatto come il drago del sogno. Al tocco, l'uovo era parso emanare un misterioso calore dall'interno... o erano solo frammenti del sogno che rifiutavano di svanire? Dany, improvvisamente inquieta, aveva ritratto la mano.

Da quel momento, ogni giorno era stato più facile del precedente. Le sue gambe si erano fatte più forti. Le piaghe sulle mani erano scoppiate ed erano state sostituite da calli. La pelle delle sue soffici cosce si era indurita, diventando robusta come cuoio.

Il khal aveva dato ordine a Irri d'insegnare a Dany a cavalcare secondo lo stile dothraki, ma la vera insegnante era stata la puledra. La cavalla pareva intuire esattamente lo stato d'animo di Daenerys, quasi che fanciulla e purosangue fossero un'unica mente. Col passare del tempo, Dany si era sentita sempre più sicura sulla stretta sella. I dothraki erano un popolo duro, poco sentimentale. Non era loro usanza dare nomi agli animali, così Dany continuò a identificare il proprio destriero come la "puledra d'argento", ma non aveva mai amato nulla con una simile intensità.

Diventato più facile stare in sella, Daenerys aveva cominciato a notare la bellezza di ciò che si stendeva attorno a lei. Aveva cominciato a cavalcare al fianco di Drogo e dei suoi cavalieri di sangue alla testa dell'intero khalasar, così aveva potuto arrivare per prima su ogni nuovo paesaggio. Alle loro spalle, la mastodontica orda di quarantamila guerrieri dothraki dilaniava la terra, intorbidava i fiumi e ammorbava l'atmosfera di polvere, ma davanti a loro i campi erano verdi, incontaminati.

Avevano varcato le colline attorno alla città libera di Norvos, superato coltivazioni a terrazza e piccoli villaggi i cui abitanti, pieni di paura, li avevano guardati avanzare dal riparo di fragili mura di calcare bianco. Avevano guadato tre fiumi dal placido corso, e poi un quarto, più stretto e pieno di infide rapide. Si erano accampati nei pressi di un'altissima cascata di acque azzurre, circondata dalle rovine di una grande città morta dove, si diceva, gli spiriti dei defunti gemevano tra le colonne di marmo annerito. Avevano galoppato lungo strade valyriane vecchie di millenni, dritte come frecce dothraki. Per la metà di una luna, avevano attraversato la Foresta di Qohor, sotto una cupola di foglie dorate, in mezzo a tronchi più grandi dei portali delle città. C'erano alci giganti, in quella foresta, e poi tigri maculate, lemuri dalla pelliccia argentea e dagli immensi occhi rossi, ma all'avvicinarsi del khalasar tutti quanti fuggivano, e Dany non poté vedere nessuna di queste creature.

L'agonia dei primi tempi come moglie del Khal era ormai un lontano ricordo. Continuava a sentirsi indolenzita dopo una giornata di sella, eppure adesso il dolore pareva aver acquisito una sorta di dolcezza. Ogni giorno si sentiva ansiosa di tornare a cavalcare, di scoprire quali meraviglie l'attendevano più avanti, lungo il cammino. Ora perfino le notti le portavano piacere. Gridava ancora quando Drogo la possedeva, ma non più di dolore.

Daenerys giunse ai piedi della collina. L'erba, alta e rigogliosa, ondeggiava attorno a lei. Portò la puledra al trotto e avanzò nella pianura, perdendosi nel verde, meravigliosamente sola. Nel khalasar non era mai sola. Khal Drogo veniva da lei unicamente dopo il calar del sole, ma le ancelle la nutrivano, le facevano il bagno, dormivano fuori della sua tenda. I cavalieri di sangue di Drogo e il suo khas non erano mai troppo lontani e giorno e notte suo fratello rimaneva una presenza costante, tutt'altro che gradita. Daenerys poteva udirlo sulla sommità della collina, la voce resa rauca dall'ira, che inveiva contro ser Jorah. Lei continuò a cavalcare, immergendosi sempre più in profondità nel Mare dothraki.

Il verde la inghiottì. L'aria era satura degli effluvi dell'erba e della terra, che andavano a mescolarsi con l'odore del cavallo, del sudore di Dany, dell'olio che aveva nei capelli. Erano gli odori dei dothraki, l'essenza stessa di quel luogo. Ridendo, li respirò a pieni polmoni. Di colpo, provò il bisogno di sentire il suolo sotto di sé, di arcuare le dita dei piedi dentro il ricco humus scuro. Volteggiò giù dalla sella, lasciando la puledra d'argento libera di pascolare mentre lei si toglieva gli alti stivali.

«Come osi?...» Viserys emerse dalla prateria e le piombò addosso come un'improvvisa tempesta estiva. Il suo cavallo scartò per un colpo troppo duro di redini. «Come osi dare ordini a me? A me!» Saltò giù di sella, inciampò per l'atterraggio maldestro e cadde a terra, congestionato in volto mentre si rimetteva in piedi. «Hai forse dimenticato chi sei?» L'afferrò, la scosse. «Ma guardati! Guardati!»

Daenerys non aveva alcun bisogno di farlo. A piedi nudi, i capelli intrisi d'olio, indossava gli indumenti di cuoio dei dothraki, con il gilè di pelle dipinta, dono di nozze, sul petto nudo. Così trasformata, ora anche lei apparteneva alla prateria senza fine. Nel suo incongruo abbigliamento cittadino di seta e maglia di ferro, Viserys era sporco, sudato, malridotto.

«Non sei tu a comandare il drago!» continuò a urlarle in faccia. «Mi capisci? Sono io il signore dei Sette Regni! E mai prenderò ordini dalla puttana di un barbaro a cavallo, mi capisci?» La mano di lui s'infilò sotto il gilè e le afferrò un seno. «Mi capisci?»

Dany gli diede uno spintone, con forza.

Viserys la guardò come se avesse di fronte un'estranea, l'incredulità negli occhi violetti. Mai lei lo aveva sfidato. Mai lo aveva combattuto. Il furore distorse i suoi lineamenti. Adesso le avrebbe fatto del male, molto male. Daenerys lo sapeva.

Crack!

Lo schiocco della frusta fu come il rombo di un tuono. Il tentacolo di cuoio si attorcigliò attorno alla gola di Viserys e gli diede uno strattone all'indietro. Finì sbracato tra l'erba, stupefatto, senza fiato. Mentre cercava di rialzarsi, i guerrieri dothraki gli urlarono insulti carichi di crudele derisione. Quello con la frusta, il giovane Jhogo, gridò una domanda. Daenerys non capì, ma poi Irri fu al suo fianco, e ser Jorah e il resto del suo khas.

«Lo vuoi morto, khaleesi?» tradusse Irri. «È questo che ti chiede Jhogo.»

«No» fu la risposta di Dany. «No.»

Jhogo capì. Qualcuno fece un commento e gli altri dothraki scoppiarono a ridere.

«Quaro pensa che dovresti prenderti una delle sue orecchie» tradusse nuovamente Irri. «Giusto per insegnargli un po' di rispetto.»

Suo fratello era in ginocchio e gorgogliava parole incoerenti mentre lottava per respirare, le dita che cercavano di allentare la stretta del tentacolo di cuoio attorno alla trachea.

«Di' loro che non voglio gli venga fatto alcun male» ordinò Daenerys.

Irri ripeté le sue parole in dothraki. Jhogo diede un ultimo strattone alla frusta, facendo girare Viserys come una marionetta. Lui crollò di nuovo tra l'erba, finalmente libero dal laccio di cuoio, la gola solcata da un'esile linea di sangue dove la frusta era affondata nella carne.

«L'avevo avvertito che una cosa del genere avrebbe finito con l'accadere, mia signora» sospirò ser Jorah. «Gli avevo detto di rimanere sulla cima, come tu avevi comandato.»

«So che l'hai fatto.» Daenerys non staccò gli occhi dal fratello accovacciato a terra, rosso in faccia, intento a inspirare aria con rumori grotteschi. Era patetico, lo era sempre stato. Come mai non se n'era accorta prima? Ora dentro di lei, là dove si annidava la sua paura di Viserys, non rimaneva altro che uno spazio vuoto.

«Ser Jorah, prendi il suo cavallo.» Viserys la guardò a bocca aperta. Non poteva credere alle proprie orecchie; sua sorella non parlava sul serio. Eppure lei disse: «Che mio fratello torni al khalasar dietro di noi, a piedi. Che tutti vedano chi è in realtà». Per i dothraki, l'uomo che non cavalca non è neppure un uomo. È più in basso di qualsiasi altro essere. È un individuo senza onore, senza orgoglio, senza niente.

«No!» Viserys si rivolse a ser Jorah, implorandolo nella lingua comune in modo che i dothraki non capissero. «Colpiscila, Mormont! Falle del male! È il tuo re a comandartelo! Uccidi questi cani dothraki e dalle una lezione!...»

Il cavaliere in esilio spostò lo sguardo da Daenerys – scalza, terriccio tra le dita dei piedi e olio tra i capelli – a Viserys – seta fradicia di sudore e cotta di maglia di ferro – e Dany vide i suoi lineamenti indurirsi nel prendere la decisione. «Tuo fratello andrà a piedi, khaleesi.» Afferrò le redini del cavallo di Viserys e Dany rimontò in sella alla sua puledra d'argento.

Viserys, gli occhi sbarrati, cadde seduto a terra. Rimase in silenzio, senza muoversi, gli occhi pieni di veleno nel guardarli andarsene. In breve, fu solo nell'erba alta.

Quando non lo videro più, Daenerys si preoccupò. «Riuscirà a tornare?» chiese a ser Jorah.

«Perfino un uomo cieco quanto tuo fratello dovrebbe essere in grado di seguire le nostre tracce.»

«È molto orgoglioso. Potrebbe provare troppa vergogna per volerlo fare.»

«Ha scelta?» Ser Jorah rise. «Se lui non troverà il khalasar, sarà il khalasar a trovare lui. Nel Mare dothraki, figliola mia, è quanto mai difficile annegare.»

C'era molta verità in quelle parole, Daenerys dovette riconoscerlo. Il khalasar era come una città in marcia, ma non si trattava di una marcia alla cieca. Esploratori andavano costantemente avanti al grosso della colonna, attenti a individuare qualsiasi segno della presenza di selvaggina o di nemici. Altri cavalieri proteggevano i fianchi. Nulla poteva sfuggire a quei guerrieri, non nella pianura dalla quale provenivano, la pianura della quale ora anche lei faceva parte.

«L'ho colpito» disse, e c'era incredulità nella sua voce. Ciò che era appena accaduto continuava ad apparirle come uno strano sogno. «Ser Jorah, tu pensi... Sarà così furioso quando tornerà...» Ebbe un tremito. «Ho risvegliato il drago, vero?»

«Puoi forse risvegliare i morti, piccola?» mormorò ser Jorah. «Tuo fratello Rhaegar fu l'ultimo dei draghi, e lui morì nella Battaglia del Tridente. Viserys non è un drago, è meno dell'ombra di un serpente.»

Parole crude, ostili, che la colsero di sorpresa e gettarono dubbi improvvisi su ogni cosa in cui lei aveva sempre creduto. «Ma tu... tu gli hai giurato fedeltà con la tua spada.»

«È vero, figliola, ho giurato» riconobbe ser Jorah, con voce piena di amarezza. «Ma se tuo fratello è davvero l'ombra di un serpente, allora che cosa sono coloro che lo servono?»

«Lui rimane pur sempre il vero re. Lui...»

«Dimmi la verità, mia signora» la interruppe ser Jorah avvicinandosi con il cavallo. «Tu realmente vorresti vedere Viserys sedere sul Trono di Spade?»

Daenerys ci pensò su per un momento. «Non sarebbe un buon re, non è così?»

«Ci sono stati re peggiori... ma non molti.» Ser Jorah diede un colpo di speroni e aumentò l'andatura.

Adesso fu Dany ad affiancarsi a lui. «Eppure» riprese «la gente lo attende. Magistro Illyrio dice che stanno tessendo i vessilli del drago, che pregano per il ritorno di Viserys dal Mare Stretto perché li liberi.»

«La gente prega perché venga la pioggia, i figli crescano sani, l'estate non finisca mai» ribatté ser Jorah. «Per la gente non ha nessuna importanza se gli alti lord giocano al gioco del trono. Basta che la lascino in pace.» Scrollò le spalle. «Solo che non viene mai lasciata in pace.»

Per qualche tempo Daenerys continuò a cavalcare in silenzio, mentre quei concetti si aggregavano e si disgregavano nella sua mente come i frammenti di un rompicapo. Che alla gente non importasse affatto se il sovrano era un vero re o un Usurpatore andava contro quanto Viserys aveva sempre sostenuto. Ma più rimuginava le parole di ser Jorah, più esse risuonavano di verità.

«E tu, ser Jorah, per che cosa preghi?»

«Casa.» La sua voce era carica di rimpianto.

«Anch'io prego di tornare a casa.»

Ser Jorah rise. «Guardati attorno, khaleesi.»

Ma non era il Mare dothraki che Daenerys vedeva in quel momento. Era Approdo del Re, con la grande Fortezza Rossa eretta da Aegon il Conquistatore. Era la Roccia del Drago sulla quale era nata. Nella sua mente, quei luoghi ardevano di mille e mille fuochi, fiamme dietro ogni finestra. E nella sua mente, tutte le porte erano rosse.

«Mio fratello non tornerà mai in possesso dei Sette Regni.» Anche questo, Daenerys lo sapeva da molto tempo. In realtà l'aveva sempre saputo, in ogni istante della sua breve vita. Solo non aveva mai osato tramutare quella certezza interna in parole, neppure in sussurri. Ma ora le aveva dette, quelle parole. A ser Jorah e a tutto il resto del mondo.

Ser Jorah la osservò. «Non lo pensi realmente.»

«Mio fratello non sarebbe in grado di condurre un esercito neppure se mio marito accettasse di dargliene uno» disse Daenerys. «Non ha ricchezze. L'unico cavaliere che ha accettato di seguirlo lo considera inferiore a un serpente. I dothraki si fanno beffe della sua debolezza. Casa? Viserys Targaryen non ci riporterà mai a casa.»

«Parole sagge, piccola» approvò il cavaliere.
«Non sono una bambina» rispose lei con fierezza.
I suoi talloni affondarono nei fianchi della puledra, spingendola al galoppo. Più veloce, sempre più veloce, con il vento caldo della pianura nei capelli e il sole sul volto, finché ser Jorah e Irri e tutti gli altri non furono molto lontani dietro di lei.

Era il crepuscolo quando Daenerys si ricongiunse al khalasar.
Gli schiavi avevano eretto la sua tenda sulla sponda di una pozza alimentata da una sorgente. Dal palazzo di zolle e giunchi ed erba intrecciati in cima a una bassa collina le arrivavano le voci gutturali dei guerrieri dothraki. Presto, nel momento in cui i cavalieri del suo khas avrebbero raccontato gli eventi del pomeriggio, quel vociare si sarebbe trasformato in risate. Quando finalmente Viserys arrancò fuori dalla pianura, ogni uomo, donna e bambino nell'accampamento sapeva che lui era di quelli che andavano a piedi. Non esistevano segreti in un khalasar.
Dany affidò la puledra d'argento agli schiavi perché se ne occupassero ed entrò nella propria tenda. Sotto gli strati di seta, nella penombra, l'aria era fresca. Mentre lasciava ricadere il lembo che chiudeva l'ingresso, una lama della luce polverosa e rossastra del sole al tramonto investì le uova di drago sul lato opposto. Per un attimo, migliaia di faville scarlatte danzarono davanti ai suoi occhi. Sbatté le palpebre. Le fiamme erano svanite.
"Pietra" disse a se stessa. "Soltanto pietra. Perfino Illyrio lo dice. I draghi sono tutti morti." Pose il palmo di una mano sull'uovo dal guscio nero, delicatamente; le sue dita si allargarono sulla curvatura perfetta. La pietra era calda, quasi rovente. «Il sole.» La voce di Daenerys era un sussurro. «Il sole le ha riscaldate durante la cavalcata.»
Ordinò alle ancelle di prepararle il bagno. Appena fuori della tenda, Doreah accese un fuoco mentre Irri e Jhiqui andavano ai carri a prendere la grande vasca di rame, un altro dono di nozze, e poi ad attingere l'acqua dalla sorgente. Una volta che il bagno fu pronto, Irri aiutò Daenerys a immergersi nel liquido abbraccio fumante e vi entrò dopo di lei.
«Voi l'avete mai visto, un drago?» chiese Daenerys mentre Irri le lavava la schiena e Jhiqui le sciacquava la polvere dai capelli. Dany sapeva che i primi draghi erano venuti dall'Oriente, dalla Terra delle Ombre oltre Asshai e dalle isole nel Mare di Giada. Forse in quei paesi lontani, strani e selvaggi, alcuni di loro vivevano ancora.
«Draghi svaniti, khaleesi» rispose Irri.
«Morti» concordò Jhiqui. «Tanto tempo fa.»

Viserys le aveva detto che gli ultimi draghi dei Targaryen erano morti non più di un secolo e mezzo prima, durante il regno di Aegon III, detto "Veleno di drago". A Dany non pareva un'era poi così remota.

«Siete sicure? Sono morti dovunque?» insistette, delusa. «Perfino in Oriente?»

Nell'Occidente, le pratiche magiche erano scomparse quando il Disastro si era abbattuto su Valyria e sulle Terre della Lunga Estate. Nulla era stato in grado di riportare indietro la magia: né le spade forgiate con gli incantesimi, né i maghi della tempesta, neppure i draghi. Ma Daenerys aveva sempre udito che in Oriente le cose erano diverse. Le giungle di Yi Ti erano infestate dai basilischi, ad Asshai maghi, stregoni e negromanti praticavano scopertamente le loro arti, e nelle tenebre della notte, i visitatori del buio e gli adoratori del sangue evocavano spaventosi sortilegi. Cosa poteva impedire ai draghi di continuare a esistere?

«Niente più draghi» disse Irri. «Uomini coraggiosi draghi uccide. Perché drago terribile bestia di male. È saputo.»

«È saputo» fu d'accordo Jhiqui.

«Una volta un mercante di Qarth mi disse che i draghi provengono dalla luna.» Doreah, l'ancella bionda, faceva riscaldare un ampio panno al calore della fiamma.

Daenerys passò lo sguardo da una all'altra. Jhiqui e Irri, ragazze dothraki prese come schiave quando Khal Drogo aveva annientato il khalasar del loro padre, avevano circa la sua età. Doreah, esperta nelle arti dell'amore, aveva quasi vent'anni. Magistro Illyrio l'aveva trovata in una casa di piacere di Lys.

Argentei capelli bagnati le scesero sugli occhi quando girò la testa, piena di curiosità. «Dalla luna?»

«Mi disse che la luna è un grande uovo, khaleesi» continuò Doreah. «Un tempo nel cielo c'erano due lune. Ma poi una si avvicinò troppo al sole e il suo calore la frantumò. Migliaia di draghi si riversarono dalla luna frantumata e bevvero il fuoco del sole. Ecco perché il respiro dei draghi è fatto di fuoco. Verrà il giorno in cui anche la seconda luna accetterà il bacio del sole. Anch'essa si frantumerà, e i draghi faranno ritorno.»

Le due ragazze dothraki ridacchiarono. «Tu sciocca schiava testa di paglia» disse Irri. «Luna non uovo. Luna è dea, donna moglie di sole. È saputo.»

«È saputo» fece eco Jhiqui.

Daenerys uscì dalla vasca, la sua pelle era fresca e rosea. Jhiqui la fece sdraiare e le massaggiò tutto il corpo con l'unguento, in modo da rimuovere da ogni poro la polvere della pianura. Poi Irri la spruzzò con essenza di fiori speziati e cannella. Mentre Doreah le spazzolava i capelli fino a farli risplendere come argento liquefatto, Dany pensò nuovamente alla luna, alle uova e ai draghi.

La sua cena fu semplice: frutta, formaggio, pane fritto, una caraffa di vino al miele. Daenerys congedò le ancelle, ma non tutte. «Rimani, Doreah. Mangia qualcosa con me.»

La ragazza di Lys aveva capelli colore del miele e occhi come il cielo estivo. Occhi che abbassò quando furono da sole. «Tu mi onori, khaleesi.»

Ma non si trattava di onore, solamente di servizio. Dopo che la luna si fu levata, continuarono a parlare per molto tempo.

Nel cuore della notte, Khal Drogo venne da lei. Daenerys lo stava aspettando. Lui si fermò sulla soglia della tenda e la guardò sorpreso. Lei si alzò in piedi, aprì la veste da notte e lasciò che scivolasse dalle spalle lisce.

«Questa notte, mio signore, dobbiamo essere all'aperto» gli disse, perché i dothraki ritenevano che, nella vita di un uomo, tutte le cose rilevanti dovessero avere luogo al cospetto del cielo.

Khal Drogo la seguì nel chiaro di luna, le campanelle che tintinnavano sommessamente nei suoi capelli. A pochi passi dalla tenda, si apriva un prato di erba soffice. Fu là che Dany fece sdraiare suo marito. Drogo cercò di farla voltare di schiena. «No» lo fermò lei ponendogli una mano sul petto. «Questa notte voglio guardarti negli occhi.»

Non esisteva nulla di privato nel cuore di un khalasar. Dany sentì molti sguardi su di sé mentre lo svestiva, udì voci soffocate mentre faceva le cose che Doreah le aveva detto di fare. Nulla la turbò. Non era forse la khaleesi? Solamente gli occhi di lui contavano, e quando fu lei a montarlo, vide in essi qualcosa che non aveva mai visto. Lo cavalcò con la stessa fierezza con la quale cavalcava la sua puledra d'argento, e quando raggiunse il culmine del piacere, Khal Drogo urlò il suo nome.

Lontano, molto in profondità nel Mare dothraki, Jhiqui sfiorò con e dita il soffice rigonfiamento nel ventre di Dany. «Khaleesi, tu sei on figlio.»

«Lo so» rispose Daenerys.

ra il giorno del suo quattordicesimo compleanno.

BRAN

Rickon correva con i lupi. Bran osservava il cortile di Grande Inverno dal sedile nel vano della finestra. Dovunque il bambino andasse, Vento grigio era là prima di lui, gli saltava davanti tagliandogli la strada. Rickon lo vedeva, emetteva un grido di gioia e cambiava di colpo direzione. Cagnaccio, pelo nero come la notte e scintillanti occhi verdi, lo tallonava da presso, capo e mandibole che folgoravano gli altri lupi nel momento in cui osavano andargli troppo vicino. Estate, pelo color argento e antracite, il meta-lupo di Bran, era l'ultimo, e nulla sfuggiva ai suoi ardenti occhi gialli. Era di taglia più piccola rispetto a Vento grigio, ma più attento e guardingo. Bran lo riteneva il più intelligente della cucciolata. Le risate di Rickon continuarono a salire fino a lui mentre il fratellino non si stancava di correre sulla terra dura con le gambette ancora acerbe.

Gli bruciavano gli occhi. Avrebbe voluto essere anche lui là sotto, là fuori, a ridere e correre. Il pensiero lo fece infuriare. Si asciugò le lacrime con i pugni contratti, impedendo che cadessero. Il giorno del suo ottavo compleanno era passato. Era quasi un uomo, ormai, e il tempo di piangere era finito.

Il corvo del sogno era sempre nella sua mente. «Una menzogna» disse Bran pieno di amarezza. «Solamente una menzogna. Non posso volare. Non posso nemmeno correre.»

«I corvi sono tutti bugiardi» fu d'accordo la Vecchia Nan dalla sedia sulla quale sedeva a lavorare a maglia. «Io so una storia su un corvo.»

«Non ne voglio più sentire, di storie» ribatté Bran, la voce venata di petulanza. Una volta, la Vecchia Nan e le sue storie gli erano andate a genio. Prima. Ma adesso le cose erano cambiate. Adesso la Vecchia Nan stava con lui tutto il giorno, a pulirlo, a tenerlo d'occhio, a far sì che lui non si sentisse solo. Il che peggiorava ulteriormente la situazione. «Le odio, le tue stupide storie.»

«Le mie storie?» L'anziana donna gli rivolse un sorriso sdentato. «No, piccolo lord, non sono mie. Le storie esistono, prima di me e dopo di me, anche prima di te.»

Era una vecchia molto brutta, pensò Bran con spregio, una vecchia raggrinzita, cadente, troppo malridotta per salire le scale da sola. In testa, pochi ciuffi di capelli stopposi sporgevano qua e là dalla rosea cute chiazzata. Nessuno sapeva quanti anni avesse. Suo padre gli aveva detto che era stata chiamata a quel modo fin dall'epoca in cui lui era ragazzo. Era la persona più vecchia di Grande Inverno, forse di tutti i Sette Regni. Era arrivata al castello quale nutrice di Brandon Stark, la cui madre era morta nel darlo alla luce. Brandon era il fratello maggiore di lord Rickard Stark, nonno di Bran, o forse un fratello minore, o forse addirittura un fratello del padre di lord Rickard. Ogni volta che la Vecchia Nan la raccontava, quella storia mutava. Un'unica cosa rimaneva inalterata: quel Brandon Stark era morto bambino. Non aveva ancora tre anni quando una terribile, improvvisa gelata estiva se l'era portato via. Nan però era rimasta a Grande Inverno assieme ai propri figli. Aveva perduto entrambi i maschi durante la guerra che aveva portato Robert Baratheon sul Trono di Spade. Il suo unico nipote era caduto nell'assalto alle mura di Pyke, l'ultima battaglia della Ribellione di Balon Greyjoy. Le sue figlie si erano sposate e se n'erano andate da molto tempo, diventando madri a loro volta. Alla fine, anche loro erano morte. Adesso, tutto quello che restava alla Vecchia Nan era Hodor, il gigante dalla mente semplice che lavorava nelle stalle. Ma, nonostante tutto questo, la Vecchia Nan aveva continuato a vivere e a sferruzzare e a raccontare le sue storie.

«Non m'importa a chi appartengono quelle storie» disse Bran. «Le odio.» Non voleva più storie, e non voleva più la Vecchia Nan. Voleva sua madre e suo padre. Voleva correre assieme a Estate. Voleva scalare la torre spezzata e dare chicchi di grano ai corvi. Voleva cavalcare nuovamente il suo pony assieme ai suoi fratelli. Voleva che tutto tornasse com'era prima.

«So la storia di un ragazzino che odiava le storie» insistette la Vecchia Nan. Lo disse con quel suo stupido sorriso sdentato, i ferri che non cessavano di muoversi: *click-click-click*. Bran stava per mettersi a urlare.

Perché niente sarebbe mai più tornato com'era prima. Il corvo con tre occhi gli aveva fatto credere che poteva volare, ma quando si era svegliato il suo corpo era in pezzi e il mondo era mutato. Tutti l'avevano abbandonato: sua madre, suo padre, le sue sorelle, perfino il suo fratello bastardo Jon, tutti quanti. Il padre gli aveva promesso che l'avrebbe portato ad Approdo del Re in sella a un vero cavallo, ma poi se n'era andato senza di lui. Maestro Luwin aveva inviato un corvo messaggero sulla strada percorsa da lord Eddard, un altro a sua madre, un terzo a Jon, fino alla Barriera. Non c'erano state risposte. «Spesso, piccolo mio, i corvi vanno perduti» gli aveva detto il maestro. «Ci sono molte miglia tra qui e Approdo del Re. I messaggi potrebbero non averli mai raggiunti.»

Ma per Bran, era come se tutti fossero morti mentre lui era immerso nel suo lungo sonno... O forse era morto lui, e tutti l'avevano dimenticato. Jory Cassel, ser Rodrik e Vayon Poole se n'erano andati anche loro, così Hullen e Harwin e Tom il Grasso e un quarto delle guardie.

Robb e il piccolo Rickon erano i soli rimasti, e Robb era cambiato. Era il lord adesso, o quanto meno tentava di esserlo. Portava al fianco una vera spada d'acciaio e non sorrideva più. Di giorno, teneva in riga le guardie e si addestrava al combattimento, facendo risuonare il cortile del castello del cozzare delle lame. Bran lo osservava dalla sua finestra, pieno di tristezza. Di sera, si chiudeva assieme a maestro Luwin a parlare o controllare i libri contabili. A volte usciva a cavallo con Hallis Mollen, il nuovo capo delle guardie, per visitare fortini remoti e rimaneva lontano per giorni. Ogni volta che se ne andava, il piccolo Rickon si metteva a piangere e chiedeva a Bran se Robb sarebbe mai tornato. Ma anche quando era a Grande Inverno, Robb il lord sembrava dedicare molto più tempo a Hallis Mollen e a Theon Greyjoy di quanto ne avesse mai dedicato ai suoi fratelli.

«Potrei raccontarti la storia di Brandon il Costruttore» riprese la Vecchia Nan. «È sempre stata una delle tue preferite.»

Migliaia e migliaia di anni prima, Brandon il Costruttore aveva eretto Grande Inverno. C'era chi sosteneva che avesse eretto anche la Barriera. Bran conosceva quella storia, ma non era mai stata una delle sue preferite. Forse lo era stata per qualcuno dei Brandon che l'avevano preceduto. Certe volte, Nan gli parlava come se lui fosse il suo Brandon, il piccolo che aveva allattato tanto tempo prima. Altre volte lo scambiava per suo zio Brandon, ucciso dal Re Folle Aerys prima che Bran arrivasse in questo mondo. «La Vecchia Nan è vissuta così a lungo» gli aveva detto sua madre «che nella sua mente tutti quei Brandon Stark sono come diventati un'unica persona.»

«Non è per niente una delle mie preferite» rispose Bran. «Le mie preferite sono quelle che fanno paura.»

Fuori ci fu del trambusto. Bran si volse a osservare dalla finestra. Rickon, seguito dai lupi, stava correndo verso il corpo di guardia, ma la torre era orientata in un'altra direzione, così Bran non poté vedere cosa stava accadendo. Si picchiò un pugno sulla coscia, frustrato: non sentì nulla.

«Oh, mio piccolo bambino dell'estate» disse delicatamente la Vecchia Nan. «Che cosa sai tu della paura? La paura viene con l'inverno, mio piccolo lord, quando la neve cade e si ammucchia fino a cento piedi di altezza, quando i venti gelidi ululano dal Nord. La paura appartiene alla Lunga notte, quando il sole nasconde il proprio viso per anni e anni. La Lunga notte nella quale i bambini nascono e vivono e muoiono in tenebre senza fine, i meta-lupi diventano simili a scheletri per la fame, e ombre bianche camminano nelle foreste.»

«Vuoi dire gli Estranei» disse Bran con voce querula.

«Gli Estranei, sì. Migliaia e migliaia di anni fa, ci fu un inverno così freddo e così eterno come mai se ne erano visti a memoria d'uomo. Ci fu una notte che durò un'intera generazione. Nei castelli, i re tremavano e morivano, come gli animali nelle stalle. Piuttosto che guardarli morire, le donne soffocavano i loro bambini. E poi piangevano, sentendo le lacrime congelarsi sulle guance.» La voce della Vecchia Nan si dissolse nel silenzio, assieme al ticchettio dei ferri. Osservò Bran con occhi pallidi, velati. «E allora, piccolo mio,» gli chiese «è questa una delle storie che ti piacciono?»

«Ecco... sì...» Bran era di colpo pieno di riluttanza. «Però io...»

«Fu dalle tenebre che gli Estranei vennero per la prima volta» riprese la Vecchia Nan. «Cose antiche, cose fredde e morte.» *Click-click-click*, anche i suoi ferri avevano ripreso a ticchettare. «Odiavano il ferro, il fuoco e il tocco del sole. Odiavano tutte le creature nelle cui vene scorresse sangue caldo. Avanzarono a devastare fortini e città e regni cavalcando cavalli pallidi. Le loro armate di morte distrussero molti eroi, molti grandi eserciti. Nulla poterono le spade degli uomini. In loro non c'era pietà neppure per le giovani madri e per i piccoli al loro seno. Diedero la caccia alle donne nelle foreste congelate. Nutrirono i loro morti servi con la carne dei figli degli uomini.»

La voce della Vecchia Nan si abbassò fino a un sussurro. Bran si ritrovò proteso in avanti per poter continuare a udire.

«Erano i tempi prima della venuta degli andali, molto prima che le donne, attraverso il Mare Stretto, fuggissero dalle città della Rhoyne. E le centinaia di regni di quei giorni erano i regni dei primi uomini, che avevano preso le terre appartenenti ai figli della foresta. Eppure qua e là, nel fitto dei boschi, i figli della foresta continuavano a vivere nelle loro città di legno, nelle loro colline percorse da gallerie, e i volti negli alberi continuavano a montare la guardia. Così, mentre il freddo e la morte dilagavano sulla terra, l'ultimo degli eroi intraprese un viaggio alla loro ricerca. Sperava che l'antica magia dei figli della foresta potesse restituirgli le armate che aveva perduto. Con una spada, un cavallo, un cane e una dozzina di compagni si avventurò nelle terre morte. Per anni andò avanti a cercare, l'ultimo degli eroi. Cercò e cercò, fino a quando cominciò a disperare di riuscire mai a trovare i figli della foresta e le loro città segrete. Uno dopo l'altro, i suoi compagni morirono. Poi toccò al suo cavallo, al suo cane. La lama della sua spada si congelò al punto da spezzarsi quando cercò di usarla. Gli Estranei sentirono l'odore del suo sangue caldo. Silenziosamente, si misero sulle sue tracce, dandogli la caccia con branchi di pallidi ragni, grossi come mastini...»

Bang! Bran sussultò e il cuore gli balzò in gola, ma era stata la porta, solamente la porta a sbattere. Maestro Luwin era sulla soglia, con la sagoma gigantesca di Hodor sulla scala alle sue spalle.

«Hodor!» annunciò il ragazzo delle stalle, come faceva sempre, con quel suo grande sorriso.

«Abbiamo visitatori.» Maestro Luwin non sorrideva. «È richiesta la tua presenza, Bran.»

«Adesso non posso» si lamentò lui. «Sto ascoltando una storia.»

«Le storie possono aspettare, mio piccolo lord» intervenne la Vecchia Nan. «Quando tornerai, saranno qui ad aspettarti. I visitatori non hanno la stessa pazienza e, a volte, loro stessi hanno storie da raccontare.»

«Chi sono?» chiese Bran a maestro Luwin.

«Tyrion Lannister, assieme ad alcuni uomini della confraternita dei guardiani della notte. Portano un messaggio di tuo fratello Jon. Robb li sta incontrando proprio ora. Hodor, vuoi aiutare Bran a raggiungere la sala?»

«Hodor!» fu allegramente d'accordo Hodor. Per passare dalla porta, fu costretto a chinare la grossa testa arruffata. Era alto quasi sette piedi. Si stentava a credere che avesse lo stesso sangue della Vecchia Nan. Bran si era domandato se, quando fosse stato vecchio, anche Hodor avrebbe finito con il raggrinzirsi come la sua bisnonna. No, non era molto probabile, nemmeno se fosse vissuto mille anni.

Hodor sollevò Bran come se fosse stato una balla di fieno e lo tenne contro il proprio torace massiccio. Aveva sempre addosso un leggero odore di cavalli, ma non era sgradevole. Muscoli enormi si gonfiavano sotto la pelle delle sue braccia, coperte di fitta peluria castana. «Hodor» disse di nuovo Hodor. Una volta, Theon Greyjoy aveva commentato che Hodor non sapeva molto, ma che nessuno avrebbe mai potuto mettere in dubbio che conoscesse il proprio nome. La Vecchia Nan aveva sorriso quando Bran gliel'aveva riferito, poi gli aveva rivelato che il vero nome di Hodor era Walder. Nessuno aveva idea da dove provenisse la parola Hodor, ma nel momento in cui il ragazzo aveva cominciato a pronunciarla, tutti avevano preso a chiamarlo così. Era sempre stata l'unica parola che avesse mai detto.

Lasciarono la Vecchia Nan nella torre, assieme ai suoi ferri da calza e alle sue memorie.

Hodor canticchiava una nenia stonata mentre trasportava Bran giù per le scale di pietra e poi lungo il passaggio coperto. Maestro Luwin, che li seguiva, dovette affrettarsi per tenere il passo con la lunga falcata del gigante delle stalle.

Robb – in cotta di maglia di ferro, tunica di cuoio e l'espressione austera di Robb il lord – sedeva sull'alto scranno del lord loro padre. C'erano Theon Greyjoy e Hallis Mollen dietro di lui. Una dozzina di guardie si allineava lungo le pareti grigie, sotto le strette finestre allungate. Il Folletto era in piedi al centro della sala, circondato dai suoi due servitori e da quattro uomini in nero appartenenti ai guardiani della notte. Bran poté percepire la tensione nell'aria nell'attimo stesso in cui Hodor gli fece varcare la soglia.

«Ogni guardiano della notte è benvenuto a Grande Inverno per tutto il tempo che desidererà restare.» Robb aveva parlato con la voce di Robb il lord, l'acciaio della spada di traverso sulle ginocchia perché tutti potessero vederlo. Perfino Bran sapeva cosa significava accogliere ospiti con la spada sguainata.

«Ogni guardiano della notte» ripeté il nano. «Ma non io. È questo che devo intendere, ragazzo?»

«Quando mia madre e mio padre sono lontani, qui il lord sono io, piccolo uomo.» Robb si alzò e puntò la spada sul Folletto. «E non sono il tuo ragazzo.»

«Visto che sei il lord, impara le maniere di un lord.» Il piccolo uomo ignorò la spada puntata in faccia. «Sembra che ad avere ereditato i modi cordiali di tuo padre sia il tuo fratello bastardo.»

«Jon.» La parola sfuggì a Bran in un soffio.

«Quindi è vero.» Il nano si girò verso di lui. «Il ragazzo vive. Stentavo a crederlo. Duri da uccidere, voi Stark.»

«E voi Lannister farete meglio a ricordarlo.» Robb abbassò la spada. «Hodor, porta qui mio fratello.»

«Hodor» disse Hodor. Avanzò con un sorriso e sistemò Bran sull'alto scranno degli Stark, dove i signori di Grande Inverno si erano assisi fin dai giorni in cui avevano chiamato loro stessi re del Nord. Il sedile era di pietra grezza, fredda. Il contatto di tanti corpi l'aveva resa straordinariamente liscia. Alle estremità dei braccioli massicci, teste scolpite di meta-lupi mostravano le zanne. Nel sedersi, fu a quelle che Bran si afferrò, mentre le sue gambe prive di sensibilità oscillavano avanti e indietro. Si sentì meno che un neonato su quella specie di trono.

«Hai detto di avere qualcosa per Bran.» Robb pose una mano sulla spalla del fratello mentre si rivolgeva al Folletto. «Ebbene, Bran è qui, Lannister. Parla pure.»

Con gli occhi di Tyrion Lannister puntati addosso, Bran si sentiva decisamente a disagio. Uno di quegli occhi era nero, l'altro verde, ed entrambi lo stavano fissando, studiando, valutando.

«Mi hanno detto, Bran, che tu eri un magnifico scalatore» disse alla fine il piccolo uomo. «Perciò dimmi: com'è stato possibile che quel giorno tu sia caduto?»

«Io non sono mai caduto» rispose Bran. Lui non cadeva mai, mai, mai.

«Il ragazzo non ha alcuna memoria di quella caduta» intervenne maestro Luwin. «Né della scalata che l'ha preceduta.»

«Strano» commentò Tyrion Lannister.

«Mio fratello non è qui per essere interrogato, Lannister» esclamò Robb in tono brusco. «Fa' quanto devi e poi va' per la tua strada.»

«Ho un regalo per te» disse Tyrion a Bran. «Ti piace cavalcare, ragazzo?»

«Mio signore, il ragazzo ha perso l'uso delle gambe.» Maestro Luwin fece un passo avanti. «Non è in grado di stare in sella.»

«Sciocchezze» ribatté Tyrion. «Con il cavallo giusto e la sella giusta, perfino uno storpio è in grado di cavalcare.»

La parola fu come una lama che andò a conficcarsi nel cuore di Bran. Sentì le lacrime inondare i suoi occhi. «Non sono uno storpio!»

«E allora io non sono un nano.» La bocca del nano si strinse. «Mio padre farebbe i salti di gioia a questa notizia.»

Theon Greyjoy rise alla battuta.

«Che genere di cavallo e di sella staresti suggerendo, lord Tyrion?» chiese maestro Luwin.

«Un cavallo intelligente. Non potendo il ragazzo comandare l'animale con le gambe, bisogna plasmare il cavallo sul cavaliere, insegnargli a rispondere solamente ai comandi delle redini e della voce. Io comincerei con un animale non ancora addestrato, in modo che non ci siano vecchi insegnamenti da cancellare.» Si tolse dalla cintura una carta arrotolata. «Date questo al vostro mastro sellaio. Farà lui il resto.»

Maestro Luwin, in volto l'espressione curiosa di uno scoiattolo grigio, prese il rotolo dalle mani del nano, lo svolse, lo studiò. «Ottimo. Hai un'eccellente mano nel disegno, mio signore» disse. «Sì, potrebbe funzionare. Avrei dovuto pensarci io stesso.»

«A me è stato più facile, maestro. Non è molto diversa dalla mia stessa sella.»

«Potrò davvero cavalcare di nuovo?» Bran voleva crederci, ma aveva paura. Forse era solo un'altra menzogna. Il corvo con tre occhi gli aveva promesso che poteva volare.

«Potrai» garantì il nano. «E io ti giuro, ragazzo, che in sella a un cavallo, sarai alto quanto chiunque di loro.»

«Che cos'è questo, Lannister, una specie di trucco?» Robb Stark era perplesso. «Che cosa rappresenta Bran per te? Per quale motivo vorresti aiutarlo?»

«È stato tuo fratello Jon a chiedermi di farlo. Inoltre...» Tyrion Lannister si mise una mano sul cuore e sogghignò «... nel mio cuore c'è un debole per storpi, bastardi e cose spezzate.»

La porta che conduceva al cortile si aprì di schianto, lasciando entrare una lunga lama di luce solare e con essa il piccolo Rickon assieme ai meta-lupi. Il bambino si arrestò sulla soglia, senza fiato per la corsa, gli occhi spalancati, ma i lupi continuarono ad avanzare. I loro occhi trovarono Lannister, o forse furono le loro narici a percepire il suo odore. Estate fu il primo a mettersi a ringhiare, poi Vento grigio. Le due belve si avvicinarono al piccolo uomo, una da destra, l'altra da sinistra.

«Ai lupi non piace il tuo odore, Lannister» rilevò Theon Greyjoy.

«Forse è ora che mi ritiri.» Tyrion fece un passo indietro. Dalle ombre alle sue spalle emerse Cagnaccio, con le zanne snudate. Tyrion continuò a ritirarsi. Estate gli tagliò la strada, senza smettere di ringhiare. Incerto sulle sue gambette corte, Tyrion saltò indietro. Le fauci di Vento grigio si chiusero attorno al suo braccio, squarciando la manica, strappando un pezzo di tessuto.

«No!» gridò Bran dall'alto scranno degli Stark mentre la scorta di lord Tyrion sguainava le spade. «Estate... qui! Estate! Da me!»

Il meta-lupo udì la sua voce, guardò verso di lui, tornò a girarsi verso Tyrion, alla fine indietreggiò e andò ad accucciarsi ai piedi di Bran.

Robb cessò di trattenere il fiato e richiamò Vento grigio. Rapido e silenzioso, il meta-lupo si avvicinò a lui. Ora addosso al piccolo uomo era rimasto solamente Cagnaccio, gli occhi che bruciavano come fiamme verdi.

«Rickon!» gridò Bran al fratellino. «Richiamalo!»

«Cagnaccio! Qui!» gridò Rickon a sua volta. «Qui da me!»

Il meta-lupo rivolse a Tyrion un ultimo ringhio, quindi tornò di corsa dal piccolo Stark, che lo abbracciò stretto attorno al collo.

Tyrion Lannister si tolse la sciarpa e la usò per asciugarsi il sudore che gli colava lungo la faccia. «Interessante» disse in tono piatto.

«Sei ferito, mio signore?» chiese una delle sue guardie, continuando a tenere la spada in pugno e lanciando occhiate nervose ai lupi.

«Manica strappata e pantaloni bagnati, ma ferito?... Solo nel mio orgoglio.»

«I lupi...» Perfino Robb appariva scosso. «Non so perché l'abbiano fatto.»

«Devono avermi scambiato per la loro cena, senza dubbio.» Tyrion rivolse un rigido inchino a Bran. «Un grazie per averli richiamati, giovane signore. Ma ti garantisco che mi avrebbero trovato quanto mai indigesto. Adesso io vado. E per davvero.»

«Solo un momento, mio signore» lo fermò maestro Luwin. Si spostò accanto a Robb e i due si misero a parlottare a voce bassissima. Bran cercò di udire cosa stessero dicendo, ma senza riuscirci.

«Credo... ecco... credo di essere stato scortese con te, lord Tyrion.» Robb Stark rinfoderò la spada. «Tu hai avuto una cortesia verso mio fratello Bran. Ebbene, ecco...» Robb fece del proprio meglio per darsi un contegno. «L'ospitalità di Grande Inverno è tua, se la desideri, Lannister.»

«Risparmiami le tue false cortesie, ragazzo. Io non ti vado a genio e tu non mi vuoi qui. Ho visto una locanda fuori dalle mura, nella vostra Città dell'Inverno. Troverò là un letto, e sia tu che io dormiremo sonni più tranquilli. Chissà, per qualche moneta in più, potrei anche trovare un'accogliente donna di facili costumi che mi scaldi le lenzuola.» Si rivolse a uno dei confratelli in nero, un uomo in età, schiena contorta e barba irsuta: «Yoren, mi rimetto in viaggio per il Sud all'alba. Non dubito che ci ritroveremo sulla strada».

Questo fu il suo commiato. Arrancò attraverso la sala ondeggiando sulle gambe corte, superò Rickon e uscì. I suoi uomini lo seguirono.

I quattro guardiani della notte invece rimasero. «Vi ho fatto preparare degli alloggi.» Robb era pieno d'incertezza. «Non vi mancherà acqua calda in abbondanza perché possiate togliervi di dosso la polvere della strada. E spero che questa sera vorrete onorare il nostro desco con la vostra presenza.» Perfino Bran notò la goffaggine con la quale Robb il lord aveva fatto quella dichiarazione. Parole imparate per l'occasione, e anche malamente, non certo scaturite dal cuore. Tuttavia i confratelli in nero lo ringraziarono.

Estate li seguì su per i gradini di pietra mentre Hodor riportava Bran nella sua stanza nella torre. La Vecchia Nan si era addormentata sulla sedia.

«Hodor» disse Hodor. Poi sollevò la bisnonna tra le braccia e la portò via, senza che lei smettesse di russare sommessamente.

Bran rimase solo, a pensare. Robb gli aveva promesso che quella sera anche lui sarebbe stato alla cena con i guardiani della notte, nella sala grande del castello.

«Estate» chiamò. Il meta-lupo saltò sul letto e Bran lo abbracciò, sentendo sulla guancia l'alito caldo dell'amico. «Ora potrò di nuovo cavalcare» gli disse in un sussurro. «Presto tu e io andremo a caccia nella foresta. Aspetta e vedrai.» Non molto tempo dopo, si addormentò.

Stava di nuovo scalando. Saliva per un'antica torre senza finestre, le sue dita s'infilavano negli anfratti tra le pietre annerite, i suoi piedi cercavano ogni appiglio. Salì in alto, sempre più in alto. Superò le nubi e fu nel tenebroso cielo notturno. Eppure, sopra di lui, la torre continuava a innalzarsi. Fece una sosta e guardò in basso. Gli vennero le vertigini e perse la presa. Urlò di terrore, aggrappandosi con tutte le sue forze. La terra era mille miglia sotto di lui. E lui non sapeva volare. Non sapeva volare.

Attese finché il cuore non cessò di martellargli dentro il petto, finché non riuscì nuovamente a respirare. Riprese a salire. Esisteva un'unica direzione: in alto. E più su, molto più su, stagliate contro una grande luna pallida, credette di vedere le sagome dei doccioni di pietra. Le braccia gli dolevano. Riposare? No, non poteva. Si costrinse a scalare più in fretta. I doccioni lo guardavano salire. I loro occhi scintillavano nel buio, simili a rossi carboni ardenti in un braciere. Forse, molto tempo prima, erano stati leoni, ma adesso apparivano deformi, grotteschi. Bisbigliavano tra di loro. Bran poteva udire le voci di pietra, spaventose. «Non ascoltare» si disse. «Finché non udrai ciò che dicono, sarai al sicuro.»

I doccioni si sradicarono dalla pietra della torre e scesero verso di lui lungo la parete. Bran seppe di non essere al sicuro. «Non ho udito! Non ho udito!» Erano vicini, adesso. Mortalmente vicini. «Non ho udito niente!»

Si svegliò ansimante, perso nel buio, e vide un'ombra torreggiare su di lui, nera ed enorme. «Non ho udito!...» sussurrò tremando.

«Hodor» disse l'ombra, poi accese una candela accanto al letto. Bran respirò di sollievo.

Hodor gli lavò via il sudore con un tiepido panno umido e lo rivestì con mani delicate, gentili. Quando venne l'ora, lo trasportò nella sala grande. Un lungo tavolo a cavalletti era stato imbandito presso il focolare. Il posto a capotavola, quello del lord, era stato lasciato vuoto. Robb sedette alla destra di esso e Bran alla sinistra, di fronte a lui.

La cena era a base di porcellino di latte, sformato di piccione e rape al burro fuso. Il cuoco aveva anche promesso dolci al miele. Estate mangiò parecchi avanzi direttamente dalla mano di Bran mentre Vento grigio e Cagnaccio si contendevano un osso in un angolo. Da quando erano apparsi i lupi, i cani di Grande Inverno non si facevano più vedere nella sala del banchetto. Sulle prime Bran l'aveva trovato strano, ma ora si stava abituando.

Tra i confratelli in nero, Yoren era il più anziano, così l'attendente l'aveva fatto sedere tra Robb e maestro Luwin. Il vecchio si portava addosso un cattivo odore, come se non si lavasse da molto tempo. Strappava la carne con i denti, spezzava le ossa per succhiarne il midollo e, quando venne menzionato Jon Snow, i suoi commenti furono una scrollata di spalle e un borbottio: «La rovina di ser Alliser». Due suoi compagni si scambiarono una risata di cui Bran non capì il significato. Ma quando Robb chiese del loro zio Benjen, sui quattro guardiani della notte cadde il silenzio, un silenzio sinistro.

«Che cosa c'è?» chiese Bran.

«Brutte notizie, miei lord.» Yoren si pulì le dita unte sul gilè. «Un modo crudele di ripagarvi per il cibo e il tetto che ci offrite. Ma all'uomo che fa una domanda va data una risposta. Stark è andato.»

«Il Vecchio Orso Mormont l'ha mandato a cercare ser Waymar Royce» intervenne un altro uomo in nero. «Però Stark tarda a rientrare, miei lord.»

«Tarda troppo» rincarò Yoren. «Il ritardo dei morti.»

«Mio zio non è morto.» C'era rabbia nella voce di Robb. Si alzò in piedi, la mano sull'elsa della spada. «Mi avete sentito? Mio zio non è morto!» La sua voce echeggiò contro le pareti di pietra e Bran ebbe improvvisamente paura.

Il vecchio, puzzolente Yoren osservò Robb, tutt'altro che impressionato. «Come dici tu, mio signore» rispose, e staccò un altro pezzo di carne con i denti.

«Non c'è uomo dei guardiani della notte che conosca la Foresta Stregata meglio di Benjen Stark.» Il più giovane dei confratelli in nero si agitò sul sedile, a disagio. «Saprà trovare la via del ritorno.»

«Forse la troverà e forse no» disse Yoren. «Molti uomini validi sono entrati in quei boschi, e non ne sono mai usciti.»

Nella mente di Bran tornò la storia della Vecchia Nan, quella che parlava degli Estranei e dell'ultimo degli eroi, braccato tra alberi congelati da anime morte e da ragni grossi quanto mastini. Continuò ad avere paura, ma poi si ricordò di come finiva la storia.

«I figli lo aiuteranno» disse d'impeto. «I figli della foresta!»

Theon Greyjoy ridacchiò.

«Bran, i figli della foresta sono svaniti» intervenne maestro Luwin. «Morti da migliaia di anni. Tutto quello che resta di loro sono i volti scolpiti negli alberi.»

«Quaggiù questo potrà anche essere vero, maestro» rilevò Yoren. «Ma a nord della Barriera... Chi può mai dire? A nord della Barriera, non sempre si riesce a distinguere tra ciò che è vivo e ciò che è morto.»

La cena era finita da tempo.

Fu Robb a trasportare Bran nella sua stanza. Vento grigio aprì la strada, Estate si tenne di retroguardia. Suo fratello era forte per la sua età e Bran leggero come un fagotto di stracci, ma le scale erano ripide, buie e, quando arrivarono in cima, Robb aveva il respiro pesante.

Mise Bran a letto, lo coprì, spense la candela con un soffio. Sedette con lui per un po' nell'oscurità. Bran voleva parlargli, ma non riuscì a trovare niente da dire.

«Cercheremo un cavallo per te» sussurrò Robb alla fine. «Te lo prometto.»

«Torneranno, Robb? Torneranno mai da noi?»

«Sì, torneranno.» La sua voce era così carica di speranza che Bran fu certo che era stato suo fratello Robb a parlare, non Robb il lord. «Nostra madre sarà presto a casa. E quando arriverà, potremo addirittura andarle incontro a cavallo. Quanto la sorprenderà vederti in sella!» La stanza era al buio, ma Bran percepì ugualmente il sorriso del fratello. «E dopo andremo a nord, a vedere la Barriera. Nemmeno lo diremo, a Jon, che stiamo arrivando. Un giorno, saremo là e basta, tu e io. Sarà un'avventura.»

«Un'avventura, sì» ripeté Bran, pieno di aspettativa.

Udì suo fratello singhiozzare, ma era troppo buio per vedere le lacrime scendergli lungo il volto, così allungò la mano e riuscì a trovare quella di lui. Le loro dita s'intrecciarono.

EDDARD

«La morte di lord Arryn ha arrecato grande tristezza a noi tutti, mio signore» affermò il gran maestro Pycelle. «Sarò ben lieto di dirti tutto ciò che è a mia conoscenza. Prego, accomodati. Gradiresti un rinfresco? Dei datteri, forse? Ho anche degli eccellenti cachi. Il vino non va più d'accordo con la mia digestione, temo, ma posso offrirti una tazza di latte ghiacciato addolcito con miele. Con questo caldo, trovo che sia quanto mai rinfrescante.»

Ned sentiva la tunica di seta appiccicata al torace. Caldo: impossibile ignorarlo. Un'aria umida e pesante gravava sulla città, simile a una coperta di lana fradicia. I quartieri lungo il fiume si erano fatti pericolosi, instabili perché i poveri lasciavano i loro torridi tuguri soffocanti per cercare refrigerio lungo le rive, unici luoghi dove tirasse un alito di vento. Miserabili che affrontavano altri miserabili per conquistarsi un posto dove dormire sulla nuda terra.

«Apprezzo grandemente la tua gentilezza, gran maestro» rispose Ned, accogliendo l'invito a sedersi.

Pycelle prese una campanella d'argento tra il pollice e l'indice e la fece suonare in modo discreto. Una servetta snella si affrettò ad apparire nel solarium. «Per cortesia, mia cara, latte ghiacciato per il Primo Cavaliere del re e anche per me. E che sia ben dolce.» La ragazza si affrettò ad andare a prendere le bevande.

«Secondo il volgo, quest'ultimo anno dell'estate è il più caldo.» Il gran maestro si appoggiò le mani sul ventre, le dita intrecciate. «Ciò è errato, sebbene a volte verrebbe fatto di pensarlo. Non pare anche a te, Primo Cavaliere? In giornate come questa, invidio voi gente del Nord e le vostre nevi estive.» L'anziano saggio si accomodò meglio sul proprio scranno. Nel movimento, la pesante catena fatta di molti metalli pregiati che portava attorno al collo tintinnò leggermente. «Invero, l'estate di re Maekar fu ben più calda di questa, e quasi altrettanto lunga. Ci furono creduloni, perfino nella Cittadella, i quali ritennero che la mitica Grande Estate fosse finalmente giunta, che l'estate non avrebbe avuto più fine. Ma nel settimo anno il caldo cessò bruscamente e dopo un breve autunno venne un lungo, terribile inverno. Eppure, finché durò, il calore di quell'estate rimase brutale. Durante il giorno, la Vecchia Città era pervasa di vapori soffocanti e tornava a vivere solamente di notte. Dopo il calar del sole, passeggiavamo nei giardini lungo la riva del fiume, parlando degli dèi. E gli odori di quelle notti, mio signore... Oh, li ricordo bene. Profumo e sudore, meloni così maturi che parevano sul punto di esplodere, pesche e melograni. Ero giovane, a quei tempi, stavo ancora forgiando la mia catena. Il calore non mi sfiniva come oggi.» Le palpebre di Pycelle erano così spesse e pesanti da dare l'impressione che l'anziano fosse mezzo addormentato. «Chiedo venia, lord Eddard. Non sei certamente venuto qui per stare a sentire sciocche divagazioni su un'estate dimenticata già molto tempo prima che perfino tuo padre fosse nato. Perdona questo vecchio vissuto forse troppo. La mente dell'uomo è come una spada, temo. Invecchiando, si copre di ruggine. Ah, ecco il nostro latte.» La servetta sistemò il vassoio tra loro. Pycelle le rivolse un sorriso. «Cara figliola.» Sollevò una coppa, bevve un sorso d'assaggio, annuì in segno di approvazione. «Grazie. Puoi ritirarti.»

Una volta che si fu allontanata, Pycelle studiò Ned con sguardo velato, quasi assente. «Per cui, dov'eravamo rimasti? Ah, sì: mi avevi chiesto di lord Arryn.»

«Per l'appunto.» Ned assaggiò il latte, lo trovò freddo al punto giusto, ma decisamente troppo dolce.

«In verità, da tempo il Primo Cavaliere non sembrava più se stesso» riprese il gran maestro. «Abbiamo fatto parte del concilio per tanti anni, lui e io, seduti fianco a fianco. I segni erano palesi, ma io li attribuii al grande fardello che aveva tanto fedelmente sopportato per così lungo tempo. Le sue spalle possenti erano cariche di tutte le preoccupazioni del reame e oltre. La salute del suo unico figlioletto rimaneva cagionevole. A causa di ciò, la lady sua moglie era così preoccupata da permettere raramente al ragazzo di allontanarsi dai suoi occhi. Più che abbastanza da logorare un uomo giovane, e lord Arryn giovane non era più. Nessuna meraviglia che apparisse stanco e melanconico. O quanto meno, questo io pensai all'epoca. Tuttavia» ebbe una ponderosa scrollata di capo «ora sono meno certo di quella mia valutazione.»

«Cosa puoi dirmi della sua improvvisa malattia?»

«Venne da me un giorno, a chiedermi un certo libro.» Le mani del gran maestro si aprirono in un gesto di completa impotenza. «Era sano e forte come sempre, ma ebbi anche la netta impressione che fosse profondamente turbato da qualcosa. La mattina dopo era piegato in due dal dolore, incapace perfino di alzarsi dal letto. Maestro Colemon ritenne si trattasse di un colpo di freddo allo stomaco. Erano stati giorni caldi e spesso il Primo Cavaliere beveva vino ghiacciato, che può dare disturbi alla digestione. Lord Jon continuò a indebolirsi e andai da lui io stesso, ma gli dèi non mi concessero i poteri per salvarlo.»

«Ho sentito dire che hai allontanato maestro Colemon dal suo capezzale.»

«L'ho fatto.» Il gran maestro annuì, un gesto lento e deliberato come l'avanzata di un ghiacciaio. «E temo che lady Lysa mai mi perdonerà per questo. Forse si è trattato di un errore da parte mia, ma in quel momento mi parve la cosa giusta da fare. Maestro Colemon è per me come un figlio, e non nutro il benché minimo dubbio sulle sue capacità. Ma è giovane, e spesso non comprende le intrinseche fragilità di un corpo in età. Purgava lord Arryn con pozioni lassative e succo di peperoni. Il mio timore fu che rimedi tanto drastici potessero ucciderlo.»

«Nelle sue ultime ore, lord Arryn non disse nulla?»

«Durante le fasi finali della febbre, invocò molte volte un nome.» La fronte di Pycelle si aggrottò. «Robert. Ma non potrei dire se stesse chiamando il re oppure suo figlio. Nel timore che anche il bambino potesse ammalarsi, lady Lysa gli impedì di entrare nella stanza del padre. Il re venne, sedette per quattro ore al fianco di lord Jon, parlandogli e scherzando sui tempi andati nella speranza di sollevare il suo spirito. Il suo affetto per il Primo Cavaliere era innegabile.»

«Nient'altro? Niente ultime parole?»

«Quando mi resi conto che non c'erano più speranze, per evitargli ulteriori sofferenze diedi al Primo Cavaliere il latte del papavero. Appena prima che i suoi occhi si chiudessero per l'ultima volta, sussurrò qualcosa al re e alla lady sua moglie, una benedizione per suo figlio. "Il seme è forte": questo disse. Alla fine, le sue parole erano troppo confuse per poter essere comprese. La morte non sopraggiunse fino alla mattina seguente, ma lord Jon era in pace. Non parlò mai più.»

Ned bevve un altro sorso di quel latte intollerabilmente dolce. «Ti è sembrato che ci fosse qualcosa di innaturale nella morte di lord Arryn?» chiese poi.

«Innaturale?» La voce del vecchio saggio si ridusse a un sussurro. «No, ritengo di no. Triste, senza dubbio alcuno. A suo modo, lord Eddard, la morte è la più naturale di tutte le cose. Ora Jon Arryn riposa in pace, tutti i suoi fardelli deposti.»

«Ma questa malattia che se l'è portato via, tu l'avevi già vista portare via anche altri uomini?»

«Per quasi quarant'anni sono stato gran maestro dei Sette Regni» rispose Pycelle. «Sotto il nostro buon re Robert, sotto Aerys Targaryen prima di lui, sotto suo padre Jaehaerys ancora prima di lui e, per un breve periodo, addirittura sotto il padre di Jaehaerys, Aegon l'Improbabile, quinto del suo nome. Ho visto più malattie di quante desidererei ricordare, mio signore. Ti dirò questo: non esistono due casi uguali, e al tempo stesso tutti i casi sono uguali. La morte di lord Jon non è stata diversa da tante altre.»

«Sua moglie non la pensò così» obiettò Ned.

«Ora rammento.» Il gran maestro annuì. «La vedova è sorella della tua nobile moglie. E il dolore causato da una perdita tanto grave può fare danni perfino agli spiriti più forti e disciplinati. Ora, lord Eddard, perdona l'eccessiva franchezza di questo vecchio, ma lady Lysa non è mai stata parte di quegli spiriti. Dal suo ultimo parto d'infante nato morto, ha cominciato a vedere nemici in ogni ombra. La fine del lord suo marito l'ha lasciata spezzata, sperduta.»

«In altre parole, sei del tutto certo che lord Arryn è morto di malattia.»

«Sì» asserì Pycelle in tono grave. «E se non è stata malattia, mio signore, di cos'altro potrebbe essersi trattato?»

«Veleno.» Ned aveva parlato in tono piatto.

Gli occhi assonnati di Pycelle si spalancarono di colpo. «Un pensiero inquietante.» L'anziano maestro si agitò sullo scranno, a disagio. «Ma qui non siamo nelle città libere, dove questo genere di cupi atti è merce diffusa. Nei suoi scritti, il gran maestro Aethelmure asserisce che l'assassinio alberga nel cuore di ogni uomo, ciò nonostante, la turpitudine dell'avvelenatore si colloca al disotto della deprecazione.» Fece un'altra pausa. «Quello che tu suggerisci è sempre possibile, mio signore, ma io non lo ritengo probabile. Perfino i maestri più inesperti conoscono gli effetti dei veleni più comuni, e lord Arryn non presentò nessuno di quei sintomi. Il Primo Cavaliere era amato da tutti. Quale mostro in sembianze umane oserebbe assassinare un tale nobile lord?»

«Mi consta che il veleno sia un'arma da donna.»

«Così infatti si dice.» Pycelle si accarezzò la barba con aria pensosa. «Arma da donne, da cospiratori... e da eunuchi.» Si schiarì la gola e sputò sui cespugli uno spesso grumo di catarro. Sopra di loro, un corvo gracchiò forte. «Lord Varys è figlio di uno schiavo di Lys» riprese. «Tu ne eri al corrente, mio signore? Mai e poi mai riporre la propria fiducia nei ragni tessitori.»

Nulla che Ned già non sapesse, nulla che avesse bisogno di sentirsi dire: in Varys c'era qualcosa che gli faceva venire freddo alle ossa. «Mi ricorderò del tuo suggerimento, gran maestro. E ti ringrazio del tuo aiuto.» Ned si alzò. «Ho abusato a sufficienza del tuo tempo.»

Il gran maestro Pycelle spinse a sua volta indietro la sedia e accompagnò Ned alla porta. «Mi auguro di aver potuto contribuire, sia pure in piccola misura, a ridare pace alla tua mente. Qualsiasi altro servigio io possa renderti, non hai che da chiedere.»

«Una cosa» disse Ned. «Sarei curioso di esaminare il libro che hai dato a lord Jon il giorno prima che si ammalasse.»

«Temo che lo troveresti di scarso interesse. Si trattava di un ponderoso tomo del gran maestro Malleon sugli alberi genealogici delle grandi casate.»

«Vorrei vederlo ugualmente.»

«Come desideri.» Il vecchio gli aprì la porta. «Ce l'ho qui, da qualche parte. Non appena lo troverò, lo farò subito pervenire ai tuoi quartieri.»

«Sei fin troppo cortese.» Ned fu colto da un pensiero improvviso. «Un'ultima domanda: mi hai detto che il re è rimasto al capezzale di lord Jon.»

«È ciò che ha fatto.»

«La regina era con lui?»

«No» rispose Pycelle. «Lei e i bambini erano in viaggio per Castel Granito, in compagnia del di lei padre. Lord Tywin aveva guidato un proprio seguito ad Approdo del Re per il torneo in onore del compleanno del principe Joffrey. Sperava di vedere suo figlio Jaime vincere l'alloro del campione, nessun dubbio in merito, ma in questa sua aspettativa fu grandemente deluso. In ogni caso, fu su di me che ricadde la responsabilità d'inviare alla regina la notizia della morte di lord Arryn. Mai ho fatto spiccare il volo a un corvo messaggero con il cuore più greve.»

«Ali oscure, oscure parole» mormorò Ned. Era stata la Vecchia Nan a insegnargli quell'antico detto.

«Lo stesso dicono le mogli dei pescatori» concordò Pycelle. «Tuttavia noi sappiamo che non sempre è questo il caso. Quando l'uccello spedito da maestro Luwin ci recò la notizia del risveglio del tuo Bran, fu un messaggio che innalzò i cuori di tutti, non è forse così?»

«Come tu dici, maestro.»

«Misericordiosi sono gli dèi.» Pycelle chinò il capo. «Vieni da me ogni volta che lo desideri, lord Eddard. Io sono a disposizione.»

"Questo è certo" pensò Ned mentre la porta si richiudeva alle sue spalle. "Ma a disposizione di chi?"

Trovò Arya sui gradini di pietra della scala a chiocciola della Torre del Primo Cavaliere. Stava facendo vorticare le braccia e cercava di tenersi in equilibrio su una gamba sola. La pietra scabra le aveva scorticato i piedi nudi. Ned si fermò cercando di capire. «Che cosa combini, Arya?»

«Syrio dice che un danzatore dell'acqua può rimanere in equilibrio su un solo dito dei piedi per ore.» Le mani della bambina annasparono nello sforzo di tenersi eretta.

«Interessante.» Ned sorrise. «Qualche dito in particolare?»

«No, uno qualsiasi.» Arya parve esasperata dalla domanda. Saltellò da un piede all'altro, pencolando pericolosamente prima di riacquistare l'equilibrio.

«D'accordo, ma devi farlo proprio qui? È una caduta ben lunga, giù per questi gradini.»

«Syrio dice che un danzatore dell'acqua non cade mai.» Arya abbassò una gamba e si appoggiò su entrambi i piedi. «Padre, verrà a stare con noi Bran?»

«Per molto tempo temo di no, tesoro. Deve riprendere le forze.»

Arya si mordicchiò il labbro. «E quando sarà più grande, che cosa farà?»

«Ha molti anni per trovare la risposta.» Ned s'inginocchiò accanto a lei. «Per adesso, è sufficiente sapere che vivrà.»

La notte in cui il corvo messaggero era arrivato da Grande Inverno, Eddard Stark aveva portato le figlie nel parco degli dèi della Fortezza Rossa, un acro di olmi, ontani e pioppi neri che dominava il fiume. L'albero del cuore era una grande quercia le cui antiche ramificazioni erano avvolte da viticci di edera scura. Vi si erano inginocchiati davanti, offrendo i loro ringraziamenti come se fossero stati al cospetto dell'albero-diga al centro del loro parco degli dèi. Mentre la luna si alzava, Sansa era scivolata nel sonno. Arya si era addormentata svariate ore più tardi, avvolta nel mantello di Ned. Nelle ore più tenebrose della notte, lui aveva continuato la veglia da solo. Quando finalmente l'alba era tornata sulla città, gli scuri petali dei fiori di drago si erano dischiusi tutt'attorno alle due ragazze Stark. «Ho sognato Bran» gli aveva bisbigliato Sansa. «L'ho visto che sorrideva.»

«Sarebbe diventato cavaliere della Guardia reale. Potrà ancora diventarlo?» chiese adesso Arya.

«No.» Ned non vide ragione per mentirle. «Però un giorno potrà diventare il lord di un grande castello, e sedere nel concilio del re. Potrà costruire a sua volta altri castelli, come fece Brandon il Costruttore, oppure guidare una nave attraverso il Mare del Tramonto, o anche fare parte del Credo cui appartiene tua madre, e diventare Alto Septon.» "Ma non potrà mai più correre a fianco del suo lupo." La sofferenza era troppo grande perché Ned riuscisse ad articolare quelle parole. "O giacere con una donna, o tenere tra le braccia un figlio suo."

«E io?» Arya inclinò la testa di lato. «Io potrò mai essere consigliera del re e costruire castelli e diventare Sommo Septon?»

Ned la baciò leggermente sulla fronte. «Tu sposerai un re e dominerai sul suo castello. I tuoi figli saranno cavalieri e principi e lord e sì, magari Sommo Septon.»

«No.» Arya fece una smorfia. «Quella è roba per Sansa.»

Detto questo, sollevò la gamba destra e riprese i suoi esercizi di equilibrio. Ned si limitò a sospirare e si allontanò.

Giunto nelle sue stanze, si tolse la camicia intrisa di sudore e si versò acqua fredda in testa, usando il bacile accanto al letto. Alyn entrò mentre si stava asciugando la faccia. «Mio signore, lord Baelish non ha udienza, ma chiede comunque d'incontrarti.»

«Fallo accomodare nel solarium.» Ned cercò una tunica di lino più leggera possibile. «Lo vedrò subito.»

Ditocorto lo aspettava appollaiato sul sedile nel vano della finestra e osservava i cavalieri della Guardia reale che facevano pratica alla spada nel cortile sottostante.

«Se ser Barristan fosse lesto di lingua quanto lo è di lama» esordì Petyr Baelish con un sorriso «le riunioni del concilio ristretto sarebbero decisamente molto più animate.»

«Ser Barristan rimane uno degli uomini più valorosi e onorevoli di tutta Approdo del Re.» Ned aveva il massimo rispetto per il canuto lord comandante della Guardia reale.

«E anche uno dei più noiosi» aggiunse Ditocorto. «Per quanto, azzarderei, nel torneo in programma dovrebbe distinguersi non poco. L'anno scorso è arrivato a disarcionare nientemeno che il Mastino in persona, e solamente quattro anni fa fu lui il campione.»

«Una domanda, lord Petyr.» Stabilire chi avrebbe vinto il torneo era l'ultima cosa che interessava a Eddard Stark. «C'è una ragione specifica per la tua visita, o stai semplicemente ammirando il panorama che si vede dalla mia finestra?»

«Ho promesso a Cat che ti avrei aiutato nella tua indagine.» Ditocorto sorrise. «E tanto ho fatto.»

Ned rimase impassibile. Promesse o no, non ce la faceva a fidarsi di lord Petyr Baelish, che trovava decisamente troppo astuto per i suoi gusti. «Quindi avresti qualcosa per me?»

«Non qualcosa, qualcuno» corresse Ditocorto. «Quattro qualcuno, in realtà. Hai pensato a interrogare i servitori di lord Arryn?»

«Avrei voluto poterlo fare.» Ned corrugò la fronte. «Però Lysa è tornata al Nido dell'Aquila con tutto il suo seguito.» Da quel punto di vista, Lysa non gli aveva certo fatto un favore. All'atto della sua fuga dalla Fortezza Rossa, chiunque fosse stato vicino a Jon Arryn era sparito assieme a lei. Il maestro, l'attendente, il capitano della Guardia, i cavalieri, i cortigiani di Jon erano andati tutti con lei.

«La maggior parte del suo seguito,» precisò Ditocorto «ma non tutto. Qualcuno è rimasto. Una ragazza delle cucine che era incinta e ora sta per sposare in fretta e furia uno scudiero di lord Renly. Più uno stalliere arruolatosi nella Guardia cittadina, uno sguattero buttato fuori per furto e infine un vassallo di lord Arryn.»

«Un vassallo?» Per Ned fu una piacevole sorpresa. Di solito i vassalli sapevano tutto e anche di più. «Chi?»

«Ser Hugh della Valle» rispose Ditocorto. «Il re l'ha fatto cavaliere subito dopo la morte di lord Arryn.»

«Lo farò convocare immediatamente» dichiarò Ned. «Sia lui sia tutti gli altri.»

«Giusto.» Ditocorto strinse gli occhi. «Però prima di diramare le convocazioni, ti dispiacerebbe dare una cortese occhiata da questa finestra?»

«Perché?»

«Perché non mi permetti di mostrarti la risposta, mio signore?»

Ned si accostò alla finestra, perplesso.

«Là, oltre il cortile, verso la porta dell'armeria.» Petyr Baelish fece un gesto distratto. «Vedi quel ragazzo seduto sui gradini, intento ad affilare la spada?»

«Ebbene?»

«Fa rapporto a Varys. Il Ragno Tessitore ha sviluppato un notevole interesse per te e per le tue attività.» Ditocorto cambiò posizione sul davanzale. «Ora osserva quel muro. A ovest, dalla parte delle stalle. La guardia appoggiata ai merli?»

«Un altro degli informatori dell'eunuco?»

«No, quello è al soldo della regina. Richiamo la tua attenzione su quale deliziosa visuale lui abbia della porta d'ingresso a questa torre, giusto per vedere chi va e chi viene. Ne esistono altri, di questi uccelletti, molti dei quali sconosciuti perfino a me. La Fortezza Rossa è piena di occhi. Per quale ragione credi che abbia nascosto Catelyn in un bordello?»

«Per i Sette Inferi.» Eddard Stark detestava intrighi e controintrighi, eppure quel soldato sulle mura sembrava davvero tenere d'occhio lui. Ned si allontanò dalla finestra, sentendosi di colpo a disagio. «Un'altra domanda, Baelish: c'è almeno uno, in questa città maledetta, che non sia l'informatore di qualcun altro?»

«Arduo.» Ditocorto contò sulle dita di una mano. «Vediamo: uno sono io, poi ci sei tu, poi c'è il re... No, calma, il re dice fin troppo alla regina. Quanto a te, Eddard, comincio ad avere i miei dubbi.» Si alzò. «Ce l'hai al tuo servizio un uomo al quale affideresti... diciamo... la vita delle tue figlie?»

«Sì.»

«In tal caso, ho un delizioso palazzo su in Valyria che sarebbe per me un piacere venderti.» Ditocorto ebbe uno dei suoi sorrisi sarcastici. «La risposta più saggia alla tua domanda, mio signore, sarebbe "no". Fa' quindi conto che lo sia. Invia questo tuo uomo di assoluta fiducia da ser Hugh e dagli altri. Chiunque venga qui sarà notato.» Si diresse alla porta. «Neppure il ragno Varys può tenere d'occhio ogni uomo al tuo servizio giorno e notte.»

«Lord Petyr» lo fermò Ned «ti sono grato per il tuo aiuto. Forse mi sono sbagliato a non fidarmi di te.»

«Impari con lentezza, lord Eddard.» Ditocorto si arricciò il pizzetto. «Da quando sei smontato dal tuo cavallo, non fidarti di me è stata la cosa più giusta che tu abbia fatto.»

JON

«I piedi: tienili più aperti. Devi sempre mantenere l'equilibrio. Così, bene. Adesso, nel dare il colpo, esegui una torsione del busto. Carica sulla lama tutto il peso del corpo.» Jon Snow stava mostrando a Dareon come assestare al meglio un fendente laterale quando la nuova recluta entrò nel cortile degli addestramenti alla spada.

«Per i Sette Dèi.» Dareon abbassò la guardia e alzò la celata dell'elmo. «Guarda un po' quello, Jon.»

Jon si girò. Nella fessura per gli occhi della sua celata inquadrò sulla soglia dell'armeria il ragazzo più grasso che avesse mai visto. A guardarlo, dava l'idea di pesare quanto un bue. Il collo di pelliccia del suo cappotto era sepolto sotto una fisarmonica di menti. Occhi slavati si muovevano nervosamente nel suo faccione di luna piena. Si passò sul velluto della tunica dita umide e sudate, simili a salsicciotti.

«Loro... ecco... loro mi hanno detto di venire qui» disse senza rivolgersi a nessuno in particolare. «Per essere addestrato.»

«Un nobile» rilevò Pyp. «Del Sud, quasi certamente delle parti di Alto Giardino.» Pyp aveva viaggiato per tutti i Sette Regni con una troupe di guitti e si vantava di riuscire a individuare la provenienza di chiunque al solo udirne l'accento.

C'era un cacciatore a cavallo ricamato a filo scarlatto sul petto del cappotto del ragazzo grasso. Jon non riconobbe l'emblema.

«Si direbbe che abbiano esaurito le scorte di ladri, bracconieri e feccia varia, giù al Sud.» Alliser Thorne squadrò il nuovo arrivato dalla testa ai piedi. «Così, per sorvegliare la Barriera, cominciano a mandarci maiali. Dimmi, mio lord dei Prosciutti, sono forse pellicce e velluti i tuoi concetti di armatura?»

In realtà, non lo erano. La nuova recluta aveva portato la propria armatura: casacca imbottita, cuoio indurito, cotta di maglia di ferro, placca pettorale, elmo. Aveva addirittura un grande scudo da battaglia, di quercia e cuoio, con al centro il medesimo emblema del cacciatore a cavallo che aveva ricamato sul cappotto. Solo che niente di tutto questo era di colore nero. Ser Alliser impose alla recluta di riequipaggiarsi all'armeria. L'operazione richiese metà mattinata. Il giro vita del nuovo venuto era talmente elefantiaco da costringere Donal Noye, il mastro armaiolo, ad aprire una delle cotte di maglia e allargarla con pezze di cuoio sui fianchi. Per riuscire a infilargli l'elmo sul testone, fu necessario rimuovere la celata. Quanto al resto degli indumenti di cuoio, gli andavano talmente stretti attorno a gambe e braccia che il ragazzo poteva muoversi a stento. Così addobbato per la battaglia, l'ultimo acquisto dei guardiani della notte pareva una salsiccia stracotta con la pelle pericolosamente in procinto di scoppiare.

«E speriamo che tu non sia inetto quanto sembri» disse ser Alliser. «Halder, a te. Vediamo cosa sa fare messer Porcello.»

Jon Snow strinse gli occhi. Halder era nato in una cava ed era stato apprendista spaccapietre. Sedici anni, alto e muscoloso, era capace di assestare i colpi più duri che Jon avesse mai ricevuto. «Sarà una roba più brutta del culo di una puttana» fece Pyp a denti stretti.

Lo fu. Lo scontro durò meno di un minuto. Il ragazzo grasso si ritrovò con il sedere nella neve mentre il sangue colava da sotto l'elmo spaccato e ruscellava tra le sue dita grasse. «Mi arrendo!» strillò. «Basta, mi arrendo... Non colpirmi più!»

Rast e alcuni degli altri ragazzi stavano ridendo. Ma nemmeno a quel punto ser Alliser volle farla finita. «Rimettiti sulle zampe, messer Porcello» intimò. «Raccogli il tuo ferro.» La recluta continuò a trascinarsi nella neve, e allora Thorne fece un gesto verso Halder. «Con il fianco della spada: continua a colpirlo finché non si tira su.» Halder assestò un colpo incerto sulle natiche sollevate dell'altro. «Non fare il furbo, Halder.» Thorne si stava divertendo. «Puoi picchiare ben più duro di così.» Halder sollevò la spada lunga a due mani e pestò con tale forza da squarciare il cuoio, perfino con la lama di piatto. Il ragazzo nuovo urlò di dolore.

Jon fece un passo avanti. La mano guantata di ferro di Pyp gli afferrò il braccio. «Jon... no!» disse in un soffio, mentre i suoi occhi ansiosi sbirciavano ser Alliser Thorne.

«Ho detto: in piedi!» martellò Thorne.

Il ragazzo grasso lottò per raddrizzarsi, non ce la fece, stramazzò di nuovo al suolo.

«Il porcello comincia a capire.» Thorne si rivolse nuovamente ad Halder. «Facciamoglielo capire un po' di più.»

Halder levò la spada.

«Una bistecca, Halder!» lo incoraggiò Rast. «Tagliacene una bella grossa!»
«Halder!» Jon si liberò della stretta di Pyp. «Basta così.»
Halder, spada alzata, guardò ser Alliser.
«Il bastardo parla e lo spaccapietre trema.» La voce di Thorne era fredda come l'acciaio. «Ti ricordo, lord Snow, che qui il maestro d'armi sono io.»
«Guardalo, Halder» disse Jon, ignorando Thorne meglio che poté. «Non c'è alcun onore nel colpire un avversario a terra.» S'inginocchiò accanto al ragazzo grasso. «E poi si è arreso.»
Halder abbassò la spada. «Si è arreso» ripeté.
«Ma guarda: sembra che il nostro bastardo si sia innamorato della ciccia.» Gli occhi di ossidiana di ser Alliser rimasero fissi su Jon che aiutava il ragazzo a rialzarsi. «Sfodera il tuo acciaio, lord Snow.»
Jon sguainò la spada da combattimento. C'era un limite a quanto avrebbe potuto sfidare ser Alliser, e sapeva di averlo superato da un pezzo.
«Il bastardo desidera difendere la sua innamorata» sorrise ser Alliser. «Per cui, di questo faremo un addestramento. Ratto, Pustola: con Testa di sasso.» Rast e Albett si piazzarono ai lati di Halder. «Voi tre dovreste essere sufficienti a far squittire lady Porcella» provocò Thorne. «Ma prima, dovete mettere a terra il bastardo.»
«Resta dietro di me» disse Jon al ragazzo grasso.
Ser Alliser gli aveva mandato contro due avversari altre volte, mai tre. Jon si preparò ad andare a dormire pesto e sanguinante, quella notte. Assunse la posizione da combattimento.
E d'un tratto Pyp fu al suo fianco. «Due contro tre vanno meglio» disse allegramente il ragazzo minuto. Abbassò la celata e sguainò la spada. Prima che Jon potesse anche solo tentare un'obiezione, Grenn venne a schierarsi con lui e Pyp. Tre contro tre.
Nella piazza d'armi del Castello Nero era calato un profondo silenzio. Jon poteva sentire lo sguardo di ser Alliser piantato su di sé. «Che cosa aspettate?» Nell'apostrofare Halder, la voce di Thorne si era fatta ingannevolmente pacata.
Ma fu Jon a muoversi per primo. Halder riuscì a parare a stento. Jon continuò l'attacco, costringendo l'altro ad arretrare colpo dopo colpo, tenendolo sulla difensiva. «Conosci il tuo avversario» gli aveva insegnato ser Rodrik Cassel. Jon conosceva Halder, brutalmente forte ma anche impaziente e intollerante se costretto alla difesa. Bastava farlo sentire un po' frustrato e avrebbe finito con lo scoprirsi, certo quanto è certo che il sole tramonta.
Il cozzare delle lame riempì il cortile mentre il combattimento

avvampava attorno a lui e ad Halder. Jon bloccò un micidiale fendente alla testa e l'impatto delle spade gli si ripercosse per tutto il braccio. Picchiò duro contro le costole di Halder, ottenendo la ricompensa di un gemito di dolore. Un contrattacco improvviso lo raggiunse alla spalla, la maglia di ferro scricchiolò, la fiammata di dolore si dilatò al collo, alla gola, ma fu proprio in quel momento che Halder si trovò sbilanciato. Jon gli entrò di taglio sotto la gamba sinistra e gliela spazzò: una bestemmia, uno schianto e Halder fu a terra.

Grenn reggeva bene contro Albett, applicando tutto quello che Jon gli aveva insegnato. Pyp invece era in difficoltà: Rast aveva venti libbre e due anni di vantaggio su di lui. Da dietro, Jon pestò dritto sull'elmo dello stupratore. Acciaio contro ferro in un urto che parve un colpo di gong. Rast barcollò, Pyp s'infilò sotto la sua guardia, lo abbatté e gli puntò la spada alla gola. Jon era già passato oltre, con Grenn.

Di fronte a due spade, Albett arretrò e disse la cosa giusta: «Mi arrendo!».

Ser Alliser Thorne osservò il tutto con aria schifata. «Questa farsa da guitti è andata avanti a sufficienza» fu il suo commento prima di andarsene. Lo spettacolo era finito.

Dareon aiutò Halder a rialzarsi. Il figlio dello spaccapietre si strappò l'elmo e lo lanciò a rotolare lontano, nella neve del cortile. «Per un momento, sono stato certo di averti in pugno, Snow.»

«Per un momento, mi hai avuto in pugno» riconobbe Jon. Sotto gli strati di cuoio e maglia di ferro, sentiva la spalla pulsare. Rinfoderò la spada e alzò il braccio per togliersi a sua volta l'elmo, ma il dolore lo inchiodò a metà movimento, facendogli digrignare i denti.

«Lascia. Faccio io.» La voce era perentoria. Grosse dita aprirono la fibbia del sottogola e sollevarono gentilmente l'elmo. «Ti ha fatto male?»

«Niente di nuovo.» Jon si massaggiò la spalla con una smorfia di dolore. Attorno a loro, il cortile del Castello Nero si era svuotato.

Tra i capelli del ragazzo grasso, nel punto il cui si era abbattuta la spada di Halder, il sangue si era raggrumato. «Il mio nome è Samwell Tarly, del Corno...» S'interruppe e si passò la lingua sulle labbra. «Voglio dire, ero della Collina del Corno fino a quando... sono venuto via. Sono qui per prendere il nero. Mio padre è lord Randyll, alfiere dei Tyrell di Alto Giardino. Un tempo ero il suo erede, ma poi...» la sua voce si perse.

«Sono Jon Snow, bastardo di Ned Stark di Grande Inverno.»

Samwell Tarly annuì. «Se vuoi... puoi chiamarmi Sam. Mia madre mi chiama Sam.»

«Lui invece puoi chiamarlo lord Snow.» Pyp si avvicinò. «E non chiedergli come lo chiama sua madre.»

«Questi sono Grenn e Pypar» li presentò Jon.

«Grenn è quello brutto» precisò Pyp.

«Il più brutto sei tu» ribatté Grenn. «Io, almeno, quelle orecchie da pipistrello non ce le ho.»

«Ringrazio tutti voi» disse Samwell Tarly con aria cupa.

«Perché non ti sei rialzato?» insistette Grenn. «Perché non hai cercato di combattere?»

«Volevo farlo, veramente volevo farlo. Solo che... non ho potuto. Non volevo che mi colpisse di nuovo.» Abbassò lo sguardo a terra. «Io... temo di essere un codardo. Il lord mio padre me l'ha sempre detto.»

A una simile confessione, Grenn parve folgorato. Nemmeno Pyp trovò niente da dire, e Pyp era uno che trovava sempre qualcosa da dire. Quale genere di uomo avrebbe definito se stesso un codardo?

Forse furono esattamente quelli i pensieri che Samwell Tarly lesse sulle loro facce. «Io, ecco... mi dispiace.» I suoi occhi incontrarono quelli di Jon e subito guardarono altrove, simili agli occhi di un animale spaventato. «Non intendevo... non voglio essere ciò che sono.»

Si girò e si diresse a passi pesanti verso l'armeria.

«Eri stato colpito» gli gridò Jon. «Domani andrà meglio.»

«No, non andrà meglio.» Sam si voltò a lanciargli un'ultima occhiata piena di disperazione. «Non andrà mai meglio» concluse, ricacciando le lacrime.

Una volta che fu andato, Grenn si rabbuiò. «I codardi non piacciono a nessuno» disse, a disagio. «Forse non dovevamo aiutarlo. E se adesso gli altri pensano che siamo anche noi dei codardi?»

«Tu sei troppo scemo per essere un codardo» ironizzò Pyp.

«Io non sono scemo!»

«Figuriamoci. Se un orso ti attacca nella foresta, sei troppo scemo perfino per scappare.»

«Invece no! Io corro più svelto di te.» Grenn s'interruppe notando il sogghigno di Pyp e rendendosi conto di ciò che aveva appena detto. Il suo collo massiccio s'infiammò di rossore. Jon li lasciò litigare e fece ritorno all'armeria per appendere la spada e togliersi l'armatura tutta ammaccata.

La vita al Castello Nero seguiva ritmi scanditi con precisione: lame al mattino, lavoro al pomeriggio. I confratelli in nero assegnavano alle nuove reclute tutta una serie di compiti diversi, in modo da rendersi conto in che cosa andassero meglio. A Jon piacevano quei rari pomeriggi nei quali veniva inviato a caccia, con Spettro, per prendere selvaggina da servire al lord comandante Mormont. C'era però un prezzo da pagare: per ogni giorno di caccia gliene toccava una dozzina con Donal Noye, a far ruotare la manovella della pietra cilindrica per l'affilatura mentre l'armaiolo con un braccio solo ridava il taglio ad asce usurate dall'uso, oppure a pompare il mantice della forgia, con Noye che faceva nascere una nuova spada a colpi di martello. Altre volte, Jon portava messaggi, montava la guardia, puliva le stalle, piallava frecce, assisteva maestro Aemon con i suoi uccelli messaggeri, lavorava con Bowen Marsh, l'attendente, su conti e inventari.

Quel pomeriggio il comandante di guardia lo mandò alla gabbia azionata dall'argano con quattro barili di pietrisco appena triturato. Jon doveva spargerlo sui camminamenti che serpeggiavano sulla sommità della Barriera. Era un lavoro tedioso e solitario, perfino con l'inseparabile compagnia di Spettro, ma a Jon non dispiaceva. Nelle giornate limpide, dalla cima dell'immane muraglia di ghiaccio, pareva di riuscire a vedere metà del mondo, e l'aria era sempre fredda, purissima. Lassù, poteva pensare in pace. Pensò a Samwell Tarly e, stranamente, anche a Tyrion Lannister. Gli venne fatto di domandarsi in quale modo il Folletto si sarebbe regolato con quel ragazzo grasso. «La maggior parte degli uomini preferisce negare una dura verità piuttosto che affrontarla.» Una delle tante cose che il nano gli aveva detto. Il mondo era pieno di vili che si atteggiavano a eroi. Ci voleva una strana forma di coraggio per ammettere ciò che Samwell Tarly aveva ammesso.

Il dolore alla spalla lo costrinse a lavorare più lentamente. Gli ci volle tutto il pomeriggio per spargere il pietrisco, ma, anche dopo che ebbe finito, si soffermò sulla Barriera per osservare il tramonto, il sole basso che inondava l'orizzonte occidentale di sfumature rosso sangue. Quando le tinte plumbee della notte cominciarono ad avanzare da nord, Jon si decise a far rotolare i quattro barili vuoti fino alla gabbia e a segnalare agli uomini addetti all'argano di farlo scendere.

La cena era già stata pressoché consumata quando lui e Spettro arrivarono nella sala comune. Vicino al fuoco, un gruppo di confratelli in nero giocava a dadi. I suoi amici erano raggruppati su una panca verso la parete ovest e ridevano. Pyp era nel mezzo di una delle sue storie. Il ragazzo dei guitti, con le sue orecchie a sventola, era un camaleonte nato, dalle mille facce e dalle mille voci. Non si limitava a raccontare, interpretava tutte le parti, dal re all'imbroglione, e sia che si trasformasse in una ragazza da birreria o in una vergine principessa, la sua voce assumeva sempre il falsetto giusto, facendo piegare tutti quanti dalle risate. Chissà perché, i suoi eunuchi erano sempre delle perfette caricature di ser Alliser Thorne. Jon si divertiva quanto gli altri per le esibizioni di Pyp, eppure quella sera scelse di dirigersi all'estremità più lontana della panca, dove Samwell Tarly sedeva da solo, alla massima distanza possibile dagli altri.

Stava mandando giù gli ultimi bocconi dello sformato di carne di maiale che i cuochi avevano preparato per cena quando Jon andò a sedersi di fronte a lui. Alla vista di Spettro, gli occhi del ragazzo grasso si dilatarono. «Ma quello... è un lupo?»

«Meta-lupo. Si chiama Spettro. Il meta-lupo è l'emblema della Casa di mio padre.»

«Il nostro emblema è il cacciatore a cavallo.»

«A te piace andare a caccia?»

Il ragazzo grasso ebbe un tremito. «Io odio andare a caccia.» Pareva sul punto di mettersi nuovamente a piangere.

«Ma che ti prende, adesso?» gli chiese Jon. «Perché sei sempre così spaventato?»

Sam fissò quanto restava dello sformato di maiale e scosse leggermente il capo, troppo terrorizzato perfino per rispondere. Dietro di loro ci fu uno scoppio di risate, con Pyp che diceva qualcosa con voce acuta.

Jon si alzò. «Andiamo fuori di qui.»

«Ma perché?» La faccia di luna piena lo scrutò con sospetto. «Che andiamo a fare fuori?»

«A parlare. L'hai vista la Barriera?»

«Sono grasso, non cieco» ribatté Samwell Tarly. «Come si fa a non vederla? È alta settecento piedi.» Si alzò comunque, mantello bordato di pelliccia sulle spalle, e seguì Jon con cautela, quasi si aspettasse che nel buio fuori dalla sala comune sarebbe caduto vittima di chissà quale trucco crudele. Spettro li accompagnò silenzioso.

«Non credevo che fosse così.» Le parole di Sam condensavano in fluttuanti nubi biancastre. Il semplice sforzo di tenere il passo gli aveva già fatto venire il fiato grosso. «Tutti gli edifici in rovina. E poi fa tanto... tanto...»

«Freddo?» Sul Castello Nero gravava un'aria gelida. Sotto i piedi, Jon sentiva lo scricchiolio delle erbacce grigiastre paralizzate dal gelo.

«Io lo odio, il freddo.» Samwell annuì in modo desolato. «La notte scorsa mi sono svegliato nel buio. Il fuoco si era spento. Ero certo che entro la mattina sarei morto assiderato.»

«Per cui è caldo da dove vieni.»

«Non avevo mai visto la neve prima del mese scorso. Stavamo attraversando la Terra delle Tombe, io e gli uomini che mio padre aveva mandato a nord, quando ha cominciato a cadere una cosa bianca, simile a una pioggia soffice. Al principio mi è parsa bellissima, piume che scendevano dal cielo, poi ha continuato a cadere, a cadere... Fino a quando mi sono trovato gelato fino alle ossa. Gli uomini avevano incrostazioni di neve sulla barba e sulle spalle. E la neve continuava a venire giù. Ho temuto che non avrebbe mai smesso.»

Jon sorrise.

La Barriera incombeva di fronte a loro, scintillando debolmente al chiarore della mezzaluna. Molto più in alto, nel cielo nero, chiare, definite, brillavano le stelle.

«Mi faranno andare lassù?» Nell'osservare le grandi scalinate di legno che emergevano dal ghiaccio, l'espressione di Sam si raggrinzì come vecchio latte cagliato. «Morirò se dovrò salire su quella cosa.»

«C'è un argano» disse Jon indicandolo. «Possono issarti dentro una gabbia.»

Samwell Tarly tirò su col naso. «Non mi piacciono i posti alti.»

Questo fu troppo. «Ma tu hai davvero paura di tutto?» Jon non poteva crederci. «Non capisco. Se sei realmente un codardo, perché ti trovi qui? Per quale ragione un codardo vorrebbe diventare un guardiano della notte?»

Samwell Tarly lo fissò per un lungo momento, poi il suo faccione parve accartocciarsi su se stesso. Crollò a sedere sulla neve e si mise a piangere con singhiozzi profondi che facevano sussultare tutto il suo corpo. Jon Snow non poté fare altro che rimanere immobile a guardarlo disperarsi. Come la neve sulla Terra delle Tombe, forse nemmeno le lacrime di Sam Tarly avrebbero avuto fine.

Fu Spettro a sapere che cosa fare. Silenzioso come un'ombra, il lupo albino si avvicinò a Sam. La sua lingua ruvida gli leccò via le lacrime calde dal viso. Il ragazzo grasso gridò, colto alla sprovvista, e poi, di colpo, il suo pianto si tramutò in una risata.

Jon Snow rise con lui. E dopo sedettero uno accanto all'altro sul terreno congelato, avvolti nei mantelli, con Spettro in mezzo a loro. Jon raccontò di quando lui e Robb avevano trovato i cuccioli appena nati nella neve dell'estate. Gli parve che da quel giorno fossero trascorsi mille anni. E dopo un po' si ritrovò a parlare di Grande Inverno.

«A volte mi appare in sogno. Sto camminando in un vestibolo vuoto. La mia voce rimbalza contro i muri, ma nessuno mi risponde, così cammino più in fretta, spalanco porte, chiamo le persone per nome. Ma non sono nemmeno certo di chi sto cercando. Per lo più è mio padre che cerco. Ma altre notti è Robb, o la mia sorellina Arya, o mio zio.» Il pensiero di Benjen Stark lo riempì di tristezza. Suo zio continuava a non tornare. Il Vecchio Orso aveva mandato fuori altri gruppi di ranger alla sua ricerca. Ser Jaremy Rykker ne aveva guidati due, e Qhorin il Monco si era spinto fino oltre la Torre delle Ombre, ma avevano trovato solo alcune bruciature che Benjen aveva lasciato nei tronchi degli alberi per marcare la strada. Nelle alte, ostili pietraie dei territori del Nord-Ovest, quelle bruciature s'interrompevano di colpo e qualsiasi traccia di Benjen Stark cessava.

«Nei tuoi sogni» chiese Samwell Tarly «trovi quelli che cerchi?»

«No.» Jon scosse il capo. «Non trovo mai nessuno. Il castello è sempre vuoto.» Non aveva mai parlato di quei sogni e non aveva idea del perché l'avesse fatto proprio con Sam, proprio in quel momento. Eppure, in qualche strano modo, aver parlato lo faceva sentire meglio. «Perfino i corvi messaggeri se ne sono andati dalla corvaia» riprese. «E le stalle sono piene di scheletri. Questa cosa mi fa sempre paura. Così mi rimetto a correre, spalanco porte, salgo i gradini della torre a tre alla volta, comincio a urlare per trovare qualcuno, chiunque. Alla fine, sono di fronte alla porta del sepolcro sotterraneo. C'è buio pesto, dentro. Posso vedere i gradini che scendono a spirale. So che devo andare là sotto, ma ho paura di ciò che posso incontrare. Laggiù ci sono gli antichi re dell'Inverno, seduti sui loro troni di granito, lupi di pietra ai loro piedi e spade di ferro di traverso sulle ginocchia, ma non è di loro che ho paura. Mi metto a urlare, grido che non sono uno Stark, che non è quello il mio posto. Non serve a niente: devo andare giù lo stesso. Comincio a scendere. Non ho una torcia per farmi luce così faccio scivolare le mani lungo i muri di pietra. Diventa sempre più buio. Ho voglia di urlare...» Jon s'interruppe, imbarazzato, a disagio. «È a questo punto che tutte le volte mi sveglio.» E quando si svegliava, tremando nelle tenebre della sua cella dentro la torre in rovina del Castello Nero, sentiva sempre la pelle madida di sudore freddo. Allora Spettro saltava sul letto, si metteva accanto a lui e il calore che emanava dal suo corpo gli dava lo stesso conforto del ritorno della luce del giorno. Così cercava di rimettersi a dormire, il volto affondato nella pelliccia arruffata del meta-lupo albino. «E tu?» chiese. «Sogni mai la Collina del Corno?»

«Mai.» Le labbra di Samwell Tarly divennero una fessura serrata, dura. «Io la odio, la Collina del Corno.» Grattò Spettro dietro le orecchie, immerso in pensieri cupi. Jon lasciò il silenzio dominare per un po'. Passò del tempo prima che Samwell Tarly parlasse di nuovo. Jon Snow ascoltò quietamente, e apprese com'era stato possibile che qualcuno che si autodefiniva un codardo fosse finito sulla Barriera.

I Tarly erano una famiglia di vecchia tradizione d'onore, alfieri di Mace Tyrell, lord di Alto Giardino e Protettore del Sud dei Sette Regni. Samwell, figlio primogenito di lord Randyll Tarly, era destinato a essere l'erede di ricche terre, di un forte castello e di una grande spada lunga da combattimento. Veleno del cuore era forgiata in molti e molti strati di acciaio di Valyria, e da quasi cinquecento anni passava di padre in figlio.

Qualsiasi tipo di orgoglio il lord suo padre avesse avuto alla sua nascita, svanì fin troppo rapidamente quando lui, crescendo, divenne un ragazzo obeso, fragile e goffo. A Sam piaceva ascoltare e comporre lui stesso musica, indossare delicati velluti e giocare nelle cucine del castello assieme ai cuochi, inebriandosi dei titillanti profumi, rubando dolci al limone e pasticcini di mirtilli. Le sue vere passioni erano i libri, i cuccioli e, pesante quanto era, la danza. La sola vista del sangue lo faceva stare male. Vedere polli che venivano decapitati gli faceva salire le lacrime agli occhi. Non meno di una dozzina di diversi maestri d'armi si erano alternati nel cortile e nell'armeria della Collina del Corno con la missione di trasformare Samwell Tarly nel cavaliere che suo padre voleva che fosse. Il ragazzo venne martellato d'insulti e frustato a sangue, picchiato e affamato. Per farlo diventare più marziale, uno di quei maestri lo costrinse a dormire con la maglia di ferro, un altro gli fece indossare gli abiti di sua madre e lo fece passare in parata di fronte a tutta la guarnigione, con l'idea che la vergogna si sarebbe tramutata in valore cavalleresco. Nulla era servito: Samwell era diventato solo più grasso e più terrorizzato. Il disappunto di lord Randyll si era tramutato in rabbia e infine in disprezzo.

«Una volta» la voce di Sam si abbassò a un sussurro «vennero al castello due uomini, due stregoni di Qarth, con la pelle bianca e le labbra blu. Sgozzarono un bisonte e mi fecero fare il bagno nel sangue ancora caldo, ma neppure quello mi trasformò in un eroe. Mi sentii male e vomitai. Mio padre la fece pagare cara, a quei cosiddetti stregoni.»

Quando erano ormai tutti alla disperazione, dopo aver generato tre femmine per tre anni consecutivi, lady Tarly diede finalmente al lord suo marito un secondo maschio. Da quel giorno beato, lord Randyll semplicemente ignorò perfino l'esistenza di Sam e dedicò tutto il suo tempo al secondogenito, un ragazzo fiero e robusto, molto più in linea con i suoi gusti. Samwell conobbe quindi svariati anni di deliziosa pace in compagnia dei suoi libri e della sua musica.

Una pace che si concluse all'alba del suo quindicesimo compleanno, quando fu rudemente svegliato per trovare il suo cavallo sellato e pronto a muovere. Tre armigeri lo scortarono fino a un bosco nei pressi della Collina del Corno, fino al lord suo padre, intento a scuoiare un cervo che aveva appena abbattuto.

«Sei ormai un uomo fatto» aveva detto lord Tarly al figlio continuando a fare a pezzi l'animale con il suo lungo coltello «e sei il mio diretto erede. Non mi hai dato alcuna vera ragione per diseredarti, ma al tempo stesso non ho la benché minima intenzione di permetterti di avere il titolo e le terre che dovrebbero appartenere a tuo fratello Dickon. Veleno del cuore deve andare a un uomo che sia abbastanza forte da maneggiarla, mentre tu non sei neppure degno di toccarne l'impugnatura. Per questo, ho deciso che oggi annuncerai la tua decisione di prendere gli abiti neri della confraternita dei guardiani della notte. Tu rinuncerai a tutti i diritti sull'eredità di tuo fratello e inizierai il tuo viaggio verso nord prima del calar del sole.»

Dopo una breve pausa, lord Tarly proseguì: «Nel caso non lo facessi, domattina andremo a caccia, e in qualche punto di questi boschi, il tuo cavallo finirà a terra, tu verrai disarcionato e morirai nella caduta... O per lo meno questo è quanto dirò a tua madre. Lei ha il cuore tenero di tutte le donne, ha quindi dell'affetto per te e io non intendo causarle dolore. Ma nel caso che tu volessi sfidarmi, Samwell, non credere che esiterei a fare ciò che ho detto. Poche cose mi procurerebbero più piacere del darti la caccia come quel maiale che sei». Le braccia di lord Randyll erano insanguinate fino ai gomiti quando piantò il pugnale nel terreno. «Per cui, maiale, ecco la tua scelta: o i guardiani della notte...» infilò una mano nel cervo sventrato, ne strappò fuori il cuore e lo sollevò nel pugno, purpureo, grondante «... o questo.»

Sam parlò di quegli eventi in modo calmo, distaccato, quasi fossero accaduti a qualcun altro, non a lui. E stranamente, si rese conto Jon, non versò una sola lacrima, nemmeno una. Una volta che ebbe finito di narrare, rimasero seduti immobili, in silenzio, ad ascoltare il vento. Pareva non esistere altro suono in tutto l'universo.

«Rientriamo nella sala comune» disse alla fine Jon.

«Perché?»

«C'è sidro caldo da bere.» Jon si strinse nelle spalle. «O vino aromatizzato, se preferisci. Certe sere, quando è dell'umore giusto, Dareon canta per noi. Era un cantante, prima... Non realmente, ma quasi. Diciamo che era un apprendista cantante.»

«E com'è finito alla Barriera?»

«Lord Rowan di Goldengrove lo sorprese a letto con sua figlia. La ragazza aveva due anni più di lui, e Dareon spergiura che era stata lei ad aiutarlo a scalare la finestra. Ma di fronte a suo padre, lei disse che lui l'aveva stuprata. Così, eccolo al grande muro di ghiaccio. Maestro Aemon l'ha udito cantare. Dice che la sua voce è miele versato sul rombo di un tuono.» Jon sorrise. «Certe volte anche Rospo canta per noi, sempreché si voglia chiamarlo cantare. Canzoni da ubriachi che ha imparato nella taverna di suo padre. Pyp dice che la sua voce è piscio versato sul gorgoglio di una scoreggia.»

Lui e Sam condivisero una risata.

«Mi piacerebbe sentirli cantare tutti e due» disse Sam. «Però non credo che mi vorranno con loro.» La sua espressione si rabbuiò. «Domani ser Alliser mi farà combattere di nuovo, non è così?»

«È così» fu costretto ad ammettere Jon.

Goffamente, Sam si alzò. «È meglio che cerchi di dormire un po'.» Si avvolse nella cappa e se ne andò a passi strascicati.

Gli altri erano ancora tutti nella sala comune quando Jon rientrò, senza Sam ma con Spettro.

«E tu dove sei sparito?» gli chiese Pyp.

«A parlare con Sam.»

«Mi sa che lo è proprio, un vigliacco» disse Grenn. «Quando hanno servito da mangiare, l'ho visto prendere la sua parte, ma ha avuto troppa paura per venire a sedersi con noi.»

«Lord Prosciutto si crede troppo signore per mangiare assieme a tipi come noi» commentò Jeren.

«Io l'ho visto mandare giù la carne di maiale» sogghignò Rospo. «Che dici, Jon, sarà stato suo fratello?» Si mise a squittire come un porco.

«Fatela finita!» esplose Jon.

Gli altri si zittirono di colpo, presi alla sprovvista dalla sua improvvisa sfuriata. «Ora statemi a sentire» riprese Jon. «E statemi a sentire molto bene...» Con calma, spiegò loro come sarebbero andate le cose. Pyp fu dalla sua parte, e Jon se l'aspettava, ma poi anche Halder fu con lui, e quella si rivelò una gradita sorpresa. Grenn era incerto, ma Jon sapeva quali erano le parole adatte per convincerlo. Uno dopo l'altro, anche gli altri si convinsero. Jon ne persuase alcuni, ne lusingò altri, instillò in altri ancora un senso di vergogna, ricorse alle minacce. Alla fine furono tutti d'accordo, tutti tranne Rast.

«Voi pupattole fate come vi pare» dichiarò. «Se Thorne mi manda contro lady Maiala, io una bella fetta di pancetta me la taglio proprio.» Si alzò, rise in faccia a Jon e li piantò lì.

Andarono a trovarlo nella sua cella nel mezzo della notte, quando il Castello Nero era veramente nero.

Grenn gli tenne ferme le braccia e Pyp gli si sedette sulle ginocchia. Jon udì il respiro di Rast farsi affannoso quando Spettro gli montò sul petto. Gli occhi del meta-lupo albino fiammeggiavano come braci quando le sue zanne lacerarono la pelle della gola di Rast: non in profondità, appena quel tanto che bastava per far scendere un esile rivolo di sangue. «Ricorda una cosa, Rast» la voce di Jon Snow era un sussurro. «Sappiamo dove dormi.»

Si era tagliato facendosi la barba. Fu questa la spiegazione che Rast diede ad Albett e a Rospo riguardo alla fasciatura che portava attorno al collo.

Da quel giorno, né Rast né altri fecero più alcun male a Sam Tarly. Quando ser Alliser Thorne li schierava contro di lui, rimanevano immobili a parare i suoi lenti, goffi colpi. Se il maestro d'armi urlava loro di attaccare, danzavano attorno all'avversario limitandosi a toccarlo appena sull'armatura, sullo scudo, sulle imbottiture. Ser Alliser s'infuriò, li insultò, urlò che erano tutti quanti donnicciole, codardi e cose anche peggiori, ma Samwell Tarly continuò a restare illeso. Poche sere più tardi, dietro insistenza di Jon, Sam sedette con loro a cena, sistemandosi sulla panca accanto ad Halder. Un paio di settimane più tardi, trovò anche la forza di unirsi ai loro discorsi. Infine, rise alle smorfie di Pyp e si prese gioco di Grenn con l'allegria di tutti gli altri.

Samwell Tarly era grasso, barcollante e spaventato, ma tutt'altro che stupido. Una notte fu lui a fare visita a Jon nella sua cella. «Non so cos'hai fatto, ma so che sei stato tu.» Sam distolse lo sguardo, imbarazzato. «Non ho mai avuto un amico, prima d'ora.»

«Non siamo amici.» Jon pose una mano sull'ampia spalla di Sam. «Siamo fratelli.»

Lo erano, lo erano veramente. Una volta che Sam se ne fu andato, in Jon non era rimasto il benché minimo dubbio. Robb e Bran e Rickon erano i figli di suo padre e li avrebbe sempre amati, ma nel profondo sapeva di non essere mai stato realmente uno di loro. Catelyn Stark aveva impedito che questo accadesse. Le grigie mura del castello di Grande Inverno avrebbero continuato a ergersi nei suoi sogni, ma adesso il suo mondo era il Castello Nero e i suoi fratelli erano Sam e Grenn e Halder e Pyp e tutti gli altri strani, disparati uomini che indossavano il nero dei guardiani della notte.

«Lo zio aveva detto il vero» sussurrò a Spettro. Si chiese se avrebbe mai più rivisto Benjen Stark per potergli dire che anche lui, alla fine, aveva capito.

EDDARD

«Credetemi, miei lord» dichiarò il comandante della Guardia cittadina di Approdo del Re, rivolto al concilio ristretto. «È il torneo del Primo Cavaliere a provocare tutti questi guai.»

«Il torneo del re» corresse Ned Stark. «Il Primo Cavaliere non vuole entrarci per nulla, te l'assicuro.»

«Usa pure le parole che preferisci, mio signore» continuò il comandante Janos Slynt. «La realtà rimane. Continuano ad arrivare cavalieri da tutto il reame, e con ogni cavaliere arrivano anche due mercenari a cavallo, tre artigiani, sei armigeri, una dozzina di mercanti, due dozzine di puttane e più ladri di quanti oso immaginare. Questo caldo d'inferno sta già facendo bollire il sangue a mezza città e adesso, con tutti questi visitatori... Solo la notte scorsa abbiamo avuto un annegamento, una rissa da taverna, tre accoltellamenti, uno stupro, due incendi, rapine a non finire e addirittura una corsa di cavalli fra ubriachi lungo la Strada delle Sorelle. E la notte prima, nella fontana dell'arcobaleno del Grande Tempio galleggiava la testa decapitata di una donna. Nessuno sembra lontanamente sapere né a chi appartenga né come sia finita là dentro.»

«Oh, quali orribili nuove.» Varys ebbe un tremito.

«Mettiamola in un altro modo, Janos.» Lord Renly Baratheon, fratello del re, appariva molto meno comprensivo. «Se tu non sei in grado di mantenere l'ordine, forse la Guardia cittadina ha bisogno di essere comandata da qualcuno capace di farlo.»

«Ti garantisco, lord Renly, che in queste condizioni nemmeno Aegon il Drago in persona riuscirebbe a mantenere l'ordine.» Janos Slynt, corporatura massiccia e mascella forte, gonfiò il collo come un rospo pronto a sputare bava velenosa, la pelata arrossata per la rabbia. «Ho bisogno di più uomini.»

Ned si protese verso di lui. «Quanti?» Re Robert, nemmeno a dirlo, non si era preso il disturbo di partecipare alla riunione sull'ordine pubblico. La responsabilità di parlare in sua vece ricadeva quindi sul Primo Cavaliere.

«Il maggior numero possibile, lord Primo Cavaliere.»

«Assoldane altri cinquanta» decise Ned. «Lord Baelish ti procurerà i fondi necessari.»

«Sul serio?» disse Ditocorto.

«Sul serio, Petyr. Visto che hai trovato quarantamila dragoni d'oro per la borsa del campione del torneo, sono certo che potrai raggranellare anche una manciata di monete di rame per mantenere l'ordine pubblico.» Ned tornò a rivolgersi a Janos Slynt. «Ti darò anche venti valide spade dalla mia scorta personale. Serviranno nella Guardia cittadina finché tutta questa gente non sarà sfollata.»

«I miei più profondi ringraziamenti, lord Primo Cavaliere.» Slynt s'inchinò con rispetto. «Ti garantisco che ne verrà fatto buon uso.»

Ned Stark attese che il comandante fosse uscito prima di rivolgersi al concilio: «Quanto prima questa cosa insensata si sarà conclusa, tanto meglio mi sentirò».

Come se le spese per l'erario e i disordini nelle strade non bastassero, tutti non facevano altro che versare sale sulla ferita aperta ostinandosi a definire la cosa insensata in questione come "il torneo del Primo Cavaliere", quasi fosse proprio lui, Ned Stark, la causa di tutti i mali. E Robert sembrava sinceramente convinto che lui avrebbe dovuto sentirsi onorato!

«Ma in simili circostanze, mio signore» intervenne il gran maestro Pycelle «il reame prospera. Esse portano ai grandi il senso della gloria, e ai piccoli un sia pur breve sollievo dai travagli quotidiani.»

«E non dimentichiamo i denari che portano nelle tasche di molta gente» aggiunse Ditocorto. «Ogni locanda di Approdo del Re è piena da scoppiare. Per non parlare delle puttane: loro sì che se ne vanno in giro a gambe larghe, un po' per la mole di lavoro e un po' per tutti i soldi che incassano.»

«Siamo fortunati che mio fratello Stannis non è qui.» Lord Renly rise. «Vi ricordate di quando propose di mettere fuorilegge i bordelli? Il re gli chiese se, già che c'era, non volesse mettere fuorilegge anche il mangiare, il cacare e il respirare. A essere franco, certe volte mi chiedo come abbia fatto Stannis a generare quella racchia di figlia che si ritrova sul gozzo. Si muove nel talamo nuziale come qualcuno che marcia a vessilli spiegati sul campo di battaglia, occhio cupo e piglio fiero nel compiere il proprio dovere.»

«Anch'io mi chiedo di tuo fratello Stannis.» Ned non era affatto divertito. «E quello che mi chiedo è se porrà mai fine alla sua permanenza alla Roccia del Drago per riprendere il suo posto in questo concilio.»

«Lo farà, lord Stark, lo farà.» Ditocorto esibì uno dei suoi sorrisi acidi. «Prima però temo che ci toccherà buttare a mare tutte le ricche puttane di Approdo del Re.»

La battuta suscitò un'altra risata generale.

«Per oggi ho sentito parlare a sufficienza di puttane.» Ned si alzò. «A domani, miei lord.»

C'era Harwin di guardia alla porta della Torre del Primo Cavaliere. «Fa' venire Jory Cassel nei miei quartieri» gli ordinò Ned. «E di' a tuo padre di sellare il mio cavallo.»

«Come tu comandi, mio signore.»

Ned aveva parlato in modo fin troppo brusco. Il torneo del Primo Cavaliere e la Fortezza Rossa lo stavano rendendo sempre più intrattabile. Il pensiero continuò a rimbalzargli nella mente nel salire i gradini della torre. Gli mancavano il conforto delle braccia di Catelyn, il clangore delle spade di Robb e Jon nel cortile del palazzo di Grande Inverno, le giornate fresche e le notti gelide del Nord.

Una volta raggiunte le sue stanze, si sbarazzò della seta e del satin che aveva indossato per la riunione del concilio. In attesa dell'arrivo di Jory, sedette per qualche momento con il volume che gli aveva fatto avere il gran maestro Pycelle: *Storia e Discendenze delle Grandi Case Nobili dei Sette Regni – Completa di Descrizioni di Molti Grandi Lord, delle Loro Nobili Signore e dei Loro Figli*, scritto dal gran maestro Malleon. Pycelle l'aveva avvertito: una lettura di peso, in tutti i sensi. Eppure, per chissà quale ragione, Jon Arryn aveva voluto affrontarla. Ned sapeva che doveva esserci qualcosa in quelle pagine ingiallite, una verità nascosta. Ma quale verità? E come avrebbe fatto lui a individuarla? Quel libro era vecchio di oltre un secolo. Quasi nessuno degli uomini che ancora camminavano sulla terra era in vita quando Malleon aveva iniziato a compilare la sua polverosa lista di matrimoni, nascite, decessi.

Di nuovo, aprì il volume alla sezione che riguardava Casa Lannister. Girò le pagine con lentezza, sperando che qualcosa lo colpisse. I Lannister erano una famiglia antica, la loro genealogia risaliva fino a Lann l'Astuto, maestro d'inganni dell'Età degli Eroi, il cui alone leggendario eguagliava senza dubbio quello di Brandon il Costruttore. Rispetto a Brandon, però, Lann era stato molto più amato da trovatori e cantastorie. Nelle loro canzoni, con la sua astuzia come unica arma, Lann aveva espulso i Casterlys da Castel Granito servendosi di un trucco mirabolante e per far diventare biondi i suoi capelli ricci aveva rubato la luce del sole. Ned Stark desiderò che Lann l'Astuto fosse lì con lui in quel momento, e che esibisse un trucco mirabolante per far emergere la verità nascosta in quello stramaledetto libro.

Un deciso bussare alla porta segnalò l'arrivo di Jory Cassel. Ned chiuse il tomo di Malleon e gli disse di entrare.

«Ho promesso alla Guardia cittadina venti delle mie guardie fino alla conclusione del torneo» gli spiegò. «Conto su di te per la scelta degli uomini. Affida il comando ad Alyn e fa' in modo che capiscano bene una cosa: andranno a impedire scontri, non a iniziarli.» Ned si alzò, andò a una cassettiera di legno di cedro e ne tolse una leggera tunica di lino. «Hai trovato lo stalliere?»

«Ora è una guardia, mio signore» rispose Jory. «Spergiura che mai più si avvicinerà a un cavallo.»

«Aveva niente da dire?»

«Che conosceva bene lord Arryn. Quasi amici, a quanto pare.» Jory fece una smorfia. «Agli stallieri, il giorno del loro compleanno, il Primo Cavaliere dava sempre una moneta di rame, così dice il ragazzo. Lord Arryn era esperto di cavalli. Non li spingeva mai troppo duramente e portava lui stesso mele e carote agli animali, che erano sempre lieti di vederlo.»

«Mele e carote» ripeté Ned. Il ragazzo delle stalle si stava rivelando addirittura meno utile degli altri. Ed era l'ultimo dei quattro che Ditocorto aveva segnalato. Jory aveva parlato con tutti. Ser Hugh della Valle era stato sgarbato e reticente, con l'arroganza tipica di qualcuno appena investito cavaliere. Se il Primo Cavaliere desiderava incontrarlo, sarebbe stato ben contento di riceverlo, ma non avrebbe accettato di venire interrogato da un semplice comandante della Guardia. Questo a dispetto del fatto che quel comandante aveva dieci anni più di lui e avrebbe potuto infilzarlo cento volte in duello. La servetta, per lo meno, era stata cortese. Aveva detto che lord Jon leggeva molto più di quanto avrebbe dovuto, che era triste e preoccupato per la salute del suo unico figlioletto e ruvido con la sua giovane moglie. Lo sguattero, ora cordaio, non aveva mai scambiato che pochissime parole con lord Jon, però sapeva tutti i pettegolezzi delle cucine. Non sempre il Primo Cavaliere andava d'accordo con il re. Il Primo Cavaliere intendeva mandare il figlio alla Roccia del Drago perché vi fosse educato. Il Primo Cavaliere aveva sviluppato un grande interesse per l'allevamento dei cani da caccia. Il Primo Cavaliere si era recato da un mastro armaiolo per commissionargli una nuova armatura, placcata d'argento e blasonata sul petto con un falcone azzurro contro una luna di madreperla. Il fratello del re in persona era andato con lui, aveva precisato lo sguattero ora cordaio, per consigliarlo nella scelta del disegno dell'emblema. No, non lord Renly, l'altro fratello del re: lord Stannis.

«E la guardia?» insistette Ned. «Lui non ricorda nulla degno di nota?»

«Spergiura che lord Jon era forte quanto un uomo con la metà dei suoi anni, e che spesso usciva a cavallo con lord Stannis.»

Stannis. Di nuovo. A Ned, questo parve singolare. Jon Arryn e Stannis Baratheon erano stati in rapporti cordiali, ma mai in amicizia. Inoltre, mentre Robert affrontava il viaggio verso nord fino a Grande Inverno, Stannis si era staccato dalla corte per andare alla Roccia del Drago, l'impervia isola-fortezza che lui stesso aveva strappato ai Targaryen in nome di suo fratello durante la guerra per il Trono di Spade. E senza dire nulla in merito a quando avrebbe fatto ritorno alla Fortezza Rossa.

«E dove andavano, in queste cavalcate?»

«Secondo il ragazzo, visitavano un bordello.»

«Un bordello?» Ned non riusciva a crederci. «Jon Arryn, lord del Nido dell'Aquila e Primo Cavaliere del re, che va in un bordello assieme a Stannis Baratheon?» Ned scosse il capo. Non aveva senso. Chissà cos'avrebbe tirato fuori Renly da una simile notizia. La lussuria di re Robert era l'argomento preferito delle più ribalde canzonacce da taverna da un capo all'altro dei Sette Regni, ma Stannis era di tutt'altra stoffa. Più giovane di Robert di appena un anno ma diverso da lui quanto il giorno dalla notte, Stannis era austero, privo di spirito, inesorabile e pervaso da un cupo senso del dovere.

«Il ragazzo insiste che è la verità. Il Primo Cavaliere portava con sé tre guardie le quali, nel ricondurre i cavalli alle stalle, scherzavano sull'evento in modo pesante.»

«Di quale bordello stiamo parlando?»

«Il ragazzo non lo sa, le guardie sì.»

«È un guaio che Lysa abbia portato quegli uomini con sé» ribatté Ned in tono secco. «Sembra che gli dèi stiano facendo di tutto per metterci i bastoni tra le ruote. Lady Lysa, maestro Colemon, lord Stannis... Tutti coloro che potrebbero conoscere la verità su quanto è accaduto a Jon Arryn sono finiti mille miglia lontano.»

«Convocherai lord Stannis dalla Roccia del Drago?»

«Non ancora» rispose Ned. «Prima voglio rendermi conto di cos'è tutto questo e di qual è la sua posizione.» L'atteggiamento di Stannis lo turbava. Per quale ragione si era dileguato? Aveva avuto un ruolo nell'assassinio di Jon Arryn? O aveva paura? Ned trovò difficile immaginare cosa poteva spaventare un uomo come Stannis Baratheon, che a Capo Tempesta aveva resistito a un assedio durato un anno mangiando ratti e la pelle degli stivali mentre fuori delle mura lord Tyrell, lord Redwyne e i loro eserciti banchettavano con i prodotti delle campagne circostanti.

«Dammi il farsetto, per favore, Jory. Quello grigio, con l'emblema del meta-lupo. Voglio che questo mastro armaiolo capisca chi sono. Potrebbe renderlo più loquace.»

Jory si diresse al guardaroba. «Lord Renly è fratello sia del re sia di lord Stannis.»

«Eppure sembra che a quelle cavalcate non sia stato invitato.» Riguardo a Renly, a dispetto dei suoi modi amichevoli e dei suoi sorrisi accattivanti, Ned non aveva un'esatta chiave di comprensione. Qualche giorno prima, Renly l'aveva preso in disparte per mostrargli uno scrigno d'oro bianco di squisita fattura. Al suo interno era custodita una miniatura, dipinta nei colori vividi dell'arte della città libera di Myr, che rappresentava una fanciulla dagli occhi di cerbiatta e dai soffici capelli castani. Sembrava ansioso di sapere se a Ned quell'immagine ricordasse qualcuno. Quando la risposta era stata un diniego, Renly era apparso deluso. L'immagine, gli aveva confessato, era quella di Margaery, sorella di ser Loras Tyrell, ma c'era chi sosteneva assomigliasse a Lyanna Stark. «Non le assomiglia» aveva risposto Ned senza mezzi termini e tuttavia incuriosito. Possibile che lord Renly, il quale aveva l'aspetto del giovane Robert, covasse una passione per una ragazza che vedeva come una giovane Lyanna? L'idea colpì Ned come qualcosa di ben più profondo di una stranezza passeggera.

Jory gli tese il farsetto e Ned lo infilò. «Forse lord Stannis ritornerà dalla Roccia del Drago per presenziare al torneo di Robert.»

«Sarebbe un colpo di fortuna» disse Jory, allacciandogli le stringhe sulla schiena.

«In altre parole» Ned fermò con una fibbia il cinturone di una spada lunga attorno alla vita «vuoi dire che è dannatamente improbabile» commentò con un sorriso privo di calore.

Jory gli mise la cappa sulle spalle e gliela allacciò al collo usando il fermaglio a forma di mano che indicava il rango ufficiale del Primo Cavaliere.

«L'armaiolo vive sopra la sua bottega, in un grande edificio in fondo alla Strada dell'Acciaio. Alyn sa come arrivarci, mio signore.»

Ned assentì. «Che gli dèi aiutino quello sguattero se mi sta mandando a caccia di ombre.»

Come pista da seguire era fin troppo esile, ma il Jon Arryn che Ned Stark aveva conosciuto negli anni passati al Nido dell'Aquila non era uomo da portare armature placcate d'argento e ingioiellate. L'acciaio era acciaio: una protezione, non un ornamento. Jon Arryn poteva aver cambiato opinione, questo era sempre possibile. E dopo anni passati a corte, non sarebbe di sicuro stato lui il primo a vedere le cose in modo diverso. Ma un mutamento di simile entità continuava a porre a Ned grossi quesiti.

«Hai qualche altro compito per me, mio signore?»

«Potresti cominciare a dare una ripassata ai bordelli.»

«Duro servigio, mio signore.» Jory sogghignò. «Gli uomini saranno ben lieti di darmi una mano. Porther si è già dato parecchio da fare in merito.»

Il suo cavallo favorito era nel cortile, sellato e pronto da montare. Varly e Jacks erano al suo fianco mentre Ned si dirigeva verso il portale. Con quel caldo, sotto gli elmetti e la cotta di maglia di ferro, quei due stavano cuocendo a fuoco lento, ma non espressero una sola parola di lamentela. Lord Eddard Stark, mantello grigio e bianco che gli ondeggiava sulle spalle, uscì dalla Porta del Re e si immerse nel caos e nel puzzo delle strade. Tutti gli occhi erano su di lui al suo passare. Spinse il cavallo al trotto. Le sue guardie lo seguirono.

Mentre procedeva nel dedalo di vie affollate, continuava a guardarsi alle spalle. Prima, quella stessa mattina, Tomard e Desmond erano andati a prendere posizione lungo il percorso per controllare che nessuno lo seguisse, ma anche con quella precauzione Ned continuava a essere sul chi vive. L'ombra del Ragno Tessitore e dei suoi onnipresenti uccelletti l'aveva reso agitato come una fanciulla la notte delle nozze.

La Strada dell'Acciaio aveva inizio dalla piazza del mercato, accanto a quella che le mappe indicavano come Porta del Fiume ma che veniva comunemente chiamata Porta del Fango. Simile a un grande insetto, un guitto in cima a lunghi trampoli si spostava nella fitta folla, seguito da un'orda vociante di bambini scalzi. Non molto lontano, al centro di un cerchio di gente che urlava incoraggiamenti e imprecazioni, due ragazzini coperti di stracci dell'età di Bran stavano duellando con bastoni di legno. Una vecchia pose fine alla tenzone affacciandosi alla finestra e inondando combattenti e pubblico con una secchiata d'acqua fetida. All'ombra delle mura, venditori ambulanti venuti dalla campagna erano appostati di fronte ai carretti e offrivano la loro mercanzia. «Mele!

Le migliori a metà prezzo!» «Cocomeri! Dolci come miele!» «Rape, cipolle, tuberi: tutti qui! Tutti qui! Rape, cipolle, tuberi: tutti qui!»

La Porta di Fango era aperta e sorvegliata da una squadra di guardie cittadine in posizione sotto gli spalti, avvolte in lunghi mantelli color oro e appoggiate alle loro picche. Da ovest si avvicinò una colonna di uomini a cavallo. Nel momento in cui la videro, le guardie entrarono subito in azione urlando ordini, facendo spostare i carretti, aprendo un varco tra la gente per permettere il passaggio del cavaliere e del suo seguito. Il primo a superare il portale innalzando un lungo vessillo scuro fu l'alfiere. La seta si contorceva nel vento simile a una strana creatura dotata di una misteriosa vitalità propria. Una folgore purpurea tagliava in diagonale il tessuto nero come la notte. «Fate largo a lord Beric!» gridò l'alfiere. «Fate largo a lord Beric Dondarrion!» Un momento dopo apparve il giovane signore in persona, un'eccitante figura in sella a un destriero, nero come il suo vessillo, capelli come oro rosso e mantello di satin nero disseminato di stelle. «Sei qui per gareggiare nel torneo del Primo Cavaliere, mio signore?» gli gridò una guardia. «Sono qui per vincere il torneo del Primo Cavaliere!» La folla inneggiò all'irruente lord Beric.

Ned Stark raggiunse la piazza dalla quale si dipartiva la Strada dell'Acciaio e ne seguì il tracciato tortuoso che s'inerpicava su per una lunga collina. Superò fabbri al lavoro in fucine all'aperto, mercenari che contrattavano cotte di maglia di ferro, decrepiti mercanti di metalli che dai loro ugualmente decrepiti carretti offrivano vecchie lame e rugginosi rasoi.

Più si saliva, più la dimensione delle costruzioni aumentava. L'uomo che Ned cercava si trovava sulla sommità dell'altura, in un'enorme struttura di legno e gesso i cui piani superiori incombevano sulla stretta via sottostante. La doppia porta era istoriata con un bassorilievo in ebano e legno-ferro che mostrava una scena di caccia. Due cavalieri di pietra stavano di sentinella ai lati dell'ingresso. Indossavano elaborate armature d'acciaio rosso lucidato che li trasformavano in un grifone e un cervo.

Ned lasciò il cavallo a Jacks ed entrò con decisione. Una servetta snella notò subito il fermaglio del mantello e l'emblema sul farsetto. Pochi momenti dopo, tutto sorrisi e inchini, arrivò di gran carriera il padrone in persona.

«Vino per il Primo Cavaliere del re» ordinò alla ragazza. «Sono Tobho Mott, mio signore.» Indicò a Ned un sofà. «Prego, prego, accomodati.»

Mott indossava una casacca di velluto nero sulle cui maniche c'erano dei martelli ricamati con filo d'argento. Al collo portava una pesante catena d'argento che reggeva uno zaffiro grosso quanto un uovo di piccione. «Se hai bisogno di nuove armi per il torneo del Primo Cavaliere, sei venuto nel posto giusto.» Ned non si prese la briga di dare spiegazioni. «Il mio lavoro è costoso» riprese Mott riempiendo due boccali d'argento identici. «E in merito, mio signore, non mi scuso affatto. Tuttavia, da nessuna parte dei Sette Regni troverai esecuzioni migliori e più accurate delle mie. È una promessa! Visita pure ogni fucina di Approdo del Re, se lo desideri. Fa' pure i tuoi confronti. In qualsiasi villaggio c'è qualcuno in grado di tirare fuori una cotta di maglia a suon di martello. Ma solo Tobho Mott è in grado di renderla un'opera d'arte.»

Ned sorseggiò il vino lasciando che proseguisse. «È da me che il Cavaliere di Fiori ha acquistato tutte le sue armature. E con lui, anche molti altri nobili lord i quali sanno apprezzare l'acciaio di alta classe, incluso lo stesso fratello del re, lord Renly. Forse che il Primo Cavaliere ha notato la nuova armatura di lord Renly, quella verde foresta con le corna di cervo dorate? Nessun altro armaiolo di Approdo del Re sarebbe stato in grado di ottenere un verde di una tonalità così profonda. Solo Tobho Mott conosce il segreto di colorare l'acciaio direttamente in fucina! Pittura e smalto a freddo sono sistemi da armaiolo itinerante. O forse è una lama che il Primo Cavaliere desidera. Fin da ragazzo, Tobho Mott ha imparato a lavorare l'acciaio di Valyria nelle fucine della città libera di Qohor. Oh! Solamente qualcuno che conosce lo spirito dell'acciaio può prendere vecchie lame e ridare loro nuova vita! Il meta-lupo è l'emblema della Casa Stark, non è forse così, mio signore? Ebbene, io posso forgiare un elmo a forma di meta-lupo talmente realistico da far sì che al tuo passaggio i bambini corrano a nascondersi.»

«Sei stato quindi tu a forgiare l'elmo con il falcone per lord Arryn?» chiese Ned sorridendo.

«Il Primo Cavaliere Arryn venne effettivamente nella mia bottega, accompagnato da lord Stannis, il fratello del re.» Tobho Mott fece una lunga pausa, posando il proprio calice di vino. «Purtroppo, non mi onorarono con un loro ordine.»

Ned rimase a osservare il mastro armaiolo, privo di espressione, in silenzio, in attesa. Aveva imparato che a volte il silenzio vale mille domande. Questa fu una di quelle volte.

«Vennero per vedere il ragazzo. Così li accompagnai alla forgia.»

«Il ragazzo» ripeté Ned, senza avere idea di chi si trattasse. «Anche a me piacerebbe vederlo.»

Tobho Mott gli lanciò un'occhiata fredda, penetrante. Quando parlò, qualsiasi traccia amichevole era svanita: «Come tu desideri, mio lord». Guidò Ned oltre una porta sul retro, attraverso uno stretto cortile, fino a un cavernoso capannone di pietra nel quale venivano lavorati i metalli. Quando l'armaiolo aprì la porta, il fiotto incandescente che eruttò dall'interno diede a Ned la sensazione di essere inghiottito dalle fauci di un drago. All'interno, una forgia fiammeggiava in ciascuno dei quattro angoli della struttura. L'aria era impregnata di fumi sulfurei. Armaioli itineranti assoldati per l'occasione alzarono gli occhi per pochi istanti, si asciugarono la fronte sudata e tornarono ai loro martelli, mentre i giovani apprendisti non smettevano di azionare i mantici.

Mott chiamò uno di essi, un ragazzo alto, all'incirca dell'età di Robb, con braccia e petto muscolosi. «Questo è lord Stark, il nuovo Primo Cavaliere del re» gli disse. Due intensi occhi blu studiarono Ned, mentre il ragazzo si spingeva indietro con le dita un ciuffo di capelli intrisi di sudore ricaduto sulla fronte. Capelli spessi, arruffati, ribelli, neri come l'inchiostro. Un'ombra di barba scura già cominciava a comparire sulla sua mascella. «Questo è Gendry, mio signore» riprese Mott. «Molto forte, per la sua età. Lavora sodo. Coraggio, figliolo, mostra al Primo Cavaliere l'elmo che hai fatto con le tue mani.»

Incerto, Gendry fece loro strada fino al suo banco e all'elmo posato su di esso, d'acciaio nero, a forma di testa di toro, con grandi corna ricurve.

Ned lo sollevò per esaminarlo. «Ottimo lavoro.» Il metallo era grezzo, non rifinito, ma la fattura era eccezionale. «Sarei lieto se tu mi permettessi di comprarlo.»

Gendry quasi glielo strappò dalle mani. «Non è in vendita.»

«Ragazzo, è il Primo Cavaliere del re che hai di fronte!» Tobho Mott sembrava sul punto di sprofondare. «Se sua eccellenza vuole quest'elmo, tu daglielo in regalo. È un onore che te lo chieda!»

«Ma l'ho fatto per me» ribatté il ragazzo, ostinato.

«Cento e cento scuse, mio signore» si affrettò a dire Mott. «Il ragazzo è rozzo quanto l'acciaio appena uscito dalla fucina. E proprio come quell'acciaio, non gli farebbe male una buona battuta. Quest'elmo è il lavoro di un armaiolo itinerante, a essere generosi. Concedimi il tuo perdono, e hai la mia promessa che te ne farò avere uno come mai ne hai visti, lavorandolo io stesso.»

«Il ragazzo non ha fatto nulla che richieda il mio perdono, mastro Mott.» Ned tornò a rivolgersi al giovane. «Gendry, quando lord Arryn venne a vederti, di che cosa avete parlato?»

«Mi ha fatto domande, mio signore.»

«Che genere di domande?»

Gendry si strinse nelle spalle. «Come stavo, se venivo trattato bene, se mi piaceva il lavoro. E poi mi ha chiesto di mia madre. Chi era, che faccia aveva, cose come quelle.»

«E tu che cosa gli hai risposto?»

«Mia madre è morta quando io ero piccolo.» Gendry si scostò di nuovo il ciuffo di capelli. «Aveva capelli gialli. E mi ricordo che a volte mi cantava delle canzoni. Lavorava in una birreria.»

«Anche lord Stannis ti ha fatto domande?»

«Quello calvo? No, lui no. Non ha detto una parola. Ha continuato a guardarmi male, nemmeno fossi un qualche stupratore che gli aveva appena inforcato la figlia.»

«Attento a quella linguaccia» ammonì Mott. «Ti ho già detto che questo è il Primo Cavaliere del re in persona.» Il ragazzo abbassò gli occhi. «Un ragazzo in gamba, mio signore, ma testardo. Quell'elmo che ha fatto... Gli altri l'hanno chiamato "zucca di toro", così lui gliel'ha pestato nei denti.»

Ned allungò una mano a toccare la testa del ragazzo, i suoi folti capelli neri. «Guardami, Gendry.» L'apprendista alzò il viso. Ned studiò la linea della sua mandibola, gli occhi simili a schegge di ghiaccio azzurro.

"Certo. Ora so chi è." «Torna pure al tuo lavoro, figliolo. Scusami se ti ho importunato.»

«Chi ha pagato l'apprendistato?» Ned aveva posto la domanda in tono casuale, mentre lasciavano la forgia assieme a Mott per tornare nella casa.

«Hai visto il ragazzo.» Mott appariva a disagio. «Così forte. Con quelle mani fatte per impugnare il martello. Era talmente promettente che l'ho preso senza pagamento.»

«Voglio la verità, mastro Mott. Le strade sono piene di ragazzi forti, e il giorno che uno come te prenderà un apprendista gratis, la Barriera cadrà in pezzi. Allora, chi ha pagato per Gendry?»

«Un lord» ammise Mott, riluttante. «Non mi ha detto il suo nome, non portava alcun emblema. Ha pagato in oro, il doppio della somma normale. Mi disse che pagava due volte: una per il ragazzo, l'altra per il mio silenzio.»

«Descrivimi quell'uomo.»

«Tozzo di corporatura, spalle rotonde, meno alto di te. Barba marrone ma con qualche filo rossiccio, te lo giuro. Indossava una cappa costosa, anche quella mi ricordo, velluto pesante viola con ricami d'argento. Ma il cappuccio gli teneva la faccia in ombra, per cui non ho potuto vederlo chiaramente.» Mott ebbe un'altra esitazione. «Non voglio guai, mio signore.»

«Nessuno di noi vuole guai, ma questi, mastro Mott, sono tempi pieni di guai. E tu sai chi è quel ragazzo.»

«Io sono un semplice armaiolo, mio signore. Io so solo quello che mi viene detto.»

«Tu sai chi è quel ragazzo» ripeté Ned in tono pacato. «Non è una domanda, è un'affermazione.»

«Quel ragazzo è un mio apprendista.» Tobho Mott, ostinato come ferro antico, guardò Ned dritto negli occhi. «Chi era prima di venire da me, non mi riguarda.»

Ned annuì. Decise che Tobho Mott, mastro armaiolo, gli piaceva. «Se mai verrà un tempo in cui Gendry vorrà impugnare una spada invece di forgiarla, mandalo da me. Ha l'aspetto del guerriero. Ma fino ad allora, hai i miei ringraziamenti, mastro Mott. E la mia promessa: nel caso mi serva un elmo per far spaventare i bambini, è da te che verrò.»

Le sue guardie lo stavano aspettando fuori, vicino ai cavalli.

«Scoperto qualcosa, mio signore?» chiese Jacks a Ned mentre lui montava in sella.

«Qualcosa, sì.» Ma che cosa aveva cercato Jon Arryn dal figlio bastardo del re?

E perché quella cosa gli era costata la vita?

CATELYN

«Mia signora, dovresti proteggerti il capo» suggerì ser Rodrik. «Finirai con il prendere freddo.»

«È acqua, ser Rodrik.» I capelli scuri di Catelyn erano fradici e aggrovigliati. «Soltanto acqua.»

Stavano cavalcando verso nord, sotto la pioggia. Catelyn spinse via dalla fronte una lunga ciocca ribelle, rendendosi conto di quale aspetto malconcio e selvatico dovesse avere in quel momento. Per una volta, non le importò nulla. La pioggia del Sud era leggera, tiepida. A Catelyn piaceva quel tocco liquido sul volto, gentile come i baci di una madre. La pioggia le fece tornare alla mente la sua infanzia, le lunghe, grigie giornate a Delta delle Acque. Ricordò il parco degli dèi, i grandi rami gocciolanti umidità, il suono delle risa di suo fratello mentre si rincorrevano tra mucchi di foglie bagnate. Ricordò le torte di fango che aveva fatto assieme a sua sorella Lysa, la mota, spessa e scura, che scivolava dalle mani. Era a Ditocorto che poi le avevano servite, quelle torte assurde. E lui aveva mangiato tanto fango da stare male per un'intera settimana. Quanto erano giovani, in quei giorni.

Catelyn aveva quasi perduto quei ricordi. Nel Nord, la pioggia era gelida, ostile, e spesso, con il freddo della notte, si tramutava in ghiaccio. Cadendo sui raccolti, poteva nutrirli o ucciderli. Era una pioggia dura e crudele, che spingeva perfino uomini adulti a cercare riparo, non certo una pioggia nella quale potessero giocare i bambini.

«Sono fradicio fino al midollo» si lamentò ser Rodrik.

Tutt'attorno a loro incombevano boschi fitti. Gli zoccoli dei cavalli martellavano il denso manto di foglie cadute, traendo suoni viscidi ogni volta che tornavano a sollevarsi dal suolo fangoso. «Questa sera, mia signora, non disdegnerei di sedere accanto al fuoco, con un pasto ben caldo per entrambi.»

«All'incrocio più avanti c'è una locanda» gli disse Catelyn. In gioventù, viaggiando con suo padre, vi si era fermata a dormire molte volte. Durante i suoi anni più vigorosi, lord Hoster Tully era stato un uomo inquieto, sempre a cavallo verso qualche destinazione. Catelyn ricordava ancora la locandiera, una matrona grassa chiamata Masha Heddle che masticava giorno e notte foglie selvatiche amare e sembrava avere per i bambini una scorta pressoché inesauribile di sorrisi e dolcetti. I suoi pasticcini erano cosparsi di miele e avevano un gusto pieno e zuccheroso, ma dei suoi sorrisi Catelyn avrebbe fatto volentieri a meno. Le foglie amare avevano macchiato i denti di Masha di una sfumatura rosso cupo e ogni suo sorriso sembrava un'oscenità insanguinata.

«Una locanda» ripeté ser Rodrik, allettato dall'idea. «Se soltanto... No, meglio non rischiare. Se vogliamo restare nell'anonimato, forse dovremmo cercare una piccola taverna in modo da...»

Rumori improvvisi gli impedirono di completare la frase, zoccoli che pestavano il terreno fradicio, tintinnare di maglie di ferro, il nitrito di un cavallo.

«Dei cavalieri.» La mano dell'anziano maestro d'armi si spostò sull'elsa della spada. Era sempre prudente stare all'erta, perfino sulla Strada del Re.

Catelyn e ser Rodrik continuarono ad avanzare mentre i rumori aumentavano d'intensità. Arrivarono in vista del gruppo dopo una pigra curva della strada: una colonna di uomini in armi al guado di un torrente dalle acque turbinose. Catelyn tirò le redini. Il vessillo in testa alla colonna, fradicio di pioggia, era afflosciato sull'asta impugnata dall'alfiere, ma le guardie indossavano cappe color indaco sulle quali era ricamata l'aquila argentea di Seagard.

«Mallister» bisbigliò ser Rodrik, anche se Catelyn conosceva perfettamente quell'emblema. «Mia signora, solleva il cappuccio.»

Catelyn rimase immobile. Lord Jason Mallister in persona, circondato dai suoi cavalieri, il figlio Patrek al fianco, i vassalli al seguito, cavalcava per primo dietro lo stendardo. Erano diretti ad Approdo del Re per il torneo del Primo Cavaliere, Catelyn non aveva dubbi. Per tutta la settimana i viaggiatori erano stati numerosi come locuste lungo la Strada del Re. Cavalieri e mercenari a cavallo, menestrelli con le loro arpe e i loro tamburi, grossi carri carichi di cesti di frutta, sacchi di grano, barilotti di miele, mercanti e artigiani e puttane: tutti in movimento verso sud.

Senza battere ciglio, Catelyn guardò lord Mallister dritto in faccia. L'ultima volta che l'aveva incontrato era stato alla festa del suo matrimonio con Eddard quando aveva affrontato alla lancia suo zio. I Mallister avevano giurato fedeltà ai Tully e i loro regali di nozze erano stati sontuosi. Gli anni avevano disseminato la barba castana del signore di Seagard di fili candidi come la neve e avevano scavato le fattezze del suo volto, ma non erano riusciti a scalfire la sua fierezza. Jason Mallister cavalcava come un uomo che non conosce la paura, e per questo Catelyn lo invidiò: lei conosceva la paura, fin troppo bene. Oltrepassando i due cavalieri, lord Jason fece un secco cenno col capo, nient'altro che formale cortesia di un alto lord nei confronti di qualcuno incontrato casualmente durante il viaggio. Non ci fu alcun lampo di riconoscimento nei suoi occhi determinati, e né suo figlio né gli altri cavalieri sprecarono un decimo d'occhiata.

«Non ti ha riconosciuta.» Ser Rodrik era perplesso.

«Ha visto solo due viandanti bagnati, infangati e stanchi fermi sul ciglio di una strada. Un'immagine difficile da associare alla figlia del lord al quale ha giurato fedeltà. Ritengo, ser Rodrik, che saremo ragionevolmente al sicuro anche fermandoci in quella locanda.»

Ci arrivarono poco prima del calar della notte, raggiungendo l'incrocio a nord della grande confluenza del Tridente. Masha Heddle era ancora la padrona, più grassa e più grigia di quanto Catelyn la ricordava, e ancora intenta a masticare le sue foglie amare. Ma tutto quello che le diede fu un'occhiata distratta e appena un'ombra di uno dei suoi sinistri sorrisi purpurei.

«Due stanze in cima alle scale» disse continuando a masticare. «Non ho altro. Sono proprio sotto la torre campanaria per cui non correte il rischio di perdervi i pasti. Qualcuno pensa che ci sia troppo rumore, ma non posso farci nulla. Siamo pieni e lo saremo anche di più. O quelle stanze o la strada.»

Presero quelle stanze, polverosi locali dal soffitto basso alla sommità di una scala ripida.

«Lasciate qui i vostri stivali» disse Masha dopo aver preso le loro monete. «Il ragazzo ve li pulirà. Non voglio che mi portiate fango su per tutte le scale. E state attenti alla campana. Chi tardi arriva, salta il pasto.»

Non ci furono sorrisi rossastri, né dolcetti.

Il rumore era assordante. Catelyn aveva appena finito di indossare abiti asciutti quando la campana della cena cominciò a rimbombarle nelle orecchie. Sedeva sulla panca nel vano della finestra e osservava il ruscellare della pioggia. Il vetro era opaco e pieno di bolle. Fuori era calato un crepuscolo saturo di umidità. Catelyn riusciva a distinguere a stento l'intersezione fangosa delle due grandi strade.

La sosta le stava dando modo di pensare. Puntando a ovest, avrebbero trovato un facile cammino fino a Delta delle Acque. Suo padre le aveva sempre dato saggi consigli in tutti i momenti nei quali lei ne aveva avuto più bisogno. Desiderava vederlo, parlargli, avvertirlo della tempesta che si stava per abbattere sui Sette Regni. Se Grande Inverno doveva prepararsi alla guerra, significava che Delta delle Acque, nella sua delicata posizione in bilico tra Approdo del Re da un lato e Castel Granito che incombeva come un'ombra dall'altro, avrebbe dovuto prepararsi il doppio. Se soltanto suo padre fosse stato più forte, lei non avrebbe avuto esitazioni, ma Hoster Tully era costretto a letto da due anni, e la prospettiva di affliggerlo la riempiva di repulsione.

La via dell'est era più selvaggia, più pericolosa. Un percorso sinuoso che si arrampicava tra le colline pietrose e le dense foreste delle Montagne della Luna, superando alti passi e profondi baratri fino a raggiungere la Valle di Arryn e oltre, tutta la strada fino agli ostili promontori delle Dita. Sopra la Valle di Arryn, altissimo, imprendibile, con le torri che parevano bucare il cielo, torreggiava il Nido dell'Aquila. Era là che Catelyn avrebbe trovato sua sorella Lysa, e forse anche alcune delle risposte che Ned stava cercando. Lysa sapeva ben più di quanto non avesse osato scrivere nella lettera segreta recapitata a Grande Inverno. Lysa poteva essere in possesso della prova decisiva della quale Ned aveva bisogno per distruggere i Lannister. E se davvero il tutto fosse sfociato in una guerra, loro avrebbero avuto bisogno degli Arryn e dei lord orientali che agli Arryn avevano giurato fedeltà.

La strada delle montagne però rimaneva piena di incognite. C'erano feroci pantere-ombra su quei picchi dilaniati da frane continue. I clan montanari erano composti da briganti senza legge, predatori che calavano dalle cime, colpivano e tornavano a sparire come neve al sole ogni volta che i cavalieri della valle uscivano in forze alla loro ricerca. Perfino Jon Arryn, uno dei più grandi lord che la terra impervia del Nido dell'Aquila avesse mai conosciuto, viaggiava sempre scortato nell'attraversare quelle montagne, mentre la sola difesa di Catelyn era un vecchio cavaliere la cui unica arma era la fedeltà.

No, decise, Delta delle Acque e il Nido dell'Aquila avrebbero aspettato. Doveva continuare verso nord, fino a Grande Inverno, dove l'attendevano i suoi figli e i suoi doveri. Nel momento in cui ser Rodrik e lei avessero superato la paludosa strettoia dell'Incollatura, lei avrebbe potuto rivelarsi a uno degli alfieri di Ned e mandare cavalieri con l'ordine di sorvegliare la Strada del Re.

Fuori, la pioggia incessante oscurava la terra oltre l'incrocio delle due strade, ma Catelyn non aveva bisogno di vederla. Quei luoghi erano impressi molto bene nella sua memoria. Il mercato era al di là della strada, il villaggio vero e proprio appena un miglio più avanti: una cinquantina di casette bianche raggruppate attorno a un piccolo tempio di pietra. Ora quelle casette erano certo più numerose di quante lei ne ricordava: era stata un'estate lunga e pacifica. Più a nord, la Strada del Re costeggiava la Forca Verde del Tridente, attraversando valli fertili e boschi rigogliosi, superando città prospere, massicci forti militari e i castelli dei signori del fiume.

Catelyn li conosceva tutti: i Blackwood e i Bracken, nemici giurati le cui controversie il lord suo padre era obbligato a comporre di continuo; lady Whent, l'ultima rimasta della sua discendenza, che ancora nutriva antichi spettri nei sepolcri cavernosi di Harrenhal; l'irascibile lord Frey, che era sopravvissuto a sette mogli e aveva riempito i suoi castelli gemelli di figli, nipoti, bisnipoti, figli bastardi e nipoti di figli bastardi. Tutti erano alfieri dei Tully, e con le loro spade avevano prestato solenne giuramento di difesa di Delta delle Acque. Ma se la guerra fosse divampata, sarebbero bastati? Catelyn non poté evitare di porsi la domanda. Hoster Tully, il lord suo padre, era l'uomo più inflessibile che fosse mai vissuto e non avrebbe esitato a chiamare a raccolta i suoi vessilli di battaglia... Ma sarebbero davvero accorsi? Anche i Darry e i Ryger e i Mootons avevano giurato fedeltà a Delta delle Acque, ma sul Tridente avevano combattuto al fianco di Rhaegar Targaryen. E lord Frey si era presentato sul campo con il proprio esercito quando la battaglia decisiva si era già conclusa, lasciando aperti non pochi dubbi su quale schieramento fosse realmente venuto ad appoggiare. Il loro – quello dei Tully, degli Arryn, dei Baratheon e degli Stark – aveva solennemente assicurato Frey ai vincitori una volta che fu tutto finito. Ma da quell'episodio in avanti, Hoster Tully aveva sempre definito lord Frey "il Ritardatario". No, una guerra doveva essere evitata, concluse Catelyn. A ogni costo.

«Sarà meglio affrettarci, mia signora.» Ser Rodrik fece la propria comparsa non appena il clangore della campana fu cessato. «Altrimenti potremmo non trovare più nulla da mangiare.»

«Sarà anche meglio non apparire come una lady e il suo cavaliere finché non avremo superato l'Incollatura» rispose Catelyn. «Comuni viaggiatori attirano meno l'attenzione. Diciamo di essere... un padre e una figlia in viaggio per affari.»

«Come desideri, mia signora...» Ser Rodrik s'interruppe con

una risata, rendendosi conto di esserci cascato. «La vecchia cortesia è dura a morire, mia... mia cara figliola.» Cercò di darsi una tirata ai baffi che avevano cessato di esistere e sospirò esasperato.

«Andiamo pure, padre mio.» Catelyn lo prese per un braccio. «Vedrai che Masha Heddle sa imbandire una buona tavola, credo, ma non cercare di farle dei complimenti. Il suo sorriso non è qualcosa che ti piacerebbe vedere.»

La sala comune era una stanza ampia e piena di correnti d'aria, con una fila di enormi botti di legno da un lato e un grosso camino dall'altro. Un giovane servo correva avanti e indietro trasportando succulenti spiedini di carne mentre Masha si dava da fare a riempire un boccale di birra dopo l'altro, senza mai smettere di masticare foglie amare.

Le panche erano affollate. Gente del villaggio e contadini del fiume si mescolavano liberamente con viaggiatori di tutti i tipi. Gli incroci delle strade dei Sette Regni creavano strani commensali: tintori di tessuti sedevano accanto a pescatori con ancora addosso il puzzo del pesce, un fabbro dai formidabili muscoli era compresso contro un rugoso vecchio septon, duri mercenari e grassi mercanti dal doppio mento si scambiavano notizie come vecchi compari di bevute.

Per i gusti di Catelyn, c'erano fin troppe spade, là dentro. Verso il focolare sedevano tre armigeri che si fregiavano dell'emblema dello stallone rosso dei Bracken. Più oltre c'era un intero gruppo che indossava maglie di ferro blu e cappe grigio argento ornate con un altro blasone noto, le Torri Gemelle di Casa Frey. Catelyn studiò le loro facce, ma erano tutti troppo giovani per conoscerla. Nell'epoca in cui lei era andata al Nord, il più vecchio di loro doveva avere avuto l'età di Bran.

Ser Rodrik trovò dei posti liberi su una panca verso le cucine. Dall'altra parte del tavolo, un giovane di bell'aspetto strimpellava un'arpa. Davanti a lui c'era un boccale di vino vuoto.

«Siate sette volte benedetti, buona gente» li salutò quando si accomodarono.

«Altrettanto a te, cantastorie» replicò Catelyn.

In tono perentorio, ser Rodrik ordinò carne, birra e pane. Il cantastorie, un ragazzo sui diciotto anni, li scrutò con aria attenta, poi partì con una sequela di domande fitte come frecce: da dove venivano, dov'erano diretti, che notizie portavano; domande poste senza preoccuparsi troppo di stare a sentire le risposte.

Catelyn si tenne sul vago: «Abbiamo lasciato Approdo del Re due settimane fa».

«È là che io sto andando» fece lui. «Approdo del Re.»

Come Catelyn aveva già intuito, il cantastorie era molto più interessato a parlare di sé che ad ascoltare la storia di chiunque altro. Il suono della sua stessa voce è il sommo piacere di qualsiasi cantante.

«Il torneo del Primo Cavaliere significa ricchi lord con grasse borse di monete. L'ultima volta me ne venni via carico di più argento di quanto potessi trasportare... O per lo meno sarebbe andata così se non avessi scommesso tutto sullo Sterminatore di Re, il favorito di quella tenzone.»

«Gli dèi sono corrucciati nei confronti dei giocatori d'azzardo» sentenziò ser Rodrik in tono austero. Essendo un uomo del Nord, in merito ai tornei e al gioco condivideva l'opinione degli Stark.

«Di certo sono stati corrucciati nei miei confronti. I vostri dei crudeli e il Cavaliere di Fiori: sono stati loro a ripulirmi.»

«Immagino ti sia servito di lezione» insistette ser Rodrik.

«Oh, sicuro. Questa volta intendo scommettere su ser Loras.»

Ser Rodrik tentò per l'ennesima volta di tirarsi i baffoni inesistenti, ma non fece in tempo a rimproverare il giovane perché arrivò di gran fretta il servo. Depositò sul tavolo dei taglieri ricoperti di fette di pane sulle quali dispose spiedini di carne alla brace gocciolanti sugo bollente. Su altri spiedini, più piccoli, c'erano cipolline, peperoncini piccanti e teste di funghi. Ser Rodrik andò famelicamente all'assalto mentre il ragazzo correva a prendere la birra.

«Io sono Marillion.» Il cantastorie pizzicò una corda dell'arpa. «Sono certo che mi avete sentito suonare da qualche parte.»

Il suo modo di fare portò il sorriso sulle labbra di Catelyn. Ben pochi cantori erranti si avventuravano fino al profondo Nord di Grande Inverno, ma era dalla sua infanzia a Delta delle Acque che lei ricordava quel genere di uomini.

«Temo di no» gli rispose.

«Non sai che cosa ti sei persa.» Marillion si esibì in un rapido accordo. «E ditemi, chi è il miglior cantastorie che avete mai ascoltato?»

«Alia di Braavos» rispose ser Rodrik senza alcuna esitazione.

«Ahhh, io sono molto, molto meglio di quel vecchio barbogio. E per una sola moneta d'argento, sarò ben lieto di dimostrarvelo.»

«Credo di avere in tasca un paio di pezzi di rame» borbottò ser Rodrik. «Ma li butterei in un pozzo, piuttosto che pagare per i tuoi ululati.»

L'anziano maestro d'armi di Grande Inverno non aveva mai fatto mistero della sua opinione sui cantori. La musica era una splendida attività per le ragazze, ma che cosa potesse spingere un giovane atletico e in salute a decidere di impugnare un'arpa al posto di una spada andava al di là della sua comprensione.

«Tuo nonno ha proprio un bel carattere acido» disse Marillion a Catelyn. «E io che volevo farvi un onore. Un omaggio alla tua bellezza. Perché, in verità, è per re e alti lord che Marillion è destinato a cantare.»

«Posso immaginarlo» rispose Catelyn. «Lord Tully ama molto le canzoni, a quanto ne so. E tu di certo sarai stato a Delta delle Acque.»

«Cento volte» ribatté allegramente il trovatore. «Mi riservano sempre una stanza. E il giovane lord è per me come un fratello.»

Catelyn sorrise di nuovo. Chissà come avrebbe commentato questa notizia suo fratello Edmure. Una volta un cantastorie pronto di lingua come Marillion aveva sedotto una ragazza che piaceva parecchio a Edmure, il quale da quel momento avrebbe volentieri dato fuoco a tutti gli arpisti dei Sette Regni.

«Che cosa mi dici di Grande Inverno?» insistette Catelyn. «Hai mai viaggiato fino al Nord?»

«A che scopo? Non ci sono altro che tempeste di neve e pelli d'orso da quelle parti...»

Catelyn incassò signorilmente. Era di spalle, ma ebbe la confusa percezione della porta della locanda che si apriva all'estremità più lontana della rumorosa sala comune.

«Oste!» chiamò la voce di un servo.

«... e tutta la musica che piace agli Stark è l'ululato dei lupi» concluse Marillion.

«Abbiamo cavalli da accudire» continuò la voce alle spalle di Catelyn «e il mio lord di Lannister chiede una stanza e un bagno caldo!»

«Ah, per gli dèi!» La mano di ser Rodrik scattò all'impugnatura della spada.

Catelyn lo fermò chiudendogli l'avambraccio in una morsa. In fondo alla sala comune, Masha Heddle era tutta salamelecchi e ripugnanti sorrisi purpurei.

«Sono terribilmente spiacente, mio lord. Ma siamo davvero pieni da scoppiare. Non c'è più una stanza.»

Erano in quattro: un vecchio che indossava gli abiti neri dei guardiani della notte, due servi e infine... lui, minuscolo e sfrontato come sempre.

«I miei uomini possono dormire nella stalla» dichiarò il Folletto. «Quanto a me, come puoi ben vedere, mia brava donna, non mi serve una stanza particolarmente grande.» Ebbe uno dei suoi sogghigni sarcastici. «Finché il focolare è acceso e non ci sono pulci, sarò un uomo felice.»

«Mio lord» Masha Heddle non sapeva come dirglielo «non ho proprio nulla, a causa del torneo del Primo Cavaliere...»

Tyrion Lannister si tolse di tasca una moneta, la lanciò alta sopra la testa, la riacchiappò al volo, la lanciò di nuovo. Perfino dal fondo della sala, Catelyn non poté non vedere lo scintillio dell'oro.

Un mercenario che indossava una cappa blu balzò in piedi. «Sei il benvenuto nella mia stanza, mio signore.»

Tyrion lanciò la moneta attraverso la sala. «Ecco un uomo scaltro.» Il mercenario la catturò al volo nell'aria fumosa, rapido come la lingua di un camaleonte. «Scaltro e svelto di mano.» Il Folletto tornò a rivolgersi a Masha Heddle: «Confido che sarai in grado di provvedere al mio cibo, giusto?».

«Qualsiasi cosa tu desideri, mio signore» promise la locandiera. «Qualsiasi cosa!»

"E che tu ti ci possa strangolare, mostriciattolo." Ma questo, Catelyn Stark non lo disse, lo pensò soltanto. Non c'era il Folletto nella sua mente, c'era Bran, povero corpo spezzato sulle pietre gelide della Prima Fortezza, sul punto di annegare nel suo stesso sangue.

«I miei uomini mangeranno quello che stanno mangiando tutti.» Tyrion passò lo sguardo sui tavoli. «Doppie porzioni. È stata una lunga cavalcata. Per me, un arrosto di volatile: pollo, anatra, piccione, non ha importanza cosa. E fa' portare una caraffa del tuo vino migliore. Yoren, ti va di cenare con me?»

«Certo, mio signore» rispose il confratello in nero. «Con molto piacere.»

Il Folletto non aveva sprecato neppure un'occhiata per chi si trovava all'estremità più lontana della sala, e adesso Catelyn fu molto grata per quelle panche così affollate.

«Mio lord di Lannister!» Marillion balzò in piedi a sua volta, al doppio della velocità del mercenario di prima. «Sarà mio sommo piacere intrattenerti nel corso della tua cena! Lascia che ti canti di come tuo padre conquistò la vittoria ad Approdo del Re!»

«Niente di meglio per mandarmi il cibo di traverso.» Gli occhi dai colori diversi del Folletto soppesarono il cantastorie per un attimo, poi si spostarono... e trovarono Catelyn. La guardò incerto. Catelyn si girò dall'altra parte, ma era troppo tardi. In Tyrion Lannister l'incertezza si dissipò. «Lady Stark» disse. «Quale insperato piacere. Mi dispiacque di non averti incontrata a Grande Inverno.»

Marillion guardò Catelyn a bocca aperta, mentre il suo stupore si tramutava rapidamente in disperazione. Gli Stark: tempeste di neve, pelle d'orso e ululato di lupi...

Catelyn udì le bestemmie soffocate di ser Rodrik. Se soltanto Tyrion Lannister fosse rimasto sulla Barriera più a lungo. Se soltanto...

«Lady... Catelyn Stark?» Masha Heddle non capiva più nulla.

«Catelyn Tully, l'ultima volta che mi sono fermata nella tua locanda.» Catelyn udì Masha balbettare qualcosa di incomprensibile e si sentì addosso tutti gli occhi di quella sala. Girò lo sguardo sui volti dei cavalieri, sui loro mantelli, sulle spade. Inspirò a fondo, nella speranza di rallentare il battito del proprio cuore. Rischiare? Non c'era il tempo di riflettere, ed ecco il suono della propria voce risuonarle nelle orecchie: «Tu, nell'angolo». Catelyn apostrofò l'uomo anziano notato appena un istante prima. «È il pipistrello nero di Harrenhal quello che vedo ricamato sulla tua casacca, ser?»

L'uomo si alzò in piedi. «Sì, mia signora.»

«E lady Whent è ancora una vera, onesta amica di mio padre, lord Hoster Tully di Delta delle Acque?»

«Sì, mia signora» confermò l'uomo in tono austero.

Lentamente, anche ser Rodrik si alzò, spostando la falda del mantello per scoprire l'elsa della spada. Il Folletto li osservava senza capire, gli occhi asimmetrici pieni di perplessità.

«Lo stallone rosso è sempre stato una vista gradita a Delta delle Acque.» Catelyn si rivolse al terzetto presso il focolare. «Mio padre considera lord Janos Bracken come uno dei suoi più vecchi e leali alfieri.»

I tre armigeri si scambiarono occhiate incerte. «Il nostro signore è onorato della fiducia del lord tuo padre, lady Catelyn» disse uno di loro in tono esitante.

«Invidio tuo padre e i suoi nobili amici,» s'intromise Tyrion Lannister «tuttavia non credo, lady Stark, di comprendere lo scopo di tutto questo.»

Catelyn lo ignorò. Si rivolse al gruppo più numeroso, quello con le cappe blu e grigie, perché erano loro la chiave di volta: venti cavalieri giovani, in forze, bene armati.

«Conosco anche il vostro blasone: le Torri Gemelle di Frey. Come sta il vostro buon lord, messeri?»

«Lord Walder è in ottima forma, mia signora.» Il loro capitano si alzò. «Intende prendere in sposa la sua nuova fidanzata il giorno del suo novantesimo compleanno. Ha chiesto al lord tuo padre di fargli l'onore della sua presenza.»

Il Folletto ridacchiò, e a quel punto Catelyn Stark seppe di averlo in pugno.

«Quest'uomo, lord Tyrion della nobile Casa Lannister, è venuto nella mia casa come ospite.» Catelyn allungò il braccio destro, puntò l'indice. «E là, nella mia casa, quest'uomo ha cospirato per assassinare mio figlio Brandon Stark, un bambino di sette anni.» Ser Rodrik si mise al suo fianco, spada in pugno. «In nome di re Robert e dei valorosi lord che servite» proseguì Catelyn «io chiedo a tutti voi aiuto per prendere prigioniero quest'uomo in modo che io possa riportarlo a Grande Inverno, dove rimarrà in attesa della giustizia del re.»

Catelyn Stark non avrebbe saputo dire che cosa le fece maggiormente piacere: il suono simultaneo di una dozzina di lame d'acciaio che venivano sguainate o l'espressione sul volto deforme di Tyrion Lannister.

SANSA

Sansa Stark si recò al torneo del Primo Cavaliere assieme a septa Mordane e a Jeyne Poole in una carrozza i cui fianchi erano decorati con drappeggi di una seta così raffinata da essere trasparente. Drappeggi che soffondevano sul mondo intero la sfumatura dell'oro. Oltre le mura della città, cento padiglioni erano stati eretti lungo le rive del Fiume delle Rapide Nere e i popolani erano accorsi a migliaia per assistere al torneo.

La grandiosità dell'evento era tale da far restare Sansa senza fiato: il fulgore delle armature, gli imponenti destrieri addobbati d'oro e d'argento, le incitazioni della folla, i vessilli che garrivano al vento. E poi i cavalieri, i cavalieri soprattutto.

«È meglio di come narrano le canzoni...» sussurrò Sansa quando raggiunsero i posti che suo padre aveva promesso loro, tra gli alti lord e le loro lady. Quel giorno, con un abito verde che faceva risaltare il colore ramato dei suoi capelli, Sansa era splendida e sapeva che tutti la guardavano sorridendo.

Ammirarono gli eroi di mille e mille ballate dei trovatori cavalcare davanti a loro, uno più favoloso dell'altro. I sette cavalieri della Guardia reale scesero in campo per primi, nelle armature identiche a scaglie del colore del latte, con le cappe candide come la neve. Anche Jaime Lannister indossava la cappa bianca, ma sotto era coperto d'oro dalla testa ai piedi, inclusi l'elmo a forma di testa di leone e la spada, d'oro come tutto il resto. Ser Gregor Clegane, la Montagna che cavalca, passò avanti a tutti loro come una valanga roboante. Sansa si ricordò di lord Yohn Royce, che era stato ospite a Grande Inverno due anni prima. «La sua armatura è di bronzo» bisbigliò a Jeyne Poole. «Antica di migliaia e migliaia di anni, ornata di rune magiche che lo proteggono dalle ferite.»

Septa Mordane indicò lord Jason Mallister, nei colori indaco e argento di Seagard, le ali di un'aquila sull'elmo. Nella Battaglia del Tridente aveva abbattuto tre alfieri di Rhaegar. Le ragazze ridacchiarono all'apparizione di Thoros della città libera di Myr, prete-guerriero dagli ondeggianti paramenti rossi e dalla testa rasata a zero, ma smisero di ridere quando la septa disse loro che Thoros aveva scalato le mura del Pyke delle Isole di Ferro con una spada fiammeggiante in pugno.

Vennero altri cavalieri, che Sansa non conosceva, dalle Dita e da Alto Giardino e dalle montagne di Dorne, misteriosi mercenari e vassalli appena investiti, giovani eredi di alti lord e nobili di Case minori. Erano uomini giovani, che dovevano ancora compiere grandi imprese, ma Sansa e Jeyne convennero che un giorno sarebbero stati proprio i nomi di quei guerrieri a risuonare nei Sette Regni: ser Balon Swann, lord Bryce Caron delle Terre Basse, ser Andar Royce, primogenito di lord Yohn, e suo fratello minore, ser Robar. Anche le loro armature, come quelle del padre, erano di bronzo con le magiche rune incise. C'erano i gemelli identici ser Horas e ser Hobber, il ricco grappolo d'uva, borgogna in campo blu, emblema dei Redwyne, sui loro scudi; Patrek Mallister, figlio di lord Jason; sei Frey del Guado: ser Jared, ser Hosteen, ser Danwell, ser Emmon, ser Theo, ser Perwyn, figli e nipoti del vetusto, indistruttibile lord Walder Frey e suoi eredi legittimi, più il figlio bastardo Martyn Rivers.

Jeyne Poole confessò di trovare pauroso l'aspetto di Jalabhar Xho, principe in esilio delle Isole dell'Estate, che indossava un mantello di penne verdi e scarlatte sulla pelle nuda nera come la notte. Ma quando apparve lord Beric Dondarrion, capelli come oro rosso e scudo d'acciaio nero solcato da una saetta, dichiarò di essere pronta a sposarlo all'istante.

Anche il Mastino avrebbe partecipato al torneo, e così il fratello del re, l'aitante lord Renly di Capo Tempesta. Jory, Alyn e Harwin si schierarono per Grande Inverno e il Nord.

«Al confronto di tutti questi nobili signori» commentò septa Mordane con aria vagamente disgustata «Jory Cassel sembra un mendicante.»

Sansa non poté che dichiararsi d'accordo. L'armatura di Jory era di semplice metallo grigioazzurro, priva di qualsiasi ornamento o simbolo. La cappa di sottile stoffa grigia gli cascava dalle spalle come uno straccio bisunto. Eppure Jory riscosse dei successi: disarcionò ser Horas Redwyne nel primo confronto alla lancia e uno dei molti Frey nel secondo. Al terzo confronto, Jory s'impegnò in tre assalti contro un cavaliere mercenario di nome Lothor Brune, la cui armatura era anonima quanto la sua. Nessuno dei due contendenti cadde di sella, ma la lancia di Brune venne giudicata meglio allineata e il suo colpo più centrato, e fu a lui che il re concesse la vittoria. Alyn e Harwin diedero prove inferiori. Schierato contro ser Meryn Trant, della Guardia reale, Harwin fu disarcionato al primo assalto. Alyn non resse contro ser Balon Swann.

Le cariche alla lancia si susseguirono per tutta la giornata. Al crepuscolo, gli zoccoli dei massicci cavalli da guerra avevano pestato la terra fino a trasformare le corsie del torneo in una desolazione di suolo rivoltato. Almeno una dozzina di volte Sansa e Jeyne gridarono all'unisono quando i cavalieri cozzarono gli uni contro gli altri, mentre le lance si disintegravano in mille pezzi e la folla sugli spalti inneggiava ai favoriti. Ogni volta che qualcuno volava di sella, Jeyne si copriva gli occhi, ma Sansa era di una fibra ben più robusta. Una vera, grande lady sapeva come comportarsi ai tornei. La stessa septa Mordane notò la sua compostezza e annuì in segno di approvazione.

Lo Sterminatore di Re diede una prova brillante. Con facilità quasi umiliante, abbatté immediatamente ser Andar Royce e lord Bryce Caron delle Terre Basse, ma poi trovò pane per i suoi denti in ser Barristan Selmy. Il canuto decano della Guardia reale aveva vinto i suoi due primi confronti contro validi cavalieri, che avevano trenta o addirittura quarant'anni meno di lui.

Sandor Clegane e il suo gigantesco fratello, ser Gregor la Montagna, furono ugualmente inarrestabili. Con uno stile brutalmente feroce, spazzarono via un avversario dopo l'altro. Ma fu il secondo confronto di ser Gregor a costituire il momento più terrificante e spaventoso della giornata. La sua lancia colpì un giovane cavaliere della Valle di Arryn appena sotto la gorgiera dell'elmo, penetrando dritta nella gola e uccidendolo sul colpo. Il giovane stramazzò a nemmeno dieci piedi da dove si trovava Sansa. Nel letale impatto, la punta della lancia di ser Gregor si era spezzata nel collo del cavaliere e il sangue pompava in fiotti ritmici dallo squarcio, fiotti sempre più deboli, sempre più stanchi. La sua armatura era nuova, ancora luccicante, quasi certamente fatta proprio per quel torneo. Nella luce che se ne andava, sul braccio corazzato del caduto divenne visibile un'istoriazione color rosso fuoco. Poi il sole svanì dietro una nuvola, e il lampo dell'acciaio svanì con esso. Il mantello del giovane cavaliere era del colore del cielo in una bella giornata d'estate, con un bordo di velluto sul quale c'erano le varie fasi di una luna crescente. Il sangue dilagò a inzuppare il mantello e invase le lune, trasformandole una a una in cupe lune purpuree.

Jeyne Poole pianse in modo talmente disperato, che septa Mordane la portò via dagli spalti per darle modo di riprendere il controllo. Sansa rimase con le mani intrecciate davanti a sé, a osservare come ipnotizzata quella vita che si spegneva. Era la prima volta che vedeva morire un uomo. Anche lei, come Jeyne, avrebbe dovuto piangere, si disse, però le lacrime non vennero. Forse si erano tutte disseccate per Lady, per Bran. Se si fosse trattato di Jory o di ser Rodrik o di suo padre sarebbe stato diverso, ma quel giovane cavaliere nel mantello blu non significava nulla per lei: era soltanto uno sconosciuto della Valle di Arryn, del quale aveva dimenticato il nome l'attimo stesso in cui l'aveva sentito.

Il cadavere fu portato via. Un ragazzo munito di pala venne a gettare terra sul punto in cui era caduto, coprendo il sangue. Ora, anche il resto del mondo avrebbe dimenticato il nome di quel cavaliere, per lui non sarebbero mai state composte ballate. Triste, si rese conto Sansa, molto triste.

Il torneo riprese. Ser Balon Swann cadde per mano di Gregor Clegane, e lord Renly per mano del Mastino. Renly venne disarcionato con tale violenza che volò a gambe all'aria come un pupazzo preso in un turbine di vento. La sua testa colpì il suolo con un sonoro crack che tenne la folla con il fiato sospeso, ma era stato solo lo spezzarsi di una delle corna dorate che ornavano il suo elmo. Quando lord Renly si rimise in piedi, il popolo lo salutò con una tonante ovazione: il giovane fratello del re era uno dei grandi favoriti dei popolani. Cavallerescamente, Renly raccolse il frammento di corno e lo tese al Mastino con un grazioso inchino in segno di accettazione della sconfitta. Sandor Clegane borbottò qualcosa e lanciò il pezzo di metallo verso la folla. Ne venne fuori una specie di sommossa, la gente si prendeva a calci e pugni pur di conquistarsi quel pezzetto d'oro. Lord Renly in persona andò tra loro a riportare la pace.

Fu a quel punto che septa Mordane riapparve accanto a Sansa. Jeyne Poole si era sentita male e la septa l'aveva fatta riaccompagnare al castello. Di Jeyne, Sansa si era quasi dimenticata.

Più avanti nella giornata, un cavaliere di recente nomina cadde in disgrazia per aver infilzato il cavallo di ser Beric Dondarrion e venne espulso dal torneo. Lord Beric quindi montò un altro cavallo, solo per essere disarcionato dalla lancia di Thoros di Myr, il prete-guerriero. Ser Aron Santagar, maestro d'armi della Fortezza Rossa, e Lothor Brune, il mercenario che aveva eliminato Jory Cassel, s'impegnarono in tre cariche senza risultato. In seguito, ser Aron cadde a opera di lord Jason Mallister e Brune per mano di Robar Royce, figlio minore di lord Yohn Royce.

La sfida finale ebbe luogo tra quattro contendenti: il Mastino e il suo mostruoso fratello Gregor, Jaime Lannister lo Sterminatore di Re e ser Loras Tyrell, il giovane che veniva chiamato il Cavaliere di Fiori.

Ser Loras era l'ultimogenito di Mace Tyrell, lord di Alto Giardino e Protettore del Sud. Aveva sedici anni ed era il più giovane cavaliere sceso in campo, eppure, nei primi tre assalti di quella mattina, aveva abbattuto tre cavalieri della Guardia reale. Mai Sansa aveva visto qualcuno più bello di lui. Il pettorale della sua armatura era splendidamente lavorato e istoriato con mazzi di mille e mille fiori, il suo stallone bianco come la neve era coperto di rose rosse e bianche. Dopo ogni vittoria, ser Loras si era levato l'elmo ed era passato al trotto lento lungo la recinzione. Tolta una rosa bianca dal dorso del suo cavallo, l'aveva lanciata a una bella fanciulla del pubblico.

Il suo ultimo confronto della giornata gli oppose il giovane Royce. Le rune ancestrali di ser Robar lo protessero ben poco quando la lancia di ser Loras gli aprì lo scudo in due e pestò duro contro la sua armatura, mandandolo a volare di sella. Ser Robar piombò al suolo con un rumore sinistro. Rimase a terra a gemere di dolore mentre il vincitore si esibiva in un nuovo passaggio per le signore. Alla fine, l'intontito e malconcio ser Robar venne trasportato alla sua tenda in barella.

Sansa nemmeno se ne rese conto: aveva occhi solo per ser Loras, e quando fu proprio davanti a lei che il destriero bianco si fermò, fu certa che il cuore le sarebbe balzato fuori dal petto. Le altre fanciulle avevano ricevuto rose bianche, ma quella che ser Loras scelse per lei fu rossa, il colore della passione. «Dolce lady» dichiarò «la bellezza di una vittoria sul campo non è nemmeno la metà della tua bellezza.» Sansa accettò il fiore timidamente, ipnotizzata da tanta galanteria. I capelli del giovane erano una massa di soffici riccioli castani, gli occhi simili a pozze d'oro liquido. Sansa inalò la delicata fragranza della rosa rossa, e continuò a stringerla per molto tempo dopo che ser Loras se ne fu andato.

Forse fu per questo che notò un uomo incombente su di lei solo quando tornò ad alzare lo sguardo. Era basso, aveva la barba appuntita, i capelli striati di grigio e quasi l'età di suo padre.

«Tu devi essere una delle sue figlie» disse. Il sorriso che gli incurvò le labbra non raggiunse mai gli occhi grigioverdi. «Hai i lineamenti dei Tully.»

«Sono Sansa Stark» rispose lei, a disagio. L'uomo indossava un pesante mantello dal collo di pelliccia, chiuso da un fermaglio d'argento a forma di usignolo. I suoi modi erano quelli suadenti di un alto lord, ma lei non sapeva chi fosse. «Credo di non aver avuto l'onore, mio signore.»

«Dolce fanciulla» intervenne rapida septa Mordane «questi è lord Petyr Baelish, membro del concilio ristretto del re.»

«E un tempo» riprese l'uomo quietamente «tua madre era la mia regina di bellezza.»

Il suo alito sapeva di menta, notò Sansa. Le dita di lui le sfiorarono una guancia e si avvolsero brevemente attorno a una ciocca dei suoi lunghi capelli ramati Poi, bruscamente, lord Baelish si voltò e se ne andò senza aggiungere altro.

Si era levata la luna e la folla dava segni di stanchezza. Re Robert decise che gli ultimi tre confronti avrebbero avuto luogo la mattina dopo, prima della Grande Mischia. Gli spettatori sfollarono parlando degli eventi della giornata e di ciò che li aspettava l'indomani. La corte si spostò in riva al fiume per il banchetto.

Sei giganteschi bisonti selvaggi stavano arrostendo da ore su grossi spiedi di legno in lenta rotazione. I ragazzi delle cucine avevano continuato a spalmarli di burro e di erbe fino a far screpolare e trasudare la carne. Panche e tavoli imbanditi con grandi piramidi di tuberi dolci, fragole e pane appena sfornato erano stati allestiti fuori dei padiglioni.

A Sansa e a septa Mordane vennero dati posti d'onore sulla piattaforma rialzata del re e della regina. Quando il principe Joffrey venne ad accomodarsi alla sua destra, Sansa sentì una specie di nodo alla gola. Dopo la cosa terribile accaduta sul Tridente, non le aveva più rivolto la parola, né lei aveva osato parlargli. Sulle prime era stata certa di odiarlo per la fine che aveva fatto Lady, ma una volta finito di piangere e disperarsi, aveva ripetuto a se stessa che non era stata colpa di Joffrey, in realtà: la regina, era sua la colpa, sua e di Arya. Nulla sarebbe accaduto se non fosse stato per Arya.

E quella sera proprio non riusciva a odiare Joffrey. Era troppo bello perché lo si potesse odiare. L'erede al Trono di Spade indossava un farsetto blu scuro ornato con una doppia fila di teste di leone dorate. Attorno alla fronte portava una sottile fascia d'oro tempestata di zaffiri. I suoi capelli risplendevano come il prezioso metallo. Nel guardarlo, Sansa represse un tremito. E se l'avesse ignorata? Peggio, se fosse stato lui a odiarla e a cacciarla dal tavolo in lacrime?

Invece Joffrey le sorrise e le baciò la mano, bello e galante proprio come i principi delle ballate dei menestrelli. «All'occhio di ser Loras non sfugge la bellezza, mia signora.»

«È stato troppo gentile.» Il suo cuore cantava, ma Sansa fece del suo meglio per apparire modesta e tranquilla. «Ser Loras è un vero cavaliere. Pensi, mio signore, che sarà lui a vincere domani?»

«Nient'affatto. Ci penserà il mio Mastino ad abbatterlo. O forse mio zio Jaime. E tra pochi anni, quando avrò raggiunto l'età per partecipare io stesso ai tornei, sarò io ad abbattere tutti quanti.» Alzò una mano per chiamare un servo che trasportava una caraffa di vino dell'estate ghiacciato e le riempì la coppa. Sansa guardò ansiosamente verso septa Mordane, alla ricerca di approvazione, ma Joffrey riempì anche la coppa della septa, la quale annuì, ringraziò profusamente e non aggiunse altro.

Le coppe continuarono a essere riempite tutta la sera. Eppure, dopo che il banchetto si fu concluso, Sansa non riuscì a ricordare di averlo neppure assaggiato, il vino. Era già completamente inebriata: dalla magia della notte, dal fascino della corte, da tutta quella seducente bellezza che aveva sognato ogni istante della sua giovane vita e che mai aveva osato sperare di conoscere. Dei trovatori sedevano presso il padiglione del re e riempivano il crepuscolo di musiche e canti. Un giocoliere faceva danzare anelli di torce nell'aria. Il giullare di corte, un giovane sempliciotto chiamato Ragazzo di Luna, ballò su trampoli nel suo costume variopinto, prendendo in giro i maggiorenti del regno con tale inarrestabile crudeltà che Sansa si domandò se fosse davvero tanto sempliciotto. Perfino septa Mordane si ritrovò disarmata di fronte a lui. Quando il Ragazzo di Luna si esibì in una spietata canzoncina sull'Alto Septon, la tutrice di Grande Inverno rise così forte da versarsi il vino addosso.

E il principe Joffrey fu la cortesia fatta persona. Non cessò per un solo momento di parlare con Sansa, coprendola di complimenti, facendola ridere, dividendo con lei frammenti di pettegolezzi di corte, spiegandole alcuni dei doppi sensi del Ragazzo di Luna. Sansa ne fu rapita al punto da dimenticare tutte le buone maniere che le erano state insegnate e ignorò septa Mordane seduta alla sua sinistra.

Intanto le portate continuavano a susseguirsi. Densa zuppa di orzo e cacciagione. Insalata di tuberi dolci, spinaci e prugne cosparsa di noci tritate. Lumache all'aglio e miele. Sansa non aveva mai mangiato lumache prima di allora. Joffrey le mostrò come estrarle dal guscio e le mise delicatamente in bocca il primo assaggio. Poi venne servita trota appena pescata cotta nella creta e il suo principe l'aiutò a spezzare il duro involucro esponendo la fumante carne bianca. Quando arrivò l'arrosto di bisonte, il piatto forte del banchetto, fu ancora il suo principe a servirle una porzione degna di una regina, sorridendo nel mettergliela nel piatto. Osservando i suoi movimenti, Sansa si rese conto che il braccio destro continuava a fargli male, eppure lui non ebbe una sola parola di lamentela.

Vennero poi le animelle stufate, lo sformato di piccione, le mele cotte fragranti di cannella, i dolci al limone con la glassa di zucchero. Per quanto trovasse deliziosi quei dolcetti, Sansa si sentì così piena da riuscire a mandarne giù due a stento. Si stava chiedendo se sarebbe riuscita ad affrontarne un terzo quando il re cominciò a gridare.

A ogni portata, a ogni coppa di vino nuovamente riempita, il re non aveva fatto altro che diventare sempre più turbolento. Di quando in quando, Sansa l'aveva udito ridere, gridare qualche ordine al disopra del clangore delle posate e della musica, ma era troppo distante da lui per capire cosa diceva.

Adesso tutti lo udirono. «No!» La sua voce fu un tuono che sovrastò tutte le altre. Sansa rimase sconvolta nel vederlo in piedi, paonazzo in volto, una caraffa di vino stretta nel pugno, ubriaco fradicio. «Non provarti a dirmi quello che devo fare, donna!» urlò alla regina Cersei. «Qui il re sono io! Mi hai capito? Io! Mio è il potere! E se dico che domani combatterò, combatterò!»

Aveva gli sguardi di tutti piantati addosso. Attorno a lui Sansa vide lord Renly, ser Barristan Selmy e l'inquietante uomo basso che le aveva parlato così stranamente, toccandole i capelli. Nessuno di loro alzò un dito per intervenire. Il volto della regina era una maschera esangue, livido come se fosse stato scolpito nel ghiaccio. Cersei Lannister si alzò dal tavolo, raccolse le sue vesti e se ne andò in assoluto silenzio, seguita dai suoi servi.

Jaime Lannister pose una mano sulla spalla del re, ma Robert gli diede un brutale spintone. Jaime barcollò e cadde. «Ma guardatelo, il grande cavaliere» sghignazzò il re. «Sono ancora in grado di gettarti nella polvere. E tu ricordalo, questo, Sterminatore di Re.» Si percosse il petto con la coppa tempestata di pietre preziose, infradiciandosi di vino rosso la tunica di satin. «Datemi la mia mazza da combattimento, e vedremo quale uomo del reame riuscirà a restare in piedi!»

Jaime Lannister si rialzò e si ripulì. «Qualsiasi cosa tu desideri, maestà.» La sua voce era fredda.

«Hai rovesciato il vino, Robert.» Lord Renly fece un passo avanti e sorrise al fratello. «Ti riempio di nuovo la coppa.»

Sansa sobbalzò quando Joffrey le pose una mano sul braccio. «Si è fatto tardi» disse. C'era un'espressione strana sulla sua faccia, come se la guardasse senza vederla. «Ti occorre una scorta per rientrare alla Fortezza Rossa?»

«No, io...» Sansa s'interruppe. La sua scorta avrebbe dovuto essere septa Mordane, la quale però si era addormentata con la faccia sul tavolo e russava in modo sommesso, ma anche molto signorile. «Volevo dire sì, mio principe, con tanti ringraziamenti. Mi sento stanca e la via è buia. Accetto volentieri qualche protezione.»

«Mastino!» chiamò il principe.

Parve che la notte acquistasse corpo, quello poderoso di Sandor Clegane. Emerse dal buio in un batter d'occhio. Si era tolto l'armatura per indossare una tunica di lana rossa che recava sul petto una testa di cane di cuoio. Alla luce delle torce, la metà ustionata della sua faccia aveva una sfumatura cremisi.

«Ai tuoi comandi, altezza.»

«Riporta la mia promessa sposa al castello» disse il principe in tono brusco «e fa' sì che non le venga fatto alcun male.» Detto questo, senza una parola di commiato, se ne andò piantandola lì.

Sansa poteva quasi sentire lo sguardo del Mastino su di sé.

«Non avrai creduto che sarebbe stato lui a riaccompagnarti, vero, madamigella?» La sua risata pareva il ringhio di un molosso affamato. «Ben scarse probabilità che succedesse.» Clegane allungò una mano e la fece alzare. «Forza, muoviamoci. Non sei la sola ad aver bisogno di dormire. Ho bevuto troppo vino e domani, chissà...» rise di nuovo «... potrei finire col tagliare la gola a mio fratello.»

Sansa, colta da terrore, scosse septa Mordane per la spalla, sperando che si svegliasse, ma tutto quello che ottenne fu di farla russare molto più forte. Re Robert se n'era andato e metà delle panche si erano improvvisamente svuotate. La festa era finita. Il bel sogno di Sansa era finito con essa.

Clegane prese una torcia per illuminare il loro cammino e Sansa si tenne a breve distanza da lui. Il terreno era roccioso, ineguale e sotto il baluginare della fiamma della torcia pareva muoversi, cambiare forma. Lei tenne gli occhi al suolo, stando bene attenta a dove metteva i piedi. Camminarono attraverso i padiglioni dei cavalieri, armature e vessilli sistemati fuori ciascuno di essi, il silenzio che si faceva più profondo a ogni passo. Sansa non riusciva a guardare quell'uomo, la sola vista del suo volto sfigurato la terrorizzava, ma era stata educata a mostrare le migliori cortesie: "una vera lady finge di non vedere" si ripeté. «Hai cavalcato valorosamente oggi, ser Sandor» si costrinse a dire.

«Risparmiami i tuoi vuoti, ridicoli complimenti, ragazzina» la rimbeccò Sandor Clegane. «E risparmiami anche i tuoi "ser". Io non sono un cavaliere. Io sputo su di loro e sui loro titoli. Il cavaliere è mio fratello. Non hai visto come ha cavalcato oggi?»

«Sì» mormorò Sansa, tremando. «Lui è stato...»

«Valoroso?» Il Mastino la stava deridendo.

«Nessuno è riuscito a fermarlo» riuscì a dire alla fine. Era la verità, e fu orgogliosa di averla detta.

Improvvisamente, in mezzo a un campo deserto e buio, Clegane si fermò. Lei dovette fermarsi con lui. «La tua septa ti ha ammaestrata proprio bene. Tu sei come uno di quegli uccelletti delle Isole dell'Estate, non è così? Un grazioso uccelletto parlante, che recita da bravo tutte le paroline che gli sono state insegnate.»

«Non è una cosa gentile questa che mi hai detto.» Sansa sentì il cuore batterle forte. «Mi stai spaventando. Voglio andare via.»

«Nessuno è riuscito a fermarlo.» Il Mastino le rifece il verso con voce stridula. «Abbastanza vero. Nessuno è mai riuscito a fermare Gregor. Quel ragazzo, oggi, nel suo secondo confronto, ah, quello sì che è stato un bel lavoretto. Hai visto anche tu, giusto? Sciocco ragazzino... Non avrebbe nemmeno dovuto scendere in lizza. Niente denari, niente vassalli, nessuno a dargli una mano con quell'armatura. La gorgiera del suo elmo non era affibbiata nel modo giusto. Credi che Gregor non l'abbia notato? Credi che la punta della sua lancia gli sia arrivata in gola per caso? Ebbene, ragazzina, se tu credi davvero a queste favolette, allora sei proprio quell'uccelletto di cui parlavo prima. La lancia di Gregor va esattamente dove Gregor vuole che vada. Guardami. Ho detto: guardami!» Sandor Clegane mise una delle sue enormi mani sotto il mento di Sansa, la costrinse ad alzare il viso. Si accucciò sui talloni di fronte a lei e avvicinò la torcia. «Eccoti qualcosa di carino. Da' una bella occhiata. Perché tu vuoi dare un'occhiata. Perché io ti ho guardata. Ti ho vista voltarti dall'altra parte ogni miglio della Strada del Re. Anche su quello io ci piscio sopra. Forza: guarda!»

Le dita di lui le serravano il mento come le ganasce d'acciaio di una tagliola. Gli occhi di lui erano nei suoi. Occhi di un ubriaco, pieni di furore. Sansa Stark guardò.

Il lato sinistro del volto di Sandor Clegane era scavato, dagli zigomi pronunciati, l'iride grigia sotto una spessa arcata sopracciliare; grosso naso aquilino, capelli scuri e sottili. Li portava lunghi, pettinati trasversalmente perché non c'erano capelli sull'altro lato della sua testa.

Quel lato era un caleidoscopio di devastazioni. L'intero orecchio era stato bruciato, di esso rimaneva solamente un orifizio. L'occhio si era salvato, ma tutto attorno c'era una massa di cicatrici contorte, un labirinto di carne liscia, nera e dura come il cuoio. Carne disseminata di crateri, di profonde fenditure che a ogni movimento parevano vive, rosse, pulsanti. Più in basso, sulla mandibola, là dove la pelle era stata completamente erosa dalla fiamma, emergeva l'accenno di una cuspide ossea.

Sansa cominciò a piangere. Allora lui la lasciò andare e spense la torcia schiacciandola contro il terreno.

«Nessuna parolina dolce, questa volta, ragazzina? Nessuno di quei complimenti che ti ha insegnato la tua septa?» Non ci fu risposta. «Tutti quanti pensano sia accaduto in battaglia» riprese lui. «Un assedio, una torre in fiamme, un nemico armato di torcia. Un povero idiota è arrivato addirittura a chiedere se era stato il fiato di un drago.» La sua risata fu meno raschiante, questa volta, ma ancora piena di terribile amarezza. «Io ti racconterò esattamente che cosa accadde, ragazzina.» La sua voce era un respiro dalle tenebre, la sua ombra talmente vicina che Sansa poté percepire l'alito puzzolente di vino. «Ero più giovane di te, sei anni, forse sette. C'era un falegname con la sua bottega, nel villaggio appena fuori del castello di mio padre. Quel vecchio sapeva fare dei giocattoli incredibili e ce ne mandò in omaggio. Non ricordo che cosa toccò a me, ricordo solo che era il giocattolo di Gregor che volevo. Un cavaliere di legno, tutto dipinto, completo di giunture collegate da fili in modo che gambe e braccia potevano muoversi e si poteva farlo combattere. Gregor aveva cinque anni più di me, alto quasi sei piedi e muscoloso come un toro. Quel giocattolo non era niente per lui. Aveva già il titolo, aveva già tutto. Così io glielo presi, ma non ci fu alcuna gioia in questo, credimi. Perché avevo paura, terrore che mi scoprisse, e alla fine mi scoprì. C'era un braciere nella stanza. Gregor non disse una parola: mi sollevò da terra e mi mise la faccia contro i carboni ardenti. Me la tenne nel fuoco mentre io urlavo e urlavo e urlavo. Oggi, al torneo, hai visto quanto è forte. E anche allora, ci vollero tre uomini adulti per strapparlo da me. I septon fanno prediche sui Sette Inferi. Ma che cosa ne sanno, loro, dei Sette Inferi? Solo un uomo che ha provato il morso del fuoco sa che cos'è l'inferno, quello vero. Mio padre raccontò a tutti la storiella del letto che aveva preso fuoco. Il nostro maestro guaritore mi diede degli unguenti. Unguenti! Anche Gregor ebbe degli unguenti. Quattro anni dopo venne unto con i sette olii, recitò le litanie da cavaliere e Rhaegar Targaryen lo toccò sulla spalla dicendogli: "Alzati, ser Gregor".»

La sua voce raschiante si perse nel buio. Silenziosamente, il Mastino scivolò lontano da lei, avvolto nella notte, nascondendosi ai suoi occhi. Sansa provò una grande tristezza per lui. In qualche modo, la paura si era dissipata.

Il silenzio, invece, non si dissipò e Sansa ricominciò ad avere paura, ma non per se stessa: per lui. La sua mano trovò la spalla massiccia del Mastino. «Non era un vero cavaliere» sussurrò.

Il Mastino sollevò di colpo il capo e urlò. Sansa indietreggiò di scatto, lontano da lui, che l'afferrò per un braccio. «No» disse con rabbia. «No, uccelletto: non era un vero cavaliere.»

Per tutto il resto della strada fino in città, Sandor Clegane non disse un'altra parola. La guidò fino alle carrozze in attesa, disse al cocchiere di andare alla Fortezza Rossa e salì dopo di lei. Sempre senza parlare, attraversarono la Porta del Re e percorsero le strade della città illuminate da torce. Sandor aprì il portone secondario e la condusse dentro il maniero. La metà ustionata del suo volto si contraeva, l'occhio circondato dalla carne morta era fisso, dilatato. Fu dietro di lei fino alla Torre del Primo Cavaliere, fino alla soglia dei suoi quartieri.

«Ti ringrazio, mio lord» si accomiatò Sansa in un bisbiglio.

Il Mastino l'afferrò per un braccio e si protese verso di lei. «Le cose che ti ho detto questa notte... se le dirai a Joffrey...» la sua voce era ancora più raschiante del solito «... oppure a tua sorella, a tuo padre, a chiunque...»

«Non lo dirò a nessuno» sussurrò Sansa. «Te lo prometto.»

Non bastava. «Se lo farai» concluse il Mastino «io ti ucciderò.»

EDDARD

«Ho voluto vegliarlo io per l'ultima volta.» Ser Barristan Selmy abbassò lo sguardo al corpo immobile sul pianale del carro. «Non aveva nessuno al mondo. Solo la madre nella Valle di Arryn, mi è stato detto.»

Nel livido chiarore dell'alba, il giovane guerriero pareva immerso in un sonno profondo. In vita ser Hugh, novello cavaliere, non era stato un bell'uomo, ma la morte aveva addolcito i suoi lineamenti squadrati, e le sorelle del silenzio l'avevano rivestito con il suo migliore farsetto di velluto, l'alto collo a coprire lo squarcio aperto nella gola dalla punta della lancia.

Eddard Stark guardò quel viso chiedendosi se il ragazzo fosse morto per colpa sua. Fatto a pezzi da uno degli alfieri dei Lannister prima che lui avesse la possibilità di parlargli. Un caso? Non avrebbe mai avuto la risposta.

«Hugh era stato vassallo di lord Arryn per quattro anni» continuò ser Barristan. «In onore di Jon, il re gli aveva concesso l'investitura appena prima di intraprendere il suo viaggio verso nord. Il ragazzo voleva disperatamente diventare cavaliere, ma temo non fosse pronto.»

«Nessuno di noi è mai pronto.» Ned aveva passato una notte agitata e si sentiva molto stanco, molto più vecchio dei suoi anni.

«Per essere cavaliere?»

«Per morire.» Gentilmente, Ned coprì il ragazzo con il suo mantello, un pezzo di stoffa intriso di sangue con una decorazione a lune crescenti. Quando la madre avrebbe chiesto per quale ragione suo figlio era morto, le avrebbero detto che era caduto per rendere onore a lui, Eddard Stark, Primo Cavaliere del re. «Una vita sprecata. La guerra non dovrebbe diventare un gioco.»

Si voltò verso la donna accanto al carro, vestita di grigio, il volto nascosto a eccezione degli occhi. Le sorelle del silenzio erano una confraternita ecclesiale che preparava gli uomini per la tomba, ed era mala sorte vedere in faccia chi ti avrebbe accompagnato nell'ultimo grande viaggio. «Inviate la sua armatura alla Valle di Arryn. La madre vorrà conservarla.»

«Ha un buon valore in argento» precisò ser Barristan. «Il ragazzo l'aveva fatta forgiare proprio in vista del torneo. Lavoro ordinario ma decoroso. Non so neppure se aveva finito di pagare il fabbro.»

«Ha pagato ieri, mio lord» rispose Ned. «E ha pagato un prezzo molto alto.» Si rivolse alla sorella del silenzio: «Fate avere l'armatura alla madre. Penserò io al fabbro». La donna velata chinò impercettibilmente il capo.

Tornarono verso il padiglione del re. Il campo cominciava a svegliarsi. Grosse salsicce sfrigolavano sulle griglie dei bracieri, l'aria era satura dell'odore dell'aglio e del pepe. Giovani scudieri andavano e venivano eseguendo compiti per i loro padroni mentre questi si alzavano, sbadigliando e stiracchiandosi in vista della nuova giornata. Un servo che portava un'oca sottobraccio notò lord Stark e ser Barristan. «Miei lord» mugugnò rispettosamente, mentre l'oca starnazzava beccandogli le dita. Gli scudi esposti di fronte a ciascuna tenda ne indicavano l'occupante: l'aquila argentea di Seagard, lo stormo di usignoli di Bryce Caron, il grappolo d'uva di Redwyne. E poi il cinghiale selvaggio, il bue rosso, l'albero in fiamme, le Torri Gemelle, l'ariete bianco, la tripla spirale, il corvo nero, il cervo purpureo, la fanciulla danzante, il gufo cornuto. L'ultimo, limpido e scintillante come l'alba, era l'emblema di puro bianco della Guardia reale. Superarono lo scudo di ser Meryn Trant, la vernice segnata da una profonda cicatrice nel punto in cui la lancia di ser Loras Tyrell aveva colpito il legno sbalzando ser Meryn di sella.

«Oggi il re vuole combattere nella Grande Mischia» disse ser Barristan.

«Splendido» rispose Ned in tono cupo. Jory Cassel l'aveva svegliato nel mezzo della notte per portare la lieta novella. Nessuna meraviglia che poi non fosse riuscito a chiudere occhio.

«Dicono che la bellezza della notte si dissipa con l'alba e che ciò che nasce dal vino perisce con la luce del giorno.» L'espressione di ser Barristan era preoccupata.

«Così si dice» confermò Ned. «Ma non credo che questo valga per il nostro Robert.» Altri uomini avrebbero messo in discussione parole pronunciate nella spacconeria dell'ebbrezza, ma Robert Baratheon avrebbe ricordato e, ricordando, non si sarebbe tirato indietro.

Il padiglione del re si trovava in riva al fiume e le umide nebbie del mattino continuavano a circondarlo di tentacoli evanescenti. Tutto di seta dorata, era la più larga e grandiosa struttura del campo. Fuori dell'ingresso, la mazza da combattimento di Robert faceva bella mostra di sé a fianco di un immane scudo di ferro sul quale era dipinto il cervo incoronato della nobile Casa Baratheon.

Ned aveva sperato di trovare il re ancora immerso nel sonno dell'ubriaco, ma la fortuna non lo assecondò. Robert stava bevendo birra da un liscio corno e urlava la propria insoddisfazione alla coppia di giovani scudieri che si stavano spezzando la schiena nel tentativo di farlo entrare nell'armatura. «Maestà» disse uno dei due ragazzi sulla soglia del pianto «è troppo stretta. Non si chiude...» Nel tentare di serrare una fibbia sotto il massiccio collo del re, il ragazzo fece una mossa falsa e la gorgiera dell'elmo finì a terra.

«Per i Sette Inferi!» bestemmiò Robert. «Devo proprio fare tutto io? In culo tutti e due. Raccoglila. Non stare lì impalato come uno scemo, Lancel! Ho detto: raccoglila!»

Il ragazzo scattò. Fu in quel momento che il re notò di avere visite. «Ma guardali questi due buffoni, Ned. È stata mia moglie a insistere che li prendessi come scudieri e sono peggio che inutili. Non sono nemmeno capaci di mettere su un'armatura come si deve. Vassalli, li chiamano. Porcari vestiti di seta li chiamo io.»

«Questi ragazzi non c'entrano.» A Ned bastò mezza occhiata per rendersi conto del problema. «Sei diventato troppo grasso per la tua armatura, Robert.»

«Grasso?» Robert Baratheon scolò d'un fiato la birra, gettò il corno ormai vuoto sulle pellicce ammonticchiate sul letto, si pulì la bocca con il dorso della mano. «Tu osi dire al tuo re che è grasso!...» La risata tonante del re li colse tutti di sorpresa, come una tempesta improvvisa. «Ah, dannato te, Ned! Come fai ad avere sempre ragione?»

I due scudieri si scambiarono un sorriso pieno di nervosismo.

«Voi!» Il re tornò a incendiarli con lo sguardo. «Per l'appunto: voi due. L'avete sentito il Primo Cavaliere, no? Il re è troppo grasso per la sua armatura. Andate a cercare Aron Santagar. Ditegli che il re vuole una giunta alla placca frontale. Cosa state aspettando? Andate a dirglielo adesso!»

I due ragazzi inciamparono uno sui piedi dell'altro nella fretta di guadagnare l'uscita della tenda. Robert riuscì a mantenere la faccia feroce finché non si furono dileguati. Poi crollò sul suo scranno, ridendo di gusto.

Ser Barristan Selmy ridacchiò. Perfino Eddard Stark riuscì a tirare fuori un sorriso. Ma in lui, la preoccupazione non tardò a riprendere il sopravvento. Gli era stato impossibile non notare i due giovani vassalli: di bell'aspetto, carnagione chiara, abiti costosi. Uno, lunghi riccioli biondi, doveva avere l'età di Sansa. L'altro, sui quindici anni, capelli color sabbia, un esile accenno di baffi, aveva gli stessi occhi verde smeraldo della regina.

«Vorrei proprio vedere la faccia di Aron Santagar» riprese Robert. «Spero che abbia il buon senso di mandare quei due ragazzi da qualcun altro. Tutto il giorno dovremmo farli correre!»

«Quei due...» disse Ned. «Lannister?»

«Cugini.» Robert annuì, asciugandosi gli occhi dalle lacrime della risata. «Figli del fratello di lord Tywin. Uno di quelli morti. O forse di quello ancora vivo, ora che ci penso. Non ricordo bene. Mia moglie, Ned, viene da una famiglia molto numerosa.»

"E molto ambiziosa" pensò Ned. Non aveva nulla contro quei due ragazzi. Ciò che lo turbava era vedere Robert letteralmente assediato a opera della genia della regina, che fosse sveglio o addormentato. Pareva non esserci limite alla fame di cariche e onori dei Lannister. «Si dice che la notte scorsa tu e la regina vi siete scambiati parole furiose.»

«La donna ha cercato di proibirmi di combattere nella Grande Mischia.» L'espressione di Robert si contrasse. «In questo momento, sta masticando bile su al castello, dannata lei. Tua sorella non mi avrebbe mai svergognato a quel modo.»

«Robert, tu non conoscevi Lyanna quanto me. Hai visto la sua bellezza, ma non l'acciaio che si trovava sotto di essa. Lyanna ti avrebbe detto che la Grande Mischia non è affare tuo.»

«Anche tu?» Il re corrugò la fronte. «Sei un uomo acido, Stark. Troppo tempo passato su in quel tuo Nord. Ti si è ghiacciato tutto dentro. Ma vuoi saperne una?» Si diede un sonoro pugno sul petto. «Non si è ghiacciato dentro di me!»

«Sei il re» gli ricordò Ned.

«Siedo su quella dannatissima poltrona di ferro solo quando ci sono costretto. Questo significa forse che non posso avere gli stessi appetiti degli altri uomini? Un po' di vino ogni tanto, una ragazza che si dimena nel letto, un cavallo tra le gambe. Per i Sette Inferi, Ned... Io voglio pestare qualcuno!»

«Maestà» intervenne ser Barristan Selmy «non è appropriato che il re scenda nella Grande Mischia. Non sarebbe un confronto alla pari. Chi mai oserebbe colpirti?»

«Cosa vuoi dire?» Robert apparve onestamente perplesso. «Ma chiunque, no? Chiunque ci riesca. E l'ultimo uomo a restare in piedi...»

«... saresti tu» completò Ned. Capì subito che ser Barristan aveva toccato il tasto giusto. Per Robert, i pericoli della mischia erano nettare, ma questo andava a pungerlo nell'orgoglio. «Ser Barristan ha ragione. Non esiste uomo nei Sette Regni pronto a rischiare di cadere in disgrazia con te per averti colpito.»

Re Robert si alzò in piedi, rosso in faccia. «Mi stai dicendo che quei saltellanti codardi mi lascerebbero vincere?»

«Senza dubbio» affermò Ned, e ser Barristan Selmy abbassò il capo in chiaro accordo.

Per un momento, Robert Baratheon fu così adirato da non riuscire nemmeno ad aprire bocca. Marciò fino alla soglia della tenda, ruotò su se stesso, tornò indietro, l'espressione cupa, furiosa. Raccattò da terra la placca frontale dell'armatura e la tirò addosso a Barristan con furia silenziosa. Selmy si scansò. «Fuori» ordinò il re in tono glaciale. «Vattene prima che ti stacchi la testa.»

Ser Barristan si dileguò in fretta. Ned fece per seguirlo. «Non tu, Ned.»

Ned si arrestò, tornò a girarsi. Robert raccolse il corno, andò a riempirlo da un barile sistemato in un angolo della tenda e lo ficcò tra le mani di Ned. «Bevi.»

«Non ho sete.»

«Bevi! Te lo ordina il tuo re.»

Ned bevve. La birra era scura, densa, così forte da far bruciare gli occhi.

«Maledetto te, Ned Stark.» Robert Baratheon si lasciò cadere sullo scranno. «Te e Jon Arryn. Vi ho amati entrambi. Che cosa mi avete fatto? Tu avresti dovuto essere re, Ned, tu oppure Jon.»

«Il tuo diritto al trono era più valido, maestà.»

«Ti ho detto di bere, non di discutere. Visto che mi hai fatto diventare re, potresti avere almeno la decenza di starmi a sentire quando parlo, dannato te. Ma guardami, Ned. Guarda in quale stato mi ha ridotto la cosiddetta regalità. Per gli dèi, troppo lardoso per entrare nell'armatura. Come ha potuto accadere una cosa simile?»

«Robert...»

«Bevi e sta' zitto, è il re che parla. Ned, te lo giuro, mai mi sono sentito così vivo come quando stavo conquistando questo trono, né così morto ora che l'ho conquistato. E poi c'è Cersei... Ho Jon Arryn da ringraziare per lei. Dopo che Lyanna mi venne portata via, non avevo nessuna intenzione di sposarmi, ma Jon Arryn disse che il reame aveva bisogno di un erede. Quella con Cersei Lannister sarebbe stata una buona unione, così mi disse. Avrebbe legato lord Tywin a me nel caso che Viserys Targaryen avesse cercato di riprendersi il trono che era stato di suo padre.» Scosse il capo. «Volevo bene a quel vecchio, te lo giuro, ma adesso lo vedo come un sempliciotto ancora più grosso del mio giullare. Cersei? Oh, certo, è proprio bella da guardare, giusto? Ma fredda: dal modo in cui fa la guardia alla sua maledetta fica, diresti che in mezzo alle gambe ci tiene tutto l'oro di Castel Granito! Qui, da' a me quella birra, visto che tu non la bevi.» Prese il corno, lo svuotò, ruttò, si pulì la bocca dalla schiuma scura. «Mi dispiace per la tua ragazzina, Ned. Veramente mi dispiace. Parlo del suo lupetto. Mio figlio ha mentito, mi ci gioco l'anima. Mio figlio... Tu ami i tuoi figli, vero?»

«Più di quanto potrò mai riuscire a esprimere.»

«Lascia che ti confidi un segreto, Ned. Più di una volta ho sognato di cedere la corona. E poi di imbarcarmi su una nave per le città libere. Io, la mia mazza da combattimento, il mio cavallo, e basta. Una vita di guerra e di puttane, questo va bene per me. Ma lo immagini? Il re mercenario. Che manna per i cantastorie! Un solo pensiero mi ferma: Joffrey Baratheon sul Trono di Spade, con Cersei alle spalle, a sussurrargli cosine nell'orecchio. Mio figlio. Come ho potuto generare un figlio come quello, Ned?»

«È soltanto un ragazzo» rispose Ned goffamente. Il principe Joffrey gli piaceva ben poco, ma sentì il dolore nella voce di Robert. «Non ricordi che razza di selvaggio eri tu alla sua età?»

«Non sarei così preoccupato se fosse selvaggio. Tu non lo conosci quanto me, Ned.» Respirò a fondo, scuotendo il capo. «Ah, forse hai ragione. Jon Arryn ha disperato di me fin troppe volte, eppure sono diventato lo stesso un buon re.» Robert scoccò un'occhiata a Ned e si accigliò per il suo silenzio. «Che ne diresti di un po' di approvazione, Primo Cavaliere?»

«Maestà...» cominciò Ned con cautela.

«Alla malora.» Robert gli diede una manata sulla spalla. «Di' almeno che sono stato un re migliore di Aerys e falla finita. Mai potresti mentire, Ned Stark, né per amore né per onore. Io sono ancora giovane, e adesso che tu sei al mio fianco, le cose andranno meglio. Renderemo leggendario questo regno, e che i Lannister sprofondino nei Sette Inferi. Sento odore di pancetta. Chi credi che sarà il campione di oggi? Hai visto il ragazzo di Mace Tyrell? Il Cavaliere di Fiori, lo chiamano. Quello è un figlio del quale ogni uomo sarebbe orgoglioso di essere il padre. All'ultimo torneo, ha sbattuto lo Sterminatore di Re su quel suo culo dorato alla prima lancia. Avresti dovuto vedere la faccia di Cersei. Ho continuato a ridere fino a restare senza fiato. Renly dice che quel ragazzo ha una sorella, una bambolina di quattordici anni, bella come un'alba...»

Fecero colazione su un tavolo a cavalletti in riva al fiume. Mangiarono pane nero, uova d'anatra bollite e pesce fritto con cipolle e pancetta. La malinconia del re si dissipò assieme alla nebbia del mattino. Mangiando un'arancia, Robert riandò con la memoria a una mattina al Nido dell'Aquila, quando lui e Ned erano ragazzi.

«... avevano dato a Jon Arryn un barile di arance, te lo ricordi? Solo che erano diventate marce, così io presi la mia e la tirai addosso a Dacks, dritta sul naso. E te lo ricordi quel vassallo di Redfort, quello con la faccia butterata? Lui ne tirò una addosso a me e, prima che Jon si rendesse conto di quello che stava succedendo, c'erano arance che volavano ai quattro angoli della sala grande.»

Rise sonoramente, Ned che sorrideva a sua volta, ricordando l'evento. Era questo il ragazzo con il quale era cresciuto. Era questo il Robert Baratheon che aveva conosciuto e amato. Se fosse riuscito a provare che dietro la morte di Jon Arryn e dietro il tentativo di assassinio di Bran c'erano i Lannister, quest'uomo l'avrebbe ascoltato. A quel punto, per Cersei sarebbe stata la fine, e anche per lo Sterminatore di Re. Se poi Tywin Lannister avesse osato fare insorgere l'Occidente, Robert l'avrebbe spezzato nello stesso modo in cui aveva spezzato Rhaegar Targaryen sul Tridente. Ora in Ned non c'erano più dubbi.

Fu la colazione più saporita che Eddard Stark avesse gustato da molto tempo. E dopo, sul suo volto, il sorriso apparve più di frequente e più spontaneo.

Almeno fino a quando non arrivò l'inizio del torneo.

Ned restò a fianco del re fino al campo del confronto alla lancia. Aveva promesso di assistere alle ultime tenzoni assieme a Sansa. Septa Mordane non si sentiva bene e sua figlia era decisa a non perdersi il finale del torneo. Vide Robert accomodarsi e notò che il posto accanto al suo era vuoto: Cersei Lannister aveva deciso di non comparire. Anche questo rafforzò le speranze di Ned.

Si fece largo a spallate fino ai posti riservati a sua figlia. Ci arrivò quando i corni stavano annunciando il primo ingaggio alla lancia della giornata. Sansa era talmente presa dall'evento da notare a stento il suo arrivo.

Sandor Clegane, mantello verde oliva su armatura grigio fumo, fu il primo cavaliere a scendere in campo. Il mantello e l'elmo a forma di testa di cane erano le sue uniche concessioni all'estetica.

«Cento dragoni d'oro sullo Sterminatore di Re!» disse a voce alta Ditocorto quando arrivò Jaime Lannister, in sella a un elegante purosangue. Il cavallo era drappeggiato con una coperta di maglia di ferro placcata d'oro. Quanto a Jaime, luccicava dalla testa ai piedi. Perfino la sua lancia era fatta del legno dorato delle Isole dell'Estate.

«Persi!» gridò di rimando lord Renly. «Il Mastino ha lo sguardo affamato, questa mattina.»

«Ma perfino un cane famelico sa che è meglio non mordere la mano che lo nutre» provocò Ditocorto in tono asciutto.

Sandor Clegane calò la celata con un secco, udibile scatto metallico e prese posizione. Ser Jaime lanciò un bacio a qualche donna sugli spalti dei popolani, abbassò con calma la celata e raggiunse l'estremità opposta. Entrambi i contendenti abbassarono le lance.

Poche cose Ned Stark desiderava di più del vederli perdere entrambi, ma Sansa guardava affascinata, con gli occhi lucidi. I due cavalli partirono al galoppo. Sotto il martellare furioso degli zoccoli, la tribuna di assi eretta in fretta per il torneo si mise a tremare. Il Mastino si protese in avanti, lancia orizzontale salda come roccia, ma appena un istante prima dell'impatto, Jaime cambiò posizione sulla sella e la punta di Clegane venne deviata senza far danni dallo scudo con il leone. Lo Sterminatore di Re invece colpì: il legno andò in pezzi e il Mastino sussultò, lottando per restare in sella. Sansa emise un singulto. Dagli spalti dei popolani venne una debole ovazione.

«Chissà come li spenderò i tuoi dragoni d'oro, Renly!» esclamò Ditocorto rivolto al fratello del re.

Il Mastino riuscì a ritornare nuovamente eretto sulla sella. Un secco colpo di redini mandò il suo destriero a eseguire una rapida curva a U in fondo alla pista, preparandosi al secondo passaggio. Jaime Lannister gettò via la lancia spezzata e ne prese al volo una integra, scambiando una battuta con il suo scudiero. Il Mastino ripartì al galoppo serrato. Lannister gli andò incontro. Jaime si spostò di nuovo, stesso trucco del primo assalto, ma questa volta anche il Mastino si spostò. L'impatto fece rintronare la galleria. Il legno di entrambe le lance esplose in mille pezzi e, quando le schegge ricaddero, un purosangue senza cavaliere stava trotterellando via in cerca di pascoli mentre ser Jaime Lannister rotolava nella polvere, tutto dorato e ammaccato.

«Lo sapevo» affermò Sansa. «Sapevo che il Mastino avrebbe vinto.»

«Se sai anche chi vincerà nel secondo ingaggio, mia giovane lady» disse Ditocorto che l'aveva udita «dammi una voce, prima che lord Renly mi ripulisca del tutto.» Ned sorrise.

«Un vero peccato che il Folletto non sia qui con noi» disse di rimando lord Renly. «Avrei vinto il doppio.»

Jaime Lannister si era rimesso in piedi, ma nella caduta il suo elaborato elmo a testa di leone si era girato e deformato, e lo Sterminatore di Re non riusciva più a toglierselo. Per il popolo, fu un'orgia di risate sbracate, fischi, sghignazzate. I lord e le lady cercavano di mantenere la compostezza, ma anche loro con scarso successo. Più tonante di tutte era la risata di re Robert, inconfondibile alle orecchie di Ned. Alla fine, furono costretti a pilotare il Leone di Lannister fuori dal campo, cieco e barcollante, alla ricerca del fabbro.

Intanto ser Gregor Clegane si era messo in posizione all'estremità della pista. Era l'uomo più gigantesco che Eddard Stark avesse mai visto. Robert Baratheon e i suoi fratelli erano tutti grandi e grossi. Anche il Mastino lo era. E Hodor, lo stalliere dalla mente semplice di Grande Inverno, torreggiava su tutti quanti. Ma al confronto del cavaliere chiamato "Montagna che cavalca", perfino Hodor sarebbe apparso come un nanerottolo. Ser Gregor era alto più di sette piedi, quasi otto, aveva spalle poderose e braccia grosse come tronchi d'albero. Tra le sue gambe corazzate, il destriero sembrava un pony e la lancia che stringeva in pugno pareva avere le dimensioni di un manico di scopa.

A differenza di suo fratello, ser Gregor non viveva a corte. Era un uomo solitario che lasciava le proprie terre solo per andare in guerra o partecipare a tornei. A diciassette anni, appena investito cavaliere, aveva combattuto con lord Tywin Lannister quando Approdo del Re era caduta. Già da allora, per la mole e l'implacabile ferocia, Gregor Clegane aveva lasciato il segno. Si diceva che fosse stato lui a spaccare la testa dell'infante principe Aegon Targaryen pestandola contro il muro. Si mormorava che fosse stato lui a stuprare la madre del piccolo, la principessa Elia di Dorne, prima di tagliarle la gola. Queste cose venivano sempre dette fuori della sua portata d'orecchio.

Aveva partecipato alla repressione della rivolta di Balon Greyjoy, ma all'epoca Ned Stark non ricordava di avergli neppure mai parlato. Per lui, era stato un cavaliere in mezzo a migliaia di altri. Questa volta lo osservò con inquietudine. Non aveva mai dato troppo credito alle chiacchiere, ma le cose che si dicevano di ser Gregor Clegane erano ben più che sinistre. Stava per andare a nozze per la terza volta, e uno dei tanti foschi bisbigli aveva a che fare con la morte di entrambe le mogli precedenti. Nel suo tetro maniero, i servi parevano svanire nel nulla e perfino i cani avevano paura ad avventurarsi nella sala. E poi c'era una sorella morta in giovane età, in circostanze oscure. C'era l'incendio che aveva sfigurato il fratello minore. C'era l'incidente di caccia che era costato la vita al loro padre. Alla sua morte, Gregor aveva ereditato il castello, le ricchezze e i possedimenti di famiglia. Quello stesso giorno, Sandor Clegane se n'era andato ed era entrato al servizio dei Lannister, prestando loro giuramento di fedeltà con la propria spada. Se n'era andato e non era mai più tornato, nemmeno per una visita.

Il Cavaliere di Fiori scese in campo e un mormorio ammirato percorse la folla. A Ned non sfuggì il sussurro rapito di Sansa: «Oh, quanto è bello...».

Ser Loras Tyrell di Alto Giardino era snello come un giunco, in una splendida armatura d'acciaio lucidato, filigranato con viticci d'edera scura e piccoli non-ti-scordar-di-me azzurri. Il popolo capì a che cosa era dovuto l'azzurro di quei fiori nello stesso momento in cui lo capì Ned: zaffiri, puri zaffiri. Sulle spalle del ragazzo c'era un pesante mantello di lana intessuta con altri non-ti-scordar-di-me, questa volta fiori veri, a centinaia, appena sbocciati.

Il destriero era snello come il cavaliere, una splendida puledra grigia, nata per correre. L'attimo in cui ne fiutò l'odore, il colossale stallone di ser Gregor nitrì sonoramente. Il ragazzo di Alto Giardino fece un impercettibile movimento con le ginocchia, e la puledra si mise ad avanzare di lato, lieve come una danzatrice.

Sansa afferrò il braccio del padre. «Padre, non permettere che ser Gregor gli faccia del male.» A Ned non sfuggì che sua figlia portava la rosa che ser Loras le aveva donato il giorno prima. Jory Cassel gliene aveva parlato.

«Queste sono lance da torneo» le disse. «Sono fatte per andare in pezzi all'impatto, in modo che nessuno si faccia male.» Ricordò tuttavia il ragazzo con la cappa ornata dalle lune crescenti, e si sentì di colpo la gola secca.

Ser Gregor aveva delle difficoltà a controllare il cavallo. Lo stallone nitriva, pestava il terreno con gli zoccoli, scuoteva la testa. La Montagna diede un calcio feroce all'animale con lo stivale corazzato. Il cavallo arretrò brutalmente, quasi lo disarcionò.

Il Cavaliere di Fiori salutò il re, raggiunse l'estremità della pista e mise in posizione la lancia. Era pronto. Anche ser Gregor si portò in posizione, continuando però a lottare con le redini. Cominciò con un sussulto: lo stallone della Montagna si lanciò in un galoppo furioso, proteso selvaggiamente in avanti, mentre la puledra caricava a sua volta, morbida come seta. Ser Gregor sollevò lo scudo, riallineando la lancia e continuando a lottare per tenere il cavallo in linea. E di colpo Loras Tyrell gli fu addosso, la punta della sua lancia gli arrivò contro la placca frontale dell'armatura e in un batter d'occhi la Montagna cadde, trascinando con sé anche il cavallo in un groviglio d'acciaio e carne.

Si levò un vortice cacofonico di applausi, ovazioni, esclamazioni di sorpresa, mormorii eccitati. Ma fu la risata rauca del Mastino che Ned Stark udì dominare qualsiasi altro suono.

Il Cavaliere di Fiori raggiunse al trotto l'estremità opposta della pista. La sua lancia non era neppure scheggiata. Sollevò la celata con un sorriso, gli zaffiri dell'armatura che scintillavano al sole. La folla andò in delirio.

Nel mezzo del campo, ser Gregor Clegane si trascinò fuori da sotto il cavallo e si rimise in piedi. Si strappò l'elmo e lo scaraventò a terra; lo scudiero corse per raccoglierlo. Il suo viso era contorto dalla furia, i capelli scuri intrisi di sudore gli cadevano sugli occhi. «La mia spada!» gridò.

Lo stallone si era rimesso a sua volta in piedi. Gregor Clegane lo uccise con un unico fendente trasversale, feroce, che quasi staccò la testa dal collo dell'animale. Le ovazioni sugli spalti si tramutarono in urla d'orrore. Poi Gregor Clegane avanzò sulla pista puntando dritto verso Loras Tyrell, spada grondante in pugno.

«Fermatelo!» Il grido di Ned si perse nel boato della folla. Tutti urlavano, Sansa era in lacrime.

La velocità degli eventi aumentò. Ser Loras invocava la propria spada mentre Gregor Clegane spazzava via lo scudiero del ragazzo come se fosse stato un fuscello e afferrava le redini della puledra. La cavalla sentì l'odore del sangue e cercò di arretrare. Ser Loras riuscì a restare in sella a fatica. Clegane mulinò la spada a due mani, colpì Tyrell in mezzo al petto e la brutalità dell'impatto lo mandò a rotolare nella polvere. Il purosangue fuggì al galoppo in preda al panico. Ser Loras giaceva al suolo, intontito. La Montagna che cavalca levò la spada per il fendente terminale quando una voce rauca gridò: «Non toccarlo!» e una mano guantata d'acciaio lo allontanò dal ragazzo.

Gregor Clegane roteò su stesso, mulinando la spada da combattimento, caricando con tutta la forza della torsione. Il Mastino parò alto, deviando la lama. Mentre ser Loras Tyrell veniva trascinato lontano, al sicuro, i due mastodontici fratelli si scagliarono uno contro l'altro, colpo su colpo, in un vortice di furore. Per tre volte Ned Stark vide Gregor sferrare colpi selvaggi all'elmo del Mastino, ma mai Sandor cercò di colpire il viso scoperto del fratello.

Fu la voce del re a porre fine allo scontro. La voce del re... e venti spade. Jon Arryn diceva che un comandante deve avere una voce da campo di battaglia. Nella Battaglia del Tridente, Robert aveva provato di averla. Lo dimostrò anche adesso: «Fermate questa follia! Nel nome del vostro re!».

Il Mastino mise un ginocchio a terra. L'ultimo fendente di ser Gregor sibilò nell'aria, poi anche lui tornò in sé. Lasciò cadere la spada e folgorò Robert con lo sguardo: si trovava al centro della morsa d'acciaio della Guardia reale e di un'altra dozzina di lame, tra cavalieri e armigeri della Fortezza Rossa. Senza una parola, si aprì la strada oltre ser Barristan Selmy e se ne andò. «Lasciatelo andare» comandò re Robert. La follia ebbe termine con la stessa rapidità con la quale aveva avuto inizio.

«Adesso il campione è il Mastino?» chiese Sansa a Ned.

«Non ancora. C'è l'ultimo confronto: tra il Mastino e il Cavaliere di Fiori.»

Ma Sansa aveva ragione. Ser Loras Tyrell riapparve sul campo. Al posto dell'armatura, indossava un farsetto di lino. «Ti devo la vita» disse a Sandor Clegane. «La giornata ti appartiene, ser.»

«Non sono ser» replicò il Mastino, ma accettò ugualmente la vittoria e la borsa che andava al vincitore. E, forse per la prima volta nella sua vita, ebbe il favore della folla, che lo inneggiò mentre lasciava il campo per fare ritorno al proprio padiglione.

Lord Renly, Ditocorto e svariati altri nobili si affiancarono a Ned mentre si dirigeva verso il campo del tiro con l'arco assieme a Sansa.

«Tyrell deve aver saputo che la sua puledra era in calore» stava protestando Ditocorto. «Io dico che il ragazzo ha studiato l'intera cosa fin dal principio. Gregor ha sempre montato enormi stalloni dal brutto carattere, con più ardore che cervello.» L'idea parve divertirlo.

Non divertì invece ser Barristan. «C'è ben poco onore in simili trucchi» ribatté rigidamente il vecchio cavaliere.

«Poco onore e ventimila monete d'oro» esclamò lord Renly sorridendo.

Nel pomeriggio un ragazzo di nome Anguy, un ignoto popolano delle Terre Basse di Dorne, vinse la gara di tiro con l'arco. Con bersagli a cento piedi, dopo che gli altri contendenti erano stati eliminati a distanze inferiori, le sue frecce furono molto più precise di quelle di ser Balon Swann e di Jalabhar Xho. Ned mandò Alyn a cercarlo con l'offerta di entrare nella Guardia personale del Primo Cavaliere. Ma il ragazzo, inebriato di vino, di vittoria e di sogni di ricchezza fino a quel giorno inimmaginabili, finì con il rifiutare.

La Grande Mischia andò avanti per tre ore. Vi presero parte quasi quaranta uomini tra mercenari, cavalieri poco conosciuti e nuovi vassalli in cerca di reputazione. Combatterono con armi smussate in un caos di fango e di sangue, alleandosi in piccole armate schierate fianco a fianco e scagliandosi poi gli uni contro gli altri al variare delle labili alleanze finché un solo uomo non fosse rimasto in piedi. Quell'uomo fu Thoros di Myr, il prete rosso, il folle dal capo rasato che combatteva con una spada fiammeggiante. Aveva vinto altre grandi mischie, con la spada infuocata che terrorizzava i cavalli degli avversari, mentre lui non conosceva la paura. Il bilancio conclusivo: tre gambe rotte, una clavicola spezzata, una dozzina di dita pestate, due cavalli abbattuti più tagli, slogature e lividi di cui fu impossibile tenere il conto. Il Primo Cavaliere fu disperatamente lieto che il re non avesse partecipato alla Grande Mischia.

Quella notte, alla festa di chiusura, Eddard Stark si sentì pieno di speranza come mai era stato fino a quel momento. Robert era di ottimo umore, i Lannister sembravano spariti e perfino entrambe le sue figlie si stavano comportando bene. Jory Cassel aveva condotto Arya al banchetto e Sansa parlò quanto mai amabilmente con sua sorella.

«Il torneo è stato magnifico» sospirò. «Avresti dovuto venirci. Come stanno andando le tue lezioni di danza?»

«Sono tutta una botta.» Arya le mostrò con orgoglio un colossale livido alla gamba.

«Devi essere una pessima danzatrice» fece Sansa con espressione perplessa.

Più tardi, Sansa fu assorbita dallo spettacolo di un gruppo di cantori impegnati a eseguire un complicato ciclo di ballate chiamato *La Danza dei Draghi*. Ned colse l'occasione per dare un'occhiata più da vicino ad Arya e ai suoi lividi. «Mi auguro che Forel non sia troppo duro con te» le disse.

«Syrio dice che ogni botta è una lezione.» Arya rimase in equilibrio su una gamba sola. Negli ultimi tempi, era diventata molto più brava a farlo. «E dice che ogni lezione ti fa diventare migliore.»

Ned corrugò la fronte. Syrio Forel aveva un'eccellente reputazione e il suo eccentrico stile da combattimento di Braavos era ottimo per la lama sottile di Arya. Al tempo stesso, soltanto pochi giorni prima aveva visto sua figlia andarsene in giro con una benda di seta nera sugli occhi. Syrio le stava insegnando a vedere con le orecchie, il naso e la pelle, gli aveva spiegato lei. E prima ancora, l'aveva colta che faceva piroette all'indietro. «Arya, sei sicura di voler continuare?»

«Ma certo!» lo rassicurò lei. «Pensa che domani andremo ad acchiappare gatti.»

«Gatti.» Ned sospirò. «Forse prendere questo braavosiano è stato un errore. Se vuoi, posso chiedere a Jory di darti qualche lezione. O potrei addirittura parlare in modo discreto a ser Barristan. Da giovane, è stato una delle prime spade dei Sette Regni.»

«Non voglio loro. Voglio Syrio!»

Ned le passò le dita tra i capelli. Qualsiasi decente maestro d'armi avrebbe potuto insegnare ad Arya i rudimenti della scherma senza ricorrere ad assurdità tipo bende sugli occhi, piroette, saltelli su una gamba sola, ma conosceva la figlia minore abbastanza da sapere che quando esibiva quell'ostinata angolazione della mascella, non era il caso di mettersi a discutere. «Come vuoi.» Era certo che se ne sarebbe stancata presto. «Cerca di stare attenta.»

«Lo farò» promise Arya solennemente passando dalla gamba destra a quella sinistra.

A notte fonda, Ned riportò le figlie al castello e le mise a letto, al sicuro, Sansa con i suoi sogni e Arya con i suoi lividi. Solo allora salì ai propri quartieri, in cima alla Torre del Primo Cavaliere della Fortezza Rossa.

Era stata una giornata calda e le stanze erano soffocanti. Aprì le pesanti imposte per far entrare la fresca aria notturna. Alle finestre di Ditocorto, dall'altra parte del cortile grande, notò il balenare di un lume di candela. Era ben oltre la mezzanotte. Giù in basso, lungo il fiume, la festa che aveva fatto seguito al torneo stava entrando in agonia.

Ned tirò fuori la daga e la esaminò per l'ennesima volta. Un'arma appartenuta a Ditocorto, vinta per scommessa da Tyrion Lannister, mandata ad assassinare Brandon Stark nel sonno. Ma perché? Per quale ragione il Folletto voleva Bran morto? Per quale ragione chiunque poteva volere Bran morto?

La daga, la caduta di Bran e tutto il resto facevano parte di un unico disegno collegato direttamente alla morte di Jon Arryn, Ned Stark se lo sentiva nelle viscere, ma la morte di Jon rimaneva avvolta nel mistero ora come nel momento in cui lui aveva cominciato a cercare delle risposte. Lord Stannis non era venuto ad Approdo del Re per il torneo. Lysa Arryn custodiva il proprio silenzio dietro le alte mura del Nido dell'Aquila. Ser Hugh era morto e Jory Cassel continuava a setacciare bordelli, ma senza troppi risultati. Che cosa aveva in mano oltre al figlio bastardo di Robert Baratheon?

Lo scontroso ragazzo che sudava nella forgia dell'armaiolo era il figlio del re, in merito Ned non nutriva il minimo dubbio. Gendry portava impresso in faccia il marchio dei Baratheon: la mandibola, gli occhi, i capelli neri. Renly era troppo giovane per essere il padre di un ragazzo di quell'età e Stannis era troppo austero e rigido nel suo concetto dell'onore. Gendry doveva essere figlio di Robert.

E con questo? Quanto realmente ne sapeva di più? Il re aveva disseminato di figli bastardi tutti i Sette Regni. Ne aveva apertamente riconosciuto uno, un ragazzo dell'età di Bran la cui madre era di alto lignaggio. Il ragazzino era stato dato in adozione al castellano di lord Renly, a Capo Tempesta.

Ned ricordava molto bene anche il primo nato di Robert, una bambina venuta alla luce nella Valle di Arryn quando lo stesso Robert era poco più che un ragazzo. Era una bimba delicata, che il giovanissimo lord di Capo Tempesta andava spesso a trovare e con la quale giocava, pur avendo perduto interesse nei confronti della madre. Più volte, che gli garbasse o no, Ned era stato trascinato in quelle visite. Ormai la ragazza doveva avere diciassette anni, forse diciotto; più vecchia di Robert quando lui l'aveva messa al mondo. Un pensiero strano.

Cersei non doveva essere particolarmente lieta delle scappatelle del lord suo marito. Ma in fondo, che di figli bastardi il re ne avesse avuto uno oppure cento, non aveva molta importanza. Gendry, la ragazza della Valle di Arryn, il ragazzino di Capo Tempesta: nessuno di loro poteva rappresentare una minaccia per i figli legittimi di Robert...

Un discreto bussare alla porta lo strappò alle sue elucubrazioni. «Un uomo desidera vederti, mio signore» annunciò Harwin. «Non vuole dire il suo nome.»

«Va bene: fallo entrare» concesse Ned, meravigliato.

Il visitatore era un individuo tozzo, con gli stivali infangati, avvolto in un ruvido saio marrone, testa e volto celati da un cappuccio, le mani sprofondate nelle ampie maniche.

«Chi sei?»

«Un amico» disse lo sconosciuto con voce roca, alterata. «Dobbiamo parlare da soli, lord Stark.»

La curiosità ebbe il sopravvento sulla cautela. «Harwin, lasciaci.» Solo dopo che la porta si fu chiusa alle spalle della guardia lo sconosciuto abbassò il cappuccio.

«Lord Varys?» esclamò Ned stupefatto.

«Lord Stark» rispose educatamente il Ragno Tessitore, accomodandosi. «Posso disturbarti con la richiesta di qualcosa da bere?»

Ned versò vino dell'estate in due coppe e ne porse una a Varys. «Avrei potuto passarti a un metro di distanza senza riconoscerti» disse, ancora incredulo. Non aveva mai visto l'eunuco indossare altro che sete, velluti e i più ricchi damaschi, e per di più quell'uomo puzzava di sudore, non profumava di lillà.

«Questa, lord Stark, era esattamente la mia più sentita speranza. Certe persone troverebbero quanto mai sconveniente una nostra conversazione in privato. La regina sorveglia ogni tua mossa. Questo vino è eccellente. I miei ringraziamenti.»

«Come hai superato le mie altre guardie?» chiese Ned. C'erano Porther e Cayn all'ingresso della torre e Alyn sulle scale.

«La Fortezza Rossa contiene vie note soltanto agli spettri, e ai ragni.» Varys ebbe un sorriso quasi di scusa. «Non mi tratterrò a lungo, mio lord. Ma ci sono cose che devi conoscere. Tu sei il Primo Cavaliere del re. E il re è un idiota.» I toni melliflui dell'eunuco erano svaniti, la sua voce era secca, sferzante come una frusta. «È tuo buon amico, ne sono consapevole, ma rimane comunque un idiota. È destinato a distruzione certa, a meno che tu non provveda a salvarlo. Oggi ci sono andati vicino. Perché era nel corso della Grande Mischia che volevano ucciderlo.»

Per un lungo momento, Ned restò senza fiato. «Chi voleva ucciderlo?»

«Se tu davvero hai bisogno che sia io a darti questa risposta,» Varys sorseggiò il vino «allora sei un idiota addirittura più grosso del tuo re e io mi sto rivolgendo all'uomo sbagliato.»

«I Lannister» disse Ned. «La regina... No, mi rifiuto di credere una cosa simile. Neppure da parte di Cersei. Gli ha chiesto lei di non combattere!»

«Non esattamente: gli ha proibito di combattere. E questo di fronte a suo fratello, ai suoi cavalieri, a metà della corte. Per cui dimmi, lord Stark: in verità, esisteva modo migliore per spingere re Robert a gettarsi nella Grande Mischia?»

Ned sentì lo stomaco che gli si torceva. L'eunuco aveva ragione da vendere: bastava dire a Robert Baratheon che non avrebbe dovuto o potuto fare una certa cosa, e quella certa cosa era come già bella e fatta. «Anche se fosse sceso in campo, chi mai avrebbe osato colpire il re?»

«C'erano quaranta cavalieri nella Grande Mischia. E i Lannister hanno molti amici. Caos, cavalli che nitriscono, ossa spezzate, Thoros di Myr che sventola la sua ridicola spada fiammeggiante. Se un colpo fatale fosse caduto sul re, chi mai sarebbe stato in grado di giudicarlo un assassinio?» Varys si alzò per andare a riempirsi la coppa dalla caraffa. «Una volta compiuta l'impresa, l'uccisore sarebbe stato sconvolto dalla sofferenza. Posso quasi udire il suo pianto disperato. Oh, che triste cosa! Ma non c'è dubbio che la compassionevole vedova avrebbe graziosamente dimostrato la sua pietà. Avrebbe fatto rialzare il malcapitato, benedicendolo con un tenero bacio di perdono. E il nuovo, buon re Joffrey non avrebbe di certo esitato a concedergli la grazia reale.» L'eunuco si passò un dito sulla guancia. «O forse Cersei l'avrebbe consegnato a ser Ilyn Payne perché gli staccasse la testa. Meno rischio per i Lannister, sgradita sorpresa per il loro amichetto.»

«Tu eri al corrente di un simile complotto, Varys.» In Ned cominciò a crescere la furia. «E non hai fatto niente per sventarlo.»

«Al mio servizio ci sono spie, non guerrieri.»

«Avresti potuto venire da me prima.»

«Avrei potuto farlo, certo, confesso la mia colpa. Al che tu saresti andato di corsa dal re, sì? E quando Robert fosse stato messo al corrente della minaccia, che cosa avrebbe fatto? Me lo domando proprio.»

«Li avrebbe maledetti tutti quanti» disse Ned riflettendo. «Dopo di che, sarebbe sceso in campo lo stesso per mostrare che non li teme.»

«Ciò detto, lord Eddard, ti farò un'altra confessione.» Varys aprì le mani. «Ero curioso di vedere cos'avresti fatto tu. Perché non sono venuto da te prima, vuoi sapere. Ebbene, io ti rispondo: perché non mi fidavo di te, mio signore.»

«Tu non ti fidavi di me?» Ned era sbalordito.

«La Fortezza Rossa è abitata da due tipi di persone, lord Eddard» continuò Varys. «Coloro che sono leali al reame e coloro che sono leali solo a se stessi. Fino a questa mattina, non ero in grado di definire a quale di queste due categorie tu appartenessi. Così ho atteso. E ho osservato. Adesso so, per certo.» Il suo sorriso laido riapparve, e per un momento il volto pubblico e il volto privato del Ragno Tessitore furono perfettamente compenetrati. «Adesso comincio a comprendere per quale ragione la regina ti teme tanto. Oh, sì che comprendo.»

«Sei tu quello che lei dovrebbe temere, Varys, non io.»

«Sbagliato, lord Stark. Io sono ciò che sono. Il re di me fa buon uso, ma ciò lo copre di vergogna. È un tale valente guerriero, il nostro Robert, un tale uomo tutto d'un pezzo da sprecare ben poco affetto per spie e ragni. E se dovesse venire il giorno in cui Cersei dicesse: "Uccidi l'eunuco!", ebbene, mio buon lord, quel giorno Ilyn Payne si prenderà la mia testa in un batter d'occhio. E allora, chi piangerà il povero Varys? Al Nord, come al Sud, nessuno canta ballate in memoria di un ragno.» La mano soffice di lord Varys scivolò lungo il braccio di Ned. «Ma tu, lord Stark... io penso... no: io so... che re Robert non ti ucciderebbe mai, neppure per la sua regina. Ed è qui che si trova, forse, la nostra salvezza.»

Da non credere. In quel momento, Eddard Stark voleva soltanto una cosa: lasciarsi alle spalle quel delirio allucinato e ritornare alla lineare semplicità di Grande Inverno, dove gli unici nemici erano il gelo e gli esseri selvaggi oltre la Barriera. «Sono certo che Robert ha altri amici fidati» protestò. «I suoi fratelli, sua...»

«... moglie?» Il sorriso di Varys era affilato come una lama. «I suoi fratelli odiano i Lannister, è vero, ma odiare la regina e amare il re non sono precisamente la stessa cosa, giusto? Ser Barristan ama il suo onore, il gran maestro Pycelle ama il suo osservatorio. E Ditocorto ama... Ditocorto.»

«La Guardia reale...»

«Una muraglia di carta. Andiamo, lord Stark,» insistette l'eunuco «cerca di non essere un simile, abissale ingenuo. Jaime Lannister è un confratello investito delle spade bianche, e lo sappiamo tutti quanto vale il suo giuramento d'onore. I giorni in cui Ryam Redwyne e il principe Aemon, Cavaliere del Drago, indossavano quel delizioso, candido mantello sono diventati da tempo polvere e materiale per menestrelli. Di quei sette buffoni intabarrati, ser Barristan Selmy è il solo a essere fatto di vero acciaio, ma ser Barristan è vecchio. Ser Boros e ser Meryn sono creature della regina fino al midollo e io nutro forti sospetti anche sugli altri. Un'unica realtà, mio lord: quando verrà l'ora, l'unica spada realmente amica di Robert Baratheon sarà la tua.»

«Robert dev'essere informato, Varys! Se quanto dici è vero, anche solo in parte, il re deve ascoltare con le proprie orecchie.»

«E quali prove gli presenteremo? La mia parola contro le loro? I miei uccelletti contro la regina e lo Sterminatore di Re, i suoi fratelli e il suo concilio ristretto, i protettori dell'Occidente e dell'Oriente, tutta la forza di Castel Granito? Te ne prego, chiama subito ser Ilyn Payne, così risparmieremo tempo tutti quanti. Perché io so cosa c'è alla fine di quella strada.»

«Se questa è la verità, prima o poi faranno un altro tentativo.»

«Concordo. E sarà prima piuttosto che poi, questo pavento. Tu li stai rendendo quanto mai ansiosi, lord Eddard. Ma intanto, i miei uccelletti continueranno ad ascoltare. E potremmo riuscire a fermarli, tu e io, assieme.» L'eunuco si alzò e sollevò il cappuccio, avvolgendo di nuovo il proprio volto nelle ombre. «I miei ringraziamenti per il vino. Parleremo ancora. Nelle prossime riunioni del concilio, sii attento a trattarmi con il tuo consueto disprezzo. Non dovresti trovarlo poi troppo difficile.»

Il Ragno Tessitore si diresse verso la porta e fece per aprirla.

«Varys.» Il Ragno si voltò in attesa del resto. «Com'è morto Jon Arryn?»

«Cominciavo a domandarmi se e quando ci saresti arrivato.»

«Sto aspettando una risposta.»

«"Lacrime di Lys", così sono chiamate. Qualcosa di raro e costoso, dolce e trasparente come acqua di fonte, e non lascia traccia. Implorai lord Arryn di servirsi di un assaggiatore, in questa medesima stanza lo implorai, ma lui rifiutò di ascoltarmi. "Soltanto un essere di molto inferiore a un uomo può pensare cose simili" mi rispose.»

«Chi gli diede il veleno?» Ned doveva sapere.

«Oh, un qualche caro, premuroso amico che spesso mangiava con lui, nessun dubbio. Ma quale? Ne aveva così tanti, lord Arryn, un uomo pieno di gentilezza e di fiducia.» L'eunuco sospirò. «C'era quel ragazzo. Tutto ciò che era lo doveva a Jon Arryn, ma quando la vedova fuggì al Nido dell'Aquila portandosi dietro tutta la sua corte, quel ragazzo rimase qui ad Approdo del Re, e prosperò. Sempre riscalda il mio cuore vedere un giovane che si fa strada nel mondo.» La sua voce era tornata tagliente. «Deve aver fatto una splendida figura al torneo, in quella sua nuova armatura, con quelle delicate lune crescenti sulla cappa. Peccato che abbia incontrato una tale prematura morte, non trovi anche tu, lord Eddard? E appena prima che tu potessi parlargli...»

«Il vassallo.» Ned Stark ebbe l'impressione di essere stato avvelenato anche lui, la testa gli scoppiava. «Ser Hugh.» Labirinti dentro labirinti, dentro altri labirinti. «Varys, perché? Perché adesso? Jon Arryn è stato Primo Cavaliere del re per quattordici anni. Che cosa stava facendo da spingerli a ucciderlo adesso?»

«Domande.» Varys scivolò fuori dalla porta.

TYRION

Rimase immobile nell'aria gelida dell'alba a guardare Chiggen che macellava il suo cavallo, un ennesimo debito che Tyrion Lannister avrebbe scaricato sugli Stark. Vapori graveolenti si sprigionarono dalla carcassa quando il tozzo mercenario ne squarciò il ventre con il coltello da scuoiatore. I movimenti delle sue mani erano sicuri, da esperto. Mai un taglio di troppo. Era un lavoro che andava fatto in fretta, prima che l'odore del sangue attirasse le fameliche pantere-ombra dalle cime rocciose.

«Nessuno di noi soffrirà la fame, questa sera» dichiarò Bronn. Era anche lui una specie di ombra, un uomo di una magrezza scheletrica, capelli neri, occhi neri, barba spelacchiata.

«Non esserne così certo» ribatté Tyrion. «Non vado matto per la carne di cavallo. Specialmente quella del mio cavallo.»

«La carne è carne.» Bronn scrollò le spalle. «Ai dothraki il cavallo piace addirittura più del manzo e del maiale.»

«Mi prendi per un dothraki?» si irritò Tyrion. Ma era la verità: i dothraki mangiavano carne di cavallo e si sbarazzavano dei bambini nati deformi abbandonandoli nella prateria, per la delizia dei cani selvatici che seguivano i loro khalasar. Le usanze dothraki avevano pochissimo fascino, per lui.

Chiggen tagliò una fettina di carne sanguinante e la mostrò al Folletto. «Un assaggio, nano?»

«Quel cavallo era un regalo di mio fratello per il mio ventitreesimo compleanno» disse Tyrion con voce atona.

«E allora ringrazialo da parte nostra. Se mai lo rivedrai.» Chiggen fece una smorfia, mostrando una chiostra di denti giallastri. In due morsi, mangiò la carne cruda. «Sapore da cavallo di ricchi.»

«Meglio friggerlo con delle cipolle» suggerì Bronn.

Tyrion se ne andò barcollando, senza aggiungere altro. Il freddo gli era penetrato nelle ossa e le gambe gli dolevano al punto che riusciva a tenersi in piedi a stento. Forse il suo cavallo era stato più fortunato. Ciò che aspettava lui erano altre ore di sella, seguite da pochi bocconi di cibo freddo e da una notte insonne sulla dura terra. E poi il ciclo sarebbe ricominciato, una marcia dopo l'altra, una notte dopo l'altra. Solo gli dèi sapevano quando quel supplizio avrebbe avuto fine. «Maledetta» borbottò nel tornare verso i suoi carcerieri. «Maledetti tutti gli Stark.»

Il ricordo di ciò che era accaduto gli bruciava ancora. Un momento stava ordinando una buona cena, il momento dopo era di fronte a una stanza piena di uomini armati. Jyck aveva fatto per estrarre la spada e la grassa locandiera si era messa a starnazzare: «Niente spade, vi prego miei lord!».

Tyrion era riuscito ad abbassare il braccio di Jyck appena in tempo per evitare che tutti e due venissero fatti a pezzi. «Dov'è finita la tua cortesia, Jyck? Non hai sentito? La nostra buona locandiera non vuole spade.» Poi si era esibito in un sorriso che doveva essere apparso tanto incrinato fuori quanto lui si sentiva incrinato dentro. «Stai commettendo un triste errore, lady Stark. Io non ho alcuna parte nell'attacco contro il tuo Bran. Sul mio onore...»

«Onore di Lannister» era stata la risposta di lei. Aveva sollevato entrambe le mani, palmi aperti, in modo che l'intera sala potesse vedere in che stato fossero. «È stata la sua daga a lasciare queste cicatrici. La daga che stava per aprire la gola di mio figlio.»

Tutt'attorno a sé, Tyrion aveva sentito crescere la rabbia, cupa, acida, nutrita dai profondi tagli nelle mani della donna Stark.

«Uccidilo» aveva sibilato un ubriacone fetido dal fondo. Altre voci erano entrate in quel coro di minaccia, molte, e molto più in fretta di quanto Tyrion avrebbe mai creduto possibile. Voci di uomini a lui estranei, abbastanza amichevoli fino a un attimo prima, i quali ora ringhiavano come un branco di mastini assetati di sangue pronti ad avventarsi sulla preda.

«Se lady Stark ritiene che io abbia commesso qualche crimine del quale devo rispondere» Tyrion aveva parlato a voce alta, cercando di evitare che le parole gli si strozzassero in gola «andrò con lei e ne risponderò.»

Nessuna alternativa. Cercare di aprirsi la strada con le lame sarebbe stato un rapido viatico per la tomba. Non meno di una dozzina di valide spade avevano risposto all'invocazione d'aiuto della donna Stark: l'uomo di Harrenhal, i tre Bracken, un paio di mercenari dall'aria cupa che sembravano pronti a tagliargli la gola con la stessa facilità con la quale si sputa per terra, svariati scherani dal cervello di gallina che non avevano la minima idea di quello che succedeva. E contro tutte quelle lame, qual era la forza di Tyrion? Una daga alla cintura e due uomini. Jyck non era male con la spada, ma su Morrec si poteva contare poco: era stalliere, cuoco, servo, ma non soldato. Yoren? Escluso. Quali che fossero le sue simpatie, ammesso e non concesso che ne avesse, i guardiani della notte giuravano di tenersi del tutto fuori dai conflitti in qualsiasi parte del reame. Yoren non avrebbe fatto nulla. E infatti, senza dire una parola, l'uomo in nero si era limitato a mettersi da parte.

«Disarmateli» aveva ordinato l'anziano cavaliere a fianco di Catelyn Stark e Bronn, uno dei due mercenari, si era fatto avanti, aveva preso la spada di Jyck e i pugnali di tutti loro. La tensione nella sala comune della locanda era calata sensibilmente. «Ben fatto» aveva approvato il cavaliere. «Ottimo.» Tyrion ne aveva riconosciuto la voce ruvida: il maestro d'armi di Grande Inverno, senza i baffoni.

La grassa locandiera era tornata alla carica con Catelyn Stark, sputacchiando gocce di saliva scarlatta a ogni parola: «Non uccidetelo qui!».

«Non uccidetelo da nessuna parte» aveva insistito Tyrion.

«Portalo altrove, mia signora. Non voglio sangue qui. Non voglio scontri di alti lord.»

«Lo riporteremo a Grande Inverno» aveva risposto Catelyn.

"Bene... forse..." aveva pensato Tyrion gettando una rapida occhiata intorno, valutando la situazione. Non era rimasto poi così dispiaciuto da ciò che aveva visto. La donna Stark era stata furba, nessun dubbio in merito. Aveva costretto le spade che avevano giurato fedeltà a suo padre a compiere una dichiarazione pubblica per chiedere poi il loro aiuto. Inoltre lei era una donna, una madre. Molto furba, certo. A occhio e croce, c'erano almeno cinquanta persone là dentro, ma l'invocazione ne aveva fatte intervenire a stento una dozzina. Gli altri sembravano confusi, o spaventati, o preoccupati. Solamente due del gruppo dei Frey avevano fatto il gesto di partecipare, aveva rilevato Tyrion, ma si erano affrettati a tornare a sedersi nel momento in cui avevano visto che il loro comandante non si era mosso. Il Folletto aveva represso la tentazione di sorridere.

«Grande Inverno?» aveva detto invece. «E sia.» Era una lunga cavalcata. Avendola appena compiuta in direzione sud, lo sapeva per esperienza diretta. Una volta in viaggio, sarebbero potute accadere molte cose. «Mio padre si chiederà che ne è stato di me» aveva continuato

Tyrion incrociando lo sguardo di un uomo armato pronto a cogliere ogni occasione. «E lord Tywin sarà molto generoso con chiunque vorrà portargli la notizia di quanto è accaduto qui, oggi.» Lord Tywin non sarebbe stato generoso proprio con nessuno, ma nel caso fosse riuscito a scamparla, alla generosità avrebbe pensato Tyrion stesso.

Ser Rodrik aveva gettato alla sua signora uno sguardo preoccupato, e con ragione. «I suoi uomini verranno con lui» aveva annunciato il vecchio cavaliere. «E noi ringraziamo tutti voi se non farete parola di quanto avete appena visto.»

Non fare parola? Questa volta Tyrion dovette mettercela proprio tutta per non scoppiare a ridere. Vecchio idiota! La voce avrebbe cominciato a spargersi nell'attimo stesso in cui avrebbero messo piede fuori dalla locanda. Il mercenario che aveva avuto la moneta d'oro sarebbe volato come il vento verso Castel Granito. E se non lui, qualcun altro. Yoren avrebbe portato la notizia a sud. Il ridicolo cantastorie ci avrebbe fatto su una ridicola canzoncina. I Frey avrebbero fatto rapporto al loro signore, e solo gli dèi sapevano che cosa lui avrebbe deciso. Lord Walder Frey aveva giurato fedeltà a Delta delle Acque, questo sì, ma al tempo stesso era un uomo prudente. Non sarebbe arrivato alla veneranda età di novant'anni senza avere imparato a trovarsi sempre, invariabilmente, dalla parte dei vincitori. Quanto meno, avrebbe inviato corvi messaggeri ad Approdo del Re, e forse avrebbe osato spingersi anche oltre.

«Dobbiamo metterci in viaggio immediatamente.» Catelyn Stark non aveva sprecato altro tempo. «Ci servono cavalli freschi e provviste. Voi tutti avete l'eterna gratitudine di Casa Stark. Chiunque di voi decida di aiutarci a sorvegliare i nostri prigionieri e a condurli sani e salvi a Grande Inverno sarà ben ricompensato.» Tanto era bastato per far muovere tutti gli scemi del villaggio. Tyrion si era impresso bene in mente le loro facce. Sarebbero stati ben ricompensati, giurò a se stesso, ma forse non esattamente come immaginavano.

Eppure, perfino mentre lo spingevano fuori, sellavano i cavalli sotto la pioggia battente, gli legavano le mani con una corda ruvida, Tyrion Lannister non aveva mai avuto realmente paura. Grande Inverno? No, non ci sarebbero mai arrivati, era pronto a scommetterci. Prima di notte dei cavalieri sarebbero stati al loro inseguimento, alcuni uccelli messaggeri avrebbero dispiegato le loro ali e per lo meno uno dei lord della zona del Tridente sarebbe stato abbastanza avido da rendersi creditore di un favore nei confronti del ricco e potente lord Tywin Lannister schierandosi contro la donna Stark.

Tyrion si stava congratulando con se stesso per la sua sottigliezza quando qualcuno gli aveva calato un sacco di tela in testa e l'aveva issato in sella.

Erano partiti al galoppo serrato. Non c'era voluto molto perché Tyrion sentisse le gambe e il fondoschiena tramutarsi in un inferno di dolori pulsanti. Perfino quando erano stati a distanza di sicurezza dalla locanda e Catelyn Stark aveva dato ordine di rallentare al trotto, il viaggio non aveva cessato di essere un infame sussultare su terreno ostile, reso peggiore dell'essere stato ridotto alla stregua di un cieco. Il cappuccio attenuava i rumori, rendendo pressoché impossibile per Tyrion capire ciò che veniva detto attorno a lui. La pioggia aveva inzuppato la tela, appiccicandogliela alla faccia e ostacolando la respirazione. La corda gli scorticava i polsi, e con l'avanzare della notte, pareva farsi sempre più stretta.

"Stavo per avere un po' di riposo, una cena calda, un bel fuoco quando quel fetente cantastorie ha aperto la bocca" pensò cupo. Il cantastorie fetente era andato con loro. «C'è una grande ballata qui, e io sono l'uomo giusto per comporla» aveva detto a Catelyn Stark nell'annunciare la sua intenzione di vedere come sarebbe andata a finire quella «splendida avventura». Tyrion si era chiesto se il giovane idiota avrebbe continuato a trovarla così splendida nel momento in cui gli uomini dei Lannister li avrebbero raggiunti.

La pioggia era finalmente cessata. Il chiarore dell'alba aveva cominciato a filtrare attraverso il cappuccio bagnato quando Catelyn Stark aveva dato l'ordine di fermarsi e smontare di sella. Mani dure avevano strappato Tyrion dalla sua cavalcatura, gli avevano slegato i polsi e rimosso il sacco dalla testa.

Erano su una pista aspra, stretta e disseminata di pietre. Tutt'attorno a loro s'innalzavano alte colline dalle pendici selvagge. Più lontano, montagne impervie dalle cime innevate sbarravano l'orizzonte. Le speranze di Tyrion vennero disperse dal vento freddo che sibilava sul paesaggio. «Questa è la via dei monti» aveva ansimato guardando Catelyn Stark con espressione accusatoria. «È la via dell'Est, non del Nord. Tu avevi detto che saremmo andati a Grande Inverno!»

«Molte volte e a voce molto alta.» Catelyn Stark gli elargì lo spettro di un sorriso. «Non dubito che sarà quella la via che i tuoi amici prenderanno quando si getteranno al nostro inseguimento. Auguro loro una buona cavalcata.»

Anche adesso, giorni e giorni dopo, quel ricordo continuava a riempirlo di una rabbia sorda. Per tutta la vita, Tyrion era stato molto orgoglioso della propria astuzia, l'unico dono che gli dèi gli avevano concesso. Eppure quella dannatissima lupa dei ghiacci era riuscita a imbrogliarlo come l'ultimo degli idioti: una realtà ben più bruciante del suo rapimento.

Facevano sosta solo il tempo necessario per nutrire e abbeverare i cavalli, poi erano di nuovo in marcia. A Tyrion venne risparmiato il cappuccio. Dopo la seconda notte, smisero anche di legargli le mani e, una volta raggiunte le quote più alte, lo sorvegliavano appena. Parevano non temere che cercasse di fuggire. E per quale ragione avrebbero dovuto avere un simile timore? Era una terra ostile e selvaggia, la strada poco più che un sentiero sassoso. Se anche fosse scappato, quanto lontano sarebbe riuscito ad arrivare, da solo e senza provviste? Le pantere-ombra avrebbero fatto un boccone di lui. E se non loro, ci avrebbero pensato i clan delle montagne, briganti e assassini la cui unica legge era quella dei tagliagole.

La donna Stark aveva continuato a spingerli avanti a marce forzate. Tyrion sapeva dove stavano andando. L'aveva capito nell'attimo stesso in cui gli avevano tolto il cappuccio. Quelle montagne erano il dominio di Casa Arryn, e la vedova del Primo Cavaliere era una Tully, sorella di Catelyn Stark e per nulla amica dei Lannister. Nelle sue permanenze ad Approdo del Re, Tyrion aveva conosciuto lady Lysa solo marginalmente, conoscenza che non aveva il benché minimo desiderio di rinverdire.

I suoi guardiani erano raccolti sulla riva di un torrente poco più in basso della strada. I cavalli avevano bevuto la loro dose di acqua gelida e ora brucavano i cespugli di erba scura che crescevano tra le rocce sporgenti dal terreno. Jyck e Morrec stavano uno vicino all'altro, con facce cupe, depresse. C'era Mohor a sorvegliarli, appoggiato a una lunga picca, con in testa un elmetto metallico che pareva un vaso da notte rovesciato. Poco più oltre il cantastorie Marillion sedeva su un masso e oliava la sua arpa, lamentandosi dei danni che l'umidità procurava alle corde dello strumento.

«È bene che riposiamo un poco, mia signora» stava suggerendo ser Willis Wode, un oscuro cavaliere di Harrenhal, a Catelyn quando Tyrion si avvicinò. Era un uomo di lady Whent, stupido e dal collo taurino, il primo ad alzarsi per spalleggiare Catelyn.

«Ser Willis ha ragione» concordò ser Rodrik. «Questo è il terzo cavallo che perdiamo...»

«Perderemo ben più dei cavalli se i Lannister ci raggiungono.»

Il volto di Catelyn era scavato, bruciato dal vento, ma non aveva perduto un brandello della sua determinazione.

«Quanto mai arduo che possa accadere qui» s'intromise Tyrion.

«La lady non ha chiesto la tua opinione, nano» lo zittì Kurleket, un grassone dai capelli corti e dalla faccia da maiale. Apparteneva al gruppo di armigeri di lord Jonos Bracken. Tyrion aveva compiuto uno sforzo per imparare i nomi di tutti, in modo da sapere esattamente chi ringraziare in seguito per il trattamento che gli stavano riservando. Un Lannister paga sempre i propri debiti. E un giorno, Kurleket, i suoi due amici Lharys e Mohor, il valente ser Willis, i due mercenari Bronn e Chiggen l'avrebbero imparato. Ma sarebbe stato Marillion a ricevere il trattamento speciale, lui, la sua arpetta e la sua delicata ugola da tenore. Marillion, il quale ce la stava mettendo tutta per comporre rime con "Folletto", "scampoletto", "zoppetto" e trasformare in una ballata quell'oltraggio.

«Lasciatelo parlare» comandò lady Stark.

Tyrion Lannister sedette su una roccia. «A questo punto saranno al nostro inseguimento lungo l'Incollatura e poi ancora a nord, per la Strada del Re. Questo se un inseguimento davvero c'è, la qual cosa non è affatto sicura. Oh, senza dubbio la notizia è pervenuta a mio padre... ma nei miei confronti il brav'uomo non brucia d'affetto. Non sono affatto sicuro che si scomoderebbe per riavermi.» Questa era solo parzialmente una menzogna. A lord Tywin non avrebbe potuto importare di meno del suo figlio deforme, ma non tollerava la minima offesa all'onore dei Lannister. «Ci troviamo in una terra crudele» riprese. «Fino a quando non avrai raggiunto la Valle di Arryn, non troverai alcun tipo di sostentamento, lady Stark. Ogni cavallo che perdi accresce il carico su quelli che restano, e quindi il rischio di perderne altri. Assieme a un altro rischio: perdere me. Io sono piccolo e per niente robusto e se muoio, dov'è lo scopo di tutto ciò?» Questa non era affatto una menzogna. Tyrion non sapeva per quanto ancora sarebbe stato in grado di reggere una simile marcia.

«Si potrebbe anche dire» replicò Catelyn «che la tua morte è lo scopo.»

«Non penso. Se tu mi avessi voluto morto, ti sarebbe bastato dire una parola e qualcuno di questi tuoi tetri compari mi avrebbe elargito un sorriso purpureo.» Tyrion gettò un'occhiata a Kurleket, ma era troppo imbecille per comprendere la derisione.

«Gli Stark non assassinano uomini nei loro letti.»

«Nemmeno io. Per l'ennesima volta, lady Stark: io non ho avuto alcuna parte nell'attentato contro la vita di tuo figlio.»

«L'assassino era armato della tua daga.»

«Non era la mia daga: era di Petyr Baelish.» Tyrion sentì la rabbia crescergli dentro. «Quante volte dovrò giurartelo? Lady Stark, qualsiasi cosa tu pensi di me, non sono uno stupido, e solo un idiota metterebbe un'arma che gli appartiene nella mano di un sicario.»

Per un momento Tyrion vide un lampo di dubbio nello sguardo di lei, che però disse: «Per quale ragione Petyr Baelish dovrebbe mentirmi?».

«Per quale ragione un orso caca nel bosco? Perché è la sua natura. Lady Stark, per un uomo come Ditocorto, la menzogna è come l'aria che respira. E tu questo dovresti saperlo meglio di chiunque altro.»

Lei fece un minaccioso passo verso di lui. «E questo cosa significa, Lannister?»

«Ma andiamo, mia signora.» Tyrion alzò la testa. «Non c'è uomo a corte che non l'abbia sentito vantarsi di come ha preso la tua verginità.»

«Tu menti!»

«Oh, malefico Folletto!» esclamò Marillion, stupefatto.

«Di' solamente una parola, mia lady» Kurleket sfoderò la sua lama, una brutta cosa di ferraccio nero «e la sua lingua sarà ai tuoi piedi.» All'idea, i suoi occhietti porcini scintillavano d'eccitazione.

«Un tempo, Petyr Baelish mi amava.» Catelyn Stark guardava Tyrion Lannister con una freddezza tale che lui non avrebbe creduto potesse esistere. «Era soltanto un ragazzo. La sua passione per me fu una tragedia per tutti noi, ma era qualcosa di vero, di puro, che non si deve deridere. Voleva chiedere la mia mano. Questa è l'unica verità. Sei profondamente malvagio, Lannister.»

«E tu sei profondamente stupida, Catelyn Stark. Ditocorto ha sempre amato una sola persona: Ditocorto. E ti garantisco che non è della tua mano che lui si vanta, è del tuo seno rigoglioso, della tua bella bocca, e del calore che hai in mezzo alle gambe.»

Kurleket lo afferrò per i capelli e gli tirò brutalmente indietro la testa, esponendo la gola. Sotto il mento, Tyrion sentì il bacio freddo dell'acciaio. «Vuoi il suo sangue, lady?»

«Uccidimi» sibilò Tyrion «e la verità morirà con me.»

«Lascialo parlare» ordinò Catelyn Stark.

Kurleket allentò con riluttanza la presa.

Tyrion inspirò a fondo. «Che cosa ti ha raccontato Ditocorto per dirti che ero entrato in possesso della sua daga?»

«Che gliel'hai vinta in una scommessa, durante il torneo per il compleanno del principe Joffrey.»

«Quando mio fratello Jaime venne disarcionato dal Cavaliere di Fiori, è stata questa la sua storia?»

«Sì.» Una profonda ruga attraversava la fronte di Catelyn Stark.

«Uomini a cavallo!»

Il grido d'allarme arrivò dallo sperone di roccia scavato dal vento che incombeva su di loro. Ser Rodrik aveva mandato Lharys di vedetta lassù mentre loro facevano sosta.

Per un attimo, nessuno si mosse. Fu Catelyn Stark la prima a reagire. «Ser Rodrik, ser Willis: in sella» ordinò. «Portate gli altri cavalli più indietro. Mohor, sorveglia i prigionieri...»

«Da' le armi anche a noi!» Tyrion saltò sulle corte gambe afferrandola per un braccio. «Ti serve ogni spada!»

Lei sapeva che era la verità, Tyrion poté vederglielo scritto in faccia. Ai clan delle montagne, le inimicizie tra le grandi Case nobili importavano meno di niente. Avrebbero fatto a pezzi Stark e Lannister con la medesima ferocia con la quale si facevano a pezzi tra loro. Forse avrebbero risparmiato Catelyn, ma soltanto perché era ancora abbastanza giovane da generare figli. Eppure esitò.

«Stanno arrivando!» gridò ser Rodrik.

Tyrion girò il capo, tese le orecchie. Stavano arrivando: pestare di zoccoli, almeno una dozzina di cavalli, sempre più vicini. Di colpo, tutti entrarono in azione, sguainando le spade e correndo verso i cavalli.

In una grandinata di pietrisco, Lharys venne giù in scivolata lungo il costone roccioso e atterrò proprio di fronte a Catelyn. Era un uomo dall'aspetto malsano, con ciuffi di capelli rossicci che gli spuntavano da sotto un elmetto d'acciaio di forma conica. «Venti uomini» disse senza fiato. «Forse venticinque. Clan Latte di serpente, o forse Fratelli della Luna. Devono aver mandato fuori degli esploratori, mia signora... occhi nascosti... sanno che siamo qui.»

Ser Rodrik Cassel era già in sella, spada lunga sguainata. Mohor, pugnale tra i denti, picca stretta in pugno, era già appostato dietro un masso.

«Tu, cantastorie» chiamò ser Willis Wode. «Dammi una mano con questa placca pettorale.»

Marillion rimase come pietrificato, arpa stretta tra le mani contratte, terreo in viso. Morrec, il secondo uomo di Tyrion, balzò rapidamente in piedi e corse ad aiutare il cavaliere a indossare l'armatura.

«Non hai scelta, Stark.» Tyrion non abbandonò la presa attorno al braccio di Catelyn. «Noi siamo in tre. Un quarto uomo è sprecato per sorvegliarci. E quassù, quattro uomini sono la differenza tra la vita e la morte.»

«Dammi la tua parola che, a combattimento concluso, metterete giù le spade.»

«La mia parola?» Il rumore degli zoccoli dei cavalli era più forte, adesso. «Ma certo che hai la mia parola, signora.» Il sogghigno del Folletto riapparve. «Sul mio onore di Lannister.»

Per un breve istante, Tyrion fu certo che lei gli avrebbe sputato in faccia, invece ordinò: «Date loro le armi».

L'attimo dopo, Catelyn Stark andò lei stessa a prepararsi alla lotta. Ser Rodrik gettò a Jyck la sua spada chiusa nel fodero e si mosse a sua volta per affrontare il nemico. Morrec si mise la faretra a tracolla, impugnò l'arco e mise un ginocchio a terra a lato della strada: la sua arma era l'arco, non la spada. Bronn arrivò a cavallo e offrì a Tyrion un'ascia bipenne.

«Non ho mai combattuto con l'ascia.» Nelle sue mani, l'arma era un oggetto estraneo. Aveva manico corto, pesante testa metallica, un brutto rostro da una parte.

«Fa' finta di spaccare legna.» Detto questo, Bronn sguainò la spada lunga dal fodero che portava di traverso sulla schiena, sputò a terra e si mosse in avanti al trotto, formando una linea difensiva assieme a Chiggen e a ser Rodrik. Anche ser Willis arrivò al loro fianco, trafficando per mettersi in testa l'elmo, un casco di ferro con una sottile fessura per gli occhi e una lunga piuma di seta nera.

«La legna non sanguina.» Tyrion non aveva parlato a nessuno in particolare. Senza armatura, si sentiva nudo. Si guardò attorno alla ricerca di una roccia e scelse proprio quella dietro la quale era nascosto Marillion. «Scostati» gli ordinò.

«Va' via!» gli gridò contro il ragazzo. «Io sono un cantore! Non voglio entrarci, in questo scontro!»

«Ma come, già perso il tuo gusto per l'avventura?» Tyrion cominciò a prenderlo a calci finché non gli fece posto. Appena in tempo: in quel preciso momento i cavalieri furono loro addosso.

Niente araldi, niente vessilli, niente corni o tamburi, solo il vibrare degli archi di Morrec e Lharys, il sibilare delle loro frecce. I briganti della montagna uscirono al galoppo dal chiarore livido dell'alba. Uomini magri, scuri, protetti da cuoio e armature scompagnate, le facce nascoste dietro elmi approssimativi. Nelle mani guantate impugnavano ogni sorta di armi: spade, picche, falci, mazze ferrate, daghe, accette. Alla loro testa cavalcava un uomo avvolto nella pelle striata di una pantera-ombra, armato di una spada lunga da combattimento.

«Grande Inverno!» Ser Rodrik lanciò il grido di battaglia e gli andò dritto contro, Bronn e Chiggen lo seguirono, lanciando grida di battaglia inarticolate. «Harrenhal! Harrenhal!» Ser Willis partì a sua volta al galoppo, mulinando una mazza incatenata, la palla di ferro irta di rostri. Tyrion Lannister sentì qualcosa dentro di sé e schizzò fuori da dietro il masso, ascia levata, gridando: «Castel Granito!».

La follia che l'aveva posseduto passò, rapida com'era esplosa. Tornò al coperto e insaccò la testa tra le spalle. E poi tutto quello che udì furono i nitriti spaventati dei cavalli e il cozzare dell'acciaio. La spada di Chiggen squarciò il viso scoperto di un brigante in maglia di ferro. Bronn sfondò il fronte dei cavalieri avversari come un turbine, menando fendenti a destra e a sinistra. Ser Rodrik andò all'assalto dell'uomo grande e grosso con la pelliccia della pantera-ombra, i cavalli che parevano danzare uno attorno all'altro mentre i cavalieri si scambiavano fendenti. Jyck saltò in groppa a un cavallo senza sella e galoppò a pelo nel bel mezzo della mischia. Tyrion vide una freccia trapassare il collo dell'uomo con la pelle della pantera-ombra. Il capo brigante aprì la bocca per urlare, ma tutto quello che ne uscì fu una cascata rossa. Ser Rodrik non rimase a guardarlo cadere, ma affrontò qualcun altro.

Improvvisamente Marillion urlò, cercando di proteggersi la testa con l'arpa mentre un cavallo passava d'un balzo la roccia dietro la quale lui e Tyrion avevano trovato copertura. Il brigante in sella costrinse l'animale a una rapida inversione e tornò all'attacco, sollevando una mazza munita di rostro. Tyrion balzò in piedi e fece vorticare la bipenne impugnandola con entrambe le mani. La lama centrò il cavallo in piena gola, traendone un suono di carne macellata e deviando poi verso l'alto. Per poco Tyrion non perse la presa. Il cavallo nitrì in agonia e cadde. Il Folletto riuscì a strappare via la lama e saltò di lato, Marillion invece fu troppo lento. Cavallo e cavaliere si abbatterono sulla roccia e su di lui in un groviglio caotico. Il brigante aveva una gamba schiacciata dal peso dell'animale agonizzante. Tyrion tornò all'attacco e gli calò l'ascia sul collo, un colpo trasversale all'attaccatura della scapola.

«Qualcuno mi aiuti!» implorava Marillion da sotto i due cadaveri mentre Tyrion lottava per strappare via la lama. «Gli dèi abbiano pietà! Sto sanguinando!...»

«È il sangue del ronzino» gli disse Tyrion. La mano destra del menestrello emerse da sotto il cavallo, le dita che artigliavano il terriccio simili a zampe di ragno. Tyrion pestò con il tacco dello stivale quelle dita e udì con soddisfazione uno scricchiolare di ossa.

«Chiudi gli occhi e fa' finta di essere crepato» disse prima di strappare l'ascia dal collo del morto e prepararsi al prossimo scontro.

Poi, tutto parve confondersi, mescolarsi in un vortice caotico. L'alba era piena di urla, satura del sapore acre del sangue. Frecce gli sibilarono attorno e rimbalzarono sulle rocce. Bronn venne sbalzato di sella, ma continuò a combattere impugnando una lama in ciascuna mano. Tyrion si tenne alle frange dello scontro, scivolando di roccia in roccia, sporgendosi per falciare i garretti di questo o quel cavallo. Trovò un brigante ferito e quando se ne andò il brigante era morto e lui stava cercando di indossare il suo elmo. Gli andava troppo stretto, ma una qualsiasi protezione era meglio di niente. Jyck abbatté l'uomo che aveva di fronte, ma da dietro un altro abbatté lui colpendolo alla schiena. Più tardi, Tyrion inciampò nel cadavere di Kurleket, la faccia suina sfondata da una mazza. Tyrion gli strappò il pugnale dalle dita irrigidite dalla morte e se l'infilò nella cintura.

Una donna urlò.

Catelyn Stark era con le spalle contro il costone roccioso della montagna, la daga goffamente stretta tra le mani ferite. Aveva addosso tre briganti, uno ancora in sella, gli altri due a piedi. "Che se la prendano, la troia. Peggio per lei" pensò Tyrion, eppure, per una ragione sconosciuta, si ritrovò ad andare all'attacco. Colpì il primo uomo all'articolazione posteriore del ginocchio prima ancora che i tre si rendessero conto della sua presenza. La lama dell'ascia fece a pezzi ossa e carne come se fossero stati legno marcio. "Legno che sanguina" pensò vacuamente Tyrion mentre il secondo uomo lo attaccava. Insaccò la testa evitando il fendente e mulinò l'ascia. L'uomo indietreggiò, Catelyn Stark gli arrivò da dietro e gli aprì la gola da un orecchio all'altro. Il brigante a cavallo si ricordò d'improvviso di avere un impegno della massima urgenza e partì al galoppo.

Tyrion gettò un'occhiata attorno. Il nemico era a terra o chissà dove. Lo scontro si era concluso senza che lui se ne rendesse conto. A terra giacevano cavalli in agonia e uomini feriti, che urlavano o gemevano. Con suo enorme stupore, lui non era tra quelli. Aprì i pugni e l'ascia cadde sulle rocce. Le sue mani erano appiccicose per il sangue. Gli era parso che la battaglia fosse durata almeno mezza giornata, eppure, oltre le cime, il sole pareva essersi appena spostato.

«Il tuo primo combattimento?» Fu Bronn a domandarglielo, chino sul corpo di Jyck, al quale toglieva gli stivali. Erano ottimi stivali, proprio come si conviene agli uomini di lord Tywin: cuoio di prima qualità, morbido, ben ingrassato. Di gran lunga migliori rispetto a quelli che portava Bronn.

«Mio padre sarebbe così orgoglioso» annuì Tyrion. Le gambe gli dolevano al punto che riusciva a stare eretto a stento. Durante la battaglia non si era neppure reso conto del dolore. Strano.

«Una donna: ecco cosa ti ci vorrebbe adesso.» C'era un luccichio negli occhi di Bronn. «Niente di meglio di una donna, dopo che un uomo ha avuto il battesimo del sangue.»

Chiggen interruppe la sua razzia dei cadaveri dei briganti quel tanto che bastò per fare un verso e schioccare le labbra in segno di approvazione.

Tyrion spostò lo sguardo su lady Stark, che si stava occupando delle ferite di ser Rodrik. «Se lei ci sta, io ci sto» disse. I mercenari scoppiarono a ridere e il Folletto fece una smorfia pensando: "È un inizio".

Aveva la faccia coperta di sangue raggrumato. Andò a lavarsi nell'acqua del torrente, fredda come il ghiaccio. Tornò zoppicando verso gli altri e osservò di nuovo il teatro dello scontro. I briganti rimasti sul terreno erano uomini smagriti, stracciati. I loro cavalli non erano da meno, animali spelacchiati, dalle costole sporgenti. Le armi che Bronn e Chiggen non avevano razziato non valevano la pena di essere razziate: mazze, bastoni, una falce... Gli tornò in mente l'uomo grande e grosso, quello con addosso la pelle della pantera-ombra, che aveva duellato con ser Rodrik con la spada lunga da impugnarsi a due mani. Trovò il suo cadavere tra le pietre. Non era affatto grande e grosso. La pelle della pantera-ombra era sparita e la lama della sua spada era tutta corrosa, l'acciaio da poco prezzo già intaccato dalla ruggine. Non c'era da meravigliarsi se gli uomini delle montagne si erano lasciati dietro nove caduti.

Loro di caduti ne avevano avuti tre: Kurleket e Mohor, i due guerrieri dei Bracken, e Jyck, il suo armigero, che aveva voluto andare così temerariamente all'assalto sul cavallo senza sella. "Sei morto da stupido, Jyck" pensò Tyrion.

«Lady Stark, insisto perché tu decida di riprendere la marcia al più presto» dichiarò ser Willis Wode, mentre i suoi occhi continuavano a scrutare le cime attraverso la fenditura dell'elmo. «Per adesso li abbiamo respinti, ma torneranno.»

«Dobbiamo dare ai nostri morti un'onorevole sepoltura, ser Willis. Erano uomini valenti. Non intendo lasciarli in pasto ai corvi e alle pantere-ombra.»

«Il suolo è troppo roccioso per essere scavato» insistette ser Willis.

«Allora ammucchieremo delle pietre.»

«Raccogli pure tutte le pietre che vuoi, mia signora» replicò Bronn «ma non contare né su di me né su Chiggen. Ho cose migliori da fare del mettere pietre su uomini morti... continuare a respirare, per dirne una.» Il mercenario si rivolse agli altri superstiti. «Chiunque di voi vuole essere ancora in vita al calar della notte, venga con noi.»

«Mia signora» intervenne ser Rodrik «temo che Bronn dica il vero.» Nel combattimento, il vecchio cavaliere era rimasto ferito: un profondo squarcio al braccio sinistro e una passata di lancia di striscio al collo. In quel momento mostrava tutti i suoi anni, anche nella voce. «Se restiamo qui, ci saranno addosso di nuovo, è certo, e potremmo non reggere un secondo attacco.»

A Tyrion non sfuggì la rabbia nell'espressione di Catelyn, ma non c'era scelta. «Possano gli dèi perdonarci. In sella!»

Adesso non c'era più carenza di cavalli. Tyrion trasferì la propria sella sul pezzato di Jyck, che sembrava abbastanza in forze da reggere altri tre o quattro giorni, forse. Lharys gli si avvicinò nel momento in cui stava per montare in sella. «Quel pugnale lo prendo io, nano.»

«Che lo tenga.» Catelyn Stark li guardò dal proprio cavallo. «E che tenga anche l'ascia. Potrebbe servirci se veniamo attaccati di nuovo.»

«I miei ringraziamenti, mia signora» rispose Tyrion, montando in sella.

«Risparmiameli» ribatté lei seccamente. «Non mi fido di te ora più di quanto non mi fidassi prima» e senza che lui potesse abbozzare una risposta, diede di speroni.

Tyrion si sistemò l'elmo preso al brigante e afferrò l'ascia che gli tese Bronn. Aveva cominciato il viaggio con le mani legate e un cappuccio in testa. Rispetto ad allora, questo era un evidente miglioramento. Lady Stark poteva anche tenersela, la sua fiducia. Finché avesse avuto l'ascia, era lui in vantaggio.

Ser Willis Wode aprì la marcia. Bronn si portò alla retroguardia, con lady Stark in mezzo. Ser Rodrik le faceva da scudo cavalcandole al fianco. Marillion continuò a scoccare sguardi torvi a Tyrion. Il cantastorie si ritrovava con parecchie cose spezzate: l'arpa, tre costole e quattro dita della mano con la quale suonava. Ciò nonostante, la sua giornata non era stata un completo fiasco. Chissà dove, si era accaparrato una splendida pelliccia di pantera-ombra, spesso pelo nero con striature bianche. Ci si avvolse dentro e, per una volta tanto, non ebbe niente da dire.

I profondi, minacciosi ruggiti delle pantere-ombra li raggiunsero dopo neppure mezzo miglio, e poco dopo udirono il ringhiare selvaggio delle belve che si contendevano la carne dei morti. Marillion impallidì visibilmente.

Tyrion andò a trottargli accanto. «Peccato che "codardo" non faccia rima con "divorato", vero?»

Aumentò l'andatura e andò ad affiancarsi a Catelyn e a ser Rodrik. Lei lo guardò, le labbra serrate come una fessura.

«Come stavo dicendo prima che fossimo così rudemente interrotti,» disse Tyrion «c'è una grossa falla nella storiella di Ditocorto. Qualsiasi cosa tu creda di me, lady Stark, puoi stare certa di questo: io non scommetto mai contro la mia famiglia.»

ARYA

Il gatto selvatico con un orecchio solo, nero come il carbone, arcuò la schiena e sibilò minacciosamente.

Arya avanzò lungo il vicolo tenendosi in equilibrio sulla parte anteriore dei piedi nudi, ascoltando il pulsare del proprio cuore, i respiri lenti, profondi. "Silenziosa come un'ombra, leggera come una piuma" si ripeteva. Il gatto la osservò venire avanti con occhi guardinghi.

Acchiappare gatti era un compito duro. Aveva le mani coperte di graffi cicatrizzati a stento e tutt'e due le ginocchia spellate a causa del continuo ruzzolare sulle pietre del selciato. Sulle prime, perfino il grasso gattone delle cucine era stato capace di sfuggirle, ma Syrio Forel aveva continuato a spronarla, giorno e notte. E quando correva da lui con le mani sanguinanti, il suo commento era sempre lo stesso: «Così lenta? Va' più in fretta, figliola. Sarà ben di peggio di qualche graffio che t'infliggeranno i tuoi nemici». Le medicava le ferite con il fuoco di Myr, un unguento che bruciava al punto da costringerla a mordersi il labbro per non urlare. Dopo di che, la rimandava a caccia di gatti.

La Fortezza Rossa era piena di gatti: vecchi sornioni che si crogiolavano al sole, acchiappatopi dall'occhio freddo e dalla coda ondeggiante, gattini dalle unghie più affilate di lame, eleganti gatti da compagnia tutti pettinati e fiduciosi, spelacchiate ombre da immondizia. Uno dopo l'altro, Arya li aveva presi e li aveva tutti orgogliosamente portati a Syrio Forel. Tutti tranne uno: il diavolo nero con un orecchio solo. «È lui il vero re del castello» le aveva detto uno degli armigeri dalle cappe dorate. «Più vecchio del peccato e due volte più cattivo. Un giorno, il re era a un banchetto assieme al padre della regina. E quel fetente è saltato dritto sul tavolo e ha strappato un'intera quaglia arrosto dalle dita di lord

Tywin. Robert ha riso da scoppiare. Meglio che tu ti tenga alla larga da quello, ragazzina.»

Ma Arya l'aveva inseguito per metà del castello: due volte attorno alla Torre del Primo Cavaliere, lungo il ponte coperto interno, attraverso tutte le stalle, giù per le scale a chiocciola, oltre la cucina piccola, l'aia dei maiali e il cortile delle guardie, fino alla base delle mura sul fiume, su per altre scale a chiocciola, avanti e indietro sul Cammino del traditore, giù fino al grande portale, dentro e fuori tutta una serie di strane strutture. E adesso Arya non aveva più la minima idea di dove fosse finita.

Ma per lo meno, il bastardo nero era in trappola. Alte mura da ogni lato, una massa di pietra priva di finestre davanti. "Silenziosa come un'ombra" si ripeté. "Leggera come una piuma."

Li separavano tre passi quando il gatto schizzò via, prima a sinistra, poi di colpo a destra. Arya andò a destra, deviò a sinistra, gli tagliò la via di fuga. Il felino soffiò nuovamente e cercò di infilarsi fra le sue gambe. "Veloce come una vipera" pensò Arya. Le sue mani si serrarono attorno a lui. Tenne l'animale stretto al petto e girò su se stessa ridendo mentre gli artigli le graffiavano il davanti del gilè di cuoio. Rapidissima, gli diede un bacio proprio tra gli occhi e arretrò appena prima che gli artigli sguainati trovassero la sua faccia. Il gatto soffiò e sputò.

«Ma che cosa fa a quel gatto?»

Arya lasciò cadere l'animale e si girò di scatto. In un batter d'occhio, il felino era svanito. C'era una bambina all'estremità opposta del vicolo cieco, una massa di riccioli biondi, un vestito di satin blu che la faceva apparire deliziosa come una bambolina. Accanto a lei stava un bambino biondo e grassottello, con un cervo in pieno salto ricamato sul farsetto e una piccola spada alla cintola.

"La principessa Myrcella e il principe Tommen" pensò Arya.

Alle spalle di entrambi incombeva una septa grande e grossa quanto un cavallo da tiro. E dietro tutti quanti, due imponenti armigeri che indossavano mantelli color oro e porpora: guardie di Casa Lannister.

«Cosa facevi a quel gatto, ragazzino?» chiese di nuovo Myrcella, in tono di rimprovero. Poi si rivolse al fratello. «È proprio un ragazzino cencioso» ridacchiò. «Guardalo.»

«Un ragazzino cencioso, sporco e puzzolente» concordò Tommen.

"Non mi riconoscono!" comprese Arya. "Non vedono nemmeno che sono una ragazza!" Sorprendente? Per nulla. Arya era scalza, sudicia, i capelli arruffati dopo la lunga corsa attraverso il castello, con indosso un giubbetto di pelle tutto graffiato e rozzi pantaloni marroni tagliati alla meglio all'altezza del ginocchio. Non si indossano gonne di seta per catturare gatti. Rapidamente, Arya chinò il capo e andò con un ginocchio a terra. Forse avrebbero continuato a non riconoscerla. In caso contrario... nemmeno voleva pensarci. Septa Mordane sarebbe stata terribilmente umiliata e Sansa non le avrebbe mai più rivolto la parola per la vergogna.

«Come sei arrivato fin qui, ragazzo?» La grossa septa fece un passo verso di lei. «Non dovresti trovarti in questa parte del castello.»

«Non si riesce a tenere questa feccia fuori dalle mura» commentò una delle mantelle porpora. «Sono peggio dei ratti.»

«A chi appartieni, ragazzo?» riprese la septa. «Rispondi. Cos'è, hai perso la lingua?»

Ad Arya, la voce si strozzò in gola. Se avesse aperto bocca, Tommen e Myrcella l'avrebbero immediatamente riconosciuta.

«Godwyn» ordinò la septa «portamelo qui.»

Il più alto dei due armigeri si avviò per il vicolo. Arya si sentì afferrare dal panico, una stretta invisibile che parve la presa di un gigante. Non sarebbe riuscita a parlare neppure se fosse stato l'unico modo per salvarsi la vita. "Calma come acqua stagnante" si disse. Godwyn allungò una mano per prenderla. Arya si mosse. "Veloce come una vipera." S'inclinò verso sinistra, lasciando che le dita di lui le sfiorassero il braccio, e lo aggirò. "Liscia come seta." La guardia cominciò a girarsi e lei era già in volata giù per il vicolo. "Rapida come un cervo." La septa si mise a gridare. Arya s'infilò tra le sue gambe, bianche e robuste come colonne di marmo, tornò in piedi con un balzo e urtò frontalmente il principe Tommen mandandolo a sedere per terra. Guizzò attorno al secondo armato e fu fuori, correndo come il vento.

Alle proprie spalle udì passi affrettati, grida. Si raccolse su se stessa e rotolò sul selciato. Una cappa color porpora incespicò e la oltrepassò, lottando per non cadere. Arya tornò a saltare in piedi. Vide una finestra appena sopra di lei, alta e stretta, poco più di una feritoia per arcieri. Spiccò un salto, trovò un appiglio, si issò a forza di braccia. Espirò tutto il fiato che aveva dentro e si insinuò nella fenditura. "Guizzante come un'anguilla." Atterrò ai piedi di una serva stupefatta, intenta a lavare il pavimento. Arya si diede un'inutile ripulita agli abiti e ripartì di corsa. Fuori della porta, via per un lungo corridoio, giù per una rampa di scale, oltre un cortile nascosto, dietro un angolo, al di là di un muro, dentro un'altra stretta finestra, fino a uno scantinato nero come la pece. Dietro di lei, i rumori si fecero sempre più remoti.

Arya era senza fiato e perduta chissà dove nelle viscere della

Fortezza Rossa. Se era stata riconosciuta l'aspettavano guai grandiosi, ma era convinta di no. Si era mossa troppo velocemente. "Rapida come un cervo."

Sedette sui talloni a ridosso del muro di pietra gocciolante umidità e tese le orecchie. Nessun altro suono oltre al pulsare del suo cuore e a un lontano stillicidio d'acqua. "Silenziosa come un'ombra" si disse. Ma dov'era finita? Al loro arrivo ad Approdo del Re, lei aveva avuto sogni paurosi, nei quali finiva con il perdersi nei meandri del castello. Suo padre le aveva detto che la Fortezza Rossa era più piccola di Grande Inverno, ma nei suoi sogni era immensa: un labirinto di pietra senza fine, con muri che parevano spostarsi e cambiare forma. Si ritrovava a vagare lungo corridoi oscuri, oltre vecchi arazzi sbiaditi, scendeva infinite scale a chiocciola, correva attraverso cortili, lungo ponti coperti. Gridava, ma non appariva mai nessuno. In alcune di quelle sale, le pietre parevano grondare sangue e in nessun posto c'erano finestre. A volte udiva la voce di suo padre, ma sempre flebile, lontana. Così lei correva e correva, cercando di raggiungerla, ma era inutile. Per quanto corresse, la voce si perdeva e infine svaniva. E Arya restava sola nelle tenebre.

Ora le tenebre la stavano realmente assediando. Raccolse le gambe contro il petto e si abbracciò le ginocchia rabbrividendo. Avrebbe aspettato con calma, contando fino a diecimila. E poi sarebbe riuscita a strisciare via e a ritrovare la strada per tornare indietro.

Quando arrivò a ottantasette i suoi occhi si erano abituati all'oscurità e la stanza le appariva più chiara, più definita. Forme mostruose la circondavano. Dalla penombra, enormi orbite vuote la stavano fissando con avidità, e sotto di esse balenavano lunghe zanne. Perse il conto. Chiuse gli occhi, si morse il labbro e allontanò la paura. "Calma come acqua stagnante." Nel momento in cui avrebbe guardato di nuovo, i mostri sarebbero andati via. Perché non erano mai esistiti. "Forte come un orso." Immaginò che Syrio Forel fosse lì con lei, nel buio, e che le sussurrasse all'orecchio. "Feroce come un furetto." Riaprì gli occhi.

I mostri c'erano ancora, ma la paura era svanita.

Si alzò e cominciò a muoversi lentamente. Le teste la circondavano. Piena di curiosità, ne toccò una chiedendosi se era reale. Le sue dita sfiorarono una mandibola massiccia. Reale quanto bastava. Incontrò una delle zanne, nera, affilata, simile a una daga di pure tenebre. Ebbe un brivido.

«Sei morto» disse ad alta voce. «Sei solo un teschio, non puoi farmi del male.»

Non aveva senso, eppure le vestigia di quel mostro sembravano sapere che lei era là. Poteva percepire lo sguardo dei suoi occhi vuoti. E in quella stanza cavernosa, piena di oscurità, c'era qualcosa di malevolo. Arretrò e finì con la schiena contro un altro teschio, più grosso del primo. Per un istante, fu come se quelle zanne tentassero di morderla, di affondare nella sua spalla. Arya si girò di scatto. Il cuoio del suo giubbetto s'impigliò in una zanna e si strappò. Si mise nuovamente a correre. Un altro teschio, di fronte a lei, il più grosso di tutti. Arya non rallentò neppure. Spiccò un balzo proprio sopra una nera arcata dentaria, irta di zanne lunghe come spade, s'immerse in quelle cave fauci fameliche e si lanciò verso la porta.

Le sue mani trovarono un pesante anello metallico alloggiato in una nicchia nel legno. Tirò con tutte le sue forze. Per un momento la porta resistette, poi, lentamente, cominciò ad aprirsi verso l'interno con un cigolio così sonoro che Arya fu certa che l'avrebbero udito in tutta la città. Aprì la porta quel tanto che bastava per infilarcisi e sgusciò fuori.

La sala dei teschi mostruosi era buia, il corridoio al di là di quella porta era più tenebroso della più profonda fossa dei Sette Inferi. "Calma come acqua stagnante" si disse Arya, concedendo ai propri occhi un altro lungo momento per abituarsi all'oscurità. Non c'era niente da vedere, eccetto l'indistinta cornice grigia della porta che aveva appena varcato. Fece andare la mano avanti e indietro di fronte al viso. Percepì l'aria muoversi, ma non vide nulla. Era cieca.

"Un danzatore dell'acqua vede con tutti i sensi" rammentò a se stessa. Chiuse gli occhi, regolarizzò il respiro, si lasciò compenetrare dal silenzio. Ora poteva protendere le mani in avanti.

A sinistra, le sue dita incontrarono pietra scabra. Avanzò seguendo il muro, a piccoli passi nelle tenebre, la mano che ne sentiva la superficie. "Tutti i corridoi portano da qualche parte. Dovunque esista un'entrata, esiste anche un'uscita. La paura uccide più della spada." Arya non avrebbe avuto paura. Continuò a camminare. Fu certa di aver camminato molto a lungo quando il muro finì di colpo e un'inattesa corrente d'aria fredda le sfiorò il viso, scompigliandole i capelli.

Da qualche parte più in basso le giunsero dei rumori. Suole di stivali contro la pietra, voci soffocate. Una debole luce baluginò contro le pareti e Arya si rese conto di trovarsi vicino all'imboccatura di un vasto pozzo buio, un cilindro di almeno venti piedi di diametro che pareva sprofondare senza fine nel ventre della terra. Grosse pietre erano state collocate a sbalzo nella parete ricurva, formando gradini che scendevano e scendevano, perdendosi in tenebre impenetrabili come quelle descritte dalla Vecchia Nan nelle sue storie sulle discese agli inferi. E adesso, qualcosa stava uscendo da quelle tenebre, dalle viscere della terra...

Arya si protese oltre il bordo e il vento nero le soffiò gelido in faccia. Più in basso vide la luce di una torcia, piccola quanto la fiamma di una candela. E in quella luce, le ombre di due uomini, ombre distorte, gigantesche contro le pareti del pozzo. Poté udire gli echi delle loro voci rimbalzare contro la pietra.

«... riuscito a trovare uno dei bastardi» stava dicendo la prima voce. «Il resto non potrà tardare. Un giorno, due giorni, forse un paio di settimane.»

«E quando avrà scoperto la verità» disse una seconda voce con l'accento melodioso delle città libere «che cosa farà?»

«Lo sanno gli dèi.» Arya riuscì a individuare l'esile filo di fumo generato dalla torcia, lo vide salire contorcendosi nella semioscurità come un serpente. «Gli idioti hanno cercato di assassinare suo figlio e, quel che è peggio, hanno trasformato l'attentato in una farsa da guitti. Lui non è uomo da dimenticare una cosa simile. Ti avverto: tra non molto, che ci piaccia o no, il lupo e il leone si azzanneranno alla gola.»

«Troppo presto, troppo presto» si lamentò la voce con l'accento delle città libere. «A che ci servirebbe una guerra adesso? Non siamo pronti. Devi ritardare gli eventi.»

«Tanto varrebbe chiedermi di fermare il tempo. Chi credi che io sia, uno stregone, forse?»

«Meglio di uno stregone» ridacchiò l'altro.

Le fiamme continuavano a torcersi nell'aria fredda. Le ombre distorte erano quasi alla fine della salita. Un momento dopo, l'uomo che reggeva la torcia le apparve di fronte, il suo accompagnatore al fianco. Arya indietreggiò strisciando e si appiattì comprimendo il proprio corpo contro la parete. Trattenne il fiato mentre i due uomini raggiungevano la cima della scala.

«Cosa vorresti che facessi?» chiese quello che portava la torcia, un uomo dalla corporatura massiccia, con una corta mantella di pelle sulle spalle. Calzava stivali pesanti, ma i suoi piedi parevano fluttuare senza rumore sul pavimento. Sotto l'elmo d'acciaio a calotta c'era una faccia rotonda, disseminata di cicatrici e scurita da una barba incolta. Portava una cotta di maglia di ferro sopra una tunica di cuoio e alla cintura aveva una spada corta e un pugnale. C'era qualcosa di famigliare in lui.

«Come è morto un Primo Cavaliere, può morirne un secondo» rispose l'uomo con l'accento delle città libere. Aveva una barba biforcuta di colore giallo. «E tu, amico mio, hai già partecipato a questa danza.» Arya non l'aveva mai visto prima, ne era certa. Era molto grasso, però pareva camminare con leggerezza, spingendo il proprio peso sulla parte anteriore dei piedi come avrebbe fatto un danzatore dell'acqua. Nel chiarore della torcia, i suoi anelli mandavano lampi: argento pallido e oro rosso, tempestati di rubini, zaffiri, occhi di tigre. Aveva un anello per dito, in qualcuno addirittura due.

«Quella volta non è questa» disse l'uomo sfregiato avanzando nel corridoio. «E questo Primo Cavaliere non è l'altro.»

"Immobile come la pietra." Passarono a un palmo da lei. "Calma come acqua stagnante." Abbacinati dalla fiamma della torcia non la videro, appiattita contro il muro, vicinissima.

«Forse no» replicò barba biforcuta fermandosi un momento a riprendere fiato al termine della lunga salita. «Ma dobbiamo comunque guadagnare tempo. La principessa aspetta un bambino. Il khal non si muoverà finché suo figlio non sarà nato. Tu sai come sono fatti questi barbari.»

L'uomo con la torcia premette qualcosa. Arya udì un brontolio profondo. Un'enorme lastra di pietra, rossa nella luce della fiamma, calò dal soffitto con un boato tale che per poco non le strappò un urlo. E adesso, l'entrata al pozzo che conduceva fino alle viscere della terra era scomparsa. Al suo posto, non rimaneva altro che un impenetrabile pavimento di roccia.

«Ma se il khal non si muove in fretta, potrebbe essere troppo tardi» riprese lo sfregiato. «Questa non è più una partita a due, se mai lo è stata. Stannis Baratheon e Lysa Arryn sono fuggiti dove non posso raggiungerli, e si sussurra che entrambi stiano radunando spade. Il Cavaliere di Fiori invia messaggi ad Alto Giardino, facendo urgenza al lord suo padre d'inviare sua sorella a corte. Una fanciulla di quattordici anni, bella, dolce e docile. Lord Renly e ser Loras parlano di darla in sposa a re Robert, di fare di lei la nuova regina... E Ditocorto... solo gli dèi sanno a quale gioco sta giocando. Ma è lord Stark quello che turba i miei sonni. Ha trovato il bastardo, ha trovato il libro e non gli ci vorrà molto per trovare la verità. E ora, grazie agli intrighi di Ditocorto, sua moglie ha preso prigioniero Tyrion Lannister. Lord Tywin vedrà questo come un oltraggio, e lo Sterminatore di Re prova un distorto amore nei confronti del Folletto. Se i Lannister avanzano sul Nord, i Tully verranno trascinati nella mischia. Tu dici: ritarda gli eventi. Io rispondo: accelera gli eventi. Neppure il re dei giocolieri può riuscire a tenere cento palle in aria per sempre.»

«Tu sei ben più di un giocoliere, amico mio. Tu sei un autentico stregone. Tutto quello che ti chiedo è di continuare a eseguire trucchi magici per un altro po' di tempo.»

I due procedettero lungo il corridoio dal quale era venuta Arya e oltrepassarono la sala dei mostri.

«Farò ciò che potrò» replicò l'uomo con la torcia a bassa voce. «Mi serve altro oro. E altri cinquanta uccelletti.»

Arya diede loro un buon vantaggio, poi si mise a seguirli. "Silenziosa come un'ombra."

«Così tanti?» Le voci erano più indistinte per la distanza, la fiamma della torcia ondeggiava nel buio. «Quelli che vuoi sono difficili da trovare... giovani, in grado di leggere e scrivere... forse più in età... non morire così facilmente...»

«No. Vanno meglio quelli giovani... trattali con gentilezza...»

«... tenere a freno la lingua...»

«... il rischio...»

Le voci si persero del tutto, ma Arya continuò a vedere la torcia, una stella fumigante che le indicava la via. Per due volte parve svanire nelle tenebre ma Arya non si fermò ed entrambe le volte si trovò in cima a rampe di scale ripide e strette, la torcia che baluginava più sotto. Seguì la luce, in basso, sempre più in basso. Una volta inciampò malamente su una pietra che sporgeva e picchiò contro un muro di nuda terra sostenuto da pali di legno; finora il tunnel era ricoperto di pietra.

Doveva avere strisciato dietro di loro per miglia. Adesso erano svaniti, ma le restava un'unica direzione: in avanti. A tentoni, ritrovò il muro e riprese a muoversi, cieca, perduta. Immaginò che Nymeria fosse al suo fianco nelle tenebre. Avanzò sul fondo ora allagato del tunnel, l'acqua putrida che le arrivava alle ginocchia. Avrebbe voluto saper danzare su di essa come sapeva fare Syrio. Si chiese se avrebbe mai rivisto la luce.

Riemerse sulla superficie della terra che era notte fonda. Era uscita dall'imboccatura di una cloaca che scaricava nel Fiume delle Rapide Nere. Aveva addosso un puzzo che toglieva il fiato, perciò si spogliò lì dove si trovava e si tuffò nella corrente scura. Nuotò avanti e indietro finché non si sentì pulita, tornò a riva e si mise a risciacquare i vestiti intrisi di liquame, tremando di freddo. Passarono alcuni cavalieri, ma non degnarono di un'occhiata quella ragazzina nuda e magra che lavava stracci nel fiume al chiarore della luna.

Era a miglia di distanza dal castello, ma non aveva importanza. Non c'era nessun rischio di non riuscire a tornare indietro perché la Fortezza Rossa, dominando l'intera città dalla cima della Collina di Aegon, era perfettamente visibile da qualsiasi punto di Approdo del Re. Arya arrivò al corpo di guardia che i suoi vestiti erano pressoché asciutti. La saracinesca del grande portale era sbarrata, perciò andò al più piccolo accesso laterale. C'erano due guardie dai mantelli dorati a sorvegliarla, e sghignazzarono quando lei disse loro di lasciarla entrare. «Vattene» disse uno dei due. «I resti delle cucine sono finiti e non vogliamo mendicanti dopo il tramonto.»

«Non sono una mendicante. Io vivo qui.»

«Ho detto: vattene! O vuoi un corno per sordi per aiutarti a sentire meglio?»

«Voglio vedere mio padre.»

«Certo. E io voglio fottermi la regina» disse il soldato più giovane. «Chissà quanto ci divertiremmo.»

«Di' un po', ragazzino» fece quello più vecchio. «E chi sarebbe tuo padre, l'acchiappatopi del porto, forse?»

«Il Primo Cavaliere del re.»

Tutti e due le risero in faccia. Poi il più vecchio le allungò un manrovescio, il gesto distratto di chi cerca di allontanare un cane molesto. Arya vide arrivare il colpo ancora prima che la mano si muovesse. Danzò all'indietro, evitando di essere colpita. «Non sono un ragazzino!» Sputò loro addosso. «Sono Arya Stark di Grande Inverno. Provate a toccarmi anche solo con un dito, e mio padre avrà le vostre teste su una picca. Non mi credete? Allora chiamate Jory Cassel, oppure Vayon Poole, dalla Torre del Primo Cavaliere.» Si piazzò le mani sui fianchi. «Allora, vi decidete ad aprirla, questa porta, o volete un corno per sordi per aiutarvi a sentire meglio?»

Furono Tom il Grasso e Harwin a portarla su. Suo padre era solo nel solarium, chino su un libro al caldo chiarore di una lanterna a olio. Era il libro più imponente che Arya avesse mai visto, rilegato in cuoio antico, le pagine ingiallite, fessurate, coperte di fitta scrittura. Lord Eddard lo chiuse, ascoltò il rapporto di Tom il Grasso, infine ringraziò le guardie e le congedò.

«Arya, ti rendi conto che ho mandato metà dei miei uomini a cercarti? Septa Mordane era fuori di sé dalla paura. È ancora nel tempio, a pregare per il tuo ritorno. Quante volte ti ho detto che non devi mai uscire dalle porte del castello senza il mio permesso?»

«Non sono uscita dalle porte... Ecco, non intendevo farlo. Ero nel torrione, ma poi sono finita in quel tunnel. Era tutto buio. Non avevo una torcia, non avevo niente per fare luce. Così sono andata avanti a tentoni. Solo che poi, non ho più potuto tornare per la stessa strada per colpa dei mostri... Padre, parlavano di ucciderti! Voglio dire, non i mostri: due uomini. Loro non mi hanno vista. Io stavo immobile come una roccia e silenziosa come un'ombra, però li ho uditi. Hanno detto che tu avevi un libro e un bastardo. Hanno detto che se un Primo Cavaliere era morto, poteva morirne anche un altro. È quello il libro? E il bastardo è Jon, non è così?»

«Jon? Arya, di che cosa stai parlando? Chi ha detto tutto questo?»

«Ma loro! Uno era grasso con la barba gialla biforcuta e tanti anelli a ogni dito e quell'altro portava una maglia di ferro e un mezzo elmo d'acciaio, e il grasso ha detto di ritardare, ma quell'altro gli ha detto di non poter continuare a fare il giocoliere e che il lupo e il leone si sarebbero sbranati uno con l'altro e che era venuta fuori una farsa da guitti.» Fece uno sforzo per ricordare il resto, ma non aveva capito bene quello che aveva udito e adesso nella sua testa sembrava essersi ammucchiato tutto quanto. «Il ciccione ha detto che la principessa aspetta un bambino. Quello con l'elmo d'acciaio, che aveva una torcia, ha detto che dovevano sbrigarsi. Credo che fosse un mago.»

«Un mago.» Ned Stark non stava sorridendo. «E aveva anche una lunga barba bianca e un cappello a punta con sopra tante stelle?»

«No, padre! No! Non era affatto come nelle storie della Vecchia Nan. Non aveva l'aspetto di un mago, ma il grasso ha detto che lo era.»

«Arya, ti avverto: se stai inventando tutto...»

«No! Te l'ho detto! È stato nei sotterranei del torrione, in un posto dove c'è un passaggio segreto. Stavo dando la caccia ai gatti e allora...» Si morse la lingua: se avesse ammesso di aver mandato il principe Tommen a gambe levate, suo padre si sarebbe arrabbiato sul serio. «Insomma, ho raggiunto la finestra. Ed è lì che ho trovato i mostri.»

«Mostri e maghi. Si direbbe, Arya, che hai avuto una notevole avventura. E due uomini parlavano di giocolieri e guitti?»

«Ecco... sì» ammise lei. «Però...»

«Erano guitti, Arya. In questo periodo, dev'esserci almeno una dozzina di carovane di teatranti ad Approdo del Re. Gente venuta a fare qualche soldo divertendo le folle del torneo. Non so che cosa ci facessero questi due nel castello, ma forse il re ha chiesto uno spettacolo.»

«No!» Lei scosse la testa con ostinazione. «Non erano guitti, padre!...»

«In ogni caso non dovresti andartene in giro a spiare le persone, Arya. Né sono entusiasta all'idea di mia figlia che insegue gatti randagi e dà la scalata a strane finestre. Cara, guarda come sei ridotta. Le braccia piene di graffi, i vestiti stracciati. Tutto questo è andato avanti abbastanza. Di' a Syrio Forel che voglio parlare con lui...»

Un secco bussare lo interruppe. «Le mie scuse, lord Eddard.» Desmond aprì la porta di una fessura. «Un confratello dei guardiani della notte chiede udienza. Dice che è urgente. Ho creduto volessi esserne informato, mio signore.»

«La mia porta è sempre aperta per i guardiani della notte» rispose lui.

L'uomo che Desmond introdusse era brutto, storto, con una barbaccia ispida e gli abiti puzzolenti. Ciò nonostante il lord suo padre lo accolse con un abbraccio e gli chiese gentilmente il suo nome.

«Yoren, mio signore. Accetta le mie scuse per l'ora.» S'inchinò ad Arya. «E questo dev'essere un tuo figliolo, glielo vedo scritto in viso.»

«Sono una ragazza» disse Arya, esasperata. Ma se quel vecchio veniva dalla Barriera, doveva essere passato per Grande Inverno. «Li conosci, i miei fratelli?» gli chiese tutta eccitata. «Robb e Bran sono a Grande Inverno, Jon è sulla Barriera. Jon Snow, è anche lui nei guardiani della notte, lo devi conoscere per forza, ha un metalupo albino con gli occhi rossi. E Jon l'hanno già fatto ranger? Sono Arya Stark.» Il vecchio in nero dagli abiti puzzolenti la osservava in modo strano, ma Arya proprio non riuscì a fermarsi. «Quando ritorni alla Barriera, porteresti a Jon una lettera che voglio scrivergli?» Quanto avrebbe voluto che Jon fosse lì con lei in quel momento! Lui avrebbe certo creduto alla sua avventura e al grassone con la barba biforcuta e al mago dall'elmo d'acciaio.

«Mia figlia spesso dimentica le buone maniere.» Un vago sorriso addolcì le parole di Eddard Stark. «Le mie scuse, Yoren. È stato mio fratello Benjen a mandarti?»

«Non è stato nessuno a mandarmi, mio signore, a parte il lord comandante Mormont. Sono qui a cercare uomini per la Barriera. Quando re Robert concederà udienza, mi inginocchierò e gli presenterò la nostra invocazione. Forse, nelle loro segrete, il re e il Primo Cavaliere hanno feccia della quale vogliono sbarazzarsi. Ma dici il vero nel supporre che Benjen Stark è la ragione per la quale stiamo parlando. Il suo sangue adesso è il sangue dei confratelli in nero. Lui è mio fratello come è tuo fratello. È in suo nome che sono qui. Ho cavalcato duro, per poco non ho ucciso il cavallo, ma gli altri me li sono lasciati alle spalle.»

«Quali altri?»

«I mercenari sono come rifiuti.» Yoren sputò a terra. «La locanda era piena di loro e io li ho visti sentire l'odore. Quello del sangue oppure quello dell'oro, alla fine il tanfo è lo stesso. Non tutti si sono diretti ad Approdo del Re, però. Alcuni hanno galoppato verso Castel Granito, che era più vicino. Ormai lord Tywin deve aver saputo, su questo puoi contare.»

«Saputo cosa?» La fronte di lord Eddard era aggrottata.

«Qualcosa che va detta in privato.» Yoren lanciò un'occhiata ad Arya. «Con il tuo permesso, mio signore.»

«Come preferisci. Desmond, accompagna mia figlia nelle sue stanze.» Baciò Arya sulla fronte. «Finiremo domani la nostra conversazione.»

Arya restò impalata lì dov'era. «A Jon non è successo niente, vero?» chiese a Yoren. «E neanche a zio Ben, giusto?»

«Ebbene, di Stark, non so dire. Il ragazzo Snow stava bene quando me ne sono andato dalla Barriera. Non sono loro la mia preoccupazione.»

«Andiamo, mia lady.» Desmond prese Arya per mano. «Hai sentito cos'ha detto il lord tuo padre.»

Desmond non era Tom il Grasso. Con Tom, inventando una scusa, Arya sarebbe riuscita a fermarsi fuori della porta per un altro po', in modo da sentire che cos'altro Yoren aveva da dire. Ma Desmond era tutto d'un pezzo e non era facile imbrogliarlo. Arya non ebbe scelta se non andare con lui e farsi scortare verso le sue stanze.

«Desmond, quante guardie ha mio padre?»

«Qui ad Approdo del Re? Cinquanta.»

«Tu non permetteresti a nessuno di fargli del male, non è così?»

«Non temere, piccola lady» rise Desmond. «Lord Eddard è sorvegliato giorno e notte. Non corre alcun pericolo.»

«Però i Lannister hanno ben più di cinquanta uomini» osservò Arya.

«Vero. Ma un solo uomo del Nord ne vale dieci di queste spade del Sud, per cui puoi dormire sonni tranquilli.»

«E se a ucciderlo venisse mandato uno stregone?»

«Devi sapere, piccola lady, che gli stregoni crepano tali e quali a tutti gli altri uomini» Desmond sfoderò la spada lunga «una volta che gli hai tagliato la testa.»

EDDARD

«Robert, ti imploro: rifletti su quello che stai dicendo!» supplicò Ned Stark. «Stai parlando di assassinare una bambina!»

«La puttana è incinta!» Il pugno massiccio del re si abbatté sul tavolo del concilio con uno schianto tonante. «Io ti avevo avvertito, Ned. Nella Terra delle Tombe, ricordi? Ti avevo detto che questo sarebbe accaduto, ma tu ti sei rifiutato di ascoltare. Ebbene, adesso ascolterai. Voglio Daenerys Targaryen morta, lei e il suo bambino, e voglio morto anche quell'idiota di Viserys. Mi sono spiegato con sufficiente chiarezza? Li voglio morti! Tutti quanti!»

Gli altri membri del concilio ristretto ce la stavano mettendo tutta per fingere di trovarsi altrove. Erano di certo più saggi di lui, nessun dubbio. In poche altre circostanze Eddard Stark si era sentito così solo, così isolato. «Compi un simile atto, Robert, e sarai disonorato per sempre.»

«È il mio onore, Stark, non il tuo. E non sono cieco al punto da non vedere l'ombra dell'ascia pronta a calare sul mio collo.»

«Non c'è nessuna ascia: c'è solamente l'ombra di un'ombra, lontana vent'anni.» Ned scosse il capo. «Se poi quest'ombra esiste realmente.»

«Se?» intervenne lord Varys in tono suadente. «Mio signore, tu mi sminuisci.» Le sue dita incipriate s'intrecciarono. «Porterei forse menzogne al mio re e al concilio?»

«Quello che porti, mio lord, sono i bisbigli di un traditore all'altro capo del mondo.» Ned squadrò il Ragno Tessitore con occhi glaciali. «E forse Jorah Mormont si sbaglia. Forse mente.»

«Ser Jorah non oserebbe ingannarmi.» C'era un sorriso mellifluo sul volto di Varys. «Conta sulle sue informazioni, mio signore. La principessa è veramente incinta.»

«Questo è quanto tu dici» insistette Ned. «Ma se sbagli, non c'è nulla da temere. Se la ragazza perde il bambino, non c'è nulla da temere. E se genererà una femmina invece di un maschio, non c'è nulla da temere. Infine, se il bambino muore durante l'infanzia, non c'è nulla da temere.»

«E se invece fosse un maschio?» lo contraddisse Robert. «Se sopravvivesse?»

«Tra loro e noi continuerebbe a esserci il Mare Stretto» si ostinò Ned. «Io comincerò ad avere paura dei dothraki il giorno in cui insegneranno ai loro cavalli a galoppare sull'acqua.»

«Quindi tu mi consigli di non fare nulla finché la genia del drago non avrà fatto sbarcare un'armata d'invasione sulle mie spiagge?»

«La genia del drago si trova ancora nel grembo di sua madre. Neppure Aegon il Conquistatore osò muoversi prima di aver generato eredi.»

«Per gli dèi, Stark! Sei più testardo di un bisonte!» Il re lanciò un'occhiata di fuoco sugli altri membri del concilio. «E voialtri? Vi siete inghiottiti la lingua? C'è nessuno che farà ragionare questo pazzo?»

«Io mi rendo conto delle tue ritrosie, Primo Cavaliere.» Lord Varys elargì al re un sorriso untuoso e posò una delle sue mani soffici sulla manica di Ned. «Realmente mi rendo conto. Credimi, portare una simile notizia al cospetto del concilio non mi arreca alcuna gioia. Ciò che stiamo contemplando è una cosa terribile, una cosa... orrida. E tuttavia a noi, cui è demandato il dominio, è parimenti demandato il dovere di compiere orridi atti in nome del bene del reame, per quanto dolorose possano essere queste decisioni.»

«A me il problema sembra abbastanza semplice.» Lord Renly alzò le spalle. «Avremmo dovuto far uccidere Viserys e sua sorella anni fa, ma sua maestà mio fratello commise l'errore di dare retta a Jon Arryn.»

«La misericordia non è mai un errore, lord Renly» ribatté Ned. «Sul Tridente, ser Barristan abbatté una dozzina di validi guerrieri, tutti amici di Robert e miei. Ma quando lo portarono da noi, ferito e prossimo alla morte, quando Roose Bolton era pronto a tagliargli la gola, fu tuo fratello ad avere l'ultima parola. "Non ucciderò un uomo a causa della sua lealtà, né per aver combattuto valorosamente" disse, e poi mandò da ser Barristan il suo personale maestro guaritore.» Ned spostò sul re uno sguardo privo di calore. «Quell'uomo è ancora qui, oggi?»

«Non è la stessa cosa, Ned.» Robert ebbe la decenza di arrossire. «Ser Barristan era un cavaliere della Guardia reale.»

«E Daenerys è una ragazzina di quattordici anni.» Ned era consapevole di stare oltrepassando tutti i limiti, ma non avrebbe taciuto. «Così io ti chiedo, Robert: per quale ragione prendemmo le armi contro Aerys il Re Folle se non per porre fine all'assassinio di bambini?»

«Per porre fine ai Targaryen!» borbottò il re.

«Maestà, non mi risulta che tu abbia mai avuto paura di Rhaegar.» Eddard Stark compì uno sforzo per evitare che la repulsione trapelasse nella sua voce, ma fallì. «O forse il tempo ti ha effeminato al punto da farti tremare per l'ombra di un bambino che ancora deve nascere?»

«Basta così, Ned.» Robert, paonazzo in viso, gli puntò contro l'indice. «Non un'altra parola. Hai dimenticato chi è il re, qui dentro?»

«No, maestà. Forse sei tu ad averlo dimenticato.»

«Ho detto: basta!» urlò il re. «Ho la nausea delle parole. Che venga presa una maledetta decisione e che sia finita! Forza, voi, parlate!»

«Dev'essere uccisa» dichiarò lord Renly.

«Non abbiamo scelta» mormorò lord Varys. «È triste, molto triste...»

«Maestà, c'è onore nell'affrontare il nemico sul campo di battaglia.» Gli occhi azzurro chiaro di ser Barristan Selmy si levarono sul re. «Ma non c'è nessun onore nell'assassinarlo quando ancora si trova nel ventre di sua madre. Perdonami, ma devo schierarmi con lord Eddard.»

Il gran maestro Pycelle si schiarì la gola, un'operazione di elevata complessità che parve richiedere qualche minuto. «Il mio ordine serve il reame, non chi regna. Un tempo consigliai re Aerys con la stessa lealtà con la quale ora consiglio re Robert. Non auguro alcun male a questo bimbo non ancora nato. Tuttavia mi chiedo, e vi chiedo: dovesse la guerra tornare a infuriare, quanti soldati morranno? Quanti figli verranno strappati alle loro madri per morire sulla punta di una picca?» Con infinita tristezza, con infinita cautela, Pycelle si accarezzò la punta della sua lussureggiante barba bianca. «Non è forse più saggio, addirittura più pietoso, che Daenerys Targaryen muoia adesso, così che decine di migliaia vivano?»

«Sì, pietoso» concordò Varys. «Oh, gran maestro, quale verità hai detto. Se gli dèi, nei loro capricci, dovessero concedere un figlio a Daenerys Targaryen, il reame ne sarebbe certamente insanguinato.»

Ditocorto non aveva ancora parlato. Sotto lo sguardo penetrante di Ned, soffocò uno sbadiglio. «Quando sei a letto con una donna brutta, la cosa migliore è chiudere gli occhi e fare ciò che va fatto» dichiarò. «Anche a prendere tempo, la sua bruttezza non andrà via. Dalle un bacio e che sia finita.»

«Un bacio?» Ser Barristan Selmy era senza fiato.

«Il bacio dell'acciaio» precisò Ditocorto.

«Ecco fatto, Ned.» Il re si rivolse al suo Primo Cavaliere. «Tu e Selmy siete le sole voci discordanti. L'unico problema che rimane è chi mandare a ucciderla.»

«Jorah Mormont non attende altro che il perdono reale» ricordò lord Renly.

«Disperatamente» aggiunse Varys. «Ma ci tiene a restare in vita ancora più disperatamente. In questo momento, la principessa sta per raggiungere Vaes Dothrak, dove la pena per chiunque sfoderi una lama è la morte. Se vi dicessi che cosa accadrebbe al malcapitato che osasse tentare di usarne una contro una khaleesi, tutti voi avreste gli incubi questa notte.» Si accarezzò una guancia incipriata. «Il veleno... le Lacrime di Lys, per esempio. Khal Drogo non saprà mai che non è stata una morte naturale.»

Le palpebre pesanti del gran maestro Pycelle si spalancarono di scatto. Scoccò a Varys uno sguardo pieno di sospetto.

«Veleno?» borbottò il re. «È un'arma da codardi.»

Eddard Stark ne ebbe abbastanza. «Parli di mandare qualcuno a tagliare la gola a una ragazzina di quattordici anni e poi disquisisci sull'onore?» Ned spinse indietro lo scranno e si alzò. «Vacci tu a tagliarle la gola, di persona. L'uomo che pronuncia la sentenza dovrebbe anche eseguirla. E guardala dritto negli occhi, quando la sgozzerai. Guarda le sue lacrime, ascolta le sue ultime parole. Direi che tu le devi quanto meno questo.»

«Per gli dèi!» bestemmiò il re, la furia repressa a stento. «Tu parli sul serio, maledetto te!» Brancolò alla ricerca della caraffa di vino accanto al suo gomito, la trovò vuota e la scaraventò contro il muro facendola scoppiare in mille pezzi. «Il mio vino è finito, Ned, e anche la mia pazienza. Fallo e basta!»

«Non avrò alcuna parte in un omicidio, Robert. Tu fa' pure quello che vuoi, ma non chiedere a me di apporvi il mio sigillo.»

Per un momento, Robert parve non comprendere che cosa Eddard gli stava realmente dicendo. Non gli capitava spesso di incontrare resistenza. Mentre cominciava a capire, la sua espressione progressivamente mutò. I suoi occhi si ridussero a due fessure e un'ondata purpurea risalì dal colletto di velluto, invadendogli la gola. «Tu sei il Primo Cavaliere del re, lord Stark.» Gli puntò nuovamente contro l'indice. «Tu obbedirai a ciò che io ti comando, oppure troverò un Primo Cavaliere che lo faccia.»

«Gli auguro ogni successo.»

Ned Stark sganciò la pesante fibbia d'argento a forma di mano, simbolo della sua carica, che chiudeva al collo il mantello. Si tolse la cappa del Primo Cavaliere e la depositò sul tavolo, di fronte al suo re. Era pieno di tristezza al ricordo dell'uomo che aveva voluto fargliela indossare, dell'amico di tanto tempo prima. «Pensavo che tu fossi migliore di quello che ti sei rivelato, Robert. Pensavo che avessimo messo un più nobile re sul Trono di Spade.»

«Fuori...» Adesso anche il volto di Robert era purpureo, la voce strozzata dal furore. «Fuori di qui, maledetto te. Finito! Che aspetti? Va', torna a Grande Inverno! Ed evita che io veda di nuovo la tua faccia... o avrò la tua testa su una picca!»

Ned fece un leggero inchino, si voltò e se ne andò senza un'altra parola. Alle sue spalle, pressoché senza soluzione di continuità, la discussione riprese. «Nella città libera di Braavos» propose il gran maestro Pycelle «esiste la società degli Uomini senza faccia.»

«Un momento, un momento» esclamò Ditocorto. «Potremmo assoldare un intero esercito di mercenari per la metà della tariffa degli Uomini senza faccia. E questo solo se dovessero far fuori un qualche mercante. Neppure oso pensare quanto chiederebbero per una principessa.»

Ned chiuse la porta dietro di sé, facendo tacere quelle voci. Ser Boros Blount, il lungo mantello bianco della Guardia reale sulle spalle, stazionava appena fuori della sala del concilio. Con la coda dell'occhio, il cavaliere lanciò a Ned un rapido sguardo, non privo di una certa perplessità, ma non fece domande.

Nel superare il ponte coperto che portava alla Torre del Primo Cavaliere, l'aria gli parve essersi fatta di colpo pesante, oppressiva. Si percepiva il sentore della pioggia. Ned non avrebbe chiesto di meglio: lo avrebbe fatto sentire meno sudicio.

Raggiunse il solarium e convocò Vayon Poole, il suo attendente.

«Cosa comandi, lord Primo Cavaliere?»

«Primo Cavaliere? Non più» gli comunicò Ned. «Il re e io abbiamo avuto una discussione. Torniamo a Grande Inverno.»

«Comincerò i preparativi immediatamente, mio signore. Ci occorreranno almeno due settimane prima di essere pronti per il viaggio.»

«Potremmo non avere due settimane. Potremmo non avere neppure un giorno.» Ned corrugò la fronte. «Il re ha accennato alla mia testa infilzata su una picca.» In realtà non riteneva possibile che il re gli avrebbe fatto del male, non Robert. Adesso era su tutte le furie, ma una volta che lui fosse stato lontano, la sua rabbia si sarebbe calmata, come sempre accadeva.

Sempre? All'improvviso, amaramente, si ricordò di Rhaegar Targaryen. Un uomo morto da quindici anni, che Robert continuava a odiare adesso come allora. Un'idea inquietante. E non era certo la sola: c'era anche la questione di Catelyn e del nano Lannister della quale Yoren l'aveva informato solamente la notte prima. Un evento che sarebbe emerso molto presto, sicuro come il sorgere del sole, e con il re travolto da un simile furore cieco... Forse a Robert non importava molto di Tyrion Lannister, ma il suo orgoglio ne avrebbe risentito, e poi era impossibile prevedere come si sarebbe comportata la regina.

«Sarebbe forse più sicuro se io andassi via subito» disse a Poole. «Prenderò con me le mie figlie e pochi armati. Il resto di voi potrà seguirmi quando sarete pronti. Informa Jory Cassel, ma solo lui, nessun altro. E non fare nulla finché le ragazze e io non saremo lontani. La Fortezza Rossa è piena di occhi e orecchie. Non voglio che i miei piani trapelino.»

«Come tu comandi, mio signore.»

Dopo che se ne fu andato, Eddard Stark sedette accanto alla finestra, immerso in pensieri cupi. Robert non gli aveva dato scelta. Per certi versi, avrebbe dovuto ringraziarlo. Sarebbe stato un bene tornare a Grande Inverno. Non avrebbe mai dovuto andarsene. C'erano i suoi figli, là. Forse, al suo ritorno, lui e Catelyn avrebbero potuto averne anche un altro, non erano poi così avanti negli anni. E lui continuava a sognare la neve, il freddo, la quiete profonda delle notti della Foresta del Lupo.

Eppure, il pensiero di andarsene lo riempiva di rabbia. Andarsene e lasciare tutto incompiuto. Abbandonati a loro stessi, Robert e quel suo concilio di codardi e di adulatori avrebbero finito con il distruggere finanziariamente il reame. O peggio: avrebbero finito con lo svenderlo ai Lannister per pagare i debiti contratti con loro. Inoltre, la verità sulla morte di Jon Arryn continuava a sfuggirgli. Aveva trovato dei frammenti, questo sì, sufficienti a convincerlo che Jon era stato davvero assassinato, ma avevano lo stesso valore di confuse tracce d'animale sul suolo di una foresta. Lui non era stato in grado di individuare la belva. Sapeva soltanto che era ancora nascosta là fuori, in agguato, pronta ad azzannare di nuovo.

Tornare a Grande Inverno via mare: l'idea lo colpì improvvisamente. Ned era tutto fuorché un marinaio e in circostanze normali si sarebbe avviato sulla Strada del Re, ma andando via mare avrebbe potuto fare una sosta alla Roccia del Drago e parlare con Stannis Baratheon. Pycelle aveva inviato un corvo messaggero attraverso le acque, con una cordiale lettera nella quale Ned gli chiedeva di riprendere il suo posto nel concilio ristretto. Fino a quel momento non c'era stata risposta e il silenzio non faceva che alimentare i suoi sospetti. Lord Stannis era al corrente del segreto che aveva causato la morte di Jon Arryn, ne era certo. E la verità che lui stava così attivamente cercando poteva trovarsi proprio sull'antica isola-fortezza di Casa Targaryen.

"Ma anche quando l'avrai trovata, quella verità, che cosa ne farai? Esistono segreti che è meglio mantenere tali. Realtà troppo pericolose per essere condivise, perfino con coloro che amiamo, dei quali ci fidiamo" si disse Ned. Per l'ennesima volta, sfilò dal fodero che portava alla cintura la daga che gli aveva dato Catelyn. Il pugnale del Folletto. Perché il nano Lannister avrebbe voluto la morte di Bran? Per ridurlo al silenzio, questo era chiaro. Un altro segreto, o un diverso filo della medesima ragnatela?

E Robert? Poteva anche lui far parte di quella ragnatela? Ned rifiutava di crederlo, ma aveva anche rifiutato di credere possibile che Robert ordinasse l'assassinio di donne incinte e di bambini. «Tu conoscevi l'uomo, il guerriero» l'aveva avvertito Catelyn. «Questo re è per te uno sconosciuto.» Quanto prima fosse stato mille leghe lontano da Approdo del Re, tanto meglio. Se c'era una nave che salpava per il Nord già il mattino dopo, lui sarebbe stato più al sicuro a bordo.

Convocò nuovamente Vayon Poole e lo spedì al porto, a fare rapide ma discrete ricerche. «Trovami un vascello veloce, con un capitano esperto» gli ordinò. «Non m'importa la dimensione delle cabine, né quanto siano comode. Le uniche cose che contano sono la rapidità e la sicurezza. Voglio andare via di qui subito.»

Poole se n'era appena andato che Tomard gli annunciò: «Lord Baelish chiede di vederti, mio signore».

Ned fu tentato di non riceverlo, ma ci ripensò. Non era ancora fuori dalla Fortezza Rossa, e fino ad allora doveva continuare a giocare la partita sul loro campo. «Fallo accomodare, Tom.»

Ditocorto entrò come se nulla di insolito fosse accaduto quella mattina. Indossava un farsetto di velluto a righe trasversali crema e argento e una cappa di seta grigia bordata di pelliccia di volpe nera. Sfoggiava anche il suo abituale sorrisetto irridente.

«Posso sapere il motivo della tua visita, lord Baelish?» esordì freddamente Ned.

«Non ruberò troppo del tuo tempo. Ho un impegno a cena con lady Tanda. Sformato di lampreda e arrosto di maialino di latte. La lady sembra avere in mente di darmi in sposa la sua figlia minore, perciò la sua tavola è sempre stupefacente. A essere franco, preferirei sposare il maialino di latte, ma questo è meglio non dirglielo. Inoltre, adoro la lampreda.»

«Non sarò io a tenerti lontano dalle tue adorate anguille, mio signore» disse Ned con gelido sarcasmo. «A essere franco, in questo momento l'ultima compagnia che desidero è la tua.»

«Immagino, Stark, che se ti applicassi di buona volontà, potresti di certo tirare fuori compagnie più gradite. Varys, per esempio. O Cersei. O anche Robert. Sua maestà è quanto mai adirato nei tuoi confronti. È andato avanti non poco a parlarne, questa mattina. Se ricordo con chiarezza, le parole "insolenza" e "ingratitudine" sono state ripetute svariate volte.»

Ned non sprecò il fiato per rispondergli, né gli offrì di accomodarsi, ma Ditocorto si sedette ugualmente. «Dopo che tu ci hai così tempestosamente lasciati, è toccato a me convincerlo a non servirsi degli Uomini senza faccia... Con discrezione, Varys spargerà la voce che chiunque farà fuori la ragazzina Targaryen verrà nominato cavaliere.»

«Magnifico.» Ned era disgustato. «Adesso concediamo titoli nobiliari agli assassini.»

«I titoli nobiliari costano poco.» Ditocorto si strinse nelle spalle. «Gli Uomini senza faccia, invece, costano molto. Siamo onesti, Stark, alla ragazzina Targaryen ho reso un servizio molto migliore io di quanto non abbia fatto tu con tutto il tuo parlare di onore. Finirà che a provare a farla fuori sarà un qualche mercenario inebriato da visioni di nobiltà. È pressoché certo che gli andrà male, e dopo i dothraki saranno sul chi vive. Se invece le mettessimo alle costole gli Uomini senza faccia, potremmo già darla per morta e sepolta.»

«Tu siedi nel concilio a parlare di donne brutte e di baci d'acciaio» Ned corrugò la fronte «e poi vieni da me aspettandoti che io mi beva la frottola di te che proteggi quella ragazza? Quanto idiota credi che io sia?»

«Molto.» Ditocorto gli rise in faccia. «Direi un idiota enorme.»

«Trovi sempre così divertente l'omicidio, lord Baelish?»

«Non è affatto l'omicidio che io trovo divertente, sei tu, lord Stark. Tu eserciti il tuo potere come qualcuno che balla su una crosta di ghiaccio marcio. Ti garantisco che farai un bello spruzzo quando quel ghiaccio andrà in pezzi sotto i tuoi piedi. Ho sentito il primo scricchiolio proprio questa mattina.»

«Primo e ultimo. Il ballo è finito.»

«E quando avresti intenzione di fare ritorno a Grande Inverno, mio signore?»

«Prima possibile. A te che importa?»

«Niente. Ma se per caso tu fossi ancora qui al tramonto, sarei onorato di accompagnarti a quel certo bordello che il tuo uomo Jory Cassel continua inutilmente a cercare.» Ditocorto sorrise. «E non lo dirò a lady Catelyn.»

CATELYN

«Mia signora, avresti dovuto farci pervenire la notizia del tuo arrivo» disse ser Donnel Waynwood. «Avremmo inviato una scorta. La strada alta non è più sicura come un tempo, specialmente per un gruppo ridotto quale il vostro.» Stavano raggiungendo la sommità di un passo impervio.

«L'abbiamo imparato a nostre tristi spese, ser Donnel.» A volte Catelyn Stark cominciava a credere che il suo cuore fosse diventato di pietra. Per permetterle di arrivare fin lì, sei uomini validi, coraggiosi, erano caduti. Eppure lei non riusciva a versare una sola lacrima. Nella sua memoria, perfino i loro nomi stavano svanendo. «I predoni dei clan delle montagne ci sono stati addosso giorno e notte. Abbiamo perso tre uomini nel primo attacco, due nel secondo. Il servitore di Lannister è morto in seguito, di febbre, per le ferite infettate. Quando ho udito i vostri cavalli, sono stata certa che fosse la nostra fine.»

Si erano preparati all'ultima, disperata battaglia, spade in pugno, schiena contro la roccia. Il Folletto stava affilando l'ascia e tirava fuori battute macabre quando Bronn, l'ultima rimasta delle spade mercenarie, aveva visto i vessilli innalzati dai cavalieri: il falcone e la luna di Casa Arryn, blu cielo e bianco. Mai Catelyn aveva visto qualcosa di altrettanto rassicurante.

«Da che lord Jon è trapassato» riprese ser Donnel «i clan si sono fatti più temerari.» Il cavaliere era un giovane sulla ventina, dalla corporatura massiccia, volonteroso e onesto, naso largo e una gran massa di capelli castani. «Se la decisione spettasse a me» continuò «prenderei cento uomini, li guiderei tra i monti e stanerei quei maledetti dalle loro roccaforti, impartendo qualche dura lezione. Ma tua sorella lo ha proibito. Lady Lysa non ha neppure permesso ai suoi cavalieri di partecipare al torneo del Primo Cavaliere. Vuole che tutte le sue spade le stiano vicine per difendere la valle... contro chi o che cosa, nessuno sa per certo. Le ombre, dicono alcuni.» Lanciò a Catelyn uno sguardo di colpo pieno d'ansia, come se si fosse reso conto solo in quel momento di chi era. «Spero di non aver parlato irrispettosamente, mia signora. Non intendevo offendere.»

«La franchezza non può offendermi, ser Donnel.» Catelyn sapeva che cosa temeva sua sorella. "Non le ombre: i Lannister" si disse. Il suo sguardo si spostò dietro, su Tyrion che cavalcava a fianco di Bronn. Dalla morte di Chiggen, i due erano diventati ben più che amici e il Folletto era decisamente più astuto di quanto le piacesse. Quando avevano affrontato le montagne, Tyrion Lannister era suo prigioniero, legato e senza scampo. Adesso che cos'era? Ancora suo prigioniero, questo sì, ma aveva un pugnale alla cintura e un'ascia da guerra appesa alla sella, indossava la pelle della pantera-ombra che aveva vinto ai dadi contro il menestrello e la maglia di ferro razziata dal cadavere di Chiggen.

Due ali di armati ora scortavano il nano e quanto restava del malridotto gruppo di Catelyn, cavalieri e armigeri al servizio di sua sorella Lysa e di Robert, figlio suo e di Jon Arryn. Tuttavia Tyrion Lannister continuava a non dare il minimo segno di paura.

"F se mi sbagliassi?" Quella domanda rimbalzava senza sosta nella mente di Catelyn. Se il Folletto fosse stato realmente innocente di Bran, di Jon, di tutto quanto? E se davvero lo era, che genere di donna diventava lei? Sei uomini erano morti per portarlo fin lì.

Con determinazione, respinse i dubbi. «All'arrivo alla fortezza» disse a ser Donnel «apprezzerei grandemente se tu potessi convocare al più presto maestro Colemon. Ser Rodrik soffre della febbre provocata dalle ferite.» Fin troppo spesso aveva temuto che il valoroso vecchio cavaliere potesse non sopravvivere. Verso la fine del viaggio si teneva in sella a stento e Bronn aveva insistito che lo abbandonasse al suo destino, ma era stata irremovibile. L'aveva fatto legare alla sella e aveva ordinato a Marillion il cantastorie di tenerlo sempre d'occhio.

Ser Donnel esitò prima di rispondere: «Lady Lysa ha imposto al maestro di non lasciare mai il Nido dell'Aquila, per potersi prendere costantemente cura di lord Robert. Abbiamo un septon, giù al portale, che si occupa dei nostri feriti. Si occuperà anche delle ferite del tuo uomo».

Catelyn aveva più fiducia nelle conoscenze di un maestro che nelle preghiere di un septon e stava per dirlo quando sulla strada davanti a lei, su ambo i lati, apparvero dei bastioni difensivi, lunghi parapetti che sorgevano dalla roccia della montagna. Il passo si stringeva a un sentiero la cui larghezza consentiva a stento il passaggio di quattro uomini a cavallo affiancati. Due torri di guardia gemelle, collegate da un ponte di pietra grigia ad arco coperto, erano abbarbicate alle pendici aspre. Dovunque, dietro le fortificazioni, sulla torre, lungo il ponte superiore, facce silenziose appostate dietro feritoie per arcieri li osservarono passare. Avevano quasi raggiunto la sommità quando un cavaliere uscì a incontrarli. Il suo cavallo e la sua armatura erano grigi, ma sulla sua cappa c'erano i colori rosso e blu di Delta delle Acque e un lucido fermaglio nero, d'oro e ossidiana a forma di pesce, ne tratteneva un lembo sulla spalla. «Chi vuole passare per la Porta Insanguinata?» intimò.

«Ser Donnel Waynwood» rispose il giovane cavaliere «assieme a lady Stark e ai suoi compagni.»

«Mi pareva infatti di conoscerla, questa giovane signora» disse il cavaliere della porta sollevando la celata. «Ne hai fatta di strada da casa, piccola Cat.»

«Anche tu, zio.» Catelyn riuscì addirittura a sorridere. Quella voce roca la riportava indietro di vent'anni, al tempo della sua infanzia.

«La mia casa la porto sulla schiena» disse lui ruvidamente.

«La tua casa la porto nel mio cuore» ribatté Catelyn. «Togliti l'elmo. Lascia che ti veda in faccia.»

«Gli anni non l'hanno migliorata, temo» disse Brynden Tully, ma mentiva. Catelyn se ne rese conto dopo che lui si fu tolto l'elmo. I suoi lineamenti erano segnati da rughe e prosciugati, e il tempo aveva rubato il nero dai suoi capelli lasciandosi dietro solo grigio, ma il sorriso era lo stesso di una volta, così come le sopracciglia cespugliose simili a grossi bruchi e i ridenti occhi blu profondo. «Lysa sapeva del tuo arrivo?»

«Non ho avuto il tempo di farmi precedere da un messaggio.» Catelyn notò gli altri sopraggiungere dietro di lei. «Temo, zio, di aver preceduto la tempesta che sta per arrivare.»

«Possiamo entrare nella valle?» intervenne ser Donnel. Gli Waynwood non avevano mai brillato per attaccamento al protocollo.

«Nel nome di Robert Arryn, lord del Nido dell'Aquila, difensore della valle, vero Protettore dell'Est, io vi concedo di entrare liberamente e vi chiedo di rispettare la pace» dichiarò formalmente ser Brynden. «Venite.»

Catelyn cavalcò al suo seguito, nell'ombra della Porta Insanguinata, dove decine di eserciti si erano fatti a pezzi durante l'Età degli Eroi. Dalla parte opposta delle strutture di pietra, le montagne si allargavano, aprendosi su un paesaggio prodigioso: una vallata verdeggiante sotto un limpido cielo blu, illuminata dalla luce del mattino, difesa da barriere di montagne incappucciate di neve.

La Valle di Arryn si stendeva fino alle foschie dell'orizzonte orientale e oltre. Una terra quieta, fatta di fertile suolo nero, solcata da vasti, lenti fiumi, punteggiata di mille piccoli laghi che riflettevano la luce del sole come mille specchi, protetta da ogni lato da quei grandi picchi. Grano e orzo e avena crescevano rigogliosi nei campi e nemmeno le celebri zucche di Alto Giardino erano più grosse o i frutti più dolci di questi.

Si trovavano all'estremità occidentale della valle, dove la strada alta raggiungeva l'ultimo dei passi montani e iniziava la serpeggiante discesa verso il fondo, quasi due miglia più in basso. Qui la valle si stringeva: mezza giornata di cavallo era sufficiente per attraversarla da un versante all'altro. Le montagne del Nord apparivano talmente vicine che Catelyn fu certa che le sarebbe bastato allungare una mano per riuscire a toccarle. A incombere su tutti loro, c'era la cima frastagliata chiamata Lancia del Ciclope, la montagna che tutte le altre guardavano da sotto in su, con la cima avvolta da nebbie gelide a oltre tre miglia e mezzo dal fondovalle. Dal suo versante occidentale scorreva il torrente fantasma delle Lacrime di Alyssa. Perfino da quella distanza, Catelyn fu in grado di distinguerne il percorso argenteo, sinuosa linea scintillante contro la roccia scura.

Suo zio Brynden vide che si era fermata, le si avvicinò e indicò una direzione. «Là, vicino alle Lacrime di Alyssa. Da qui, tutto quello che si riesce a vedere è una macchia bianca ogni tanto. Ma solo se guardi con attenzione e se il sole illumina le mura nel modo giusto.»

«Sette torri» le aveva detto Ned «simili a lame bianche conficcate nel ventre del cielo. Talmente alte che dai loro parapetti puoi vedere la parte superiore delle nubi.» Si rivolse allo zio: «Quanto ci vuole a cavallo?».

«Possiamo essere ai piedi della montagna al tramonto» le rispose. «Per raggiungere la rocca, però, ci vorrà un altro giorno.»

«Mia signora» intervenne ser Rodrik Cassel, in sella dietro di loro «non credo di poter proseguire per oggi.» Dietro i baffoni che avevano ricominciato a crescere, il volto del vecchio cavaliere pareva essere incrinato da mille crepe. Catelyn temette che stesse per cadere da cavallo.

«Non proseguirai» decise. «Hai fatto ben più di quello che sarebbe stato giusto chiederti. Cento e cento volte di più. Sarà mio zio ad accompagnarmi fino al Nido dell'Aquila. Lannister verrà con me, ma non vedo perché tu e gli altri non possiate rimanere qui a recuperare le forze.»

«Saremo onorati di averli come ospiti» dichiarò ser Donnel con la solenne cortesia della gioventù. Oltre a ser Rodrik e al Folletto, del gruppo che aveva lasciato con lei la locanda sulla confluenza del Tridente rimanevano soltanto Bronn il mercenario, ser Willis Wode e Marillion il cantastorie.

«Mia signora» Marillion si fece avanti. «Ti prego di permettermi di venire con te al Nido dell'Aquila, in modo che io possa vedere la fine della storia della quale ho visto l'inizio.» Il ragazzo pareva sfinito, ma anche stranamente determinato, con un lampo febbrile nello sguardo.

Catelyn non gli aveva mai chiesto di venire con lei, la decisione era stata sua. Come fosse riuscito a sopravvivere in un viaggio nel quale molti uomini duri erano stati lasciati indietro quali cadaveri insepolti, lei non sarebbe mai stata in grado di dire. Eppure eccolo là, con quell'accenno di barba che quasi lo faceva apparire un uomo. E forse, solamente per essersi spinto tanto lontano, lei gli doveva qualcosa. «E sia.»

«Vengo anch'io» dichiarò Bronn.

A Catelyn questo piacque molto meno. Senza Bronn non sarebbe mai riuscita a raggiungere la valle, questo era vero. Il mercenario era un guerriero formidabile come pochi, la cui spada l'aveva certamente aiutata ad aprirsi la strada fino alla salvezza. Eppure Catelyn continuava a non fidarsi di lui. Aveva coraggio, certo, e anche forza, ma non c'era compassione in lui, e ben poca lealtà. L'aveva visto cavalcare fianco a fianco con Lannister fin troppo spesso, li aveva visti parlare a bassa voce e ridere assieme per chissà quale battuta. Avrebbe voluto separarlo dal nano qui, ora, ma aveva già concesso a Marillion di proseguire fino al Nido dell'Aquila e anche se il mercenario non le aveva chiesto il permesso, non c'era un motivo plausibile per impedirglielo. «Come vuoi, Bronn.»

Con ser Rodrik rimase ser Willis Wode, un septon dai modi garbati che si era preso molto a cuore le loro ferite. Anche i cavalli, ridotti allo stremo, vennero lasciati indietro. Ser Donnel promise di inviare corvi messaggeri al Nido dell'Aquila e alle Porte della Luna con la notizia del loro arrivo. Cavalli freschi, solidi destrieri delle montagne dal pelo lungo, vennero portati dalle stalle, e nel giro di un'ora erano di nuovo in marcia. Nella discesa verso il fondovalle, Catelyn avanzò a fianco dello zio. Sulla loro scia venivano Bronn, Tyrion Lannister, Marillion e sei uomini di Brynden.

Solo quando si furono inoltrati in profondità giù per il sentiero, fuori portata d'orecchio degli altri, Brynden Tully decise di parlarle: «Coraggio, bambina. Dimmi di questa tempesta che incombe».

«Non sono più una bambina, zio. Da molto tempo.» Così Catelyn glielo disse. Le ci volle molto di più di quanto non avesse creduto: la lettera segreta di Lysa e la caduta di Bran, la daga dell'assassino, le rivelazioni di Ditocorto e l'incontro fatale con Tyrion Lannister.

Suo zio l'ascoltò in silenzio, le grosse sopracciglia che ombreggiavano sempre più i suoi occhi a mano a mano che la sua fronte si aggrottava. Brynden Tully aveva fama di saper ascoltare... tutti tranne suo fratello Hoster, padre di Catelyn, di cinque anni più anziano di lui. Il conflitto tra i due esisteva da sempre nella memoria di Catelyn. Quando lei aveva otto anni, nel corso di una delle discussioni più accese, aveva udito suo padre definire Brynden la pecora nera del gregge Tully. Con una risata, Brynden gli aveva ricordato che l'emblema della loro Casa era la trota, non la pecora, per cui, nero per nero, al posto della pecora nera, preferiva essere il pesce nero. Da quel momento il pesce nero era stato il suo emblema personale.

La loro eterna guerra aveva avuto fine il giorno in cui lei e Lysa erano andate spose. Al banchetto nuziale Brynden aveva annunciato al fratello di voler lasciare Delta delle Acque per mettere la propria spada al servizio di Lysa e del suo nuovo marito, il signore del Nido dell'Aquila. Da quanto Catelyn aveva potuto capire dalle rare lettere di suo fratello Edmure, lord Hoster non aveva più fatto menzione di suo fratello.

Ma con tutto questo, nel corso dei lunghi anni dell'adolescenza di Catelyn, quando il loro padre era troppo occupato e la loro madre troppo malata, era da Brynden il Pesce Nero che i figli di lord Hoster correvano per condividere con lui le loro storie e le loro calde lacrime. Catelyn, Lysa, Edmure e anche... certo, anche Petyr Baelish, il protetto del loro padre. Con infinita pazienza, Brynden aveva ascoltato tutti, aveva riso con loro nei trionfi e solidarizzato nelle sconfitte.

Una volta che Catelyn ebbe finito, Brynden rimase in silenzio per molto tempo, mentre il suo cavallo scendeva cauto lungo la ripida pista disseminata di pietre. «Tuo padre dev'essere informato» disse alla fine. «Se i Lannister dovessero decidere per la guerra, Grande Inverno è lontano nel Nord e la Valle di Arryn è protetta dalle sue montagne, ma Delta delle Acque si trova esattamente sulla loro strada.»

«La tua paura è la mia» ammise Catelyn. «Quando raggiungeremo il Nido dell'Aquila, chiederò a maestro Colemon di inviare un uccello messaggero.» Aveva anche altri messaggi da inviare: gli ordini di Ned ai suoi alfieri oltre l'Incollatura per allestire la difesa del Nord. «Qual è l'atmosfera al Nido dell'Aquila?»

«Di rabbia» rispose zio Brynden. «Lord Jon era molto amato. E l'oltraggio è stato grande quando re Robert ha dato a Jaime Lannister una carica appartenuta alla famiglia Arryn per quasi trecento anni. Lysa ha imposto a tutti noi di chiamare suo figlio "vero" Protettore dell'Est, ma nessuno si fa illusioni. Così come non è di certo tua sorella la sola ad avere dubbi sulla morte tanto improvvisa del Primo Cavaliere. Nessuno osa dire che si sia trattato di omicidio, non apertamente, ma quella del sospetto rimane una lunga ombra.» Guardò Catelyn, le labbra serrate. «E poi c'è il bambino.»

«Il bambino?» Catelyn chinò il capo nel passare sotto uno sperone di roccia che si protendeva al disopra di una stretta curva. «Che intendi?»

«Lord Robert.» Il Pesce Nero sospirò con tristezza. «Sei anni, malaticcio e pronto a scoppiare in lacrime se gli porti via le sue bamboline. Puro erede di Jon Arryn, è vero, ma non sono in pochi a dire che è troppo debole per sedere nel posto di suo padre. Nestor Royce è stato alto attendente per gli ultimi quattordici anni, tutto il tempo che lord Jon ha trascorso ad Approdo del Re, e molti ritengono che dovrebbe essere lui a governare finché il bambino non raggiungerà l'età giusta. Altri pensano che Lysa dovrebbe risposarsi, e presto. I pretendenti si stanno ammucchiando come corvi su un campo di battaglia. Il Nido dell'Aquila ne trabocca.»

«Avrei dovuto aspettarmelo.» Catelyn era tutt'altro che sorpresa. Lysa era ancora giovane e il doppio regno della montagna e della valle era una dote molto appetitosa. «E Lysa? Lo vuole un altro marito?»

«Dice di sì, ma solo se troverà l'uomo adatto.» Brynden Tully scosse il capo. «Ha già rifiutato lord Nestor più una dozzina di altri validi nobili. Spergiura che questa volta sarà lei a scegliere suo marito.»

«Tu sei l'ultimo a poterla biasimare.»

«Vero. Però...» Brynden Tully sbuffò. «Ho la netta impressione che Lysa stia solo giocando al gioco delle coppie. È un gioco che le piace, ma io ritengo che voglia continuare a essere lei a governare finché suo figlio non avrà raggiunto l'età per diventare lord del Nido dell'Aquila.»

«Una donna può governare con la medesima saggezza di qualsiasi uomo» dichiarò Catelyn.

«La donna giusta.» Suo zio le scoccò un'occhiata in tralice. «Non commettere errori, Cat: Lysa non è te.» Esitò per un momento. «A dirla tutta, temo che potresti non trovare in tua sorella... l'aiuto che sei venuta a cercare.»

«Cosa stai tentando di dirmi, zio?» Catelyn era confusa.

«La Lysa Arryn che è tornata da Approdo del Re non è la stessa donna che andò al Sud quando suo marito venne nominato Primo Cavaliere. Sono stati anni duri, per lei. È meglio che tu questo lo sappia. Lord Arryn è stato un marito ligio al dovere, ma il suo matrimonio con tua sorella era un evento politico, non passionale.»

«Non molto diverso dal mio.»

«Con una fondamentale differenza: tu sei stata molto più felice di tua sorella. Lei ha avuto due figli nati morti, due gravidanze interrotte, la morte di lord Arryn... Catelyn, gli dèi hanno concesso a Lysa un solo figlio, e adesso quel figlio è l'unica cosa per la quale lei vive. Non c'è da meravigliarsi che abbia scelto la fuga piuttosto che vederlo consegnato ai Lannister. Tua sorella ha paura, bambina mia, e ciò di cui ha più paura sono proprio i Lannister. È venuta di corsa fin qui nella valle, sgattaiolando fuori dalla Fortezza Rossa come un ladro nella notte, e questo solo per strappare suo figlio dalla bocca del leone... e adesso tu hai portato il leone sulla soglia della sua casa.»

«In catene» ribatté Catelyn. Diede un improvviso colpo di redini e avanzò con cautela. Un pericoloso crepaccio si apriva alla sua destra, sprofondando nelle viscere buie della montagna.

«Catene?» Brynden gettò un rapido sguardo indietro, a Tyrion Lannister, occupato a compiere la loro medesima cauta discesa. «Io vedo un'ascia appesa alla sua sella, un pugnale alla sua cintura e un mercenario che gli sta dietro come un'ombra affamata. Dove sarebbero le catene, cara?»

«Se il nano si trova qui, non è certo per sua volontà.» Catelyn si agitò sulla sella, a disagio. «Catene o no, è mio prigioniero. E Lysa vorrà che risponda dei suoi crimini quanto lo voglio io. È il lord suo marito che i Lannister hanno assassinato. È la sua lettera segreta che per prima ci ha messi sull'avviso contro di loro.»

Il sorriso di suo zio era pieno d'affetto. «Mi auguro che tu abbia ragione, piccola mia» disse, ma il suo tono di voce dichiarava che lei stava commettendo un errore.

Il sole era basso sull'orizzonte quando finalmente il terreno cominciò ad appiattirsi sotto gli zoccoli dei cavalli. La strada si allargò e divenne più rettilinea. Per la prima volta, Catelyn notò l'erba e i fiori selvatici. Sul fondovalle la loro andatura aumentò mentre attraversavano campi verdeggianti e sonnacchiosi villaggi, superavano orti e dorati campi di grano, guadavano un torrente illuminato dal sole dopo l'altro. Brynden mandò un alfiere in avanguardia, un doppio vessillo che sventolava in cima all'asta: il falcone contro la luna di Casa Arryn in alto, il Pesce Nero appena più sotto. Carri agricoli, veicoli di mercanti e cavalieri appartenenti a Case nobili minori si facevano da parte per lasciarli passare.

Nonostante tutto questo, quando finalmente arrivarono al tozzo castello che sorgeva ai piedi della Lancia del Ciclope, erano calate le tenebre. Torce ardevano tra i merli e una falce di luna si rifletteva nelle acque scure del fossato. Il ponte levatoio era alzato e la saracinesca abbassata, ma Catelyn vide delle luci brillare dietro le finestre del corpo di guardia e delle squadrate torri della struttura.

«Le Porte della Luna» disse suo zio mentre si avvicinavano. L'alfiere raggiunse la sponda del fossato per farsi riconoscere. «La piazzaforte di lord Nestor» aggiunse Brynden. «Ci starà aspettando. Guarda in alto.»

Catelyn guardò in alto, sempre più in alto. All'inizio, tutto quello che vide furono pietre e alberi e la massa incombente, nera come una notte senza stelle, della colossale montagna avvolta dall'oscurità. Ancora più in alto, vide il lontano baluginare di altri fuochi e, in mezzo a quelle luci vacue, un maniero di pietra costruito nel fianco stesso della roccia, le sue luci simili a occhi fiammeggianti che osservavano il mondo in basso. Più in alto ancora c'erano altre strutture: una seconda, una terza. E infine, all'estrema sommità della Lancia del Ciclope, nel regno dei falchi pellegrini, un unico, solitario lampo bianco, pallide torri nel chiarore della luna, lontane verso le stelle, così remote da dare le vertigini.

«Il Nido dell'Aquila» sussurrò Marillion, quasi senza fiato al cospetto di quella visione.

«Si vede proprio che gli Arryn adorano la compagnia del prossimo» intervenne la voce del Folletto, tagliente come un colpo di frusta. «Se vi siete messi in testa di dare la scalata a questa montagna al buio, tanto vale che mi facciate fuori subito.»

«Passeremo la notte qui» affermò Brynden Tully. «La scalata è rimandata a domani.»

«Non vedo l'ora» ribatté il nano. «E lassù com'è che ci arriveremo? Non sono un esperto di dorso di capra.»

«Di mulo» corresse Brynden sorridendo.

«Ci sono gradini scavati nella roccia della montagna» aggiunse Catelyn. Gliel'aveva detto Ned parlandole dei suoi anni giovanili assieme a Robert Baratheon e a Jon Arryn.

«Adesso c'è troppa oscurità per vederli» confermò suo zio «ma i gradini esistono. Troppo stretti e ripidi per un cavallo, ma un mulo riesce a farcela quasi fino in cima. Il sentiero è sorvegliato da tre fortini: Pietra, Neve e Cielo. I muli ci porteranno fino a Cielo.»

«E oltre quel punto?» chiese Tyrion.

«Oltre quel punto, il sentiero diventa troppo ripido perfino per i muli e la scalata continua a piedi. Ma forse preferisci salire in un cesto. Il Nido dell'Aquila si trova esattamente sulla verticale di Cielo e dai suoi sotterranei sei grandi argani sollevano le provviste con catene d'acciaio. Se vuoi, mio lord di Lannister, posso mandarti su assieme al pane, alla birra e alle mele.»

«Lo farei se fossi una zucca» rise il nano. «Purtroppo il lord mio padre sarebbe quanto mai rattristato nell'apprendere che un suo erede è andato incontro al proprio destino come un sacco di rape. Voi salite a piedi, io salirò a piedi. Noi Lannister abbiamo un certo orgoglio.»

«Orgoglio?» gli fece eco Catelyn. Il tono di derisione del Folletto la faceva vedere rosso. «C'è chi lo definirebbe arroganza. Arroganza, avidità e sete di potere.»

«Mio fratello è indubbiamente arrogante» concesse Tyrion. «Mio padre è l'essenza dell'avidità e la mia dolce sorellina Cersei desidera il potere più dell'aria che respira. Io tuttavia rimango innocente come un agnellino.» Fece una smorfia. «Vuoi che ti faccia un belato, lady Stark?»

Prima che Catelyn potesse rispondere, il ponte levatoio si abbassò con uno scricchiolio di vecchio legno e la saracinesca si alzò con un rumore metallico di catene oliate. Degli armigeri uscirono con torce a illuminare il percorso e Brynden Tully li guidò oltre il ponte levatoio.

«Lady Stark.» Lord Nestor Royce, alto attendente della Valle di Arryn, custode delle Porte della luna, li aspettava nel cortile del forte, circondato dai suoi cavalieri. Il suo torace massiccio, poderoso, fece apparire in qualche modo goffo l'inchino che le rivolse.

Catelyn smontò di sella di fronte a lui. «Lord Nestor» disse. Lo conosceva solo attraverso la sua reputazione. Cugino di Yohn di Bronzo, proveniente da un ramo cadetto di Casa Royce, Nestor era a sua volta un lord formidabile. «Il nostro è stato un viaggio lungo e faticoso. Oso chiedere rispettosamente la tua ospitalità per questa notte.»

«Il mio tetto ti appartiene, mia signora» rispose lord Nestor in tono ruvido «ma tua sorella lady Lysa ha inviato un messaggio dal Nido dell'Aquila. Vuole vederti immediatamente. Il resto del tuo gruppo sarà sistemato qui per la notte e inviato sulla cima alle prime luci.»

«Ma che razza di follia è questa?» Brynden Tully, ben noto per non usare eufemismi, volteggiò a terra dal cavallo. «Una scalata notturna con una luna nemmeno piena? Perfino Lysa dovrebbe sapere che si tratta di un viatico per spezzarsi il collo.»

«I muli conoscono la strada, ser Brynden.» Una ragazza dal fisico asciutto, sui diciassette anni, i capelli neri tagliati corti, venne ad affiancarsi a lord Nestor. Portava una tunica di leggera maglia di ferro lucidata e indumenti di cuoio per andare a cavallo. Si inchinò a Catelyn con un movimento decisamente più aggraziato di quello del suo lord. «Ti prometto, mia signora, che non riporterai alcun danno. Sarò onorata di guidarti fino alla cima. Ho compiuto la scalata al buio almeno un centinaio di volte. Mychel dice che mio padre dev'essere stato un caprone.»

Il suo tono la faceva sembrare tanto sicura di sé che Catelyn non poté reprimere un sorriso. «Qual è il tuo nome, figliola?»

«Mya Stone, signora, per compiacerti.»

Compiacerla? Catelyn dovette compiere uno sforzo per impedire che il suo sorriso scomparisse. Nella Valle di Arryn, Stone era il nome che veniva dato ai bastardi, così come Snow lo era a Grande Inverno, Flowers ad Alto Giardino, Rivers a Delta delle Acque. La tradizione voleva che ciascuno dei Sette Regni avesse un cognome per i bambini nati senza. Catelyn non aveva nulla contro quella ragazza, ma non riuscì a evitare di pensare al bastardo di Ned finito sulla Barriera. Un pensiero che le fece provare un senso di rabbia e al tempo stesso di colpa. Andò alla ricerca di una risposta, ma le parole non vennero.

«Mya è una ragazza esperta.» Fu la voce di lord Nestor Royce a riempire il silenzio. «Se promette di guidarti da lady Lysa sana e salva, io le credo. Non mi ha mai deluso, finora.»

«E allora, Mya Stone» dichiarò Catelyn «io pongo la mia vita nelle tue mani. Lord Nestor, ti affido l'incarico di tenere sotto stretta sorveglianza il mio prigioniero.»

«E io ti affido l'incarico di portare al prigioniero una coppa di vino e un cappone ben arrostito, prima che muoia di fame» s'intromise Tyrion Lannister. «Anche una ragazza non ci starebbe male, ma credo che sia chiedere troppo, o no?» Bronn il mercenario approvò con una sonora risata.

«Come desideri, mia signora.» Lord Nestor semplicemente ignorò la battuta, limitandosi a squadrare il nano. «Che il lord di Lannister venga scortato a una cella della torre e che gli vengano portati cibo e coperte.»

Catelyn si separò dallo zio e dagli altri mentre Tyrion Lannister veniva condotto via, poi seguì Mya Stone attraverso il castello. Due muli già sellati le stavano aspettando sul ponte superiore. Mya l'aiutò a montare in groppa e un armigero con la cappa azzurro cielo aprì lo stretto cancello verso la montagna. Al di là, c'era una fitta foresta di pini e abeti e la muraglia più oscura della Lancia del Ciclope, ma i gradini esistevano, scavati nella pietra, e salivano verso il cielo.

«Alcuni trovano che sia più facile se chiudono gli occhi.» Mya condusse i muli oltre il cancello, dentro i boschi oscuri. «Se si spaventano troppo, oppure se gli vengono le vertigini, si aggrappano al mulo con troppa forza. Agli animali questo non garba.»

«Io sono una Tully e ho sposato uno Stark» dichiarò Catelyn. «Non mi spavento facilmente.» I gradini erano neri come l'inchiostro. «Hai intenzione di accendere una torcia?»

«La sola cosa che fanno le torce è accecarti.» La ragazza fece una smorfia. «In una notte chiara come questa, bastano la luna e le stelle. E poi Mychel dice che io ho gli occhi di un gufo.» Montò in sella e spinse il proprio animale a compiere il primo passo. Il mulo di Catelyn lo imitò.

«È la seconda volta che parli di questo Mychel» osservò Catelyn. Gli animali presero il passo, lenti ma sicuri. Per quanto la riguardava, andava benissimo.

«Mychel è il mio amore» spiegò Mya. «Mychel Redfort. È il vassallo di ser Lyn Corbray. Ci sposeremo non appena diventerà cavaliere, l'anno prossimo o quello dopo.»

A Catelyn parve di udire Sansa, così felice, così innocente nei suoi sogni. Sorrise, ma c'era tristezza in quel sorriso. Nella Valle di Arryn, i Redfort erano un nome antico, con il sangue dei primi uomini nelle vene. Il giovane Mychel poteva anche essere il suo amore, ma nessun Redfort avrebbe mai sposato una bastarda. La sua famiglia avrebbe combinato un matrimonio con qualcuna più adatta, una Corbray, una Waynwood, una Royce, o forse anche la figlia di una delle grandi Case al di fuori della valle. Se Mychel Redfort fosse mai arrivato a giacere con quella ragazza, sarebbe stato dalla parte sbagliata del letto.

L'ascesa si rivelò più agevole di quanto Catelyn avesse osato sperare. Gli alberi incombevano, chiudendo il sentiero sotto una fitta, frusciante cupola di vegetazione che arrivava a bloccare perfino i raggi della luna. Era come muoversi all'interno di un lungo tunnel d'oscurità. Ma i muli avanzavano sicuri e instancabili, e Mya Stone pareva davvero avere avuto in dono occhi in grado di vedere nel buio. Andarono sempre più in alto, avanti e indietro lungo il fianco della montagna ogni volta che i gradini curvavano e cambiavano direzione. Uno spesso strato di aghi di pino ammantava il percorso, attutendo il rumore degli zoccoli dei muli contro la roccia. Catelyn venne cullata dalla quiete e dal gentile, ritmico rollio della sua cavalcatura. Ben presto si trovò a lottare contro il sonno.

E forse, per un momento, il sonno vinse la lotta perché Catelyn non ricordava da quale punto delle tenebre fosse apparsa la torreggiante grata di ferro che sbarrava il sentiero.

«Stone» annunciò Mya allegramente, scendendo di sella.

Massicci rostri d'acciaio sporgevano dalle formidabili mura di pietra che andavano a congiungersi con una coppia di tozzi torrioni circolari. All'annuncio di Mya, la grata venne alzata. All'interno, l'austero cavaliere al comando di Pietra, la prima delle tre roccaforti di mezzo, accolse Mya chiamandola per nome e offrì loro spiedini di carne e cipolle ancora bollenti. Catelyn non si era resa conto di essere così affamata; mangiò rimanendo in piedi nel cortile del fortino mentre gli stallieri spostavano le selle sul dorso di muli freschi. Sugo bollente le colò sul mento e sul mantello, ma aveva troppa fame perché gliene importasse qualcosa.

Ripresero a muoversi alla luce delle stelle. La seconda tratta della scalata parve a Catelyn decisamente più insidiosa. Il sentiero era più ripido, i gradini più usurati e disseminati di frammenti rocciosi e sassi.

Mya fu costretta a smontare almeno una dozzina di volte per rimuovere rocce franate. «Quassù» disse «l'ultima cosa che desideri è che il tuo mulo si rompa una gamba.»

Catelyn fu costretta a trovarsi d'accordo. Cominciava a sentire gli effetti dell'altitudine. A quella quota, gli alberi si erano diradati e il vento soffiava più ostile, più duro, facendo frusciare i suoi vestiti e gettandole i capelli sugli occhi. Nelle inversioni di direzione dei gradini, Catelyn riusciva a vedere Pietra sotto di loro e, ancora più in basso, le Porte della Luna, le torce del castello grandi come fiammelle di candela.

Neve, più piccola di Pietra, era un'unica torre fortificata con un maniero di tronchi e una stalla nascosta sotto un muro di cruda roccia. Eppure era collocata nel fianco della Lancia del Ciclope in modo da dominare l'intero sentiero che saliva dal fortino inferiore. Superata Pietra, un qualsiasi nemico deciso ad attaccare il Nido dell'Aquila sarebbe stato costretto a combattere in salita gradino per gradino, sotto una pioggia di frecce e massi scagliati da Neve. Il comandante, un cavaliere giovane e nervoso dal volto butterato, offrì loro pane, formaggio e il calore del focolare, tuttavia Mya declinò. «È meglio che continuiamo a salire, mia signora, se a te va bene.» Catelyn annuì.

Di nuovo, ebbero muli freschi. Quello di Catelyn era bianco, e vedendolo Mya sorrise. «Bianchino è un bravo animale, mia signora. Ottimo scalatore, perfino sul ghiaccio. Ma devi stare attenta: se non gli piaci, scalcia.»

Grazie agli dèi, al mulo bianco Catelyn piacque: niente scalciate o sgroppate. E neppure ghiaccio, qualcosa d'altro di cui ringraziò gli dèi.

«Mia madre dice che questo era il limite delle nevi, centinaia di anni fa» le disse Mya Stone. «Più sopra, tutto era sempre bianco, il ghiaccio non si scioglieva mai.» Si strinse nelle spalle. «Non credo di avere mai visto la neve così in basso nella montagna, ma forse un tempo era diverso.»

"Giovane, così giovane" pensò Catelyn, chiedendosi se anche lei lo fosse mai stata. Quella ragazza aveva trascorso metà della sua vita durante l'ultima lunga estate. Non conosceva altro, non aveva mai visto altro. "L'inverno sta arrivando, piccola mia" avrebbe voluto dirle. Le parole erano lì, pronte a lasciare le sue labbra, andò molto vicina a pronunciarle. Forse, alla fine, stava davvero diventando una Stark.

Il vento pareva essersi trasformato in una creatura viva. Erano al disopra di Neve e ululava attorno a loro come un lupo delle desolazioni del Nord. Un ululato che poteva cessare di colpo, in modo ingannevole, sinistro. Le stelle scintillavano più vivide, a quell'altezza, talmente vicine che credette di riuscire a toccarle semplicemente allungando una mano. Nel limpido cielo nero, la falce di luna appariva enorme. Durante la scalata Catelyn aveva scoperto che era meglio guardare in alto, mai in basso. I gradini erano fessurati, spezzati da secoli di gelate e da colpi di zoccoli di muli. Perfino nelle tenebre, quelle terribili altezze le mandavano il cuore in gola. Raggiunsero un passaggio a sella sulla sommità di una cresta.

«Meglio condurre i muli al passo, mia signora.» La ragazza scese di sella per prima. «Il vento può fare paura, quassù.»

Rigidamente, Catelyn smontò a sua volta, lo sguardo sul percorso avvolto dalle ombre, battuto dal vento. Il sentiero era lungo una ventina di piedi e largo tre, assediato da baratri oscuri su entrambi i bordi. Mya avanzò per prima, con calma, il mulo che la seguiva tranquillo come se stesse attraversando un cortile. Venne il turno di Catelyn. Fece un passo, un secondo, poi il terrore la attanagliò in una morsa. Poteva sentire il vuoto, gli immani gorghi d'aria che le si spalancavano accanto. Si fermò, tremando, incapace di proseguire. Il vento le ululava contro facendo contorcere la sua cappa e cercando di trascinarla nell'abisso. Catelyn arretrò di un timido passo, ma c'era il mulo dietro di lei a bloccarle la ritirata. "Sto per morire" pensò. Rigagnoli di sudore gelido le scorrevano lungo la schiena.

«Lady Stark?» La voce di Mya le arrivò come dal fondo di un abisso. «Stai bene?»

«Io...» I resti dell'orgoglio di Catelyn Tully Stark si dispersero. «Non credo di poter più venire avanti, figliola.»

«Ma certo che puoi!» assicurò la ragazza bastarda. «Io so che puoi! Guarda quanto è largo il sentiero.»

«Non voglio guardare.» Il mondo si trasformò in un vortice: le montagne, il cielo, i muli, tutto stava ruotando come una trottola. Catelyn chiuse gli occhi e cercò di tornare a respirare in modo normale.

«Vengo a prenderti» le gridò la ragazza. «Non ti muovere, mia signora.»

Muoversi era l'ultima cosa che Catelyn avrebbe fatto. Rimase in ascolto del sibilo del vento, del fruscio del cuoio contro la roccia. Mya fu al suo fianco e la prese gentilmente per un braccio. «Tieni gli occhi chiusi, se preferisci. Ora lascia andare le redini, Bianchino sa badare a se stesso. Molto bene, mia signora. Ti guido io. È facile, vedrai. Forza: fa' un passo. Bene. Lascia scivolare il piede in avanti. Visto? Ora di nuovo. Con calma. Senza fretta, senza correre. Un altro passo, coraggio...» E così, un piede dopo l'altro, il mulo bianco che seguiva placidamente, la ragazza bastarda guidò Catelyn al di là dell'abisso.

Cielo, l'ultimo dei tre castelli di mezzo, non era che un'alta muraglia a mezzaluna, di pietra cruda, eretta contro il fianco della montagna. Catelyn non avrebbe trovato più belle nemmeno le torri senza tetto di Valyria. Lì se non altro iniziava la neve. Le rocce corrose di Cielo erano orlate di ghiaccio e lunghe stalattiti si protendevano dagli speroni rocciosi al disopra della roccaforte.

L'alba aveva cominciato a tingere l'orizzonte orientale quando Mya Stone si fece sentire dalle guardie e il portale venne aperto. Dietro la muraglia c'erano solamente una serie di rampe e una colossale catasta di massi e pietre di ogni dimensione, pronti a dare inizio a letali frane.

«Le stalle e i baraccamenti sono là dietro» spiegò Mya Stone.

«L'ultima parte del tragitto si svolge all'interno della montagna.» Indicò un'apertura cavernosa che pareva sbadigliare nella parete di roccia. «C'è buio, ma almeno si è al riparo dal vento. Qui i muli si fermano. Più oltre, è una specie di camino, appigli scolpiti nella roccia più che gradini veri e propri. Non è poi così male. In meno di un'ora saremo arrivate.»

Catelyn guardò in alto. Esattamente sulla verticale di dove si trovavano, c'erano le poderose fondamenta del Nido dell'Aquila. Visto da sotto, aveva l'aspetto di uno strano alveare congelato. Non potevano trovarsi a più di seicento piedi. Le tornò in mente ciò che suo zio aveva detto in merito a cesti e argani. «I Lannister hanno il loro orgoglio» disse a Mya. «I Tully hanno più buon senso. Ho cavalcato tutto il giorno e scalato tutta la notte. Di' loro di calare la cesta. Viaggerò con le rape.»

Raggiunse finalmente il Nido dell'Aquila che il sole era alto sui monti. Ad aiutarla a uscire dalla cesta delle vettovaglie fu un uomo tozzo, dai capelli argentei, cappa blu cielo ed emblema della luna e del falcone sul pettorale dell'armatura. Era ser Vardis Egen, comandante della Guardia di Jon Arryn. Al suo fianco c'era maestro Colemon, magro, nervoso, con troppo collo e troppi pochi capelli.

«Lady Stark» l'accolse ser Vardis. «Un piacere tanto grande quanto inaspettato.»

«Senza dubbio, mia signora, senza dubbio.» Maestro Colemon fece andare il capo avanti e indietro in segno di approvazione. «Ho fatto avvertire tua sorella, che ha ordinato di essere svegliata non appena tu fossi giunta.»

«Mi auguro che abbia passato una notte riposante.» I due uomini parvero non notare il tono tagliente della sua voce. Dal locale degli argani la scortarono su per una scala a chiocciola.

Al confronto degli altri castelli, il Nido dell'Aquila era una fortezza piuttosto piccola: sette snelle torri bianche, ammassate l'una contro l'altra come frecce in una faretra sulla spalla della grande montagna. Ned sosteneva che il suo granaio era capiente quanto quello di Grande Inverno e che le sue torri potevano ospitare fino a cinquecento uomini. Eppure, nel percorrerlo, nel superare le sue sale di pietra pallida, vuote e piene di echi, a Catelyn il Nido dell'Aquila apparve stranamente deserto.

Lysa la stava aspettando seduta nel solarium, con ancora addosso la veste da notte. I lunghi capelli neri le scendevano sulle bianche spalle nude, fino a metà schiena. Una cameriera alle sue spalle le spazzolava i nodi arruffati dalle ore di sonno. All'ingresso di

Catelyn, si alzò e le sorrise. «Cat... Oh, Cat, che bello vederti. Mia dolce, cara sorella.» Corse ad abbracciarla. «Quanto tempo è passato» mormorò con il viso contro quello di lei. «Tanto, tanto tempo.»

Cinque anni, in realtà. Per Lysa erano stati cinque anni crudeli, che le avevano imposto un pesante pedaggio. Aveva due anni meno di Catelyn, eppure appariva più vecchia. Più bassa di statura, il suo corpo si era appesantito, il suo volto era diventato pallido, gonfio. Aveva gli occhi azzurro chiaro dei Tully, ma i suoi, eternamente in movimento, avevano assunto una sfumatura slavata, liquida. La sua bocca piccola era diventata petulante. Nel rispondere al suo abbraccio, Catelyn ricordò la ragazza snella, dai seni alti, che le era stata accanto nel Tempio di Delta delle Acque, in attesa che entrambe divenissero spose. Quanto era deliziosa, bella e piena di speranza quel giorno. L'unica cosa che restava della sua bellezza era la cascata di capelli neri.

«Ti trovo bene» mentì Catelyn. «Un po' stanca, forse...»

«Stanca, certo.» Sua sorella si sciolse dall'abbraccio. Parve notare solo in quel momento che c'erano anche altri nella stanza: ser Vardis, maestro Colemon, la cameriera. «Lasciateci» comandò. «Desidero parlare con mia sorella da sola.» Tenne la mano di Catelyn finché tutti non si furono ritirati...

... e la lasciò cadere un attimo dopo. Catelyn vide l'espressione di sua sorella mutare come il sole quando viene inghiottito da una nube. «Sei forse uscita di senno?» sibilò Lysa. «Portarlo qui senza un cenno di consenso da parte mia, senza il minimo avvertimento... Trascinarmi nel tuo scontro con i Lannister!»

«Il mio scontro?» Catelyn non riusciva a crederci. Un grande fuoco ardeva nel caminetto, ma il suo calore non raggiungeva affatto la voce di Lysa. «Prima di diventare mio, lo scontro è stato tuo. Sei stata tu a mandare quella lettera maledetta, sei stata tu a scrivere che i Lannister avevano assassinato tuo marito.»

«Per avvertirti di stare lontana da loro! Non intendevo affatto scendere in guerra! Per gli dèi, Cat, ma ti rendi conto di che cosa hai fatto?»

«Madre?» Una voce debole, esile. Lysa si girò di scatto e la stoffa pesante della sua vestaglia le vorticò attorno. Robert Arryn, lord del Nido dell'Aquila, le stava fissando dalla soglia, con grandi occhi sbarrati e una bambola di pezza stretta al petto. Era un bimbo tristemente emaciato, piccolo per la sua età, quasi sempre in pessima salute. A volte, tremava in modo incontrollabile. Il mal del tremito lo chiamavano i maestri. «Ho sentito delle voci.»

Ma che sorpresa: Lysa aveva quasi urlato e anche ora continuava a folgorare Catelyn con lo sguardo. «Questa è tua zia Catelyn, bimbo mio. Mia sorella, lady Stark. Ricordi?»

Il bambino lanciò a Catelyn uno sguardo vacuo. «Penso di sì» rispose, ammiccando. Aveva meno di un anno l'ultima volta che Catelyn l'aveva visto.

«Vieni da mamma, tesoro.» Lysa andò a sedersi presso il focolare, rassettò la camicia da notte del bambino e gli accarezzò i sottili capelli castani. «Non è adorabile? E anche forte. Non credere alle cose che si dicono. Jon lo sapeva. "Il seme è forte" mi disse. Le sue ultime parole. Ha continuato a ripetere il nome di Robert, a stringermi il braccio con tanta forza da lasciarmi i segni. "Diglielo, il seme è forte." Il suo seme. Tutti dovevano sapere che bel ragazzo forte sarebbe diventato il mio bambino.»

«Lysa» tagliò corto Catelyn «avevi ragione sui Lannister. Per questo dobbiamo agire rapidamente. Noi...»

«Non di fronte al piccolo. Ha un'indole delicata, non è forse così, amore della mamma?»

«Il tuo piccolo» le ricordò Catelyn «è lord del Nido dell'Aquila e difensore della Valle di Arryn. Lasciamo perdere le delicatezze, Lysa. Ned pensa che si potrebbe arrivare alla guerra.»

«Zitta!» Sua sorella le si rivoltò contro. «Gli stai facendo paura!» Il piccolo Robert lanciò uno sguardo furtivo a Catelyn e cominciò a tremare. La bambola cadde sulle pietre del pavimento e lui cercò rifugio tra le braccia della madre. «Non avere timore, mio dolce tesoro» bisbigliò Lysa. «Mamma è qui con te, nessuno ti farà del male.» Fece scivolare fuori dalla vestaglia un seno pallido, pesante, dal capezzolo arrossato. Il bambino lo afferrò, affondò la faccia nel petto della madre e si mise a poppare avidamente. Lysa gli accarezzava i capelli.

Catelyn Stark era ammutolita. "Il figlio di Jon Arryn" pensava incredula. Ricordò l'ultimo dei suoi figli, Rickon: aveva tre anni, ma era già cinque volte più fiero di questo. Non c'era da sorprendersi se i nobili della valle erano impazienti. E capì anche perché il re avrebbe voluto togliere il bambino alla madre per darlo in adozione a Tywin Lannister.

«Siamo al sicuro, qui» disse ancora Lysa. Se parlava al bambino o a se stessa, Catelyn non poté capirlo con certezza.

«Non dire sciocchezze» esclamò Catelyn sentendo crescerle dentro la rabbia. «Nessuno è al sicuro. Se credi che l'essere venuta a rintanarti qui farà in modo che i Lannister si dimentichino di te, stai commettendo un grossolano errore.»

Con una mano Lysa coprì l'orecchio del suo bimbo. «Anche se

riuscissero a portare un esercito attraverso le montagne e a superare la Porta Insanguinata, il Nido dell'Aquila è inespugnabile, l'hai visto tu stessa. Non esiste nemico in grado di arrivare fin quassù.»

Catelyn sentì l'impulso di prenderla a schiaffi. Capì che zio Brynden aveva cercato di avvertirla. «Non esistono castelli inespugnabili.»

«Questo sì, lo dicono tutti. La domanda è un'altra: io adesso cosa ne faccio di questo Folletto che mi hai portato?»

«È un uomo cattivo, mamma?» Il lord del Nido dell'Aquila si lasciò sfuggire dalle labbra il seno di sua madre dal capezzolo umido e rosso.

«Un uomo molto cattivo.» Lysa chiuse la vestaglia. «Ma la mamma non gli permetterà di fare del male al suo piccolo tesoro.»

«Mandalo a volare» disse Robert, pieno di aspettativa.

«Forse lo faremo.» Lysa accarezzò nuovamente i capelli del figlio. «Forse è proprio quello che faremo.»

EDDARD

Individuò Ditocorto nella sala comune del bordello. Stava amabilmente conversando con una donna alta ed elegante che indossava un'ampia tunica ornata di piume sulla pelle nera come l'inchiostro. Vicino al camino, Heward giocava a domino spogliato con una puttana dal seno prosperoso. Da come si stavano mettendo le cose, lui aveva già perso la cintura, il mantello, la maglia di ferro e lo stivale destro, mentre la ragazza si era solamente sbottonata il corpetto fino alla vita. Jory Cassel, un vago sorriso in volto, era in piedi presso una finestra venata di pioggia e guardava divertito Heward che rivoltava le tessere del gioco.

«È ora di andare.» Ned si fermò ai piedi della scala e cominciò a infilarsi i guanti. «Ho fatto quanto dovevo.»

Heward schizzò in piedi, raccattando in fretta le sue cose.

«Come tu comandi, mio signore» disse Jory dirigendosi alla porta. «Vado ad aiutare Wyl con i cavalli.»

Ditocorto, invece, se la prese comoda con i commiati. Fu solo dopo avere fatto il baciamano alla donna e averle sussurrato all'orecchio una battuta che la fece ridere forte che si decise a raggiungere Ned.

«Quanto dovevi fare tu» disse in tono noncurante «o quanto doveva fare il re? Si dice che il Primo Cavaliere del re sogna i sogni del re, parla con la voce del re e comanda con la spada del re. Devo quindi presumere che il Primo Cavaliere fotte con il...»

«Tu presumi troppo, lord Baelish» tagliò corto Ned. «Ti sono grato per il tuo aiuto. Senza di te ci sarebbero voluti forse anni per trovare questo bordello, ma ciò non significa che mi sta bene ingoiare le tue burle. Inoltre, non sono più il Primo Cavaliere.»

Le labbra di Ditocorto presero una piega affilata. «Il meta-lupo dev'essere un animale assai suscettibile.»

Un cielo nero e senza stelle stava piangendo calde lacrime che martellarono su di loro mentre si dirigevano alle stalle. Ned rialzò il cappuccio del mantello mentre Jory portava fuori il suo cavallo. Il giovane Wyl lo seguiva da presso, cercando di condurre il cavallo di Ditocorto con una mano mentre con l'altra armeggiava per chiudersi la patta dei pantaloni. Appoggiata alla porta della stalla, ridacchiando alle sue spalle, c'era una puttana a piedi nudi.

«Torniamo alla Fortezza Rossa, mio signore?» chiese Jory. Ned annuì e saltò in sella. Ditocorto montò a sua volta di fianco a lui. Jory e gli altri li seguirono.

«Chataya manda avanti un'azienda di prima qualità» disse Ditocorto mentre si mettevano in movimento. «Ho una mezza idea di entrarci anch'io. Ho scoperto che i bordelli sono un investimento molto più sicuro delle navi. Le puttane affondano di rado, e quando vengono abbordate dai pirati» lord Petyr Baelish ridacchiò per la propria sagacia «salta fuori che i pirati pagano in moneta sonante come tutti gli altri.»

Ned non commentò e lo lasciò blaterare finché non decise di finirla. Percorsero in silenzio le strade di Approdo del Re, buie e deserte. La pioggia aveva spinto tutti quanti a cercare riparo. Una pioggia incessante che picchiava sul volto di Eddard Stark, calda come sangue e implacabile come antiche colpe.

«Robert non si accontenterà mai di un solo letto» gli aveva detto sua sorella Lyanna tanto tempo prima, quando il loro padre l'aveva promessa al giovane lord di Capo Tempesta. «So che ha avuto una bambina da una ragazza della Valle di Arryn.» Ned stesso aveva tenuto tra le braccia quella bambina. Non poteva mentire a sua sorella. Però l'aveva rassicurata. Ciò che Robert aveva fatto prima che lui e Lyanna fossero promessi sposi non importava. Robert era un uomo d'onore e l'avrebbe amata con tutto se stesso. «L'amore è una cosa dolce, caro fratello» aveva risposto Lyanna «ma non può cambiare la natura di un uomo.»

La ragazza che aveva appena incontrato era talmente giovane da indurlo a non domandarle neppure l'età.

Senza dubbio era stata vergine. I bordelli migliori potevano sempre trovare delle vergini, se la borsa era abbastanza gonfia. Aveva capelli rosso fuoco e una spruzzata di lentiggini sul naso. Quando aveva fatto scivolare fuori un seno per allattare il suo bambino, Ned aveva notato che anche il suo petto era cosparso di lentiggini. «L'ho chiamata Barra» aveva detto mentre la piccola succhiava. «Gli assomiglia, non credi, mio signore? Ha il suo naso, i suoi capelli...»

«È vero.» Ned aveva allungato una mano a sfiorare i capelli scuri della piccola. «Gli assomiglia.» Capelli soffici come seta. Soffici e neri come quelli della primogenita di Robert nella Valle di Arryn.

«Diglielo, mio signore, quando lo vedrai, se vuoi... Digli quanto è bella sua figlia.»

«Lo farò» le aveva promesso Ned. Era la sua maledizione. Robert Baratheon giurava eterno amore nel pomeriggio, dimenticandosene prima del tramonto, ma Eddard Stark manteneva le promesse. Ricordò quelle fatte a sua sorella Lyanna in punto di morte, e il prezzo che aveva pagato per mantenerle.

«Digli anche che non sono più stata con nessun altro. Te lo giuro, mio signore. Sugli dèi antichi e sugli dèi nuovi, te lo giuro. Chataya mi ha dato la metà di un anno, per la bambina e nella speranza che lui torni. Per cui, ti prego, gli dirai che lo aspetto. Lo farai? Non voglio gioielli, non voglio niente, solo lui. È sempre stato buono con me, veramente.»

"Buono con te" aveva pensato Ned cupamente. «Glielo dirò, figliola. Te lo prometto. Barra non rimarrà da sola.»

La ragazza gli aveva sorriso. Un sorriso così incerto e delicato che Ned aveva sentito una lama invisibile affondargli nel cuore. Mentre cavalcava sotto la pioggia, vedeva davanti a sé il viso di Jon Snow, una versione giovane di se stesso. Se gli dèi disapprovano i bastardi, si disse, perché mettono la lussuria in corpo agli uomini?

«Lord Baelish, cosa ne sai dei figli bastardi di Robert?»

«Tanto per cominciare, ne ha più di te.»

«Quanti?»

«Che importanza ha?» Ditocorto si strinse nelle spalle, mandando rivoletti d'acqua a torcersi giù lungo la cappa. «Se vai a letto con abbastanza donne, alcune ti fanno dei regali. E non si può dire che sua maestà si sia mai preoccupato di tenere il conto. So che ha riconosciuto il ragazzo di Capo Tempesta, quello che generò la notte delle nozze di suo fratello Stannis. La madre era una Florent, nipote di lady Selyse e damigella della sposa. Secondo Renly, nel corso della festa Robert portò in braccio la ragazza su per le scale per poi possederla sul talamo nuziale del fratello mentre questi e la sua sposa stavano ancora danzando di sotto. Lord Stannis ritenne un simile gesto un oltraggio all'onore della casata di sua moglie, per cui, una volta che il bimbo nacque, lo spedì subito a Renly.» Ditocorto guardò Ned di sottecchi. «Si sussurra anche che tre anni fa, durante il suo viaggio a ovest per un torneo indetto da lord Tywin, Robert ebbe due gemelli da una serva di Castel Granito. Cersei li avrebbe fatti uccidere entrambi e avrebbe venduto la madre a un mercante di schiavi. Era un insulto troppo grande per l'orgoglio dei Lannister che fosse avvenuto praticamente in casa.»

Ned serrò la mascella. Simili orride storie circolavano pressoché su ogni grande lord del reame. Da una come Cersei Lannister si poteva aspettarselo, ma dal re? Un altro caso in cui Robert avrebbe guardato dall'altra parte? Il Robert che lui aveva conosciuto non era mai stato così pronto a chiudere gli occhi di fronte a ciò che non voleva vedere. «Parliamo di Jon Arryn» insistette Ned. «Perché quel suo improvviso interesse verso i figli delle popolane?»

«Era il Primo Cavaliere, no?» Baelish si strinse nuovamente nelle spalle. «Senza dubbio Robert gli avrà chiesto di assicurarsi che fossero in buone condizioni.»

«Dev'esserci stato ben di più.» Ned si sentiva fradicio fino al midollo, e il suo cuore pareva essersi raffreddato. «Altrimenti perché ucciderlo?»

«Adesso capisco.» Ditocorto si spinse indietro i capelli bagnati e rise. «Jon Arryn scopre che sua maestà ha riempito le pance di un po' di puttane e di un po' di pescivendole e per questo viene fatto fuori. Oh, che cosa terribile! Un uomo di tale sagacia avrebbe addirittura potuto annunciare la sconvolgente verità che il sole sorge a oriente.»

La sola risposta della quale Ned Stark lo degnò fu un corrugamento della fronte. Per la prima volta dopo anni e anni, gli tornò in mente Rhaegar Targaryen. Chissà se anche Rhaegar frequentava i bordelli. Per una qualche ragione, non lo credeva possibile.

La pioggia si era tramutata in un vero e proprio diluvio. Le gocce scrosciavano sul selciato e accecavano gli uomini. Torrenti d'acqua nera si riversavano gorgogliando dalle pendici ripide della Collina di Aegon quando Jory Cassel gridò: «Mio signore!». La sua voce era allarmata. Un istante dopo, la strada era piena di soldati.

Ned intravide maglie di ferro su cuoio nero, armature e gambali, elmi d'acciaio con creste a forma di leoni dorati. Le cappe fradice di pioggia pesavano sui loro corpi. Non ebbe il tempo di contare, ma erano non meno di dieci, tutti allineati a bloccare la strada, armati di spade lunghe e di picche dalla punta d'acciaio. «Dietro di noi!» gridò Wyl, e quando Ned fece girare il proprio cavallo vide una seconda squadra calata a insaccarli, tagliando loro la ritirata. La spada di Jory fu la prima a sibilare fuori dal fodero. «Cedete il passo o morite!»

«I lupi del Nord ululano» rispose il capo del drappello, la pioggia che gli ruscellava in faccia. «Peccato che siano pochi in questo branco.»

«Qual è il significato di ciò?» Con la massima cautela, passo dopo passo, Ditocorto fece avanzare il proprio cavallo. «Quest'uomo è il Primo Cavaliere del re!»

«Era il Primo Cavaliere del re.» Il fango attutì il rumore degli zoccoli di un purosangue. La linea degli armati si aprì. Da un pettorale placcato d'oro, il leone di Lannister ruggì la sua sfida. «A dire il vero,» sorrise lo Sterminatore di Re «adesso non so bene cos'è, quest'uomo.»

«Lannister, stai commettendo una pazzia» disse Ditocorto. «Lasciaci passare. Siamo attesi al castello. Che cosa pensi di fare?»

«Lui sa benissimo cosa pensa di fare» disse Ned gelido.

«Vero» confermò Jaime Lannister con un sorriso. «Sto cercando mio fratello. Tu lo ricordi mio fratello, non è vero, lord Stark? Venne con noi a Grande Inverno. Capelli chiari, occhi di colore diverso, lingua tagliente. Un uomo di piccola statura.»

«Lo ricordo molto bene» rispose Ned.

«Sembra che lungo la strada sia incappato in certi guai. Il lord mio padre è alquanto inquieto in merito. Per caso, non avresti idea di chi può voler fare del male a mio fratello, lord Stark?»

«Tuo fratello è stato preso per mio ordine, lord Lannister, perché risponda dei suoi crimini.»

Ditocorto balbettò: «Miei lord...».

«Estrai il tuo acciaio, lord Eddard.» Ser Jaime sguainò la spada lunga da combattimento e spronò il cavallo. «Ti tirerò comunque fuori le viscere come tirai fuori quelle di Aerys Targaryen, ma tanto vale che tu muoia con la spada in pugno.» Lanciò a Ditocorto uno sguardo di compatimento. «Un consiglio, lord Baelish: levati di torno se non vuoi sporcarti di sangue quei tuoi bei vestitini.»

Ditocorto non aveva alcun bisogno di simili incitamenti. «Chiamerò la Guardia cittadina!» promise a Ned. Lo sbarramento degli armigeri Lannister si aprì quel tanto che bastava per lasciarlo passare e tornò a richiudersi dietro di lui. Ditocorto diede un robusto colpo di speroni e svanì dietro il primo angolo.

Gli uomini di Ned avevano sguainato le spade: tre contro venti. Molti occhi osservavano dalle finestre, ma nessuno osava intervenire. Il suo gruppo era a cavallo, quello degli avversari a piedi, con la sola eccezione di Jaime. A caricarli, avrebbero potuto spezzare l'accerchiamento, ma Ned optò per una tattica diversa che riteneva più sicura. «Tu uccidimi pure, Lannister» ammonì «e mia moglie farà a pezzi tuo fratello.»

«Dici davvero, Stark?» Con la punta della spada, la stessa che aveva bevuto il sangue dell'ultimo re del Drago, lo Sterminatore di Re pungolò Ned al centro del petto. «La nobile Catelyn Tully di Delta delle Acque che diventa assassina di ostaggi? Io direi... di no.» Jaime sospirò. «Ma non intendo rischiare la vita di mio fratello contro l'onore di una donna.» La spada dorata tornò nel fodero. «Credo quindi che ti lascerò tornare da Robert, a dirgli quanta paura ti ho fatto. Chissà se gli importerà qualcosa.» Spinse indietro i capelli bagnati, fece voltare il cavallo e tornò dietro la barriera dei suoi soldati. «Tregar» disse al capitano «che nessun male venga fatto a lord Stark.»

«Come tu comandi, mio signore.»

«Al tempo stesso... non vogliamo che lord Stark se ne vada del tutto senza danni, per cui...» filtrato dalla pioggia e dalle tenebre, Ned vide il candore del sorriso di Jaime «... uccidete i suoi uomini! Tutti!»

«No!» Ned Stark mise mano alla spada. Jaime Lannister era già partito al galoppo, perdendosi nell'oscurità liquida, quando Wyl gridò. Gli uomini si chiusero attorno a loro da tutti i lati. Ned passò col cavallo sopra uno di loro, colpì spettri dalle cappe purpuree aprendosi la strada. Jory Cassel diede di speroni e partì a sua volta alla carica. Uno zoccolo ferrato picchiò dritto contro la faccia di uno degli uomini Lannister con uno scricchiolio repellente. Un secondo uomo arretrò e per un istante Jory fu libero.

Wyl bestemmiò con furore mentre lo tiravano giù dal suo cavallo morente. Troppe lame si alzarono e si abbassarono su di lui nella pioggia.

Ned corse in suo aiuto, colpì in diagonale discendente l'elmo di Tregar, il capitano, e il contraccolpo gli fece digrignare i denti. La cresta a forma di leone si tagliò in due e Tregar crollò in avanti, la faccia oscurata da una cascata di sangue.

Heward mozzò un paio di mani che avevano afferrato le briglie del suo cavallo, ma una lancia gli penetrò nel basso ventre. E di colpo, Jory Cassel piombò nuovamente nella mischia, la spada levata in una pioggia rossa.

«Jory! No!» gli urlò Ned. «Va' via!» Il suo cavallo scivolò e crollò nel fango: un momento di accecante dolore, il sapore acre del sangue in bocca.

Vide il cavallo di Jory che veniva abbattuto, le zampe lacerate in più punti. Vide Jory trascinato a terra e un vortice di spade abbattersi su di lui. In un sussulto, il cavallo di Ned tentò di rialzarsi. Non ci riuscì, e stramazzò nuovamente con un nitrito di dolore. Frammenti di ossa spezzate gli avevano squarciato i muscoli della gamba: fu l'ultima cosa che Stark vide.

La pioggia continuava a cadere, incessante, inesorabile.

Quando riaprì gli occhi, lord Eddard Stark era solo con i suoi morti. Il suo cavallo, assurdamente in piedi, si avvicinò a lui, poi percepì l'odore acre del sangue e fuggì al galoppo. Ned si trascinò nel fango, la mascella contratta per il terribile dolore alla gamba. Gli parve di trascinarsi per giorni, per anni. Alcune porte si aprirono, i vicoli si animarono, la gente scese in strada. Nessuno alzò un dito per aiutarlo.

Ditocorto e la Guardia cittadina lo trovarono sul selciato, che stringeva tra le braccia il corpo di Jory Cassel.

Le cappe dorate di Janos Slynt riuscirono a trovare una barella. Il tragitto fino al castello fu un incubo allucinato. Ned perse conoscenza, tornò in sé, perse nuovamente conoscenza. Nella luce tetra dell'alba, ebbe la visione distorta della Fortezza Rossa che incombeva su di lui. La pioggia aveva reso più scure le pietre rosa pallido della minacciosa struttura, facendo assumere loro la tonalità del sangue.

«Bevi, mio lord.» Il gran maestro Pycelle era chino su di lui e sussurrava reggendo una coppa. «Latte di papavero. Per calmarti il dolore.»

Ricordò di aver bevuto, e udì Pycelle dire a qualcuno di riscaldare il vino al punto di ebollizione e di portargli delle sete pulite.

Dopo questo, non ricordò più nulla.

APPENDICE

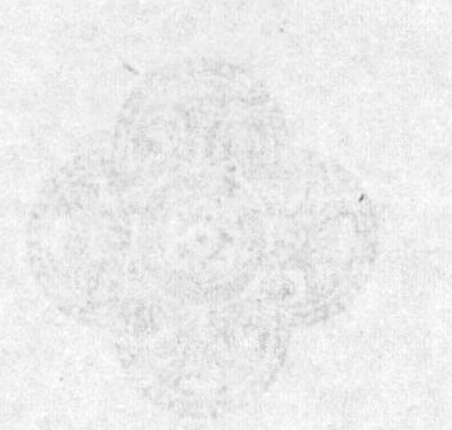

NOBILE CASA BARATHEON

La più recente delle grandi Case dei Sette Regni, nata durante le guerre di Conquista. Si dice che il suo fondatore, Orys Baratheon, fosse un fratello bastardo di Aegon il Drago.

Orys fece una folgorante carriera militare diventando uno dei più validi comandanti di Aegon. Dopo avere sconfitto e ucciso in battaglia Argilac l'Arrogante, ultimo dei re di Capo Tempesta, Aegon lo ricompensò donandogli il castello che era stato di Argilac, oltre alle sue terre e a sua figlia. Orys prese la ragazza in sposa e adottò quindi il vessillo, le onorificenze e il motto della di lei discendenza.

Lo stemma dei Baratheon è il cervo incoronato, nero in campo oro. Il motto: "Nostra è la furia".

RE ROBERT BARATHEON, primo del suo nome
- **Regina Cersei**, della Casa Lannister, sua moglie

I loro figli
- **Principe Joffrey**, erede al Trono di Spade, dodici anni
- **Principessa Myrcella**, otto anni
- **Principe Tommen**, sette anni

I fratelli del re
- **Stannis Baratheon**, signore della Roccia del Drago
  - **Lady Selyse**, della Casa Florent, sua moglie
  - **Shireen**, loro figlia, dieci anni
- **Renly Baratheon**, lord di Capo Tempesta

Il concilio ristretto del re

Gran maestro Pycelle, consigliere e guaritore
Lord Petyr Baelish, detto "Ditocorto", maestro del conio
Lord Stannis Baratheon, comandante delle navi
Lord Renly Baratheon, esperto di legge
Ser Barristan Selmy, comandante della Guardia reale
Varys, eunuco, detto "Ragno Tessitore", capo dello spionaggio

La corte del re

Ser Ilyn Payne, giustiziere reale, il boia
Sandor Clegane, detto "Mastino", guardia del corpo del principe Joffrey
Janos Slynt, comandante della Guardia cittadina di Approdo del Re
Jalabhar Xho, principe esiliato delle Isole dell'Estate
Ragazzo di Luna, giullare
Lancel e **Tyrek Lannister**, scudieri del re, cugini della regina
Ser Aron Santagar, maestro d'armi

La Guardia reale

Ser Barristan Selmy, lord comandante
Ser Jaime Lannister, detto "Sterminatore di Re"
Ser Boros Blount
Ser Meryn Trant
Ser Arys Oakheart
Ser Preston Greenfield
Ser Mandon Moore

Case che hanno giurato fedeltà a Capo Tempesta

Selmy, Wylde, Trant, Penrose, Errol, Estermont, Tarth, Swann, Caron, Dondarrion

Case che hanno giurato fedeltà alla Roccia del Drago

Celtigar, Velaryon, Seaworth, Bar Emmon, Sunglass

Nobile Casa Stark

Gli Stark traggono la loro origine da Brandon il Costruttore e dagli antichi re dell'Inverno. Per migliaia di anni dominarono da Grande Inverno quali re del Nord, finché Torrhen Stark, il Re-in-ginocchio, scelse di giurare fedeltà ad Aegon il Drago invece di affrontarlo in battaglia.

Il loro stemma è un meta-lupo grigio in campo bianco ghiaccio. Il loro motto: "L'inverno sta arrivando".

EDDARD STARK, lord di Grande Inverno, Protettore del Nord
- **Lady Catelyn**, della Casa Tully, sua moglie

I loro figli
- **Robb**, erede di Grande Inverno, quattordici anni
- **Sansa**, figlia maggiore, undici anni
- **Arya**, figlia minore, nove anni
- **Brandon**, detto "Bran", sette anni
- **Rickon**, tre anni

Il figlio bastardo di lord Eddard
- **Jon Snow**, quattordici anni

Il protetto di lord Eddard
- **Theon Greyjoy**, erede delle Isole di Ferro

I fratelli di lord Eddard
- **Brandon**, fratello maggiore, assassinato per ordine di Aerys II Targaryen
- **Lyanna**, sorella minore, morta tra le montagne di Dorne
- **Benjen**, fratello minore, confratello dei guardiani della notte

La corte di Grande Inverno

Maestro Luwin, consigliere e guaritore
Vayon Poole, attendente
Jeyne Poole, figlia di Vayon, migliore amica di Sansa
Jory Cassel, comandante della Guardia
Hallis Mollen, Desmond, Harwin figlio di Hullen, Jacks, Porther, Quent, Alyn, Tomard, Varly, Heward, Cayn, Wyl, guardie
Ser Rodrik Cassel, zio di Jory, maestro d'armi
Beth Cassel, figlia di ser Rodrik
Septa Mordane, governante delle figlie di lord Eddard
Septon Chayle, custode del sacrario e della biblioteca del castello
Hullen, mastro dei cavalli
Harwin, figlio di Hullen, guardia
Joseth, stalliere e addestratore di cavalli
Farlen, mastro del canile
Vecchia Nan, narratrice di leggende, un tempo balia
Hodor, pronipote della Vecchia Nan, ragazzo di stalla dalla mente semplice
Gage, cuoco
Mikken, fabbro e armaiolo

I principali nobili alfieri di Casa Stark

Ser Helman Tallhart
Rickard Karstark, lord di Karhold
Roose Bolton, lord di Forte Terrore
Jon Umber, chiamato "Grande Jon"
Galbart e **Robett Glover**
Wyman Manderly, lord di Porto Bianco
Maege Mormont, lady dell'Isola dell'Orso

Case che hanno giurato fedeltà a Grande Inverno

Karstark, Umber, Flint, Mormont, Hornwood, Cerwyn, Reed, Manderly, Glover, Tallhart, Bolton

NOBILE CASA LANNISTER

Alti, attraenti e dai capelli biondi, i Lannister hanno il sangue degli avventurieri andali e conquistarono un vasto regno tra le valli e le colline dell'Occidente. Attraverso la discendenza in linea femminile, si dichiarano progenie di Lann l'Astuto, il leggendario maestro d'inganni dell'Età degli Eroi.

L'oro delle miniere di Castel Granito e della Zanna Dorata li ha resi la più ricca fra tutte le grandi casate dei Sette Regni.

Il loro stemma è un leone dorato in campo porpora. Il loro motto: "Udite il mio ruggito".

TYWIN LANNISTER, lord di Castel Granito, Protettore dell'Ovest, difensore di Lannisport

Lady Joanna, sua moglie e cugina, morta di parto

I loro figli

Ser Jaime, detto "Sterminatore di Re", erede di Castel Granito, gemello di Cersei

Cersei, moglie di re Robert I Baratheon, regina dei Sette Regni, gemella di Jaime

Tyrion, detto "Folletto", un nano

I fratelli e le sorelle di lord Tywin

Ser Kevan, fratello maggiore

Dorna, della Casa Swyft, sua moglie

Lancel, il loro figlio maggiore, scudiero del re

Willem e **Martyn**, i loro figli gemelli

Janei, la loro figlia in tenera età

Genna, sposa di ser Emmon Frey
Ser Cleos e **ser Tion Frey**, loro figli
Ser Tygett, morto di malattia
Darlessa, della Casa Marbrand, la sua vedova
Tyrek, il loro figlio, scudiero del re
Gerion, il fratello minore, scomparso in mare
Joy, figlia bastarda di Gerion, undici anni

I cugini di lord Tywin
Ser Stafford Lannister, fratello della defunta lady Joanna
Cerenna e **Myrielle**, le sue figlie
Ser Daven Lannister, suo figlio

Il consigliere di lord Tywin
Maestro Creylen, guaritore

I principali nobili alfieri di Casa Lannister
Lord Leo Lefford
Ser Addam Marbrand
Ser Gregor Clegane, detto "Montagna che cavalca"
Ser Harys Swyft, patrigno di ser Kevan
Lord Andros Brax
Ser Flement Brax, suo figlio
Ser Forley Prester
Ser Amory Lorch
Vargo Hoat, della città libera di Qohor, mercenario

Case che hanno giurato fedeltà a Castel Granito
Payne, Swyft, Marbrand, Lydden, Banefort, Lefford, Crakehall, Clegane, Serrett, Broom, Prester, Westerling

Nobile Casa Arryn

Gli Arryn discendono dai re delle Montagne e della Valle, una delle più antiche e più pure linee della nobiltà degli andali.

Il loro stemma è il falcone che sormonta la luna, bianco in campo azzurro cielo. Il loro motto è: "In alto quanto l'onore".

JON ARRYN, lord del Nido dell'Aquila, difensore della Valle, Protettore dell'Est, Primo Cavaliere del re, deceduto di recente
- **Lady Jeyne**, della Casa Royce, sua prima moglie, morta di parto nel dare alla luce una figlia
- **Lady Rowena**, sua cugina e seconda moglie, morta in un gelido inverno, senza figli
- **Lady Lysa**, della Casa Tully, sua terza moglie e vedova, sorella di lady Catelyn Stark, della Casa Tully

Il figlio
- **Robert**, figlio di Jon e Lysa, un ragazzo di salute cagionevole di sette anni, lord del Nido dell'Aquila e difensore della Valle

La corte del Nido dell'Aquila
- **Maestro Colemon**, consigliere e guaritore
- **Ser Vardis Egen**, comandante della Guardia
- **Ser Brynden Tully**, chiamato "Pesce Nero", Cavaliere della Porta Insanguinata, zio di lady Lysa
- **Lord Nestor Royce**, alto attendente della Valle
  - **Ser Alabar Royce**, suo figlio
  - **Mya Stone**, ragazza bastarda al servizio di lord Nestor

Lord Eon Hunter, pretendente di lady Lysa
Ser Lyn Corbray, pretendente di lady Lysa
Mychel Redfort, scudiero di ser Lyn
Lady Anna Waynwood, una vedova
Ser Morton Waynwood, figlio di lady Anna, pretendente di lady Lysa
Ser Donnel Waynwood, altro figlio di lady Anna
Mord, brutale carceriere

Case che hanno giurato fedeltà al Nido dell'Aquila
Royce, Baelish, Egen, Waynwood, Hunter, Redfort, Corbray, Belmore, Melcolm, Hersy

Nobile Casa Tully

Per quanto signori da migliaia di anni di ricche terre e di un magnifico castello a Delta delle Acque, i Tully non hanno mai regnato come re.

Durante le guerre di Conquista, l'intera regione percorsa da molti fiumi apparteneva ad Harren il Nero, re delle Isole di Ferro. Il nonno di Harren, re Harwyn Manodura, aveva preso il Tridente ad Arrec, re di Capo Tempesta, i cui antenati, trecento anni prima, avevano conquistato tutta la regione fino all'Incollatura.

Tiranno vanesio e crudele, Harren il Nero era pochissimo amato dai sudditi, così molti dei lord del fiume lo abbandonarono per affiancare le armate di Aegon il Drago. Il primo a farlo fu Edmyn Tully di Delta delle Acque. Quando Harren e tutta la sua discendenza perirono nella caduta di Harrenhal, Aegon ricompensò la Casa Tully concedendo a lord Edmyn il dominio sulle terre del Tridente e imponendo agli altri lord di giurargli fedeltà.

Lo stemma dei Tully è una trota che salta, di colore argenteo in campo rosso e azzurro ondeggiante. Il loro motto è: "Famiglia, dovere, onore".

HOSTER TULLY, lord di Delta delle Acque
Lady Minisa, della Casa Whent, sua moglie, morta di parto

I loro figli
Catelyn, figlia maggiore, sposa di lord Eddard Stark
Lysa, figlia minore, sposa di lord Jon Arryn
Ser Edmure, erede di Delta delle Acque

Il fratello di lord Hoster
Ser Brynden, chiamato "Pesce Nero"

La corte di Delta delle Acque
Maestro Vyman, consigliere e guaritore
Ser Desmond Grell, maestro d'armi
Ser Robin Ryger, comandante della Guardia
Utherydes Wayn, attendente

I principali nobili alfieri di Casa Tully
Jason Mallister, lord di Seagard
Patrek Mallister, suo figlio ed erede
Walder Frey, lord del Guado, con i suoi numerosi figli, nipoti e bastardi
Jonos Bracken, lord di Stone Hedge
Tytos Blackwood, lord di Raventree
Ser Raymun Darry
Ser Karyl Vance
Ser Marq Piper
Shella Whent, lady di Harrenhal
Ser Willis Wode, cavaliere al servizio di lady Shella

Case che hanno giurato fedeltà a Delta delle Acque
Darry, Frey, Mallister, Bracken, Blackwood, Whent, Ryger, Piper, Vance

Nobile Casa Tyrell

I Tyrell salirono al potere quali attendenti dei re dell'Altopiano, il cui dominio includeva le fertili pianure del Sud-Ovest, dalle paludi di Dorne e del Fiume delle Rapide Nere fino alle sponde del Mare del Tramonto.

Per linea femminile, proclamano la loro discendenza da Garth Manoverde, giardiniere del re dei primi uomini, che portava in capo una corona fatta di viticci e di fiori e fu l'artefice della fertilità della terra.

Quando re Mern, ultimo dei re dell'Altopiano, perì nella Battaglia del Campo di Fuoco, il suo attendente Harlen Tyrell offrì la resa di Alto Giardino ad Aegon Targaryen e gli giurò fedeltà. Aegon gli concesse quindi il castello e il dominio sull'Altopiano.

Lo stemma dei Tyrell è una rosa dorata in campo verde erba. Il loro motto è: "Crescere forti".

MACE TYRELL, lord di Alto Giardino, Protettore del Sud, difensore delle Terre Basse, gran maresciallo dell'Altopiano
Lady Alerie, della Casa Hightower di Vecchia Città, sua moglie

I loro figli
Willas, figlio maggiore, erede di Alto Giardino,
Ser Garlan, chiamato "il Galante", secondo figlio
Ser Loras, il "Cavaliere di Fiori", figlio più giovane
Margaery, figlia, quindici anni

La madre vedova di lord Mace
Lady Olenna, della Casa Redwyne, chiamata "Regina di Spine"

Le sorelle di lord Mace
Mina, sposa a lord Paxter Redwyne
Janna, sposa a ser Jon Fossoway

Gli zii di lord Mace
Garth, chiamato "il Grosso", lord siniscalco di Alto Giardino
Garse e **Garrett Flowers**, figli bastardi di Garth
Ser Moryn, lord comandante della Guardia cittadina di Vecchia Città
Maestro Gormon, un dotto della Cittadella

La corte di Alto Giardino
Maestro Lomys, consigliere e guaritore
Igon Vyrwel, comandante della Guardia
Ser Vortimer Crane, maestro d'armi

I nobili alfieri di lord Mace
Paxter Redwyne, lord di Arbor
Lady Mina, della Casa Tyrell, sua moglie
Ser Horas Redwyne, figlio di Paxter, definito ironicamente "ser Orrore", gemello di Hobber
Ser Hobber Redwyne, figlio di Paxter, definito ironicamente "ser Fetore", gemello di Horas
Desmera Redwyne, figlia di Paxter, sedici anni
Randyll Tarly, lord della Collina del Corno
Samwell Tarly, suo figlio maggiore, dei guardiani della notte
Dickon Tarly, suo figlio minore, erede della Collina del Corno
Arwyn Oakheart, lady di Vecchia Quercia
Mathis Rowan, lord di Goldengrove
Leyton Hightower, Voce di Vecchia Città, lord del Porto
Ser Jon Fossoway

Case che hanno giurato fedeltà ad Alto Giardino
Vyrwel, Florent, Oakheart, Hightower, Crane, Tarly, Rowan, Fossoway, Mullendore

Nobile Casa Greyjoy

I Greyjoy di Pyke, nelle Isole del Ferro, si proclamano discendenti di re Grey dell'Età degli Eroi. La leggenda dice che re Grey dominò non soltanto sulle isole occidentali, ma anche sulla distesa del mare, e che per moglie aveva una sirena.

Per migliaia di anni, predatori provenienti dalle Isole di Ferro – chiamati "uomini di ferro" dalle loro vittime – furono il terrore dei mari. Si spingevano per mare fino al Porto di Ibben e alle Isole dell'Estate. Erano assai orgogliosi della loro ferocia in combattimento e della loro sacra libertà.

Ciascuna Isola di Ferro aveva un "re del sale" e un "re della roccia". Il re di tutte le isole era scelto tra loro. Questa usanza continuò finché re Urron non rese ereditario il trono sterminando tutti gli altri concorrenti in occasione di un'assemblea per la scelta del nuovo re.

La discendenza di Urron si estinse migliaia di anni più tardi, nell'epoca in cui gli andali conquistarono le Isole di Ferro. Come tutti gli altri ex dominatori dell'arcipelago, anche i Greyjoy si unirono in matrimonio con i conquistatori.

I re del Ferro estesero il loro dominio ben al di là delle isole stesse, erodendo regni sul continente col ferro e col fuoco. Re Qhored affermava il vero quando si vantava che i suoi ordini venivano eseguiti "dovunque un uomo sente odore di acqua salata o il rombo delle onde".

Nei secoli successivi, però, i discendenti di Qhored persero Arbor, Vecchia Città, l'Isola dell'Orso e gran parte della costa occidentale. Per contro, allo scoppio delle guerre di Conquista, re Harren il Nero continuava a dominare su tutte le terre tra le montagne, dall'Incollatura al Fiume delle Rapide Nere.

Quando Harren e i suoi figli perirono nella caduta di Harrenhal, Aegon Targaryen concesse le terre fluviali alla Casa Tully e permise ai lord delle Isole di Ferro sopravvissuti di ritornare alle loro antiche usanze scegliendo tra loro il re di tutte le isole. La loro scelta cadde su lord Vickon Greyjoy di Pyke.

Lo stemma dei Greyjoy è una piovra dorata in campo nero. Il loro motto è: "Noi non seminiamo".

BALON GREYJOY, lord delle Isole di Ferro, re del Sale e della Roccia, Figlio del Vento di mare, lord possessore di Pyke
Lady Alannys, della Casa Harlaw, sua moglie

I loro figli
Rodrik, figlio maggiore, ucciso a Seagard durante la Ribellione di Greyjoy
Maron, secondogenito, ucciso sulle mura di Pyke durante la Ribellione di Greyjoy
Asha, figlia, comandante del vascello *Vento nero*
Theon, unico figlio maschio superstite, erede di Pyke, protetto di lord Eddard Stark

I fratelli di lord Balon
Euron, chiamato "Occhio di Corvo", comandante del vascello *Silenzio*, fuorilegge, pirata e predone
Victarion, lord comandante della Flotta di Ferro
Aeron, chiamato "Capelli Bagnati", prete del culto del Dio Abissale

Case che hanno giurato fedeltà a Pyke
Harlaw, Stonehouse, Merlyn, Sunderly, Botley, Tawney, Wynch, Buonfratello

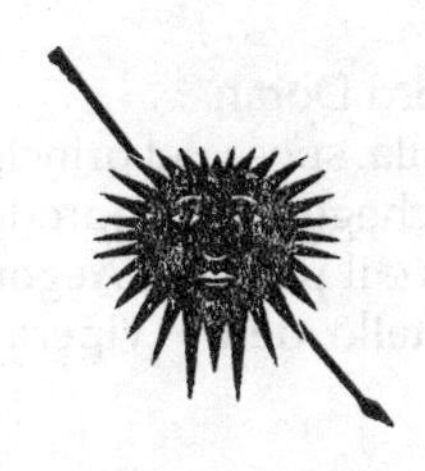

Nobile Casa Martell

Nymeria, regina guerriera della Rhoyne, portò le sue diecimila navi ad approdare a Dorne, il più meridionale dei Sette Regni, e prese lord Mors Martell come proprio sposo. Fu con l'aiuto di lei che Mors spazzò via tutti gli altri rivali per il dominio di Dorne.

L'influenza rhoyniana rimane però forte. Per questo i dominatori di Dorne si definiscono "principi" e non "re". Secondo la legge di Dorne, terre e titoli passano all'erede primogenito, sia esso maschio o femmina.

Caso unico nei Sette Regni, Dorne non venne mai conquistata, neppure da Aegon il Drago. Non divenne parte del reame allargato fino a duecento anni dopo le guerre di Conquista, e tale annessione avvenne attraverso un matrimonio e un trattato, non con il ferro e il fuoco.

Sposando la principessa Myriah della Casa Martell, e dando la propria sorella in sposa al principe regnante di Dorne, il pacifico re Daeron II Targaryen trionfò dove tutti i re guerrieri prima di lui avevano fallito.

Lo stemma dei Martell è un sole rosso perforato da un giavellotto. Il loro motto è: "Mai inchinati, mai piegati, mai spezzati".

DORAN NYMERIOS MARTELL, lord di Lancia del Sole, principe di Dorne

Mellario, sua moglie, della città libera di Norvos

I loro figli

Principessa Arianne, figlia maggiore, erede di Lancia del Sole
Principe Quentyn, figlio maggiore
Principe Trystane, figlio minore

I fratelli e le sorelle di lord Doran

Principessa Elia, sorella, sposa del principe Rhaegar Targaryen, uccisa durante il saccheggio di Approdo del Re con i figli, la **principessa Rhaenys** e il **principe Aegon**
Principe Oberyn, fratello, detto "Vipera Rossa"

La corte di Dorne

Areo Hotah, della città libera di Norvos, comandante della Guardia
Maestro Caleotte, consigliere e guaritore

Il nobile alfiere di lord Doran

Edric Dayne, lord di Stelle al Tramonto

Case che hanno giurato fedeltà a Dorne

Jordayne, Santagar, Allyrion, Toland, Yronwood, Wyl, Fowler, Dayne

L'antica dinastia
Nobile Casa Targaryen

I Targaryen sono il sangue del drago, discendenti dai supremi lord dell'antica fortezza di Valyria, il loro retaggio proclamato dalla loro prodigiosa (ma alcuni la ritengono inumana) bellezza: occhi color indaco o violetti, capelli biondo argento o platino.

Gli antenati di Aegon il Drago sfuggirono al Disastro di Valyria, al caos e al massacro che ne seguirono, e ripararono alla Roccia del Drago, un'isola pietrosa nel Mare Stretto. Fu da là che Aegon e le sue sorelle, Visenya e Rhaenys, partirono alla conquista dei Sette Regni.

Per preservare puro il sangue reale, la Casa Targaryen ha spesso seguito l'usanza valyriana del matrimonio tra fratello e sorella. Aegon stesso prese in moglie entrambe le sue sorelle, le quali gli diedero ciascuna un figlio.

Lo stemma dei Targaryen è un drago con tre teste, rosso su sfondo nero, ciascuna testa simboleggiante Aegon e le sue sorelle. Il loro motto: "Fuoco e sangue".

LA DISCENDENZA TARGARYEN
a partire dall'anno dell'approdo di Aegon I

1-37	Aegon I	il Conquistatore, il Drago
37-42	Aenys I	figlio di Aegon e Rhaenys
42-48	Maegor I	il Crudele, figlio di Aegon e Visenya
48-103	Jaehaerys I	il Vecchio Re, il Conciliatore, figlio di Aenys
103-129	Viserys I	nipote di Jaehaerys

129-131	Aegon II	primogenito di Viserys I [L'ascesa al trono di Aegon II venne contestata dalla sorella Rhaenyra, di un anno maggiore di lui; entrambi perirono nella guerra fratricida che seguì, chiamata dai cantastorie *Danza dei Draghi*.]
131-157	Aegon III	Veleno di Drago, figlio di Rhaenyra [L'ultimo dei draghi dei Targaryen morì nel corso del regno di Aegon III.]
157-161	Daeron I	Giovane Drago, il re Ragazzo, figlio maggiore di Aegon III [Daeron conquistò Dorne, ma non fu in grado di tenerla e morì in giovane età.]
161-171	Baelor I	l'Amato, il Benedetto, septon e re, secondogenito di Aegon III
171-172	Viserys II	quarto figlio di Aegon III
172-184	Aegon IV	il Mediocre, primogenito di Viserys II [Suo fratello minore, principe Aemon, Cavaliere del Drago, fu il campione e alcuni dicono anche l'amante della regina Naerys.]
184-209	Daeron II	figlio della regina Naerys, padre incerto: Aegon IV o suo fratello Aemon [Fu Daeron II ad annettere Dorne al reame sposando la principessa Myriah.]
209-221	Aerys I	secondogenito di Daeron II
221-233	Maekar I	quartogenito di Daeron II
233-259	Aegon V	l'Improbabile, quartogenito di Maekar I
259-262	Jaehaerys II	secondogenito di Aegon V
262-283	Aerys II	il Re Folle, unico figlio di Jaehaerys II

Con Aerys II, detronizzato e ucciso, e con la morte del suo erede diretto, Rhaegar Targaryen, per mano di Robert Baratheon sul Tridente, termina la discendenza dei Re del Drago.

GLI ULTIMI TARGARYEN

RE AERYS TARGARYEN, secondo del suo nome, ucciso da Jaime Lannister, lo Sterminatore di Re, durante il saccheggio di Approdo del Re

Regina Rhaella, sua sorella e moglie, morta di parto sull'Isola della Roccia del Drago

I loro figli

Principe Rhaegar, erede al Trono di Spade, ucciso da Robert Baratheon nella Battaglia del Tridente

Principessa Elia, sua moglie, della Casa Martell, uccisa durante il saccheggio di Approdo del Re

Principessa Rhaenys, figlia di Rhaegar ed Elia, una bambina, uccisa durante il saccheggio di Approdo del Re

Principe Aegon, figlio di Rhaegar ed Elia, un infante, ucciso durante il saccheggio di Approdo del Re

Principe Viserys, si fa chiamare Viserys III, lord dei Sette Regni; è chiamato il "Re Mendicante"

Principessa Daenerys, chiamata Daenerys "Nata dalla Tempesta", una fanciulla di quattordici anni

RINGRAZIAMENTI

Il diavolo, dicono, si annida nei dettagli.

Un libro di questa magnitudine contiene moltissimi diavoli, ognuno dei quali è pronto a mordere se non si presta attenzione. Per mia fortuna, conosco moltissimi angeli.

Ringraziamento e apprezzamento quindi a tutte quelle persone perbene le quali mi hanno gentilmente concesso la loro attenzione e la loro esperienza – spesso anche i loro libri – consentendomi di far sì che i numerosi dettagli fossero esatti.

Grazie a Sage Walker, Martin Wright, Melinda Snodgrass, Carl Keim, Bruce Baugh, Tim O'Brien, Roger Zelazny, Jane Lindskold, Laura J. Mixon e, naturalmente, Parris.

Un ringraziamento speciale a Jennifer Hershey, per un lavoro che è andato ben oltre il dovere e tutto il resto.